건강전문가를 위한 연구방법론: 이해와 비평

(Research Methods and Critical Appraisal)(2nd ed.)

군자출판사

건강전문가를 위한 연구방법론: 이해와 비평
(Research Methods and Critical Appraisal) (2nd ed.)

첫째판 1쇄 인쇄	2006년 9월 1일
첫째판 1쇄 발행	2006년 9월 10일
둘째판 1쇄 인쇄	2017년 8월 26일
둘째판 1쇄 발행	2017년 9월 1일

지 은 이   이해정, 송라윤, 이은현, 안숙희 공저
발 행 인   장주연
출 판 기 획   이민영
편집디자인   우윤경
표지디자인   이상희
발 행 처   군자출판사(주)
            등록 제4-139호(1991. 6. 24)
            본사 (10881) 경기도 회동길 338(서패동 474-1)
            전화 (031) 943-1888   팩스 (031) 955-9545
            홈페이지 | www.koonja.co.kr

ISBN 979-11-5955-225-0

정가 30,000원

건강전문가를 위한 연구방법론: 이해와 비평
(Research Methods and Critical Appraisal)(2nd ed.)

이해정·송라윤·이은현·안숙희 지음

군자출판사

머리말

　　"건강전문가를 위한 연구방법론" 개정판은 보건의료 전문가들의 연구방법에 대한 이해를 증진하고 연구활동에 대한 접근성을 향상시키기 위해 핵심적 연구방법론들을 간략하게 정리하였으며, 각 연구방법에 대한 예들을 제시함으로써 연구방법론에 대한 이해를 증진하고자 노력하였다.

　　본 저서는 총 13장으로 구성되었다. 1장에서 3장까지는 개념적 요소로 연구과정에 대한 이해, 연구주제 결정, 기존 문헌 검토 등에 대한 정보가 제공되며, 4장에서 7장은 연구 설계에 대한 내용으로 조사연구, 실험연구, 질적연구를 포함하였으며, 최근 많이 활용되는 메타분석, 체계적 문헌고찰, 대규모 자료세트를 이용한 이차분석을 포함한 다양한 연구 설계의 주요 내용을 간략하게 소개하였다. 8장은 표본추출과 검정력 분석에 대한 내용이며, 9장은 연구윤리에 대한 내용으로 인권보호에 대한 내용과 사례를 소개하였고, 10장은 측정도구의 유형, 11장은 도구개발과정과 검증방법에 대한 내용을 설명하였다. 12장은 자료수집절차에 대한 내용이며, 13장은 자료관리에 대한 내용으로 자료분석을 위한 준비, 문제자료선별과 해결법에 대한 내용들이다.

본 교재의 목표는 대학원생이나 임상전문가에게 연구에 대한 전반적인 이해와 구체적인 진행 절차를 제공하는 것으로, 사례를 소개함으로써 독자의 이해를 증진하고자 하였다. 본 교재가 초보 연구자와 숙련된 연구자 모두에게 도움이 되는 유용한 정보를 제공하기를 바라며, 본 교재가 나오기까지 도와주신 여러분께 진심으로 감사드리며 기꺼이 출판을 맡아주신 군자출판사와 수고하신 직원 여러분께 깊이 감사드린다.

2017년 8월

저자 일동

11 도구개발과 검증   293

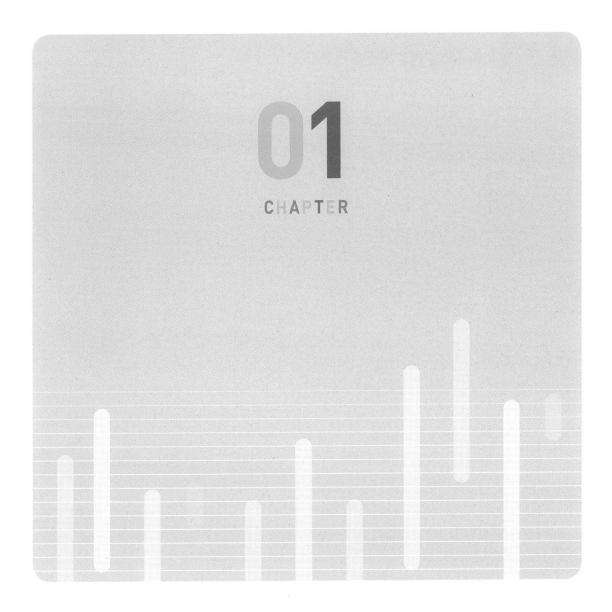

01
CHAPTER

연구란 무엇인가?

01

연구란 무엇인가?

대부분의 보건의료인은 이미 많은 연구활동을 수행하였으며, 물건을 구매하기 위한 노력에서부터 최상의 보건의료서비스를 제공하기 위한 근거발견에 이르기까지 연구활동의 범위는 매우 다양하다. 만약 친구를 방문하기 위해 비행기 표를 구매하려고 한다면, '최상의 거래'를 위해 인터넷을 검색할 것이고, '어디서 최상의 거래를 할 수 있을까?'라는 질문에서 시작하여, 관련정보를 수집하고, 결론에 도달할 것이다. 이런 '일상에서의 연구'는 보건의료 관련연구와 많은 공통점을 가진다.

보건의료 관련연구는 공식적인 기획과정을 거치며, 질문을 하고 문제를 풀기위해 규범화된 방법을 사용하는 체계적(systematic)인 탐구과정이다. 보건의료 관련연구의 궁극적인 목표는 보건의료서비스의 질적 향상을 위해 많은 사람에게 유용한 지식을 얻는 것으로, 보건의료인과 대상자에게 중요한 주제에 대해 신뢰할 수 있는 근거를 마련하는 것이다. 임상 연구는 보건의료 실무를 가이드하며, 일반적으로 보건의료 실무자들이 당면한 임상 실무에서 발견되는 문제에서 시작한다. 대부분 보건의료 실무자들은 연구가 추상적이며, 실무와 연관성이 없을 것이라고 생각한다. 그러나 연구는 실제 문제를 경험하는 사람에 대한 것이고 그러한 문제에 대해 연구하는 것은 돌봄의 향상을 통해 그 문제를 해결하고 개선한다.

BOX 1-1	연구질문의 예

- "6개월 동안의 유산소운동 프로그램이 지역사회에 거주하는 경도 이상의 알츠하이머 질환을 가진 노인들의 자기관리기능, 전반적인 인지능력 및 삶의 질을 향상시키는가?" (Yu et al., 2015, p486)
- "안면 지방 위축증을 앓는 환자들의 재건 치료에 대한 경험은 어떠한가?" (Gagnon, 2012, p541)

연구는 근거기반 실무기술을 향상시키며, 보건의료인은 연구과정을 통해 연구의 최신 동향을 알게 되고, 미래의 임상실무발전에 기여할 수 있다. 임상질문을 개발하고 연구문헌을 탐색하고, 문헌의 연구근거를 평가하여, 임상에서 '가장 적절한 근거'를 찾는 과정에서 비판적 사고능력과 임상적 의사결정기술이 향상될 수 있다. 임상질문의 예는 다음과 같다.

- "전화교육이 만성 심질환자의 건강결과에 어떤 영향을 미치는가? 중재의 효과를 증진시킬 수 있는 요소는 무엇인가?"
- "자가 관리증진을 위한 컴퓨터 기반 학습이 소아 당뇨환자에게 어떤 효과가 있을까?"
- "한국 여성의 유방암 검진에 대한 장애요소를 파악하기 위해 어떤 연구들이 수행되었는가?"
- "원격진료에 대해 수행된 연구의 질은 어떠한가?"
- "가장 효과적인 지역사회 기반 금연 중재는 무엇인가?"

1. 연구, 근거기반 실무, 질 향상

보건의료인은 최상의 보건의료 서비스를 제공하기 위해 대상자의 건강 문제와 창의적이고 혁신적 접근법에 대한 최신 지식을 확보하기 위해 노력해야 한다(Institute of Medicine [IOM], 2011). 건강에 대한 생물학적·행동적·환경적 영향에 대한 최신 연구결과를 기반으로 한 실무를 통해 최상의 의료서비스가 제공될 수 있으며, 연구, 근거기반실무(Evidence-Based Practice [EBP]), 질 향상 (Quality Improvement [QI])은 유사한 성격을 가지지만 구분되는 개념이다. 연구는 체계적이고 엄격하며 비판적인 조사와 중재를 통해 보건의료 관련 현상에 대한 문제를 해결하는 것이 목적이다. 연구는 과학적 연구과정을 거치며, 사용하는 연구방법은 다양한 학문분야에서 공통으로 사용되나, 구체적 연구문제는 학문분야별 차이나는 관점을 가질 수 있다. 연구수행을 통해 실무에 유용하고 신뢰할 수 있는 지식이 개발되며, 연구과정의 질적 수준에 따라 연구결과가 제공하는 근거에 대한 수준이 평가된다. 근거기반실무는 타당한 연구근거, 임상적 전문 지식, 환자와 가족의 가치와 선호도에 대한 정보를 수집하고, 평가하고, 통합하여 최상의 실무를 제공하는 것이다(Sackett, Straus, Richardson, Rosenberg, & Haynes, 2000). 문헌을 통해 연구결과를 수집하고 평가한 뒤 실무 적용 가능성에 대한 의사결정을 내리고, 근거를 기반으로 최상의 실무를 수행한다. 질 향상은 건강관리 체계의 질과 안전성을 향상시키기 위해 (1) 최상의 의료서비스를 제공하는데 저해되는 요소나 위험요소를 파악하고, (2) 우선해결과제를 선택하고, (3) 근거기반 개선안을 구상하고, (4) 최적의 개선안을 선택하여, (5) 실무를 변화하기 위한 전략을 설계하여 검정하고, (6) 결과를 평가하여 피드백하는 지속적 과정을 통해 더 나은 방향으로의 실무변화를 도모한다. 질 높은 건강관리란 (1) 안전하고 (2) 효과적이고 (3) 환자중심적이고 (4) 시기적절하고 (5) 효율적이며 (6) 공평한 건강관리를 의미한다(IOM, 2001).

연구는 새로운 지식을 발견하거나 창조하기 위해 수행되는 반면 근거기반실무와 질 향상은 의료서비스를 개선하기 위해 현재 이용 가능한 지식을 활용한다. 연구, 근거기반 실무, 질 향상은 공통적으로 질문에서 시작하지만, 연구에서의 질문은 적절한 유형의 설계와 구체적 방법론(즉, 표집, 도구, 연구절차, 자료분석)을 통해 검증되며 새롭고 일반화할 수 있는 지식을 만들고, 근거기반실무와 질 향상에서의 질문은 건강관리개선을 위해 이미 수행된 연구문헌을 검색하기 위해 사용된다. 근거기반실무나 질 향상을 위해 반드시 연구를 수행해야 하는 것은 아니지만, 비판적으로 연구문헌을 읽고 임상적 의사결정을 하기 위해서는 연구의 각 과정을 이해하고 평가할 수 있어야 한다.

보건의료 전문직의 핵심적인 특징 중 하나인 책임감(accountability)은 과학적 탐구과정을 통해 강화될 수 있다. 보건의료인은 연구를 수행하거나 실무에서 연구근거를 활용함으로써 진보된 과학적 지식을 공유하며, 연구결과의 적절성을 판단하기 위해 연구과정의 각 단계를 이해해야 한다. 기준에 근거한 연구의 장점과 적용가능성을 결정하기 위해 비판적 평가능력(critical appraisal) 또한 필수적이다.

2. 연구의 유형: 질적 연구와 양적 연구

연구는 크게 질적 연구와 양적 연구로 분류할 수 있다. 연구자는 자신이 제기한 연구질문에 따라 연구의 유형을 선택한다. 변수들 간의 관계를 조사하거나 인과관계를 검증하기를 원하는 경우는 양적 연구가 선택될 것이고, 경험이나 과정의 의미를 이해하고 발견하는 것을 원할 경우에는 질적 연구가 선택될 것이다. 질적 연구는 주로 슬픔, 희망, 부담감과 같은 인간 경험의 의미를 이해하기 위해 수행되며, 경험의 의미는 견해에 따라 달라지고 주관적이며, 경험의 맥락에 따라서도 다르게 나타난다. 예를 들면, 유산 후 경험하는 슬픔은 부모를 잃고 경험하는 슬픔과는 다르다. 질적 연구는 수치적 자료(Numeric data)보다는 말이나 글로 된 자료를 사용하며, 자료는 소수의 대상자들로부터 수집되며, 현상에 대한 깊은 탐구를 가능하게 하며, 환자에게 영향을 미치는 경험 또는 현상에 대한 것들이다. 질적 연구는 주관적인 접근법을 사용하지만 방법론적 체계성은 유지하여야 한다. 반면 양적 연구는 연구질문과 현상을 기술하는 연구가설, 관계 검증, 차이점 분석, 변수 간 인과관계 분석, 중재 효과 검증 등을 포함하며, 수치화된 자료는 통계기법을 사용하여 요약되고 분석되며, 연구방법은 체계적이고 구조화되어 있다.

질적 연구와 양적 연구와의 차이점은 질적 연구는 의미와 현상을 해석하고, 양적 연구는 통계적 방법을 사용하여 가설을 검정하거나 연구질문에 답한다는 것이다. 연구문제의 특성에 따라 연구를 진행하는 과정에서 약간의 차이는 있을 수 있지만 모든 단계는 체계적으로 다루어져야 한다.

3. 비판적 논문 읽기

연구역량과 임상적 전문성을 향상시키기 위해 다양한 유형의 연구논문을 비판적으로 읽을 수 있어야 한다. 연구논문에서 사용되는 용어가 다소 생소하여 읽기 어렵다거나, 너무 전문적이어서 지루하다고 생각할 수 있지만 비판적 논문읽기 전략(BOX 1-2)을 통해 논문읽기 능력이 향상될 수 있다. 처음부터 연구논문을 완벽하게 이해하거나 비평하는 것은 어려우며, 연구를 비판적으로 읽어내는 것 역시 연구과정을 배우는 것과 같이 시간이 걸리고 인내를 필요로 한다.

BOX 1-2　　비판적 논문읽기 전략

예비단계
- 연구책과 사전을 옆에 두어라.
- 연구과정의 단계에 따라 기준과 주요 용어를 생각하며 연구책의 각 장을 복습하라.
- 주요 변수를 나열하라.
- 새로운 용어, 익숙하지 않은 용어, 중요한 문장에 강조표시를 하라.
- 새로운 용어의 정의를 찾아보고 그대로 받아 적어라.
- 비판적 읽기를 하기 전에 메모해 놓은 용어를 복습하라.
- 연구과정에 따라 확인된 단계에 강조표시를 하라.

이해단계
- 논문의 주제 또는 핵심 아이디어를 확인하라; 자신의 말로 바꾸어 하나 또는 두 개의 문장으로 말해본다.
- 다시 읽었을 때 불명확한 단어가 나오면 계속해서 분명하게 하라.
- 논문을 비평하기 전에 연구과정의 각 단계의 주요 부분을 모두 이해했는지 확인하라.

분석단계
- 연구과정의 각 단계가 비평 기준을 얼마나 만족하는지 확인하라.
- 연구의 근거 수준을 파악하라.
- 논문에서 중요한 부분, 개념들 간의 관계, 연구질문을 적어보라.

종합단계
- 논문에 메모해 놓은 것을 다시 보고 연구의 각 단계를 비평 기준과 비교하라.
- 읽은 연구를 자신의 말로 바꾸어 한 페이지 정도로 요약하라.
- 비평 기준에 따라 각 연구단계를 자신의 말로 바꾸어 간단하게 요약하라.
- 연구의 강점과 약점을 자신의 말로 바꾸어 간단하게 기술하라.

연구과정을 배우면 비판적 논문읽기 능력이 향상된다. 점진적으로 연구논문 전체를 꼼꼼히 읽을 수 있게 되며, 가정, 주요 개념, 연구방법을 확인할 수 있고, 연구의 결론이 연구결과에 기반을 두고 있는가에 대한 평가가 가능할 것이다. 비판적 평가 능력을 갖추게 되면 근거기반실무 개발을 위해 많은 연구결과를 종합할 수 있고, 연구논문을 분석하고 종합하면서 연구의 가치를 이해하게 될 것이다.

연구논문에 대한 비평(critique)은 연구 보고서의 과학적 가치와 실무 적용성에 대해 객관적이고 비판적으로 평가하는 과정으로, 주요 연구문제와 비평의 기준에 대해 잘 알고 있어야 한다. 비평의 기준으로는 표준, 평가 기준이나 질문을 사용할 수 있으며, 반드시 연구과정의 각 단계가 기준을 만족하는지 평가하여야 한다. 예를 들어, 평가 기준에 따라 "문헌고찰을 통해 기존의 문헌에서 결핍된 부분(gap)이 충분히 인지되었고, 그에 따라 주요 연구개념 또는 문제, 연구목적 및 연구 대상자가 결정되었는가?", "관련된 모든 개념과 변수가 연구에 포함되었는가?"와 같은 질문을 해볼 수 있다. 이는 연구과정에서 문헌고찰과 연구질문에 대한 비평과 관련된 것으로 문헌고찰을 통해 결핍부분을 확인하였고 연구를 통해 이러한 결핍부분을 어떻게 채울 것인지 제시하였는지를 평가하는 것이다. 비평을 할 때는 약점뿐만 아니라 강점에 대해서도 언급하여야 한다. 연구논문에서 제시된 근거의 질과 강도를 체계적으로 평가하기 위해 Critical Appraisal Skills Programme (CASP Tools, http://www.casp-uk.net/)과 같이 표준화된 비판적 평가 도구를 사용할 수도 있다.

연구는 완성된 조각그림의 퍼즐에 비유할 수 있으며, 전체적인 그림을 형성하고 있는지, 빠진 조각이 있는지 등을 평가한다. 그 외에도 연구가 제시하는 근거와 연구결과의 수준, 임상적 의사결정에 영향 미치는 위험성과 이점, 연구에서 제시하는 근거의 적용가능성 등이 평가된다. 보건의료인은 연구결과의 임상적 유용성을 평가하기 위해 여러 개의 연구를 읽고 전반적인 가치와 근거의 질, 실무적용가능성, 연구 간의 상호관련성 등을 종합적으로 비평할 수 있어야 한다.

4. 근거기반실무

연구를 비판적으로 읽고 비평하였다면 어떻게 연구를 실무에 적용할 것인지를 결정하여야 한다. 근거기반실무는 환자의 가치와 선호도, 임상 전문지식, 최상의 근거를 체계적으로 사용하여 임상적 의사결정을 하는 것이다(Sackett et al., 2000). 연구에서 연구과정이 있는 것처럼 근거기반실무에도 과정과 단계가 있다.

근거기반실무를 적용할 때 첫 번째 단계는 논문을 읽고 그 논문이 제시하는 근거의 수준이 어떠한지, 연구가 얼마나 잘 설계되었고 수행되었는지 파악하는 것이다. 그림 1–1은 연구설계와 관련하여 근거의 수준을 보여주며, 최상의 근거 수준은 '임상시험연구(RCT)의 체계적 문헌고찰 또는 메타 분석'이며, 가장 낮은 근거 수준은 '전문가 의견'이다. 초기 근거기반 실무가 소개되었을 때, 이 체계는 매우 엄격하게 다루어졌으나, 근거 수준만으로 연구의 가치를 판단하기는 어렵다. 인과관계를 알고자 하는 임상적 질문에서 이 체계가 타당하지 않을 수도 있고, 다양한 건강관리 관련 연구는 보다 넓은 범위에서의 문제 해결이 필요할 수 있고, 큰 맥락에서의 연구의 가치를 사정할 때는 보다 넓은 관점이 필요할 수도 있다. 그러므로 제시된 근거수준은 연구의 강점과 약점, 연구의 결과와 결론에서 제시되는 근거의 특성 등을 이해하는데 도움을 주는 하나의 도구로 활용될 수 있다.

임상적 의사결정을 할 때 연구의 실무적용가능 여부를 판단하기 위해 과학적 근거의 강도 또는 잠재적인 연구의 편향(bias)을 사정하는 것이 도움이 되며, 근거수준의 확인뿐만 아니라 질, 양, 일관성의 세 가지 영역을 통합하여 근거의 강도를 평가할 필요가 있다(West et al., 2002).

- 질: 연구설계, 수행, 분석과정에서 편향의 최소화 정도
- 양: 자료분석을 통해 얻은 결과의 강도와 연구질문을 평가한 연구의 수 혹은 표본크기 등
- 일관성: 같은 문제에 대해 연구하였을 때 비슷하거나 다른 설계를 사용한 연구들이 비슷한 결과를 보고하는 정도

근거기반실무의 단계는 질문하기(ask), 수집하기(gather), 사정/비평하기(assess/appraise), 실행하기(act), 평가하기(evaluate)로 구성된다. 임상적 질문을 제기하고, 근거를 확인하여 수집하고, 근거 또는 문헌을 비판적으로 평가하고 종합하여, 임상적 전문성과 환자의 선호도(예: 가치, 환경, 자원)를 고려하여 최상의 근거를 선택하여 실무 변화를 위해 행동하고, 연구근거 활용의 적절성을 평가한다. 근거기반실무를 유지할 것인지를 판단하기 위해 구체적인 기준을 사용하여 결과를 평가하며, 이러한 결과는 또 다른 연구근거로 활용될 수 있다. 그러므로 보건의료인은 근거기반실무를 적용하기 전에 연구논문에서 사용되는 연구과정의 단계를 이해하는 것은 필수적이다.

그림 1-1 근거의 수준

5. 질 향상

보건의료인은 자신이 근무하는 건강관리 체계의 조직적 재설계를 통해 건강관리 서비스의 안전성과 질을 지속적으로 향상시킬 책임이 있다. 질 높은 건강관리란 (1) 안전하고 (2) 효과적이고 (3) 환자 중심적이고 (4) 시기적절하고 (5) 효율적이며 (6) 공평한 건강관리 서비스를 의미한다(IOM, 2001). 따라서 질 향상의 목표는 건강관리체계에서 구체적 방법을 적용하여 이러한 여섯 가지 영역에서 측정 가능한 변화를 가져오는 것이다. 질 향상 방법에는 여러 가지가 있는데, 핵심 단계는 공통적으로 다음과 같은 사항을 포함한다.

- 개선이 필요한 과제 사정 및 우선과제 선택
- 질 향상을 위한 구체적 목표 설정
- 현재 실무를 변화하기 위한 아이디어 모집 및 우선적인 개선책 확인
- 개선된 사항을 측정하기 위한 방법 결정
- 실무에서의 변화 검증 및 개선된 점 측정
- 건강관리체계 내 새로운 표준으로 실무 변화 유도

연구에 대한 공부는 연구를 읽고 이해하는 것을 도울 뿐만 아니라 연구결과를 자신의 실무에 적용하는 것을 고려하게 한다. 보건의학 연구자료는 깊이나 범위 면에서 매우 풍부하다. 연구결과를 대상자의 건강관리에 적용하여 긍정적 변화를 유도하기 위해 연구자와 임상실무자는 그 접점에서 노력해야 할 것이다.

6. 연구과정의 단계

연구과정은 연구과제의 개념화, 계획, 실행 및 결과물에 대한 의사소통 등이 포함된다. 연구는 단계를 가지며, 각 단계별로 점차적으로 진행하여 마지막 단계에 이르게 되며, 이는 다시 처음 혹은 중간단계에 영향을 미치는 순환적 피드백 관계를 가진다. 연구의 중간과정에서도 유연성과 융통성을 가질 수 있으며 각 단계를 좀 더 명확히 할 필요가 있을 경우에는 단계의 전후 방향으로 진행이 가능하다. 연구는 실무에 타당한 기초지식을 개발할 뿐만 아니라 미래연구의 기초를 제공하기도 한다. 연구과정의 각 단계는 다음과 같다.

1) 연구문제와 목적

연구문제는 실무 혹은 기존 문헌에서 발견되는 지식적 결함에서 주로 시작되며, 관심영역이 되는 특정 인구집단과 연구되어질 현상과 개념을 나타낸다. 연구문제의 주요한 출처는 실무, 기존문헌, 이론, 보건기구 혹은 연구재단의 연구의 우선순위, 연구자와 동료집단 간의 상호작용 등이다. 연역적인(deductive) 논리적 방법을 사용하여, 연구자는 개인적으로 흥미 있는 광범위한 문제 상황이나 연구주제로부터 연구문제를 구체화한다.

연구의 목적(purpose)은 연구문제로 인식된 지식적 결함을 채우기 위한 것으로, 문제 상황에 대한 해결책과 관련된 개념 간의 관계를 인지하거나, 기술하거나, 설명하거나, 예측한다. 연구의 목적은 연구의 구체적 목적(goal)이나 목표(specific aim)로 구체화되며, 수행될 연구의 설계유형(서술적 연구, 상관관계연구, 유사실험연구, 혹은 실험연구)을 나타내며, 연구현상, 모집단, 관련개념을 포함한다. 연구문제와 목적은 명료하고 간결하여야 하며, 수행가능하여야 한다.

2) 관련문헌 고찰

관련문헌의 고찰은 특정 상황에 대해 현재까지 알려진 것과 알려지지 않은 것, 거기에 존재하는 지식적 결함 등에 대한 전반적인 윤곽을 형성하기 위해 행해진다. 관련된 문헌이란 선택된 문제를 연구하기 위해 필요한 깊이 있는 지식을 제공하는데 매우 중요하거나 직접적으로 관계가 있는 지식적 기반이 되는 자원들을 의미한다. 이러한 연구주제의 지식적 기반과 배경에 대한 이해를 통해 연구자는 다른 사람의 연구결과를 기초로 더 높은 수준의 연구수행이 가능하다. 문제영역에서의 개념이나 개념 간의 상호관계는 연구자가 문헌고찰을 위한 연구논문이나 관련이론을 선택할 수 있도록 방향을 제시해 준다. 이론은 개념의 정의를 명료하게 하고, 연구의 개념 틀을 개발하고 정련화하기 위해 검토되어 진다.

관련문헌을 검토함으로써 연구자들은 (1) 관심 현상이 중요한지, (2) 관심 현상에서 어떤 문제가 조사되어 왔었는지, (3) 어떤 영역에서 추후조사 혹은 반복연구가 요구되는지, (4) 어느 것이 조사된 적이 없는지 등을 확인할 수 있다. 또한 문헌고찰은 연구설계의 구상과 결과 해석의 방향을 제시한다.

3) 개념 틀 개발

개념 틀은 연구자가 관심을 가지는 개념 간의 관계를 그림 혹은 진술로 연결함으로써 연구목적을 명료화하는 추상적이고 논리적 구조이다. 다양한 학문분야에서 개발된 검정 가능한 중범위이론(middle-range theory)이 연구의 개념 틀이 되기도 하며, 임상적 관찰이나 문헌고찰을 통해 개념 틀이 개발되기도 한다.

개념 틀과 관련된 용어로는 개념, 관계적인 진술, 이론, 개념적 지도(concept map) 등을 들 수 있다. 개념은 추상적 의미가 덧붙여진 용어이고, 관계적인 진술은 정의된 개념의 통합된 세트와 현상을 보는 관점을 개념 간의 관계로 나타낸 진술로서, 현상을 묘사하고, 설명하고, 예측하거나, 조절하는데 사용된다. 이론자체가 연구를 통해 검정되는 것이 아니라 이론의 진술이 연구를 통해 검정된다. 연구개념 틀은 연구의 기초를 제공하는 개념 간의 관계로 지도나 도형으로 표현될 수도 있고, 이야기 형식으로 진술될 수도 있다.

4) 연구목표, 질문, 가설 구성

연구목표와, 질문, 가설은 추상적으로 진술된 연구문제와 연구목적을 구체적으로 표현하여 자료수집과 분석에 대한 연구설계와 계획으로 연결 짓는 다리 역할을 한다. 연구목표와, 질문, 가설은 연구목적보다 좀 더 좁은 범위에 초점을 맞추며 (1) 연구변수를 구체화하고, (2) 변수들 간의 관계를 명료히 하고, (3) 구체적 연구대상을 서술한다(2장 BOX 2-3, 표 2-4참고). 대부분 서술적 연구들은 연구목적만 포함하고, 상관관계연구는 목적, 구체적 질문 혹은 가설을 포함하며, 유사실험연구와 실험 연구들은 가설을 포함한다.

가설은 어떤 사실을 설명하거나 어떤 이론체계를 연역하기 위해 개념 간의 관계를 추정적 또는 가정적 서술문 형식으로 기술하는 것으로 연구에서 주어진 연구문제에 대한 예측적 답이다. 비록 가설이 과학적으로 증명되지 못하였더라도, 당연하게 생각되어지거나 사실로 고려되어지는 진술들로, 가설은 종종 사고나 행동 속에 깊숙이 파묻혀 있어 그것을 드러내기 위해서는 자기성찰(introspection)이 필요하다. 보편적으로 가설의 요소는 받아들여진 진실(예를 들어, '모든 인간은 이성적인 존재이다'), 이론, 선행연구, 보건의료 실무수행 등을 포함한다. 연구에서, 가설은 연구개념 틀, 연구설계 그리고 결과해석의 철학적 기반이 된다. 가설은 이론과 도구의 개발, 연구과정의 개발 및 수행에 영향을 미치며, 연구의 논리성을 증진시키며, 더 엄격한 연구개발을 가능하게 한다.

5) 연구변수 정의

연구의 목적과 목표, 질문 혹은 가설들은 연구에서 조사되어지는 변수들을 명확히 한다. 연구변수는 연구에서 측정되고 조작되고 혹은 통제되어지는 다양한 정도의 추상성을 가지는 개념이다. 체온, 체중, 혈압과 같이 좀 더 구체적이고 측정 가능한 개념들을 연구변수라고 하고, 창조성, 감정이입, 그리고 사회적 지지와 같은 좀 더 추상적인 개념들을 연구개념이라고 한다.

연구에 포함되는 변수와 개념은 명료한 이론적 정의와 조작적 정의가 필요하다. 이론적 정의는 변수나 개념들의 이론적 의미를 제공하고, 주로 이론가들의 개념에 대한 정의로부터 인용되거나 개념분석에 의해 도출된다. 조작적 정의는 해당 연구에서 개념과 변수들이 측정되고 조작화되는 것에 대한 구체적 설명이다. 변수를 연구하여 얻게 되는 지식은 변수가 나타내는 이론적 개념에 대한 이해를 증진시킨다.

6) 연구설계

연구설계는 연구과정을 통해 얻고자 하는 결과의 진실성을 방해할 수 있는 요소에 대한 통제를 최대화하여 연구를 수행하기 위해 그려지는 청사진이다. 설계는 모집단과 표본의 선택, 변수측정방법, 자료수집과 분석에 대한 계획 등에 대한 방향을 제시한다. 연구설계의 선택은 연구자의 전문지식, 연구문제와 목적, 결과의 일반화 정도 등에 달려있다.

연구설계는 연구자 개개인의 유일한 연구요구를 충족하기 위해 개발된다. 서술적이고 상관관계적인 연구는 어떠한 처치도 주지 않으므로 이러한 연구설계의 초점은 측정의 정확도를 향상시키는 것과 다양한 다수의 대상자를 포함하여 외적타당도를 증진시키는 것이다. 유사 실험연구와 실험연구에서 연구 대상자는 실험군과 대조군(비교군)으로 나누어지며 측정의 정확성 뿐 아니라 높은 수준의 통제와 내적 타당도에 중점을 둔다.

7) 모집단과 표본추출방법

모집단은 우주 안에 포함되는 주어진 특정기준을 충족하는 모든 물질(인간, 사물, 혹은 물질)을 말한다(Kerlinger & Lee, 2000). 모집단은 다양한 방법으로 정의될 수 있다: (1) 모든 개인 병원 (2) 한 지역 안의 특정한 네트워크 내의 모든 병원 (3) 전국 네트워크 내의 모든 병원에서 처음 만나는 모든 환자. 모집단의 정의는 표본의 선정기준과 다양한 환경에서의 대상자의 동질성(homogeneity)에 의해 결정된다. 연구자는 모집단이 접근가능한지, 연구표본이 모집단을 얼마나 잘 대표하는지 등에 대해 결정해야 한다.

표본은 특정한 연구를 위해 선택된 모집단의 부분집합이고, 표본의 구성원은 연구 대상자이다. 표본추출은 인간, 사건, 행동, 또는 연구를 행하기 위한 요소들을 선택하는 과정이다. 다양한 확률 표본추출법과 비확률 표본추출법이 연구에 이용된다. 확률표본추출법에서는 모집단의 모든 구성원이 표본에 선택될 확률이 '0' 보다 크다. 비확률 표본추출법에서는 모든 구성원이 표본에 선택될 기회를 가지는 것은 아니다.

8) 측정방법 선택

측정은 일정한 규칙에 따라 사물이나 사건, 상황에 번호를 지정하는 과정이다(Kaplan, 1964, p. 177). 측정의 중요한 요소는 특정한 잣대를 적용하는 도구화(instrumentation)과정이다. 도구는 특정 변수를 측정하기 위해 선택된다. 도구에 의해 산출되는 자료는 명목(nominal), 서열(ordinal), 등간(interval), 또는 비율(ratio) 수준으로 나타나며, 가장 낮은 수준의 측정은 명목척도이며, 가장 높은 수준의 측정은 비율척도이다. 측정수준은 사용 가능한 통계 분석 유형을 결정한다. 타당도와 신뢰도에 대한 광범위한 평가를 통해 도구는 선택된다. 도구의 타당도는 측정하려고 하는 추상적인 개념을 도구가 반영하는 범위를 말하며, 도구의 신뢰도는 측정기술이 얼마나 일관성 있게 한 개념을 측정하느냐와 관련된다. 신뢰도가 높은 도구일지라도 측정하고자 하는 개념을 정확히 반영하지 못할 수 있으므로(낮은 타당도), 도구 선택 시 도구의 개념에 대한 타당도를 반드시 검토하여야 한다.

9) 자료수집과 분석에 대한 계획수립

자료수집은 연구목적이나 연구문제, 연구가설과 관련된 정보를 정확하고 체계적으로 모으는 것이다. 양적 연구에서 모아진 자료는 보통 수치적 자료이다. 자료수집 계획은 연구자가 자료수집 과정 중에 발생할 수 있는 문제를 예상하고 가능한 해결책을 탐색할 수 있게 한다. 보통, 처치를 제공한 후 자료를 수집하는 경우에는 과정의 시작과 종결을 나타내는 상세한 일정표도 함께 개발된다.

자료분석에 대한 계획은 (1) 연구목적, 문제 및 가설, (2) 수집된 자료의 특성, (3) 연구설계, (4) 연구자의 전문적 지식, (5) 컴퓨터의 유용성 등을 기초로 세운다. 통계 분석 기법의 다양성으로 표본 기술, 관계 평가, 차이점 결정에 다양한 분석법이 활용될 수 있다. 연구자는 자료분석 계획을 위해 통계학자에게 자문을 구할 수도 있다.

10) 예비연구

연구를 수행하기 전에 연구의 적용가능성을 평가하기 위해 때때로 예비연구를 수행한다. 예비연구는 연구의 처치, 자료수집 도구, 또는 자료수집 과정과 같은 연구과정을 개발하고 정제하기 위해 시험적으로 수행하는 소규모 연구로, 제안된 연구를 작게 각색한 연구이다. 대체로 제안된 연구와 거의 유사하게 개발되며 유사한 대상, 같은 구조, 동일한 처치, 동일한 자료수집과 분석기술을 사용한다. 예비연구는 수행되는 연구의 질을 개선하기 위해 사용되며 예비연구의 결과는 학회발표나 논문출판을 통해 공유할 필요가 있다. 예비연구를 수행하는 이유는 다음과 같다(Prescott & Soeken, 1989; Van Ort, 1981).

(1) 제안된 연구의 실행가능성 결정(즉 대상자가 접근가능한지, 연구자가 연구를 수행할 만큼 시간과 비용이 있는지 등)

(2) 연구처치의 개발 및 정제

(3) 연구처치의 수행을 위한 프로토콜 개발

(4) 연구설계에 대한 문제 확인

(5) 표본의 모집단에 대한 대표성 파악 및 자료수집 방법의 효과성 결정

(6) 연구도구의 신뢰도와 타당도 검증

(7) 자료수집 도구 개발 및 정제

(8) 자료수집과 분석계획 정제

(9) 연구자에게 대상자, 환경, 방법론 및 측정방법에 대한 경험 제공

(10) 자료분석 기술의 시도

11) 자료수집과 분석

양적 연구에서 자료수집은 연구목적, 문제, 또는 가설을 다루기 위한 수적인 자료를 생성하는 과정이다. 자료를 수집하기 위해 연구자는 연구가 행해지는 기관이나 장소, 잠재적인 대상자로부터 연구참여 동의를 받아야 한다. 일반적으로, 연구의 목적, 정보의 비밀보장, 대상자의 자발적 연구참여 및 연구참여 중단의 자유 등이 명시된 동의서에 연구참여자가 서명한다.

자료를 수집하는 동안, 연구변수는 관찰, 면담, 설문지, 계측 등과 같은 다양한 기술을 통해 측정되며, 첨단 기술 장비를 활용한 생리학적 변수가 측정되기도 한다. 자료는 조직적으로 수집되고 기록되며, 컴퓨터 입력이 가능하도록 체계화된다.

자료분석은 자료를 정리하고 체계화하며 의미를 제공하기 위해 행해진다. 양적 연구의 자료분석은 연구변수와 표본을 기술하기 위한 서술적이고 탐색적인 절차와 제시된 관계성을 시험하고 예측하며 인과관계를 검증하기 위한 통계학적 기술의 사용을 포함한다. 대부분의 분석은 컴퓨터를 통해 이루어지며, 수행될 자료분석 기법의 선택은 연구목적과 연구도구에 의해 측정된 자료의 수준에 의해 결정된다.

12) 연구결과 해석 및 연구 제한점 확인

자료분석으로부터 얻어진 결과는 의미있는 해석을 요구한다. 연구결과의 해석은 다음을 포함한다:
(1) 자료분석으로부터 나온 결과의 검증
(2) 결론 형성
(3) 실무변화에 대한 고려
(4) 결과의 중요성 탐구
(5) 결과의 일반화 정도
(6) 연구의 제한점
(7) 추후 연구에 대한 제안.

자료분석에서 얻어진 결과는 다음의 다섯 가지 유형을 갖는다:
(1) 연구자에 의해 예측된 대로 의미 있음
(2) 의미 없음
(3) 의미는 있지만 연구자에 의해 예측된 것은 아님
(4) 혼합된 결과
(5) 기대하지 않은 결과.

자료분석에서 얻어진 결과는 연구목적에 따라 해석되며, 결론은 이러한 결과들을 종합한다. 결론은 실무변화의 필요성을 확인하고, 결과를 일반화하고, 추후 연구를 제안한다.

연구 제한점은 연구결과를 일반화하는 것이 제한되는 연구의 조건이다. 제한점은 이론적인 것과 방법론적인 것이 있다. 이론적 제한점은 결과의 추상적인 일반화를 제한하고 연구 틀과 개념적·조작적 정의와 관련된다. 이론적 제한점에는 다음을 포함한다.

(1) 개념이 연구 틀을 개발하기 위해 사용한 이론에서 명확히 정의되지 않았다.

(2) 개념 간의 관계들 중 이론가의 업적에서 불명확하거나 확인되지 않은 관계들이 있다.

(3) 연구변수들이 연구개념 틀에서의 개념들과 명확하게 연결되지 않는다.

(4) 목표, 질문, 가설이 연구개념 틀과 명확히 연결되지 않는다.

방법론적인 제한점은 결과의 신뢰성을 제한할 수 있고, 결과들이 일반화 될 수 있는 인구집단을 제한할 수 있다. 방법론적인 제한점은 대표적이지 못한 표본, 빈약한 설계, 단순한 환경, 처치나 중재에 대한 제한된 통제, 제한된 신뢰도나 타당도를 나타내는 도구, 자료수집에 대한 제한된 통제, 통계분석의 부적절한 사용 등과 같은 요인에 의해 초래될 수 있다.

13) 연구결과 발표

연구는 연구결과로 발표되기까지는 완전하다고 할 수 없다. 연구결과는 보건의료 전문가, 보건의료 소비자, 정책입안자를 포함하는 적절한 독자에게 포스터 발표나 논문출판을 통해 보급된다.

참고문헌

Gagnon, M. (2012). Understanding the experience of reconstructive treatments from the perspective of people who suffer from facial lipoatrophy: A qualitative study. *International Journal of Nursing Studies, 49*(5), 539–548.

Institute of Medicine. (2001). *Crossing the quality chasm: A new health system for the 21st century.* Retrieved from

http://www.nap.edu/html/quality_chasm/reportbrief.pdf

Institute of Medicine. (2011). *The future of nursing: Leading change, advancing health.* Washington, DC: National Academic Press.

Kaplan, A. (1964). *The conduct of inquiry: Methodology for behavioral science.* San Francisco: Chandler Pub. Co.

Kerlinger, F. N., & Lee, H. B. (2000). *Foundations of behavioral research* (4th Ed.). New York: Harcourt College Publishers.

Prescott, P. A., & Soeken, K. L. (1989). The potential uses of pilot work. *Nursing Research, 38*(1), 60–62.

Sackett, D. L., Straus, E. S., Richardson, W. S., Rosenberg, W., & Haynes, R. B. (2000). *Evidence-based medicine: How to practice and teach EBM* (2nd ed.). London: Churchill Livingstone.

Van Ort, S. (1981). *Research design: Pilot study.* In S. Krampitz & N. Pavlovich (Eds.), Readings for nursing research. St. Louis: C. V. Mosby.

West, S., King, V., Carey, T. S., Lohr, K. N., McKoy, N., Sutton, S. F., & Lux, L. (2002). *Systems to rate the strength of scientific evidence.* Evidence Report/Technology Assessment No. 47 (Prepared by the Research Triangle Institute–University of North Carolina Evidence-based Practice Center under Contract No. 290-97-0011). AHRQ Publication No. 02-E016. Rockville, MD: Agency for Healthcare Research and Quality.

Yu, F., Thomas, W., Nelson, N. W., Bronas, U. G., Dysken, M., & Wyman, J. F. (2015). Impact of 6-month aerobic exercise on Alzheimer's symptoms. *Journal of Applied Gerontology, 34*(4), 484–500.

02
CHAPTER

연구주제 설정:
연구질문, 가설, 임상적 질문

02 연구주제 설정:
CHAPTER 연구질문, 가설, 임상적 질문

과학자들은 주변에서 일어나는 상황에 대해 호기심을 가지고, 주변현상을 이해하기 위해 끊임없이 질문하며, 창조적인 질문을 통해 연구의 주제를 발견한다. 문제를 확인하는 것은 연구활동의 첫 단계이며, 연구방향을 제시하고, 연구질문과 가정을 만드는 데 기초가 된다. 연구는 연구질문과 가정에서 시작하며, 적절한 연구질문을 만드는 것은 연구활동의 중요한 기반이 된다. 연구자는 "왜 이 방법으로 업무를 수행할까?", "만약 다른 방법으로 업무를 수행한다면 어떻게 될까?", "어떠한 특징들이 서로 관련되어 있을까?", "환자결과에 이것이 미치는 영향은 무엇일까?"와 같은 궁금증을 가지면서 연구질문을 생성한다. 임상가는 주로 실무상황에서 특정 집단에 대해 한 중재가 다른 중재에 비해 어떤 차이나는 효과가 있을지에 대해 궁금해 하면서 연구질문을 시작한다.

연구질문은 연구에서 검증되어야 하는 아이디어를 제시하며, 종종 문제 진술이라고도 한다. 연구가설은 연구자가 문제의 해결책을 찾고 연구질문에 답할 수 있도록 도와주는 인지적 추측이다. 가설은 이론적 틀에서 제시된 가정의 타당성을 검증하는 수단이며, 개념 간의 상관성을 제시하는 이론과 현실 세계를 연결해주는 다리역할을 한다. 과학적 연구분야에서 가설과 연구질문은 이론으로부터 나오고, 연구자는 가설과 연구질문을 실증적으로 검증하며, 이론의 타당성은 가설검증을 통해 평가된다.

1. 연구질문 개발

연구 아이디어를 검증 가능한 연구질문으로 다듬기 위해서는 굉장히 많은 시간이 소요된다. 이는 연구의 개념적 과정에 포함되며, 어떻게 연구질문이 개발되었는지를 보여주는 것은 중요하다. 표 2-1에서 보는 것과 같이, 실무 경험, 기존 문헌의 비판적 분석, 또는 검증되지 않은 이론에 대한 관심이 연구 아이디어를 만드는데 기초가 된다. 연구의 필요성과 배경은 연구자의 사고가 다듬어지는 과정을 반영하여야 한다. 연구자는 다음의 질문에 답할 수 있는 충분한 내용을 준비하여 연구의 필요성에 나타내어야 한다.

1) 구체적인 연구질문의 범위를 정의하였는가?
2) 관련문헌을 충분히 고찰하였는가?
3) 연구질문이 해당영역의 지식개발이나 실무영역에 중요한지에 대해 검토하였는가?
4) 연구질문을 수행하는 것이 실현 가능한지에 대해 실용적으로 검토하였는가?

임상연구는 연구결과에 기초한 근거기반 실무를 제공하는 것을 궁극적 목표로 하며, 실무수행에 필수적인 지식체를 생성하기 위해 수행된다. 그러므로, 연구문제는 실무의 근거가 되는 지식기반 내에서 발견되는 지식적, 방법론적 결함에 관한 것이어야 하며, 학문의 지식체 증대에 의미있게 공헌하거나, 문제 해결에 의해 혜택을 볼 수 있는 잠재력이 있어야 한다. 연구가 완료될 때까지 연구자의 관심을 충분히 유지할 만한 중요한 연구문제를 찾는 것은 쉽지 않다. 연구문제 선택을 위해 활용할 수 있는 방법 중 하나는 일상 경험에 대해 호기심을 가지고 생각해 보는 것이다. 식료품을 사기 위해 줄을 서서 기다리면서 불쾌감을 느끼는 사람이 진료나 검사를 받기 위해 기다리는 것에 대해서도 불쾌감을 느끼는지에 대해 궁금할 수 있다. 어떤 사람들은 현금자동지급기를 사용하는 것은 싫어하지 않지만 자동응답기에 메시지를 남기는 것은 싫어한다. 왜 사람들은 자동화의 어떤 형태는 좋아하고 어떤 형태는 좋아하지 않을까? 입원 환자는 얼마나 많은 자동화를 받아들일 수 있을까?

만약 임상현장에서 관찰되는 문제 상황이 있다면, 무엇이 잘못되었나? 무엇이 이 상황과 관련이 있나? 이 상황에 대해 어떤 것이 알려져 있고 어떤 것이 알려져 있지 않은가? 이 상황을 개선하기 위해 어떤 정보가 필요한가? 문제 해결을 위해 특별한 중재가 필요한가? 중재를 제공한다면 누가 제공하는 것이 가장 적합한가? 중재를 향상하기 위해 어떤 변화가 필요한가? 등의 질문을 통해 연구 과제를 도출할 수 있다.

연구자가 연구문제를 찾기 어려울 때 사용할 수 있는 전략 중 하나는 임상 실무에서 호기심이 생기는 질문들을 각각의 색인카드에 기록하고 임상실무와 관련되는 질문을 만들어 보거나 하루를 마무리 하면서 하루의 일과 중 화가 나거나 보람을 느낀 일을 기록하는 것이다. 임상전문가는 백혈병을 앓고 있는 어린 아이의 어머니가 부신피질호르몬제를 처방대로 아이에게 제공하지 않았을 때 화가 났을 수도 있고 고통받는 환자에게 기운을 북돋우는 말을 하고 환자로부터 감사의 말을 듣고 기뻐했을 수도 있다. 이러한 사건들을 색인카드에 하루에 5장씩 기록하고 약 50개의 색인 카드가 모여겼을 때 주제별로 카드를 분류하여 범주화함으로써 특별한 흥미와 관심사를 발견할 수 있고 이를 기반으로 흥미롭고 중요한 연구문제를 도출할 수 있다.

표 2-1 실무경험, 기존 문헌, 이론에 근거한 연구 아이디어 생성

영역	영향	예시
실무경험	풍부한 임상 실무 경험을 통해 연구문제를 발견할 수 있다. 임상가는 특정 사건이나 패턴이 발생하는 것을 관찰하고 왜 그것이 일어났는지, 그리고 환자의 주변 환경에서 다른 요인과의 관련성에 대해 궁금해 할 수 있다.	"현재까지 임상에서 수행된 실금관리는 욕창관리지침에 따라 수행되었다. 그러나 욕창관리지침에서의 실금관리는 실금조절에는 초점을 두지 않고 피부간호만 강조하여, 실금관리가 효과적으로 이루어지지 못하였다. 이에 피부간호는 물론 실금조절을 포함하는 포괄적 내용의 실금관리 프로토콜을 개발하고, 그 효과를 검증하기 위해 연구를 수행하였다." (Park, 2014, p181)
기존 문헌의 비판적 분석을 통한 결핍부분 확인	저널에 실린 연구논문의 비판적 분석을 통해 기존 연구결과의 결핍부분을 확인하고, 결핍부분을 채우기 위한 주제로 연구문제를 제안한다.	"뇌졸중 후 양치능력이 저하되고, 인지기능의 손상으로 스스로 양치질을 해야 한다는 사실을 잊거나 구강간호에 대해 저항행동을 보여 구강관리가 제대로 되지 않아 구강건강상태가 악화되기 쉽다.… 구강 내 세균 집락 가능성이 현저히 증가하고,… 타액이나 비말의 형태로 폐로 흡인되어 흡인성 폐렴 혹은 전신 감염의 원인이 된다.… 아로마 용액의 구강간호 효과를 확인한 선행연구에서… 수술전 금식환자와 혈액투석 환자에게… 구강상태 개선에 효과적임을 보고하였다. 그러나 뇌졸중 노인환자… 효과를 확인한 연구는 없었다." (Lee & Park, 2015, p46).
이론에 대한 관심	연구자는 아직 검증되지 않은 이론과 관련된 특정 개념들을 조사하는 것으로 연구문제를 도출할 수 있다. 연구자는 다음과 같은 질문을 제기할 수 있다: "만약 이 이론이 맞다면, 특정 조건 하에서 어떤 행동이 예상되는가?", "이 이론이 타당하다면 어떤 근거 자료를 찾을 수 있을까?"	Lee와 Song (2015)은 Rowe와 Kahn (1998)의 성공적 노화의 3가지 조건인 1) 질병·장애에 대한 낮은 위험요소와 낮은 질병발생, 2) 높은 신체적·정신적 기능, 3) 적극적 사회참여를 지역사회 노인의 성공적 노화를 위한 건강관련 지지체계의 조건으로 통합적으로 비교 분석함으로써, 노인복지관과 경로당의 차별화된 건강관련 지지체계 확립을 위한 기초자료를 제공하고자 연구를 수행하였다.

1) 연구질문 확인

연구자가 관심 있는 현상(Phenomenon)이 있다면 동료연구자들과의 브레인스토밍을 통해 관심 현상을 좀 더 구체화하고 명료화 할 수 있다. 예를 들어 연구자가 관심 있는 현상이 '노인에게 흔히 나타나는 건강문제인 통증'이라고 동료에게 말했다고 가정해 보자. 동료는 "그 주제에 관하여 특히 관심을 가지는 것이 무엇입니까?"라고 질문할 수 있고, 이 질문은 생각의 고리를 시작하게 하여 '노인의 통증과 기능적 장애 사이의 관계'에 대해 조사하는 것으로 연구주제를 결정짓게 할 수 있다 (Horgas et al., 2008). 그림 2-1은 어떻게 광범위한 관심 영역('노인에게 흔한 문제로서의 통증')이 구체적인 연구주제('노인의 지속적인 통증과 기능적 장애와의 관련성')로 좁혀지는지 보여준다.

2) 문헌고찰

문헌고찰은 관련 연구들 하나하나를 비판적으로 검토한 체계적 고찰을 제시한다. 문헌고찰의 결론 부분에는 관심 현상과 관련된 문헌에서의 결핍부분, 반복 연구의 필요성, 특정 연구초점과 관련된 지식기반의 확장의 필요성 등이 제시된다. 만약 노인의 지속적인 통증과 기능장애에 관심이 있다면, 관련 이론에 대한 책과 논문을 훑어볼 것이고, 통증경험에 대한 인종·민족적 차이, 통증 치료, 진통제의 사용 등과 같은 관련요인에 대한 연구도 미리 검토할 것이다. 관심 현상과 관련된 이러한 요소들은 연구에서 사용하는 용어로 '변수'라고 하며, 관심현상과 잠재적으로 관련이 있고 흥미롭고 측정 가능한 것이어야 한다. 문헌탐색은 노인들이 자가 보고한 통증의 강도, 급성/만성 통증, 통증 관리의 효과와 기능장애와의 관계를 검토하는 것에서 시작할 것이다. 인구사회학적 변수라고 불리는 인종, 민족, 성별, 연령, 수입, 교육, 결혼 여부와 같은 변수 또한 필수 고려사항이다.

연구자는 문헌고찰을 통해 연구질문을 명확히 하고, 제안된 연구주제가 기존의 문헌에서 관찰된 결핍부분을 해결하고, 현상에 대한 기초 지식을 확장하는데 필요한 영역임을 나타내기 위해 문헌고찰된 정보들을 활용한다. 그림 2-1 예제에서 잠정적인 연구질문은 "노인에게 있어서 인종, 통증, 장애의 관련성은 무엇인가?"이다. 그러나 이러한 개념화 과정은 연구 보고서에 포함되지 않으며, 최종 결과물인 연구질문이나 가설만 제시된다. 그러므로 연구자는 연구문제와 연구설계가 어떻게 선택되었는지를 논리적인 문헌고찰을 통해 보여주는 것이 중요하다(Horgas et al., 2008).

3) 중요성 검토

연구질문을 고려할 때 보건 관련 연구자는 연구질문이 해당 보건 분야에 잠재적인 중요성을 가지고 있는지 검토하여야 한다. 연구질문은 과학적 지식체에 공헌하고 지식체를 확장할만한 잠재력을 가지고 있어야 한다. 연구질문을 선택하기 위한 가이드라인이 되는 기준은 다음과 같다.

```
┌─────────────────────────────────────────────────────┐
│                    아이디어의 시작                      │
│              노인들에게 흔한 문제로서의 통증              │
└─────────────────────────────────────────────────────┘
```

┌───┐
브레인 스토밍

- 지역사회에 거주하는 노인에게 통증 경험의 중요한 구성요소는 무엇인가?(예: 인지, 평가, 반응)
- 노인의 통증 경험, 통증 치료, 진통제 접근성에 있어서 성별, 인종/민족 간 차이가 있는가?
- 지속적인 통증을 경험하는 노인에게는 어떤 장애가 있는가?
- 동시에 발생하는 고통스럽고 만성적인 건강 문제의 개수가 기능적 장애를 예측하는가?
└───┘

┌───┐
문헌고찰

- 통증, 인종, 성별, 장애, 노인이라는 용어를 CINAHL, MEDLINE, PUBMED에서 검색
- 문헌에 의하면, 아프리카계 미국인들이 통증을 더 많이 호소하고, 진통제에 대한 접근성이 떨어지고, 통증으로 인한 활동 제한이 더 많이 나타났다.
- 노인 인구집단에서 통증경험에 대한 인종적 차이에 대해 수행된 연구는 거의 없어 문헌에서의 결핍부분이 있음이 인지되었다.
- 노인에게 지속적인 통증과 기능적 장애(신체적/사회적) 사이에 관련성이 있음을 지지하는 문헌은 충분하나 흑인과 백인 노인 인구 집단을 대상으로 한 연구는 없었다.
- 수행된 연구 중 사회경제적 변수나 인구사회학적 변수(예: 수입, 교육, 연령, 성별)를 통제한 연구는 없었다.
- Engle (1962)에 의해 제안된 Cascade Model은 전형적인 생물·심리·사회학적 접근에 근거하며, 이 모델에서 통증은 노인에게 만성 질환에서 사회적·신체적 장애로 나아가는 주요 요소로 다루어졌다.
└───┘

┌───┐
변수 확인하기

잠정적 변수

- **인구사회학적 변수**
  - 인종
  - 연령
  - 성별
  - 결혼 여부
  - 수입
  - 교육

- **통증 변수**
  - 통증 강도
  - 통증 부위
- **장애 변수**
  - 신체적 장애
  - 사회적 장애
└───┘

┌───┐
연구질문 만들기

노인에게 있어서 인종(흑인/백인), 통증(통증 부위와 통증 강도), 기능적 장애(신체적·사회적 기능 제한)의 관련성은 무엇인가?
└───┘

그림 2-1. 연구질문 만드는 과정

- 연구를 통해 얻은 지식은 환자, 의료진, 전반적인 의료 공동체, 사회에 잠재적인 도움을 제공한다.
- 연구결과는 임상실무, 교육, 보건의료서비스 관리에 적용할 수 있다.
- 연구결과는 이론과 관련이 있다.
- 연구결과는 검증되지 않은 이론적 가정에 신뢰성을 증진시키고, 기존의 이론을 확장하거나 시험하고, 문헌에서의 결핍부분을 채우거나 문헌들 간의 논쟁을 명료화한다.
- 연구결과는 임상실무나 보건정책을 발전시키고 유지하거나 개선하는 것을 도와주는 근거가 된다.

혹시 연구질문이 위의 어떤 기준도 충족시키지 못한다면 질문을 대폭 수정하거나 아예 버리는 것이 현명하다. 앞에서 언급하였던 연구질문의 예에서 질문의 중요성은 다음을 포함한다.

- 통증은 지역사회 거주 노인의 약 50%에서 매일 겪는 지속적 문제이다.
- 통증은 노인 인구 집단이 흔히 경험하는 급·만성 건강 문제와 함께 많이 발생한다.
- 급·만성 질환에서의 통증은 신체적·사회적 기능과 삶의 질의 주요 지표이다.
- 인종이나 민족에 따라 통증경험은 차이나며, 아프리카계 미국인이 통증을 더 많이 호소하고 치료를 받지 못하는 경우가 많고 진통제에 대한 접근성이 낮은 경향이 있다.
- 흑인과 백인 노인을 대상으로 통증과 기능수행 간의 관련성을 조사한 기존 연구는 거의 없다.
- 이 연구는 노인에서 인종, 통증, 기능적 장애 사이의 관련성을 조사함으로써 관련문헌에서의 결핍부분을 채우고자 한다.
- 이 연구는 이러한 현상에 대한 지식 기반을 확장하고자 하고, 중재의 개발과 검증을 위한 토대를 제공하고자 한다.

4) 실행가능성 결정

연구질문의 실행가능성은 반드시 현실적으로 검토하여야 한다. 아무리 중요하고 연구해 볼만한 질문이라 할지라도 대상자를 구할 수 있을지, 시간, 시설, 장비, 비용, 연구자의 경험, 그 외 윤리적 고려사항과 같은 현실적인 점들이 실행 가능한지 검토하고, 현실적인 실행가능성이 부족한 연구질문은 부적절한 것으로 판단한다.

2. 연구질문의 완성

연구질문을 완성하기 위해 다음 세 가지 기준을 반드시 충족하여야 한다.
- 연구질문에서 고려 중인 변수를 분명하게 확인할 수 있다.
- 연구질문은 연구 대상을 구체적으로 제시한다.

• 연구질문은 실증적으로 검증가능하다.

연구질문을 완성하기 위해서 각 기준들은 매우 중요하며 각 기준에 대한 자세한 설명은 다음과 같다.

1) 변수

변수(variable)란 변화하는 숫자를 의미하며, 연구자들이 연구하는 특징으로 다양한 값을 가진다. 연구자는 한 변수에서의 차이가 다른 변수에서의 차이와 어떻게, 왜 관련이 있는지 알고자 한다. 변수에 대해 연구자는 다음과 같은 질문을 한다: "X가 Y와 관련이 있는가?", "X가 Y에 미치는 영향은 무엇인가?" 하나 이상의 독립변수와 종속변수 사이의 관계에 대해 질문할 수도 있다. "X_1과 X_2가 어떻게 Y에 관련되는가?"(Note: 다중 독립, 종속변수가 있는 경우에 고려 중인 변수의 갯수를 나타내기 위해 아래 첨자를 사용한다). 보통 X로 기호화하는 독립변수는 종속변수에 추정적인 영향을 미치는 변수이다. 실험연구에서 연구자는 독립변수를 조작한다. 예를 들어 진통제 관리 방법이 환자의 통증지각에 어떤 영향을 미치는지 연구하고자 한다고 하자. 연구자는 진통제를 간호사가 조절하느냐, 환자가 조절하느냐로 독립변수(즉, 진통제 관리 방법)를 조작할 수 있다. 비실험연구에서 독립변수는 조작되지 않으며 연구 기간 동안 혹은 그 전에 자연히 발생하는 것이다. 예를 들어 연구자가 성별과 통증지각 사이의 연관성에 대해 조사한다고 하면 독립변수(즉, 성별)는 조작되는 것이 아니라 자연히 발생한 대로 관찰되고 측정된다.

Y로 표현되는 종속변수는 추정되는 효과 또는 결과로, 독립변수의 변화에 따라 달라진다. 종속변수는 조작되는 것이 아니라 관찰되는 것이고 독립변수가 변화함에 따라 달라질 것으로 추정한다. 연구자가 이해하고, 조사하고, 예측하고자 관심을 가지는 것은 종속변수이다. 실험연구에서는 독립변수의 변화에 의한 종속변수의 변화를 관찰하여 인과관계를 증명하고자 한다. 반면, 비실험연구에서는 독립변수의 변화에 따른 종속변수의 변화범위를 예측(prediction)하고자 하지만 X와 Y사이의 인과 관계를 증명하거나 변수 X의 변화가 변수 Y를 변화하게 하는지를 검증하는 것은 아니다. 예를 들어, 통증지각(=종속변수)이 성별(=독립변수)에 따라 달라질 수 있다고 가정할 때, 성별에 따라 통증지각 차이는 있을 수 있으나, 성별이 통증지각의 원인이라고 하기는 어렵다. C형 간염 환자에 대한 간호사의 태도에 대한 연구를 예를 들어 살펴보자. 연구결과, 나이가 많은 간호사가 젊은 간호사보다 C형 간염 환자에 대해 부정적인 태도를 보이는 경우, 연구자는 C형 간염 환자에 대한 간호사의 부정적인 태도가 간호사의 연령 때문이라고 결론짓지 않고, 연령과 C형 간염 환자에 대한 태도 사이에는 부정적인 상관성이 있으며, 간호사의 연령이 증가할수록 C형 간염 환자에 대한 태도가 부정적인 경향이 있다고 할 것이다. 즉, 독립변수와 종속변수 사이의 상관성은 반드시 인과관계

로 해석되는 것은 아니며, 방향성이 있는 관계로만 제시될 수 있다. 표 2-2는 연구질문의 사례들이
다. 표 2-2에 나와 있는 예시에 포함된 변수를 다른 변수로 바꾸는 연습을 해보라. 연구질문 작성
이 훨씬 쉬워지고, 비평하는 기술이 향상될 것이다.

표 2-2 연구질문 구성 방식과 예시

종류	구성 방식	예시
상관관계	특정 집단에서 X (독립변수)와 Y (종속변수) 사이에 상관관계가 있는가?	"도시거주 중년기 성인의 노화에 대한 기대와 신체활동 사이에 관계가 있는가?" (Cho et al., 2015, p15)
비교	X특징(독립변수)을 가진 사람과 그렇지 않은 사람들에서 Y (종속변수)에 대한 차이가 있는가?	"청소년 성관계 경험유무에 따라 자살생각, 자살시도 그리고 자살시도로 인한 병원치료 경험에 차이가 있는가?" (Kim, 2015, p185)
실험	X처치(독립변수)를 받은 A그룹과 X처치를 받지 않은 B그룹은 Y (종속변수)에 있어서 차이가 있는가?	"심뇌혈관질환 예방교육프로그램을 제공받은 실험군은 제공받지 않은 대조군에 비해 심뇌혈관질환에 대한 지식점수, 자아효능감, 건강행위실천 정도에 차이가 있는가?" (Choi & Kim, 2015, p26)

하나의 연구질문에 포함될 수 있는 변수의 개수는 제한이 없다. 하지만 연구질문은 불필요하게
복잡하거나 길어서는 안 되며, 하나 이상의 독립변수나 종속변수를 포함하고 있는 연구질문은 더
구체적인 하위질문으로 나눌 수도 있다.

독립변수와 종속변수는 본질적으로 정해져 있는 것은 아니다. 한 연구에서 독립변수로 분류된
것이 다른 연구에서는 종속변수로 다루어질 수 있다. 예를 들어서 폐암발생의 위험인자로 흡연을
다룬 논문에서는 폐암진단은 종속변수이지만, 폐암진단과 보호자의 부양부담 간 관련성에 관한 논
문에서는 폐암진단은 독립변수이다. 변수가 독립변수인지 종속변수인지는 그 연구에서 변수가 하는
역할에 의해 결정된다.

– 개념의 이론적 정의와 조작적 정의
연구에 포함된 개념은 이론적 정의를 통해 이론적 의미를 명료히 하고, 조작적 정의에 의해 구체적
인 변수로 조작된다. 이론적 정의는 이론가에 의한 개념에 대한 정의이며, 이론 틀은 개념 간의 관
련성을 나타낸다. 조작적 정의에서 개념은 해당 연구에서 측정하는 구체적인 변수로 정의되며, 연구
자가 수행하는 일련의 절차로부터 얻어지는 감각적 지각(청각, 시각, 촉각과 같은)으로 변수의 존재

나 존재의 정도를 나타낸다(Reynolds, 2007). 조작적 정의는 시간과 환경으로부터 독립적이어야 하며, 개념의 조작적 정의가 개발되면 구체적 상황에서 변수가 측정되거나 조작될 수 있다. 아로마 복부경락마사지가 변비완화에 미치는 효과를 조사한 연구(Nam, Bang, & Kim, 2013)에서 두 변수는 BOX 2-1의 예처럼 조작화 되었다. 아로마 복부경락마사지는 독립변수이고, 변비는 종속변수이며, 두 변수의 이론적, 조작적 정의는 다음과 같다.

| BOX 2-1 | 변수의 이론적, 조작적 정의의 예 |

독립변수: 아로마 복부경락마사지
이론적 정의

아로마 복부경락마사지는 아로마테라피와 복부경락마사지를 병합한 것으로, 아로마 테라피는 각종 식물의 꽃, 열매, 줄기, 잎, 뿌리 등에서 추출한 휘발성 향유인 에센셜 오일을 흡입, 목욕, 마사지 등의 방법을 이용하여 인체에 전달함으로써 심신을 건강하게 하는 치유법이다(Worwood, 2000). 복부경락마사지는 동양 의학의 철학적 의학사상인 '경락'의 개념과 서양의학의 수기술인 '마사지'개념을 결합한 수기요법으로, 혈이나 경락에 적절한 압력과 자극을 가함으로써 인체의 자율신경계에 작용하며, 내장의 체표 반응점을 이용하여 내부 각 장기의 기능을 조절하는 것을 의미한다(Kim & Jeon, 2006).

조작적 정의

변비완화를 위해 아로마테라피와 경락마사지 표준기법(Kim, 1997)에 의한 복부경락마사지 일부 기법 및 추나요법의 일부 기법(Cho & Kwak, 1995)을 병합하여 Kim과 Nam (2007)이 개발하고 적용하여 안전성과 효과가 검증된 중재 프로그램을 적용하는 것을 의미한다.

종속변수: 변비
이론적 정의

지속적으로 대변보기가 힘이 들고, 배변 횟수가 적거나 변을 불완전하게 보는 것과 같은 증상이 나타나는 일련의 기능성 장애를 의미한다(Thompson et al., 1999).

조작적 정의

RomeII 진단 기준(Thompson et al., 1999)의 6가지 항목 중 2가지 이상에 해당되거나, 담당의사로부터 변비완화를 위한 배변 완화제, 좌약 또는 관장을 처방받아 시행하고 있는 상태를 의미한다.

비평

Nam 등(2013)의 연구에서 변수는 분명하게 나타났고 정의되었다. 독립변수와 종속변수가 연구목적에 나타났다. 아로마 복부경락마사지와 변비의 이론적 정의는 연구의 서론부분에서 찾을 수 있었고, 이론 틀과 가설은 제시되지 않았다.

출처: Nam, M. J., Bang, Y. I., & Kim, T. I. (2013). Effects of abdominal meridian massage with aroma oils on relief of constipation among hospitalized children with brain related disabilities. *Journal of Korean Academy of Nursing*, 43(2), 247-255.

2) 연구대상자

연구대상자(어떤 특정한 특징들을 가지고 있는 명확한 집단)는 연구질문에 구체적으로 드러나야 한다. 연구질문의 범위가 구체적인 초점에 맞춰 좁혀져 있고, 변수가 분명하다면, 연구대상자는 명확할 것이다. 예를 들어, "치료 후 생존한 유방암 환자들의 삶의 질에 심리교육 중재가 미치는 영향은 무엇인가?"라는 연구질문을 생각해 보자. 고려 중인 연구대상자는 유방암 환자 중 유방암 치료를 마치고 생존한 사람을 포함함을 의미하고, 유방암 생존자 중 몇몇은 심리교육 중재에 참여할 것이고, 나머지는 그렇지 않을 것임이 연구질문에서 드러난다. 독자는 처음부터 연구대상 집단이 누구인지 알 수 있다.

3) 검증 가능성

연구질문은 검증 가능함이 나타나야 하며, 질적 방법이나 양적 방법으로 측정 가능해야 한다. 예를 들어, "수술 후 노인환자는 진통제 양을 스스로 조절할 수 있는가?"라는 연구질문은 몇 가지 이유로 부적절하게 진술되었다고 할 수 있다. 첫 번째 이유는 연구질문이 검증할 수 없다는 것이다. 연구질문이라기보다는 가치 진술을 나타내고 있다. 과학적 연구질문은 독립변수와 종속변수 간의 관계를 제시해야 하고, 관계가 있는 변수들이 어떻게든 측정될 수 있음을 나타내어야 한다. 많은 흥미롭고 중요한 임상적 질문이 검증이 불가능하여, 타당한 연구질문이 되지 않는 경우들이 종종 있다.

표 2-3 연구질문의 구성요소와 관련 기준

변수	연구대상	검증 가능성
독립변수: 　인종 　건강(의학적 진단의 개수) 　자가조절 진통제	흑인, 백인, 노인	자가조절 진통제 사용에 따른 통증지각, 신체적, 사회적 기능의 차이
종속변수: 　통증지각 　신체적, 사회적 기능		

　"수술 후 노인환자는 진통제 양을 스스로 조절할 수 있는가?"라는 철학적 질문은 검증 가능한 연구질문으로 수정될 수 있다. 수정된 연구질문의 두 가지 예시는 다음과 같다.

　(1) 자가 조절 진통제(Patient Controlled Analgesia [PCA]) 사용과 간호사에 의한 진통제 관리가 수술 후 통증 지각과 관련이 있는가?

(2) 수술 후 환자의 통증 지각에 PCA가 미치는 영향은 무엇인가?

이 예들은 독립변수와 종속변수를 나타내고 변수 간의 관계를 제시하고 연구질문의 검증 가능성을 보여준다. 연구질문의 구성요소가 자세히 제시되었으므로 이제 통증지각(통증 위치와 통증 강도)과 장애(신체적, 사회적 기능)가 흑인과 백인 사이에서 다른 지에 대한 질문을 만들어 정보를 통합할 수 있다. 연구질문은 다른 인종 간 노인의 통증 경험에 대한 일반적인 관심에서 시작하였고, 통증지각과 장애(신체적, 사회적 기능)를 포함하면서 더욱 구체적으로 정의되었다. 예비 문헌고찰을 통해 연구질문은 더 확고해 질 것이다. 표 2-3은 관심현상의 구성요소를 연구질문의 세 가지 기준에 따라 분류한 것이다.

3. 연구목적과 구체적 목표

연구질문이 만들어지고 해당 연구현상에 대한 충분한 문헌고찰이 비판적으로 이루어졌다면, 연구목적과 구체적 목표의 초점이 정해지고 연구자는 연구질문에 대한 답을 구해야 할지, 가설을 검증해야 할지 결정할 수 있게 된다.

연구목적이란 연구자가 연구를 통해 달성하고자 하는 것이다. 예를 들어 방광 장애가 있는 재활 환자가 요도감염이 자주 발생하는 것을 발견한 간호사는 다음과 같은 연구질문을 제시할 수 있다. "요도 감염의 발생을 줄이기 위해 방광 장애 환자들에게 소변 배액 주머니를 바꿔주는 최적의 빈도는 무엇일까?" 연구의 목적은 방광 장애가 있는 환자의 소변 배액 주머니 교환 시기를 1주 혹은 4주로 함에 따라 요도감염발생에 차이가 있는지를 알아보는 것이 될 것이다. BOX 2-2는 목적 진술의 예들이다.

BOX 2-2	목적 진술의 예시

- "본 연구의 목적은 간질 아동의 자기관리를 돕기 위해 자기효능이론에 근거한 심리사회적 중재 프로그램을 개발하고 그 효과를 평가하는 것이다." (Yoo & Kim, 2015, p56)
- "본 연구의 목적은 근위축성측삭경화증 환자를 돌보는 가족의 우울과 간병 부담감을 파악하고 우울과 간병 부담감 간의 관련성 및 간병 부담감에 영향을 미치는 요인을 파악하는 것이다." (Oh et al., 2015, p203)
- "본 연구의 목적은 오일의 종류(라벤더 오일, 백리향 오일, 라벤더와 백리향 혼합오일) 및 오일의 처치기간(0일, 7일, 21일)이 아토피 피부염 생쥐의 산화적 스트레스, 면역, 피부상태에 미치는 효과를 확인하기 위함이다." (Seo & Jeong, 2015, p368).

연구의 구체적 목표를 진술하는 데 사용되는 동사는 연구자가 연구질문을 어떤 방식으로 계획하고 있는지를 나타내며, 연구결과를 통해서 얻게 될 근거의 수준을 알려준다. '찾다', '탐구하다', '서술

하다'와 같은 동사들은 연구되는 주제를 조사한다는 것을 암시하고, 가설보다는 연구질문에 따라 연구가 진행된다. 반면, 중재의 효과를 '검증한다'거나 두 가지의 다른 중재 전략을 '비교한다'로 나타내는 동사는 더욱 탄탄한 지식기반을 갖춘 연구임을 암시하고 가설을 검증하고, 근거의 수준은 현상을 서술하고 탐구하는 목적을 가진 연구보다 더욱 강력하고 엄격하다.

BOX 2-3　연구문제와 연구목적의 예

문제의 중요성
뇌병변 장애아동은 일상생활을 독립적으로 수행하기 어려우며, 변비는 뇌병변 장애아동에서 가장 흔한 건강문제로, 부동과 부적절한 영양섭취, 유연한 복부 근육, 장 통과시간의 지연 및 항경련제나 항정신성 약물 사용에 대한 부작용 등으로 인해 만성적 건강문제이며, 이들의 삶의 질과 치료 및 재활 의욕을 감소시키는 원인이 되고 있다(Bohmer et al., 2001; Emly, 1993; Winge et al., 2003).

문제의 배경
뇌병변 장애아동은 장애로 인해 식이요법이나 생활습관 교정, 운동요법, 바이오피드백 등과 같은 중재프로그램을 실제 적용하는데 어려움이 있고, 수술요법은 다른 방법에서 효과가 없을 때 최종적으로 선택하는 방법이다. 따라서 이들의 변비완화를 위해 대부분 실무현장에서는 처방에 따라 배변 완화제, 좌약, 관장 등의 방법이 주로 사용되고 있다(Emly, 1993; Kim & Yoo, 1999). 그러나 장기간의 반복적인 하제투여나 관장은 장 점막의 정상 성분을 함께 제거함으로써 장 점막을 파괴하고, 나아가 장의 정상반사감소 등과 같은 부작용을 초래하여 뇌병변 장애아동의 건강과 삶의 질을 위협하는 원인이 되고 있다(Castledine et al., 2007; Chong, 2001).

문제 진술
복부마사지, 아로마 복부마사지, 복부경락마사지 및 아로마 복부경락마사지 중재의 변비완화 효과에 대한 경험적 근거가 축적되고 있으나, 연구대상과 방법 및 중재기간이 다양하고 특히 아로마 복부경락마사지 중재의 변비완화 효과에 대한 선행 연구는 Kim과 Nam (2007), Nam (2007)의 선행 연구를 제외하고는 그 경험적 근거가 충분치 않은 실정이다.

연구목적
본 연구의 목적은 입원 뇌병변 장애아동에게 아로마 복부경락마사지를 1회 7분간, 주 5회 또는 주 3회로 각각 2주간 적용하여 변비완화에 효과가 있는지를 확인하고, 중재 적용 횟수에 따라 변비완화 효과에 차이가 있는지를 검증하여 실무적용 및 확산이 용이한 아로마 복부경락마사지 중재 방안을 제시하는 데 있다.

구체적 연구목표
첫째, 주 5회 또는 주 3회의 아로마 복부경락마사지가 배변 양, 배변 횟수 및 좌약 또는 관장 적용횟수에 미치는 효과를 확인한다.
둘째, 주 5회, 또는 주 3회의 아로마 복부경락마사지 중재의 적용횟수에 따라 변비완화 효과에 차이가 있는지 확인한다.

BOX 2-3   (Continued)

비평
연구문제

Nam 등(2013)은 명확하고 간결한 연구문제 또는 관심 영역을 제시하였고 연구문제의 다음 요소들을 포함했다: (1) 중요성, (2) 배경, (3) 문제 진술. 이 연구에서 첫 번째 문단은 특정 인구(뇌병변 장애아동)에서 관심 영역(변비)을 분명하게 확인했다. 변비는 만성적 건강문제로서 뇌병변 장애아동의 삶의 질과 치료 및 재활 의욕을 감소시키는 원인이 되고 있기 때문에 중요한 문제이다. 두 번째 문단은 변비를 예방하거나 치료하는데 있어서 중재의 효과를 밝히기 위해 다양한 중재가 연구되었다는 것을 보여주는 간단한 배경을 제시한다.

문제에 대한 인식은 실무에 필요한 지식의 결핍부분을 나타내는 간단한 문제 진술로 마무리 지었고 Nam 등(2013)에 의해 수행된 연구를 위한 기반을 제공하였다. 각 문제는 다양한 연구목적을 만드는데 기반을 제공한다. 그리고 이 연구에서는 아로마 복부경락마사지가 변비완화에 미치는 효과에 관한 지식적 결핍부분을 채우기 위한 연구목적의 분명한 방향을 제시한다.

연구목적

출판된 연구에서 목적은 연구의 제목에 흔히 반영되고 연구의 요약부분에서 언급되고 문헌고찰 뒤에서 다시 언급된다. Nam 등(2013)은 연구의 목적을 이 모든 세 부분에 포함했다. 연구의 목적은 아로마 복부경락마사지(독립변수) 간호중재가 뇌병변 장애아동(대상자)의 변비완화(종속변수)에 미치는 효과를 검증하기 위함이다. 목적은 분명하게 진술되었고, 수행되는 연구(유사실험연구)의 유형을 나타내었고, 연구변수와 연구대상자를 포함하였고, 병원환경에서 연구가 수행되었다는 것을 암시한다.

실무에서의 유용성

Nam 등(2013)의 연구결과는 주 5회 또는 주 3회의 아로마 복부경락마사지는 입원 뇌병변 장애아동의 변비완화에 효과가 있는 독자적 간호중재이며, 주 3회의 중재 적용으로도 변비완화에 충분한 효과가 있는 것으로 결론 지었다. 그러므로, 뇌병변 장애 아동의 변비완화를 위한 간호중재로 간호 현장에서 적극 활용될 수 있다.

출처: Nam, M. J., Bang, Y. I., & Kim, T. I. (2013). Effects of abdominal meridian massage with aroma oils on relief of constipation among hospitalized children with brain related disabilities. *Journal of Korean Academy of Nursing*, *43*(2), 247-255.

4. 연구가설 개발

가설은 두 개 이상의 변수 간의 관계에 대한 예상되는 결과를 진술하는 서술문으로 연구질문, 문헌고찰, 이론 틀에서 나오며 예상되는 결과나 연구의 결과에 대해 두 개 이상의 변수 간의 관계나 차이점을 예측하거나 설명한다. 가설은 자료수집, 분석, 해석의 방향을 제시하므로 연구가 실제로 수행되기 전에 만들어 진다. 연구논문에서 연구가설은 종종 명확하게 언급되지 않을 수도 있고, 연구보고서의 자료분석, 결과 또는 논의 부분에 포함되어 기술되기도 한다.

1) 가설의 특징

가설의 첫 번째 특징은 두 개 이상의 변수 사이에 예측되는 관계진술이다. 주로, 독립변수(X)와 종속변수(Y) 사이에 체계적인 관계가 있음을 나타내며, 예측되는 관계의 방향도 구체적으로 제시된다. '보다 더', '보다 덜', '양의 관계', '음의 관계', '곡선의 관계', '차이가 있다'와 같은 어구를 사용하여 방향성을 나타낸다. 다음은 방향성을 나타내는 가설의 예이다: "폐절제술 후 6개월까지의 운동지속률(종속변수)은 폐절제술 후 상담 중재(처치=독립변수)를 받은 실험군에서 대조군에서 보다 유의하게 더 높을 것이다."

가설은 인과적 관계를 나타내기도 하고, 연관적 관계를 나타내기도 한다. 인과관계에서는 독립변수(X)의 변화가 종속변수(Y)의 변화를 유도해야하고, 독립변수의 변화가 종속변수의 변화보다 시간적으로 선행되어 나타나야 하며, 독립변수 외의 다른 변수의 변화에 의해 종속변수의 변화가 유도되지 않아야 한다. 그러나, 연구에서 하나의 변수가 종속변수와 명확한 인과관계를 보인다고 확신하기는 어렵다. 예를 들어서 12개월의 혈압 원격 모니터링과 건강관리를 함께 제공하는 중재가 일반적 건강관리보다 더 큰 혈압감소를 유도할 것이라고 가정하더라도(Artinian et al., 2007), 대상자의 건강 상태에 영향을 미칠 수 있는 다양한 매개 변수(예: 나이, 약물복용, 삶의 양식 변화) 때문에 연구자가 강한 인과관계를 예측하기는 어렵다.

변수들은 매우 흔하게 비인과적으로 관련될 수 있다; 즉, 변수들은 체계적으로 연관될 수 있으며, 이 때 변수들은 서로 간의 관계에 의해 변한다. 예를 들어서 흡연이 폐암과 관련성이 있다는 강력한 근거가 있다하더라도, 흡연경험이 있는 모든 사람이 폐암에 걸리는 것은 아니며, 폐암에 걸린 모든 사람이 흡연경험이 있는 것도 아니라는 사실을 간과해서는 안 된다. 따라서 두 변수 사이에 인과관계가 있다고 주장하는 것은 과학적으로 바람직하지 않으며, 대신에 흡연과 폐암발생 사이에는 연관관계가 있다고 할 수 있다.

가설의 두 번째 특징은 검증 가능성이다. 즉, 변수들은 연구에서 관찰되고, 측정되고, 분석되기에 적합해야 한다. 가설은 지지될 수도 있고, 지지되지 않을 수도 있다. 가설에 의해 제안된 예상되는 결과는 실제 연구결과와 일치 할 수도 있고 그렇지 않을 수도 있다. 가설이 가치 판단적인 용어로 쓰였거나, 결과를 예측할 수 없거나, 변수를 관찰하거나 측정할 수 없다면, 가설의 검증가능성을 만족한다고 보기 어렵다.

가설의 세 번째 특징은 이론기반이다. 가설은 이론을 확인하거나 부정함으로써 과학적 지식을 발전시킨다. 바람직한 가설은 기존의 이론이나 연구결과와 일치한다. 문헌고찰이나, 임상적 관찰을 통해 만들어진 가설은 과학적, 경험적으로 논리적이어야 한다. 연구 아이디어에서 연구질문, 문헌고찰, 이론적 틀을 통해 가설로 이어지는 논리적 사고의 흐름이 확인되어야 한다. 예를 들어서 Jones

등(2007)은 심장 건강에 대해 잘 모르는 청각장애인에게 수정 가능한 심혈관계 질환 위험 요소와 건강 행동 변화에 대해 수화로 정보를 제공하는 교육 프로그램인 청각 장애인 심장 건강중재(Deaf Heart Health Intervention [DHHI])의 효과에 대해 연구했다. 연구질문은 'DHHI가 청각 장애인들에게 심혈관 질환의 위험요소와 관련된 건강행동 효능감을 증가시킬 것인가?'이다. 자기효능감이 건강 행동을 이해하고 수정하는데 주요한 개념으로 제시된 이론에 근거하여, 자기효능감을 DHHI의 주요 구성개념으로 활용하였다.

2) 가설작성

가설은 다양한 방법으로 작성될 수 있으며, 가설의 형식에 상관없이 간결한 용어를 사용하여 명확하고 단순하게 작성되어야 한다. 가설에는 (1) 변수, (2) 연구되는 인구집단, (3) 예측된 결과에 대한 정보가 반드시 포함되어야 한다. 가설로 나타난 정보는 연구 보고서의 도구, 표본, 방법 부분에서 더 명확해 진다.

(1) 통계적 가설 vs 연구가설

가설은 연구가설과 통계적 가설로 분류된다. 과학적 가설이라고도 알려진 연구가설은 변수의 기대되는 관계에 대한 진술로, 기대되는 연구결과를 나타낸다. 연구가설은 지시적이거나 비지시적일 수 있고, 통계적으로 유의한 결과를 얻게 되면, 그 가설은 지지된다. 예를 들어 가정 기반 간호 중재가 과민성 유아가 있는 가족의 양육 스트레스를 줄이는데 효과가 있는지를 평가하는 연구에서 연구가설은 "가정 기반 과민성 유아를 위한 간호중재에 참여하는 모성은 중재에 참여하지 않는 모성보다 낮은 양육 스트레스를 보고할 것이다."(Keefe et al., 2006)이다. 연구결과가 통계적으로 유의하지 않아 가설은 지지되지 않았고 따라서 간호중재는 과민성 유아 모성의 양육 스트레스를 유의하게 감소시키지 못했다.

귀무가설이라고도 알려진 통계적 가설은 독립변수와 종속변수 사이에 관련성이 없다고 진술한다. 자료분석에서 제시된 유의수준에서 통계적 유의성이 관찰된다면 귀무가설은 기각된다. 통계적 가설의 기각은 연구가설의 지지를 의미한다. 예를 들어 마취과 의사와 마취 전문 간호사에 의해 행해진 마취에서 마취 합병증 발생률 차이를 확인하는 연구(Simonson et al., 2007)에서, '마취 전문 간호사와 마취과 의사에 의해 행해진 마취에서 마취 합병증 발생률에 차이가 없을 것이다.' 라는 귀무가설이 지지되었다면, 이는 마취를 마취 전문 간호사가 하든 의사가 하든 마취 관련 합병증 발생에는 차이가 없다는 것을 나타낸다. 결과에서의 차이가 우연에 의해 발생할 수 있는 예상된 차이보다 크지 않기 때문에 귀무가설이 지지되었다.

가설을 진술할 때 연구가설이 통계적 가설보다 일반적으로 더 흔하게 사용되며, 연구가설이 연구자들의 예측을 진술하는데 더 바람직할 수 있으며, 독자들 역시 제시된 결과에 대해 더 정확한 개념을 가질 수 있다. 귀무가설이 명확하게 언급되지 않았다 하더라도, 통계적 분석을 포함하는 모든 연구에서는 귀무가설이 가정된다. 표 2-4는 연구가설과 통계적 가설의 예시들이다.

표 2-4 가설 작성 예시

유형	독립변수	종속변수	가설	방향성
연구가설	• 요양병원 간호사, 간호조무사 확보수준 • 요양병원 간호사, 간호조무사 이직률	• 입원환자의 건강결과	"요양병원의 간호사, 간호조무사 확보수준과 이직률에 따라 요양병원 입원환자의 건강결과에 유의한 차이가 있을 것이다." (Kim et al., 2014, p23).	비지시적
	• 심뇌혈관질환 예방교육 프로그램	• 지식점수 • 자기효능감 정도 • 건강행위실천 정도	"심뇌혈관질환 예방교육프로그램을 제공받은 실험군은 제공받지 않은 대조군에 비해 심뇌혈관질환에 대한 지식점수, 자기효능감 정도, 건강행위실천 정도가 높을 것이다." (Choi et al., 2015, p27).	지시적
통계적 가설	• 동맥관의 개방성 유지방법(생리식염수 vs 헤파린용액)	• 동맥관의 개방성 • 출혈 경향성	"생리식염수군과 헤파린희석용액군의 동맥관의 개방성, 출혈 경향성에 차이가 없을 것이다." (Han et al., 2012, p792).	비지시적
	• 경막외 마취제 투여	• 통증, 불안, 자궁경관 개대 정도	"분만 1기 잠재기에 경막외 마취제 투여군과 비투여군(대조군)의 통증, 불안 및 자궁경관 개대 정도는 차이가 없을 것이다." (Han et al., 2012, p128).	비지시적
	• 회음부 간호 시 사용 용액	• 유치도뇨관 관련 요로감염 발생률	"회음부 간호 시 클로르헥시딘과 생리식염수를 적용했을 때 유치도뇨관 관련 요로감염 발생률에는 차이가 없을 것이다." (Choi et al., 2012, p224).	비지시적

(2) 지시적 가설과 비지시적 가설

가설은 지시적일 수도 있고, 비지시적일 수도 있다. 지시적 가설은 변수 간의 관계뿐 만 아니라 그 관계의 특성이나 방향도 나타낸다. 다음은 지시적 가설의 예시이다: "DHHI를 받은 성인 청각 장애인은 받지 않은 사람보다 목표한 건강 관련 행동에 대해서 더 높은 자기 효능감을 나타낼 것이다."

(Jones et al., 2007). 표 2-4의 두 번째 사례는 지시적 가설의 예이다.

반면 비지시적 가설은 변수 사이의 관계가 존재함은 나타내지만, 관계의 예상되는 방향을 구체적으로 제시하지는 않는다. 예를 들어서 유관액(Nipple Aspirate Fluid [NAF])에서 나타난 C반응단백질(C-reactive protein [CRP])이 염증성 또는 전암단계를 발견하는 역할을 하는지 알아내는 연구에서 다음의 비지시적 가설이 사용되었다: "여성의 생식적 요소, 영양적 요소, 체성분, 활동 요인과 NAF의 CRP의 양 사이에는 관련성이 있을 것이다(Lithgow et al., 2006)."

가설을 진술할 때 지시적, 비지시적 형태 모두 허용되며, 각각 명백한 장단점이 있다. 비지시적 가설을 지지하는 사람들은 비지시적 형태가 지시적 형태보다 더 객관적이고 공평하다고 주장하며, 지시적 가설은 예상되는 결과에 대해 특정한 입장과 태도를 보이므로 잠재적으로 편중되어 있다고 한다. 반면, 지시적 가설을 지지하는 사람은 연구자라면 당연히 자신의 연구결과에 대한 예감이나 추측을 가지며, 연구자가 그 질문에 대해 깊이 생각하고, 문헌고찰을 통해 개념 틀을 구성한다면, 가설의 방향성에 대한 이론적 기초를 가질 수 있다고 주장한다. 예를 들어 자기 효능감 이론은 변수 간의 관계가 특정 결과를 유도할 것이라는 제안의 중요한 논리를 제공한다. 논리를 위해서 참고할 이론이나 관련 연구가 없거나 선행 연구결과가 모호할 때 비지시적 가설이 적절하다. 지시적 가설의 장점은 다음과 같다.

- 지시적 가설은 이론을 기반으로 하여 가설이 만들어졌고 연구 중인 현상은 비판적으로 검토되었고 상호관련이 있다는 것을 나타낸다. 비지시적 가설도 이론 기반에서 추론될 수도 있지만, 비지시적 가설을 사용하는 많은 연구의 탐색적 특성을 고려한다면, 이론 기반이 아닌 경우가 많다.
- 지시적 가설은 출처가 있는 구체적인 이론 틀을 제공하고 그 이론 틀 내에서 연구가 수행된다.
- 지시적 가설은 연구자가 이론적으로 중립적인 태도를 취하지 않으며 결과적으로 자료분석이 통계적으로 더 세심한 방법으로 이루어진다.

가설의 방향성에 대해 기억해야 할 중요한 점은 연구자가 방향성을 제안할 수 있는 바람직한 논리가 있는가 하는 것이다.

5. 가설, 연구질문, 연구설계의 관계

통계가설이 사용되느냐, 연구가설이 사용되느냐에 상관없이 가설은 연구설계와 연구결과에 의해 제시되는 근거의 수준과 관련되며 설계 유형이 가설 작성에 영향을 미친다. 실험설계의 경우 다음과 같이 가설이 설정된다.

- X_1이 X_2보다 Y에 더 효과적일 것이다.
- X_1이 Y에 미치는 효과는 X_2가 Y에 미치는 효과보다 클 것이다.
- X_1과 X_2 처치를 받은 대상자에서 Y의 발생은 차이가 없을 것이다.
- X_1 후의 대상자는 X_2 후의 대상자보다 Y의 발생률이 더 높을 것이다.

실험설계에서의 가설은 실험처치(X)가 명시되고, 실험처치(X)가 결과(Y)에 미치는 효과를 검증하거나 예측되는 결과 차이(Y)가 실제로 존재하는지를 검증하며, 실험군과 대조군의 대상자 그룹이 포함된다. 실험결과로 제시되는 근거의 강도는 Level Ⅱ (실험설계)이거나 Level Ⅲ (유사실험설계)이다.

반면 비실험 설계에 제시되는 가설은 주로 연관관계 진술이며, 근거의 강도는 Level Ⅳ (비실험설계)이며, 다음과 같이 설정된다.

- X는 Y와 음의 관계가 있을 것이다.
- X와 Y사이에는 양의 관계가 있을 것이다.

6. 임상적 질문 개발

임상가들은 임상에서 경험하는 다양한 실무문제에 적용되는 연구 보고서를 찾고 검색하고 분석하여 자신의 실무을 최신으로 유지하고자 하며(Cullum, 2000), 최근에 공포된 가장 우수한 연구결과(best evidence)에 근거한 임상적 의사결정을 하려고 노력한다. 연구를 수행하는 것은 아니지만 근거 기반 실무에 초점을 맞춘 정보 검색 또한 구조화된 임상적 질문이 필요하다. 임상적 질문은 준비된 해답이 없는 임상환경에서 시작되며, '~를 위한 가장 효과적인 치료가 뭘까?' 또는 '왜 우리는 이것을 이런 방법으로 하고 있지?' 같은 질문들이 포함된다.

임상적 질문은 연구질문과 유사한 기준을 사용하며, 연구결과가 뒷받침하는 근거를 확인하기 위한 문헌검색의 기초가 된다. 다음은 임상적 질문의 네 가지 요소이다.

- 대상자(Population)
- 중재(Intervention)
- 비교중재(Comparison intervention)
- 결과(Outcome)

PICO라고 알려진 네 가지 구성요소는 임상가들이 임상적 질문을 개발하는데 도움을 준다. 기존 문헌에서 연구근거를 분석하면서 임상적 질문의 중요성은 명백해진다. 임상가의 임상적 경험, 환자의 선호도, 연구근거에 따라 실무표준, 프로토콜, 환자관리에 사용되는 지침 등은 개발되거나 수정될 수 있다. 임상적 문제나 질문은 복합적인 임상 상황이나 관리 상황에서 발생할 수 있다.

임상가가 임상적 질문의 틀을 만들 때 다음의 세 가지의 요소(상황, 중재, 결과)를 명료히 하는 것이 도움이 된다.

(1) '상황'은 다루어지고 있는 환자 또는 문제를 나타내며, 특정 건강 문제를 가지고 있는 환자 한 명일 수도 있고 그룹일 수도 있다.

(2) '중재'는 관심 있어 하는 건강관리방법에 대한 것으로, 특정중재가 유용한 치료인가 하는 것이다.

(3) '결과'는 질과 비용 측면에서 치료(중재)가 환자에게 효과가 있는지, 중재가 환자에게 차이를 만들었는지에 대한 것이다.

7. 비평

연구질문 또는 가설을 개발할 때 연구자가 주의해야 하는 것은 연구설계와 전반적인 개념화의 대표성(representativeness)이다. 양적 연구에서 연구활동의 주요관점은 연구질문에 답하는 것 또는 가설을 검증하는 것이다. 연구질문은 연구의 방향과 초점을 나타내기 위해서 연구 보고서의 첫 부분에 보통 소개된다. 연구배경과 제기된 연구질문의 개발이 필요함을 나타내기 위해 문제의 중요성이 가장 먼저 언급되고, 임상적·과학적 배경과 중요성이 요약되고 연구의 의도, 목표, 목적이 명시된다. 문헌고찰 전, 후에 연구질문과 관련 하부 질문이 제시된다.

이론적·과학적 배경을 요약 서술하는 목적은 독자에게 저자가 연구질문의 개발에 대해 어떤 분석적 생각을 했는지 한눈에 보여주기 위함이다. 서론은 연구가 적절한 이론적 틀에 근거하고 있다는 것을 보여주고 연구전개의 기초가 되며, 연구의 의의(즉, 왜 연구자는 이 연구를 하는지) 또한 포함되어야 한다. 연구의 의의는 임상에서 직면한 문제를 해결하는 것 일수도 있고, 환자 간호 향상, 임상적 문제에 관한 문헌적 대립의 해결, 비용 효과적이고 더 나은 질의 간호 중재를 지지하기 위한 자료제공 등 일 수도 있다. HIV/AIDS 환자 개개인에 맞춰 간호사가 시행하는 투약 준수 중재 프로그램을 표준 간호와 비교했던 Holzemer 등(2006)의 연구질문의 의의는 환자의 처방 준수와 치료 결과 사이의 관계를 규명한 데 있으며, HIV/AIDS의 치료적 투약 요법을 환자가 준수하도록 함으로써 환자 결과를 개선하고자 하는 것이었다.

연구의 도입부에 주요한 연구질문은 드러나야 하며, 연구질문의 세 가지 주요요소도 확인 가능하여야 한다. 연구질문의 세 가지 주요요소는 다음과 같다.

1) 연구질문은 두 가지 이상의 변수들 사이의 관계 또는 적어도 독립변수와 종속변수와의 관계를 나타내어야 한다.
2) 연구대상이 되는 집단의 특성을 구체화하여야 한다.
3) 실증적 검증 가능성이 나타나야 한다.

연구질문에서 변수, 대상자, 검증 가능성의 함축적 측면이 불분명 하다면 연구의 나머지 부분도 불안정 할 것이다. 임상적 질문을 평가할 때도 질문의 초점이 명료한지, 다루어지는 환자 또는 문제, 특정 환자의 결과가 구체화 되어있는지에 대해 검토하여야 한다. 임상적 질문이 문헌검색의 방향성을 제시하고, 연구결과로부터 얻을 근거의 수준과 연구설계를 제시한다는 근거가 있어야 한다.

가설분석 역시 몇 가지 기준이 있으며, 다음의 기준은 연구 보고서의 가설평가 시 참고할 수 있다.

1) 가설이 분명하게 기술되어있는가?
2) 가설의 방향성에 따라 자료분석이 계획되었는가?
3) 가설은 문헌고찰과 이론 틀과 맥락을 같이 하는가?
4) 가설의 제시된 방향성이 적절한가? 문헌고찰에 자료가 부족할 때(즉, 연구자가 비교적 확실하지 않은 관심 영역을 연구하기로 선택했을 때) 비지시적 가설이 더 적절하다.
5) 가설은 검증 가능한가? 가설의 검증가능성이란, 가설이 명백하게 지지되거나, 기각되도록 진술되었는지를 의미하며, 각 가설은 하나의 관계를 구체화하여야 한다.
6) 가설이 객관적으로 진술되었는가? 가치판단적인 단어는 없는가? 가치판단적인 가설은 실증적으로 검증할 수 없다. 수치화할 수 있는 단어가 객관성과 검증가능성을 나타낸다.
7) 가설에서 변수의 관계를 표현하는 방법이 연구설계의 유형을 보여주고 제시된 설계유형이 연구수행과 얻어지는 근거수준(그림 1-1 참고)에 적절한가?

참고문헌

Albert, N. M., Fonarow, G. C., Abraham, W. T., Gheorghiade, M., Greenberg, B. H., Nunez, E.,.... Young, J.B. (2009). Depression and clinical outcomes in heart failure: An OPTIMIZE-HF analysis. *American Journal of Medicine, 122*(4), 366–373.

Antoni, M. H., Lehman, J., Kilbourn, K. M., Boyers, A. E., Culver, J. L., Alferi, S. M.,....Carver, C. S. (2001). Cognitive-behavioral stress management intervention decreases the prevalence of depression and enhances benefit finding among women under treatment for early-stage breast cancer. *Health Psychology, 20*(1), 20–32.

Artinian, N. T., Flack, J. M., Nordstrom, C. K., Hockman, E. M., Washington, O. G., Jen, K. L., & Fathy, M. (2007). Effects of nurse-managed telemonitoring on blood pressure at 12-month follow-up among urban african americans. *Nursing Research, 56*(5), 312–322.

Bekelman, D. B., Havranek, E. P., Becker, D. M., Kutner, J. S., Peterson, P. N., Wittstein, I. S.,.... Dy, S. M. (2007). Symptoms, Depression, and quality of life in patients with heart failure. *Journal of Cardiac Failure, 13*(8), 643–648.

Bohmer, C. J., Taminiau, J. A., Klinkenberg-Knol, E. C., & Meuwissen, S. G. (2001). The prevalence of constipation in institutionalized people with intellectual disability. *Journal of Intellectual Disability Research, 45*(Pt 3), 212–218.

Castledine, G., Grainger, M., Wood, N., & Dilley, C. (2007). Researching the management of constipation in long-term care: Part 1. *British Journal of Nursing, 16*(18), 1128–1131.

Chinn, P. L., & Kramer, M. K. (2008). *Theory and nursing: Integrated knowledge development* (7th ed.). St. Louis: Mosby.

Cho, H. S., & Kwak, J. M. (1995). *Chuna manual therapy for children.* Seoul: Euisungdang.

Cho, S. H., Choi, M. K., Lee, J. H., & Cho, H. W. (2015). Relationship between expectations regarding aging and physical activity among middle aged adults in urban areas. *Journal of Korean Academy of Nursing, 45*(1), 14–24.

Choi, J. S., & Yeon, J. H. (2012). Effects of perineal care in preventing catheter associated urinary tract infections (CAUTI) in intensive care units (ICU). *The Korean Journal of Fundamentals of Nursing, 19*(2), 223–232.

Choi, S. K., & Kim, I. S. (2015). Effects of a cardiocerebrovascular disease prevention education program for postmenopausal middle-aged women. *Journal of Korean Academy of Nursing*, *45*(1), 25-34.

Chong, S. K. (2001). Gastrointestinal problems in the handicapped child. *Current Opinion in Pediatrics*, *13*(5), 441-446.

Cullum, N. (2000). User's guides to the nursing literature: an introduction. *Evidence-based Nursing*, *3*(2), 71-72.

Engle, G. (1962). *Psychological developmetn in health and disease*. Philadelphia: Saunders.

Emly, M. (1993). Abdominal massage. *Nursing Times*, *89*(3), 34-36.

Ha, Y. S., & Choi, Y. H. (2012). Effectiveness of a motivational interviewing smoking cessation program on cessation change in adolescents. *Journal of Korean Academy of Nursing*, *42*(1), 19-27.

Han, S. S., Park, J. E., Kim, N. E., & Kang, H. J. (2012). Effects of normal saline for maintenance of arterial lines of surgical patients. *Journal of Korean Academy of Nursing*, *42*(6), 791-798.

Han, S. J., Kim, J. I., & Kim, M. J. (2012). Comparison of obstetric pain, anxiety, and cervical dilatation between epidural analgesia and no analgesia group during labor stage I. *Korean Journal of Women Health Nursing*, *18*(2), 126-134.

Holzapfel, N., Löwe, B., Wild, B., Schellberg, D., Zugck, C., Remppis, A.,..., Müller-Tasch, T. (2009). Self-care and depression in patients with chronic heart failure. *Heart & Lung*, *38*(5), 392-397.

Holzemer, W. L., Bakken, S., Portillo, C. J., Grimes, R., Welch, J., Wantland, D., & Mullan, J. T. (2006). Testing a nurse-tailored HIV medication adherence intervention. *Nursing Research*, *55*(3), 189-197.

Horgas, A. L., Yoon, S. L., Nichols, A. L., & Marsiske, M. (2008). The relationship between pain and functional disability in black and white older adults. *Research in Nursing & Health*, *31*(4), 341-354.

Jiang, W., Kuchibhatla, M., Cuffe, M. S., Christopher, E. J., Alexander, J. D., Clary, G. L.,..., O' Connor, C.M. (2004). Prognostic value of anxiety and depression in patients with chronic heart failure. *Circulation*, *110*(22), 3452-3456.

Jones, E. G., Renger, R., & Kang, Y. (2007). Self-efficacy for health-related behaviors among deaf adults. *Research in Nursing & Health, 30*(2), 185–192.

Kang, H. K., & Hong (Son), G. R. (2015). Effect of muscle strength training on urinary incontinence and physical function - A randomized controlled trial in long-term care facilities -. *Journal of Korean Academy of Nursing, 45*(1), 35–45.

Kang, J. Y., & Suh, E. Y. (2015). The influence of stress, spousal support, and resilience on the ways of coping among women with breast cancer. *Asian Oncology Nursing, 15*(1), 1–8.

Keefe, M. R., Kajrlsen, K. A., Lobo, M. L., Kotzer, A. M., & Dudley, W. N. (2006). Reducing parenting stress in families with irritable infants. *Nursing Research, 55*(3), 198–205.

Kim, D. H. (1997). *Introduction of meridian massage.* Seoul: Korea Massage Institution.

Kim, H. S. (2015). Effects of sexual intercourse on suicidal behaviors among adolescents in South Korea. *Journal of Korean Academy of Nursing, 45*(2), 183–191.

Kim, M. J., & Jeon, H. J. (2006). *Meridian massage.* Seoul: Jungdammedia

Kim, S. J., & Yoo, K. H. (1999). A study on the operation realities of day care center for cerebral palsy children: Focused on C-day care center. *Journal of Living Science Research, 25*, 1–17.

Kim, T. I., & Nam, M. J. (2007). Effects of abdominal meridian massage with aroma oils on relief of constipation in institutionalized children with cerebral palsy. *Child Health Nursing Research, 13*(1), 90–101.

Kim, Y. M., Lee, J. Y., & Kang, H. C. (2014). Impact of nurse, nurses' aid staffing and turnover rate on inpatient health outcomes in long term care hospitals. *Journal of Korean Academy of Nursing, 44*(1), 21–30.

Lee, E. H., & Park, H. J. (2015). Effects of special mouth care with an aroma solution on oral status and oral cavity microorganism growth in elderly stroke patients. *Journal of Korean Academy of Nursing, 45*(1), 46–53.

Lee, H. J., Jang, J. H., Lee, S. H., Chun, K. J., & Kim, J. H. (2015). Self-care behavior and depression in patients with heart failure. *The Korean Journal of Fundamentals of Nursing, 22*(1), 79–86.

Lee, S. J., & Song, M. S. (2015). Successful aging of Korean older adults based on Rowe and Kahn's model : A comparative study according to the use of community senior facilities.

Journal of Korean Academy of Nursing, 45(2), 231–239.

Lithgow, D., Nyamathi, A., Elashoff, D., Martinez-Maza, O., & Covington, C. (2006). C-reactive protein in nipple aspirate fluid: Relation to women's health factors. *Nursing Research, 55*(6), 418–425.

Mun, S. Y., & Lee, B. S. (2015). Effects of an integrated internet addiction prevention program on elementary students' self-regulation and internet addiction. *Journal of Korean Academy of Nursing, 45*(2), 251–261.

Nam, M. J. (2007). *Effects of abdominal meridian massage with or without use of aroma oils for the relief of constipation among institutionalized disabled people* Unpublished doctoral dissertation, Daejeon University, Deajeon.

Nam, M. J., Bang, Y. I., & Kim, T. I. (2013). Effects of abdominal meridian massage with aroma oils on relief of constipation among hospitalized children with brain related disabilities. *Journal of Korean Academy of Nursing, 43*(2), 247–255.

Oh, J. H., Yi, Y. J., Shin, C. J., Park, C. S., Kang, S. S., Kim, J. H., & Kim, I. S. (2015). Effects of silver-care-robot program on cognitive function, depression, and activities of daily living for institutionalized elderly people. *Journal of Korean Academy of Nursing, 45*(3), 388–396.

Oh, J. Y., An, J. W., Oh, K. W., Oh, S. I., Kim, J. A., Kim, S. H., & Lee, J. S. (2015). Depression and caregiving burden in families of patients with amyotrophic lateral sclerosis. *Journal of Korean Academy of Nursing, 45*(2), 202–210.

Park, K. H. (2014). Adaptation and verification of the incontinence care protocol. Unpublished doctoral dissertation, Konkuk University, Chungju.

Reynolds, P. D. (2007). *A primer in theory construction.* Boston: Allyn & Bacon Classics.

Rockwell, J. M., & Riegel, B. (2001). Predictors of self-care in persons with heart failure. *Heart & Lung, 30*(1), 18–25.

Rowe, J. W., & Kahn, R. L. (1998). Successful aging. New York, NY: Pantheon Books.

Rutledge, T., Reis, V. A., Linke, S. E., Greenberg, B. H., & Mills, P. J. (2006). Depression in heart failure: a meta-analytic review of prevalence, intervention effects, and associations with clinical outcomes. *Journal of the America College of Cardiology, 48*(8), 1527–1537.

Sackett, D. L., Straus, S. E., Richardson, W. S., Rosenberg, W., & Haynes, R. B. (2000). *Evidence-based medicine: How to practice and teach EBM (2nd Ed.)*. London: Churchill Livingstone.

Seo, Y. M., & Jeong, S. H. (2015). Effects of blending oil of lavender and thyme on oxidative stress, immunity, and skin condition in atopic dermatitis induced mice. *Journal of Korean Academy of Nursing, 45*(3), 367–377.

Simonson, D. C., Ahern, M. M., & Hendryx, M. S. (2007). Anesthesia staffing and anesthetic complications during cesarean delivery: A retrospective analysis. *Nursing Research, 56*(1), 9–17.

Son, Y. J., Kim, S. H., & Kim, G. Y. (2011). Factors influencing adherence to self care in patients with chronic heart failure. *The Korean Academic Society of Adult Nursing, 23*(3), 244–254.

Suh, E. Y. (2008). The processes of coping with breast cancer among Korean women. *The Korean Journal of Stress Research, 16*(4), 305–315.

Thompson, C., Cullum, N., McCaughan, D., Sheldon, T., & Raynor, P. (2004). Nurses, information use, and clinical decision making: the real world potential for evidence-based decisions in nursing. *Evidence-Based Nursing, 7*(3), 68–72.

Thompson, W. G., Longstreth, G. R., Drossman, D. A., Heaton, K. W., Irvine, E. J., & Muller-Lissner, S. A. (1999). Functional bowel disorders and functional abdominal pain. *Gut, 45*(suppl 2), II43–II47.

Wagnild, G. M., & Collins, J. A. (2009) Assessing resilience. *Journal of Psychosocial Nursing and Mental Health Services, 47*(12), 28–33.

Wang, H. J., & Kim, I. O. (2015). Effects of a mobile web-based pregnancy health care educational program for mothers at an Advanced maternal age. *Journal of Korean Academy of Nursing, 45*(3), 337–346.

Winge, K., Rasmussen, D., & Werdelin, L. M. (2003). Constipation in neurological diseases. *Journal of Neurology, Neurosurgery and Psychiatry, 74*(1), 13–19.

Worwood, V. A. (2000). Aromatherapy for the healthy child. Novato. CA: New World Library.

Yoo, H. N., & Kim, H. S. (2015). Development and evaluation of the Empowering A Self-Efficacy (EASE) program for children with epilepsy. *Journal of Korean Academy of Nursing, 45*(1), 54–63.

Zambroski, C. H., Moser, D. K., Bhat, G, & Ziegler, C. (2005). Impact of symptom prevalence and symptom burden on quality of life in patients with heart failure. *European Journal of Cardiovascular Nursing, 4*(3), 198–206.

03
CHAPTER

문헌고찰과 이론적 기틀

03
CHAPTER

문헌고찰과 이론적 기틀

본 장에서는 문헌고찰의 목적 및 고찰의 우선순위, 출처, 문헌 검색을 위한 데이터베이스에 대해 알아볼 것이다. 그리고 찾은 문헌들에 대한 비평, 정리 방법 및 고찰 내용을 통합하는 기법에 대해서도 알아 볼 것이다. 또한 연구의 이론적 기틀을 만드는 방법 및 이론적 기틀을 도식화 하는 방법에 대해서도 다루어질 것이다.

Ⅰ. 문헌고찰

1. 문헌고찰의 목적

연구과정에서 문헌고찰의 주요 목적은 1) 연구하려는 현상 또는 주제에 대해 이미 알려진 것이 무엇인가를 파악하고, 2) 연구에 대한 이론적 기틀을 제공하며, 3) 연구방법에 대한 정보를 얻기 위함이다. 따라서 문헌고찰은 연구의 필요성 및 문제, 가설, 연구방법을 정하는데 있어 중요한 역할을 한다고 할 수 있다. 그럼에도 불구하고, 초보연구자들은 무엇인가를 해야 한다는 조급한 마음에 충분한 문헌고찰 없이 개인의 단편적인 지식만을 가지고 연구를 수행하는 실수를 범하는 경우가 많다.

2. 문헌고찰을 위한 우선순위

어떤 종류의 문헌을 고찰하여야 하는가? 이에 대한 정해진 답은 없지만 Creswell (1994)은 가장 우선적으로 고찰하여야 할 문헌으로 학술지에 게재된 연구논문을 꼽고 있다. 연구하려는 주제에 대한 가장 최근의 연구논문으로부터 시작해서 시간을 거슬러 올라가면서 고찰할 것을 권장한다. 다음으로 고찰해야 할 것은 주제와 관련된 책이다. 학술적 문헌을 정리한 모노그래프부터 시작해서 주제에 대해서만 다룬 단행본 책이나 책 안에 있는 장(chapter)을 고찰한다. 그리고 최근에 실시된 학술대회 초록집을 참고한다. 특히 학술대회에 발표된 연구들은 가장 최근의 연구결과에 대한 정보를 얻을 수 있는 장점을 가지고 있다. 마지막으로 관련된 학위논문을 참고한다.

3. 문헌고찰의 출처

1) 일차적 문헌
일차적 문헌은 원저자에 의해 쓰인 것을 말한다. 연구에서 일차적 문헌은 연구를 실행한 사람이 발표한 논문을 말하며, 이론의 경우는 이론을 개발한 이론가에 의해 작성된 것을 말한다.

2) 이차적 문헌
이차적 문헌은 원저자의 글을 다른 사람이 서술한 것을 다시 인용하는 것을 말한다. 이차적 문헌을 사용할 때 발생할 수 있는 문제는 원저자의 글을 다른 사람의 관점에서 해석한 것을 인용함으로 인해 가끔씩 원저자의 의도와는 다른 독자의 편견이 적용되는 경우가 있다. 일례를 들면, 우리나라 암 환자 및 심혈관질환자 건강관련 삶의 질에 대한 연구들을 분석한 결과, 삶의 질 변수의 측정도구로 가장 많이 사용된 것은 Padilla와 Grant (1984)의 도구로 나타났다(Lee et al., 2002; Lee, Tak, & Song, 2005). 이 측정도구는 원래 대장암 특이형 삶의 질을 측정하기 위해 1980년대 중반에 미국에서 개발된 것이다. 하지만 한국에서는 지난 20년간 마치 이 도구는 처음부터 일반적인 암 환자나 심혈관질환자의 삶의 질을 측정하는 도구인 것처럼 자연스럽게 사용되어 왔다. Padilla와 Grant가 개발한 도구가 어떻게 한국어로 번역이 되었고, 한국 암 환자나 심혈관질환자에서 신뢰도와 타당도가 수립되었는지, 문항의 삭제나 첨가가 어떤 근거로 이루어졌는지 알 수가 없다. 이러한 오류는 국내의 많은 연구자들이 이 도구에 대한 일차적 문헌고찰 없이 이차적 문헌고찰에만 의존하여 왔기 때문이라고 볼 수 있다. 따라서 연구에 있어서는 이차적 문헌을 사용하기 보다는 일차적 문헌을 사용하는 것이 바람직하다.

4. 관련문헌을 찾는 방법

연구에서 문헌고찰을 잘하기 위해서는 먼저 원하는 정보를 적절히 찾을 수 있어야 한다. 원하는 정보를 찾기 위한 가장 편리한 방법은 컴퓨터 검색이다.

1) 국내 의학정보 검색

(1) Online 데이터베이스 검색

- **MedRic (http://www.medric.or.kr)**

  의학연구정보센터(MedRic)는 1997년 과학기술부 한국과학재단이 추진하고 있는 전문연구정보센터(Specialized Research Information Center, SRIC)사업의 일환으로 국내 의학 분야 전문 연구정보센터로 지정되어 설립된 곳으로, 여러 가지 추진사업 중 하나가 한국의학학술정보 DB구축이다. 이 DB는 의학, 간호학, 치의학, 보건학 등 의과학 영역의 학술지에 대한 서지 및 초록에 관한 정보를 제공한다. 국내 약 800여 종의 의학 관련 학술지의 서지정보를 제공한다. 현재 DB가 제공하는 범위는 1978년부터 1991년까지의 서지사항과 1992년부터 현재까지의 초록이다.

- **Koreamed (http://www.koreamed.org)**

  대한 의학술지 편집인 협의회의 "국내 의학학술지 평가사업"을 통해 선정된 학술지 논문의 영문 서지사항 및 초록 데이터베이스이다. 한국 의학관련 학술지 215종이 포함되어 있다.

- **국회전자도서관(http://www.nanet.go.kr)**

  국내 주요도서관과 상호협약 및 연계를 통해 국가 정보 능력을 향상시키고, 지역간 균형 있는 발전을 꾀하며, 국가 정보자원의 공유체제를 확대 발전시켜 연구자들은 물론 일반국민들에게까지 온라인으로 필요한 정보를 제공하기 위해 개발된 시스템으로 1945년 이후 국내 전기 간행물 기사, 국내 학술지 및 책을 보유하고 있다.

- **RICH (http://www.richis.org)**

  보건연구정보센터(Research Information Center for Health, RICH)는 1995년 11월 한국과학재단 특성화 장려 산업인 전문연구 정보센터로, 국내외 보건 분야의 다양한 정보를 체계적으로 수집, 가공, 재생성하여 제공하고 있다. 46종의 보건 관련 학술지의 원문을 포함하고 있다.

- RISS (http://www.riss4u.net or www.riss.kr)

  한국학술정보원에서 구축한 데이터베이스로 전국 대학도서관에서 소장하고 있는 단행본, 연속간행물, 학위논문 등과 한국학술정보원에서 자체 구축한 학술정보, 민간업체에서 제공하는 학술정보 등 아주 다양하고 방대한 정보를 검색할 수 있다.

- KISS (http://search.koreanstudies.net)

  한국학술정보에서 제작한 국내 학회지의 소지사항 및 원문검색 시스템으로 공학, 의약학, 사회과학 등 전 분야에 걸쳐 국내 학회에서 발간되는 학회지를 수록하고 있다.

(2) 학위논문 검색

- 국립중앙도서관(http://www.nl.go.kr/)
- 국회도서관(http://www.nanet.go.kr/)

이 외에 각 대학의 홈페이지 내 도서관에서 학위논문 검색이 가능하다.

2) 국외 의학정보검색

(1) Medline

전 세계에서 발행되는 생의학 관련 학술지 중 미국 국립의학도서관이 선별한 2천만여 종의 학술지에 실린 논문의 서지사항과 초록을 수록해 놓은 데이터베이스로 의학, 치의학, 간호학, 보건학 분야에서 가장 널리 이용되는 대표적인 검색도구이다.

(2) EBMR (Evidence Based Medicine Reviews)

Cochrane Database of Systematic Reviews, Best Evidence (American College of Physicians가 출판하는 ACP Journals Club, ACP와 British Medical Journal Group이 출판하는 Evidence Based Medicine), Agency for Health Care Policy and Research와 같은 정부기관, 교수협의, 국제적인 과학기구, 의과대학 병원 등으로부터 정보를 제공받아 만들어진 의학 관련 데이터베이스이다.

(3) CINAHL (Cumulative Index to Nursing & Allied Health Literature)

간호학, 의학 등과 관련된 생명과학 문헌과 13개 보건관련분야의 정보를 다루고 있다. 1982년부터 약 1,200여 종의 간호학 관련 잡지의 서지정보 및 초록을 제공한다.

(4) PubMed

미국 국립의학도서관 내의 National Center for Biotechnology Information에서 개발된 Medline의 무료검색을 위한 검색도구이다. PubMed 프로젝트에는 NLM과 협찬 출판사들이 공동 작업으로 참여하고 있으며, 협찬출판사들은 저널의 출판에 앞서 서지 정보를 NLM에 제공하여, 자신들의 Web Site와 Link를 제공함으로써 원문에 편리하게 접근할 수 있도록 한다.

(5) Dissertation Abstract International (DAI)

전공에 상관없이 학위논문만을 모아놓은 것으로 검색하여 보고 싶은 논문을 정한 후, 미시간 Ann Arbor에 있는 University Microfilms International (UMI)에 연락하여 일정액을 지불하면 복사본을 구입할 수 있다.

5. 주제에 대한 통합적 고찰

연구하고자 하는 어떤 현상이나 주제와 관련된 연구논문을 찾아 읽은 후 이 결과들을 통합하는 과정은 매우 중요하다. 초보연구자들은 문헌고찰 과정을 단순히 연구하려는 현상(주제)에 대해 자신이 얼마나 지식을 가지고 있는지 보여주기 위한 것으로 잘못 알고 있는 경우가 있다. 가장 흔한 예로, "홍길동은 ……라고 하였고, 김철수는 ……라고 하였으며, 이영희는 ……라고 하였다"는 식의 표현이다. 관련 연구를 고찰하는 주된 이유는 단순히 연구결과를 나열하기 위함이 아니라, 연구하려는 주제에 대해 연구자가 하고 싶은 주장을 과학적으로 수행된 기존의 연구결과들을 인용하여 근거 중심적으로 주장하기 위함이다.

또한 관련연구에 대해서는 단순히 연구결과가 어떠했더라고 보고를 하는 것이 아니라 비평을 해야 한다. 연구의 어떤 점은 장점이고, 어떤 점은 앞으로의 연구에서 피해야 할 단점이라는 것을 비평함으로써 연구자가 시도하려는 연구가 의의 있음을 나타내야 한다.

따라서 연구논문을 읽을 때는 항상 비평의 시각을 가지고 있어야 한다. 다음의 표 3-1은 연구논문의 어떤 점을 비평해야 하는가에 대한 가이드라인이다. 이러한 가이드라인을 가지고 논문을 비평한 후, 표 3-2와 같이 정리하면 필요할 때 빨리 찾아볼 수 있으며 문헌고찰 결과를 통합하는데 도움을 준다. 연구를 처음 수행하는 연구자들에게는 이러한 과정이 번거롭고 시간소요가 많이 되지만 체계적이고 논리적인 문헌고찰을 할 수 있게 한다.

표 3-1 연구논문 비평을 위한 가이드라인

분류	비평 사항
연구문제	• 서론에 나타난 일반적인 연구문제는 무엇인가? • 연구자는 일반적인 연구문제를 특정한 문제로 좁혀서 진술했는가? 그렇다면, 특정한 문제를 가장 잘 나타내는 문장은 무엇이고 잘 진술되어 있는가?
가설 또는 연구문제	• 가설을 포함하고 있으면, 무엇인가? • 가설을 포함하고 있지 않다면, 연구문제가 진술되어 있는가? • 가설이나 연구문제가 잘 진술되어 있는가?
변수	• 연구변수는 무엇인가? • 독립변수와 종속변수는 어떤 것인가?
정의	• 연구개념의 이론적 및 조작적 정의는 무엇인가?
문헌고찰/ 개념적 기틀	• 이론적 기틀이 있는가? 있다면 무엇인가? • 문헌고찰에 연구변수들에 대한 것이 적절히 진술되어 있는가? • 연구변수들의 관계(명제)를 확인할 수 있는가?

연구방법	• 연구설계 : 어떤 연구설계가 사용되었는가? 가설이나 연구문제를 검증하기에 적합한가?
	  연구설계에 통제 또는 외생변수가 적절히 포함되었는가?
	• 표본 : 표본의 특성은 무엇인가? 표본선정을 위한 기준은 무엇인가? 표본크기는 적합한가?
	  표본추출방법은 무엇이며, 적절한가?

도구	• 어떤 측정도구가 사용되었는가? • 측정도구는 신뢰도가 수립되어 있는 것인가? • 측정도구는 타당도가 수립되어 있는 것인가?
윤리	• 연구 대상자가 사람이라면, 연구자는 대상자의 인권이 보호되었음을 진술하였는가?
자료분석/ 결과해석	• 자료에 대한 기술통계에 대해 언급되어 있는가? • 자료분석 방법이 적절한가? • 각각의 가설과 관련된 분석이 이루어졌는가? • 표는 적절한가? 표에 대한 설명이 적절한가?
논의/결과	• 통계적으로 유의한 결과가 나타났는가? 그렇다면, 이에 대한 해석이 적절한가? • 연구결과와 다른 연구의 결과에 차이가 있는가? 그렇다면, 이에 대한 논의가 이루어졌는가? • 언구자는 연구결과를 이론적 기틀과 관련지어 일치하였는지 또는 불일치하였는지에 대해 설명하였는가? • 결론은 연구결과로부터 논리적으로 표현되었는가? • 결론은 모든 연구결과(지지된 것과 지지되지 않은 것)를 반영하고 있는가? • 연구자는 연구결과를 실무, 교육, 정책 등에 어떻게 반영될 수 있는지에 대해 언급하였는가? • 앞으로의 연구 방향에 대한 제언을 하였는가?

표 3-2 비평한 논문에 대한 정리

저자 (년도)	주요 개념	개념적/ 이론적 기틀	연구설계, 표본크기 및 특성	측정 도구	결과	장점	취약점

6. 문헌고찰에 대한 전체적 구성

초보연구자들이 고민하는 것 중에 하나는 연구에서 "문헌고찰" 부분을 어떻게 구성해서 기술해야 하는가에 대한 것이다. 즉, 연구논문이나 책을 상당수 읽었더라도 이것을 논리적으로 작성하는 것은 쉬운 일이 아니다. 결론을 먼저 말하면, 이에 대한 통일된 해답은 없다. 하지만 일반적으로 다음과 같은 방법으로 소주제를 정해 구성한다면, 크게 어긋나지는 않을 것이다.

첫째, 어떤 것들에 대한 문헌고찰이 이루어 질 것이라는 것에 대한 소개를 한다. 둘째, 독립변수와 종속변수 각각에 대해 소제목으로 구성하는데, 이때 독립변수나 종속변수가 여러 개이면 개별적으로 소개한다. 셋째, 독립변수와 종속변수의 관계에 대해 하나의 소제목으로 구성한다. 만약 독립변수와 종속변수의 관계에 대한 기존 연구가 없으면, 두 변수 관계에 대한 가능성에 대해 서술한다. 이 세 번째 단계는 기존 논문의 문헌고찰 부분에서 가장 많이 생략되는 부분이다. 연구에 대한 이론적 기틀이 있어서 독립변수와 종속변수의 관련성에 대한 가이드를 준다면 세 번째 구성부분이 크게 중요하지 않지만, 이론적 기틀 없이 독립변수와 종속변수의 관계를 검증하려는 연구에서는 이 세 번째 구성부분은 필수적이다. 즉, 이론적 기틀이 없는 연구에서 독립변수와 종속변수 각각의 변수에 대해서만 문헌고찰하고 이 변수들의 관계에 대해 검증하려고 하는 것은, 가능성에 대한 체계적인 연구라기보다 독립변수와 종속변수가 우연히 연관성이 있기를 바라는 연구에 가깝다고 할 수 있다. 마지막으로 문헌고찰에 대한 전체적 요약과 기존 문헌에서 결핍된 부분을 확인하여 간단히 서술한다. 그럼, 문헌고찰의 전체적 구성에 대한 예를 들어보자. 만약, "독립변수(A와 B)와 종속변수 C의 관계에 대한 연구"를 하고자 하면, 개념 A에 대한 고찰, 개념 B에 대한 고찰, 개념 C에 대한 고찰, A와 C의 관계에 대한 고찰, B와 C의 관계에 대한 고찰을 한다. 이러한 방식의 구성은 연구개념과 개념들의 관계에 대해 빠짐없이 논리적으로 고찰하도록 도와줄 것이다.

BOX 3-1	문헌고찰 구성에 대한 예

윤방섭과 이해종(2005)은 '직무요인, 조직요인과 직무만족, 조직몰입의 관계에서 임파워먼트의 매개역할' 연구에서 문헌고찰을 아래와 같이 체계적으로 구성하였다.

1. 임파워먼트
2. 직무요인과 임파워먼트
3. 조직요인과 임파워먼트
4. 임파워먼트와 직무만족
5. 임파워먼트와 조직몰입
6. 임파워먼트의 매개역할

Ⅱ. 이론적 기틀

이론은 어떤 현상을 설명하기 위한 목적으로서 현상과 관련된 개념 및 명제들의 관계에 관한 체계적인 사고의 조합이다. 이런 개념과 명제는 추상적이고 일반적인 특성을 가지고 있다. 이에 반해 이론은 상대적으로 구체적이고 특정적인 개념과 명제들의 세트를 말한다(Fawcett, 1999).

1. 개념

개념은 어떤 대상, 사건, 또는 현상에 대해 추상적으로 명명한 용어로 정신적 창조물이다. 그러므로 개념은 우리들로 하여금 어떤 현상에 대한 구조를 범주화하고 해석할 수 있도록 정신적 상(image)을 제공한다. 개념은 일차원이거나 다차원일 수 있다. 이때 주의할 것은 한 개념을 이루는 다차원적 구성요소들을 각각 분리된 개념처럼 취급해서는 안 된다. "건강관련 삶의 질"이란 개념에 대해 예를 들어보자. 이 개념이 "신체적 건강, 심리적 상태, 기능적 능력, 그리고 사회적 관계"라는 다차원적으로 구성되어 있다고 하다면, 이러한 차원들은 삶의 질이란 개념의 구성요인으로 고려되어야지 각각의 분리된 독립적 개념으로 취급되어서는 안 된다는 것이다. 따라서 연구를 할 때 연구하고자 하는 정확한 개념과 차원을 확인하는 것은 매우 중요하다.

Kaplan (1964)은 개념을 관찰정도의 연속성에 따라 분류하였다. 첫째는 직접적으로 감각에 의해 관찰할 수 있는 실증적 용어를 말한다. 예를 들면, 성별과 같이 즉각적으로 관찰하여 감지할 수 있는 현상을 말한다. 다른 예를 보면, 한 여성이 유방암으로 인해 우울하다고 했다고 하자. 의료인은 이 여성이 우울하였다고 말한 것을 들음으로 해서 우울함을 알 수 있게 된다. 후자의 예에서의 직접적 관찰용어는 "우울함을 보고함"이 된다. 둘째는 간접적인 관찰 용어이다. 위의 예에서 "우울함을 보고함"이 아니라 "우울"은 의료인이 직접 관찰 할 수 없으므로 여성에게 나타나는 불면증이나 체중감소 등의 증상이나 증후를 간접적으로 관찰하게 된다. 셋째는 직접 또는 간접적으로도 관찰할 수 없는 구성개념(construct)이다. 이는 주로 과학적 목적을 위해 사용된다. 예를 들면, 어떤 특정한 상황이나 사건에 대한 정신적 및 사회적 적응에 대한 인식을 나타내는 "사회심리적 적응(psychosocial adjustment)"을 구성개념이라 할 수 있다. 개념적 분류의 마지막은 이론적 용어다. 이론적 용어는 추상적인 복합적이고 광범위한 특성을 가지고 있으며, 구성개념과의 연관성을 통해 설명될 수 있다. 예를 들어, "삶의 질"은 "신체적 건강에 대한 안녕상태," "정신적 상태에 대한 안녕상태", "기능적 능력에 대한 만족", 그리고 "사회적 관계에 대한 만족"과 같은 구성용어와의 연관성을 통해 설명될 수 있는 이론적 개념이라고 할 수 있다. 하지만 이러한 구분은 사실상 쉬운 것은 아니다 (Fawcett, 1999). 따라서 Kaplan (1964)은 앞의 두 분류를 합해 "관찰적" 그리고 뒤의 두 분류를 합쳐 "상징적"으로 분류할 수 있다고 하였다.

개념은 개념이 나타내는 현상 내에서 수준이나 형태가 다양할 수 있는데 관찰가능한 수준이나 형태의 개념을 변수(variable)라고 한다. 양적연구에서는 여기에 일정한 규칙에 따라 숫자를 부여하여 통계자료로 사용하게 된다.

만약 연구자가 "삶의 질"에 대해 관심이 있어 연구를 하려고 하면, 먼저 이 개념은 개인의 안녕상태 및 만족에 대한 건강, 환경, 경제, 복지 영역을 다 포함한 매우 광범위한 의미의 개념인 것을 파악할 수 있을 것이다. 만약 연구자가 보건의료와 관련된 전공분야에 있는 사람이라면, 아마도 이러한 광범위한 개념보다는 조금 더 구체적인 "건강관련 삶의 질"이라는 개념에 대해 관심이 있을 수 있다. 따라서 건강관련 삶의 질을 연구 개념으로 정하게 될 것이다. 이 개념은 아직도 구성개념이나 이론개념 수준의 추상적인 용어이므로 직접 관찰 및 측정할 수 없다. 따라서 추상적 개념을 실증적으로 연구하기 위해서는 신뢰도와 타당도가 검증된 건강관련 삶의 질 측정도구를 사용하여 변수 수준으로 정량화해야 한다. 이때 측정 도구의 선정은 연구에 사용되는 이론(모델)이나 구성개념에서 의미하는 개념적 정의의 속성을 측정할 수 있는 도구를 선정하여야 한다. 또한 측정도구 선정에 있어 연구자가 암 환자를 대상으로 건강관련 삶의 질에 대해 연구를 한다면, 일반 건강인이나 다른 만성질환자의 건강관련 삶의 질 측정도구를 사용하는 것보다 암 특이형 건강관련 삶의 질을 측정하기 위한 도구를 사용하는 것이 바람직하다(그림 3-1).

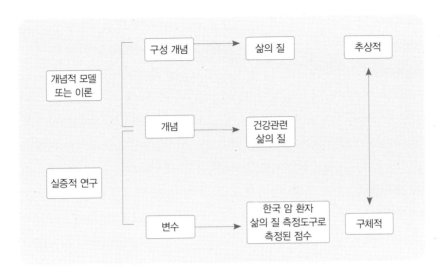

그림 3-1 이론/구성개념, 연구개념 및 변수와의 관계

2. 명제

명제는 개념 또는 개념들과의 관계에 대한 진술을 말한다. 명제는 크게 비관련성 명제(non-relational proposition)와 관련성 명제(relational proposition)로 나눌 수 있다(Fawcett & Downs, 1992). 이러한 명제를 쉽게 이해하기 위해 도식으로 표현한다. 도식화 할 때는 기본적으로 관계가 존재한다는 것을 표현하기 위해 두 개념의 관계를 직선(−)으로 연결하여 표시하고, 한 방향 화살표(→)는 비대칭 관계를, 쌍방향 화살표(↔)는 대칭 관계를 표현할 때 사용한다. 두 변수 관계의 방향은 양의 관계일 때 '+'로 음의 관계일 때는 '−'로 표시하고, 방향이 알려지지 않았으면 '?' 표시로 나타낸다.

1) 비관련성 명제
비관련성 명제는 한 개념에 대해 기술한 것으로 "A로 알려진 현상이 있다"와 같이 개념의 존재를 진술한 것과 이론에 포함된 이론적 개념(또는 구성개념)에 대한 정의가 이에 속한다.

2) 관련성 명제
관련성 명제는 둘 이상의 개념들 간의 관계를 진술한 것으로 흔히 개념과 개념이 "관계가 있다", "관련이 있다" 또는 "효과가 있다" 등으로 표현된다. 이와 같은 명제의 종류에는 다음과 같은 것들이 있다.

71

(1) 관계의 존재에 대한 명제:

가장 기본적인 형태로 둘 이상의 개념의 관계가 존재한다는 것을 진술한 것이다.

A와 B는 관계가 있다.	A ——————— B 또는 ? A ——————— B

(2) 관계의 방향성에 대한 명제:

두 개념과의 관계가 양의 관계인지 음의 관계인지에 대한 방향적 진술을 한 것이다.

A와 B는 양의 관계가 있다. A와 B는 음의 관계가 있다.	A ———— + ———— B A ———— − ———— B

(3) 관계의 형태에 대한 명제:

두 개념과의 관계가 선형인지 비선형인지에 대해 진술한 명제이다.

A와 B는 양의 선형관계이다. A와 B는 2차방정식의 관계이다.

(4) 관계의 강도에 대한 명제:

두 개념 관계의 크기를 진술한 명제이다. 이 때 크기는 주로 두 그룹의 차이나 개념들 간의 관계에 대한 효과크기(effect size)에 의해 표현된다.

A와 B는 작은(중간의, 큰) 효과크기의 관계가 있다.

(5) 관계의 대칭성에 대한 명제:

두 개념의 비대칭 또는 대칭 관계를 진술한 명제이다. 비대칭 관계는 아이디어가 한쪽의 방향으로만 갈 수 있고 뒤집어서 반대 방향으로 갈 수 없는 것을 말한다.

만약 A이면, B이다 (만약 A가 아니면, B에대한 결론이 도출될 수 없다)	A ⟶ B

(6) 대칭관계는 때로는 상호관계라고도 불리는 것으로 X는 Y에 관련이 있고 Y는 X에 관련이 있다는 두 개의 아이디어를 포함한다.

만약 A이면 B이고, 만약 B이면 A이다	A ⟷ B 또는 A ⟷ B

(7) 동시적 또는 결과적 관계에 대한 명제:

한 개념과 다른 개념이 나타나는데 시간적 경과를 반영한 명제이다.

두 개념이 동시에 일어난다면 이 관계를 동시적 관계라고 한다.	만약 A이면, 또한 B이다.
한 개념이 다른 개념에 선행하여 나타나면, 이 관계를 결과적 관계라고 한다.	만약 A이면, 그 후에 B이다.

(8) 필수적 및 대리적 관계에 대한 명제:

필수적(necessary) 명제는 어떤 개념(A)이 발생한다면, 오로지 이 개념(A)이 발생할 때만 다른 개념(B)이 발생하는 것을 말한다. 예를 들어, "수술 전에 제공된 수술과 관련된 감각에 대한 정보는 수술 후 고통을 감소시킨다." 라는 명제가 여기에 해당된다. 즉, 정보제공이라는 개념의 발생은 이와 관련된 특정한(수술에 대한) 느낌이라는 개념의 발생 시, 고통이라는 다른 개념을 감소시키는 관계를 말한다. 대리적(substitutable) 명제는 한 개념이 발생 한 후 다른 개념이 발생하는데, 선행 개념과 유사한 개념의 발생 시에도 다른 개념이 발생한다는 관계를 말한다. 예를 들어, "외로움 또는 우울은 인지적 기능과 부정적인 관계가 있다."라는 명제가 이에 해당된다.

(9) 충분 또는 의존적 명제:

충분(sufficient)명제는 다른 개념의 존재여부에 상관없이 개념 A가 발생하면 개념 B가 발생한다는 것을 말한다. 의존적(contingent) 명제는 개념 A와 B관계는 제3개념의 존재 C에 의해 영향을 받는 것을 말한다. 의존적 명제에는 두 종류가 있다. 하나는 A와 B의 관계가 C를 통해 연결된다는 명제이다. 여기서 C를 매개(mediating) 변수라 한다. 이때 A와 B의 관계가 완전히 C에 의해 설명되면 C를 완전 매개작용(full mediating effect)이라고 하고, A와 B의 관계가 C에 의해 부분적으로 감소하거나 증가하는 경우를 부분 매개작용(partial mediating effect)이라고 한다.

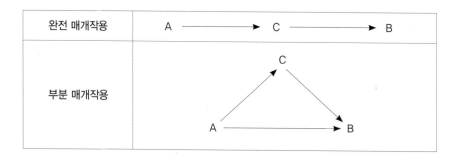

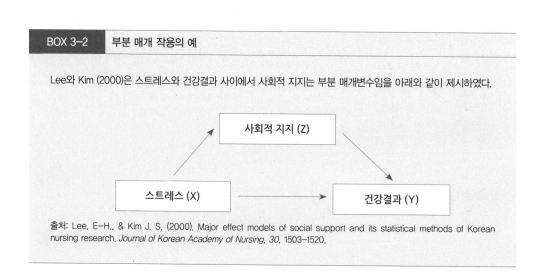

BOX 3-2   부분 매개 작용의 예

Lee와 Kim (2000)은 스트레스와 건강결과 사이에서 사회적 지지는 부분 매개변수임을 아래와 같이 제시하였다.

출처: Lee, E-H., & Kim J. S. (2000). Major effect models of social support and its statistical methods of Korean nursing research. *Journal of Korean Academy of Nursing*, 30, 1503-1520.

다른 하나는 A와 B 관계의 존재, 방향, 강도는 C의 수준에 달려 있다는 것을 의미하고, C는 조절 또는 완충(moderating or buffering) 변수라고 한다.

BOX 3-3 | 조절 작용의 예

Lee와 Kim (2000)은 스트레스와 건강결과 사이에서 사회적 지지는 완충작용을 하는 조절변수임을 아래와 같이 제시하였다.

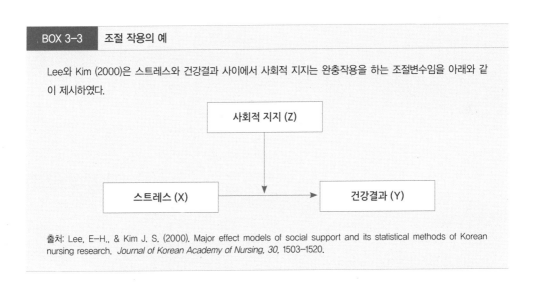

출처: Lee, E-H., & Kim J. S. (2000). Major effect models of social support and its statistical methods of Korean nursing research. *Journal of Korean Academy of Nursing, 30,* 1503-1520.

3. 이론적 기틀 형성 방법

1) 명제들을 통합하는 접근법

연구에서 이론적 기틀을 구성하기 위해 사용하는 가장 흔한 방법은 기존 문헌을 고찰해서 관심변수들의 관계에 대한 명제/가설을 도출하고, 이런 명제/가설들을 서로 연결해 통합해 사용하는 것이다. 실례로 문헌고찰을 통해 연구자들은 관심 개념인 당뇨병 환자들의 헬스리터러시(health litera-cy), 자기효능감, 자기관리 활동, 및 건강관련 삶의 질에 대한 가설을 도출하고, 이를 바탕으로 아래와 같은 이론적 기틀을 구성하여 검증하는 연구를 실시하였다(Lee, Lee, & Moon, 2016) (Box 3-4).

BOX 3-4	명제들을 통합하는 예

가설:

– 헬스리터러시(health literacy)는 자기효능감과 자기관리 활동과 직접적인 관계가 있을 것이다.

– 헬스리터러시는 자기효능감을 통해 자기관리 활동에 간접적인 관계가 있을 것이다.

– 자기관리 활동과 헬스리터러시는 건강관련 삶의 질에 직접적인 관계가 있을 것이다.

– 헬스리터러시는 자기관리 활동을 통해 건강관련 삶의 질에 간접적인 관계가 있을 것이다.

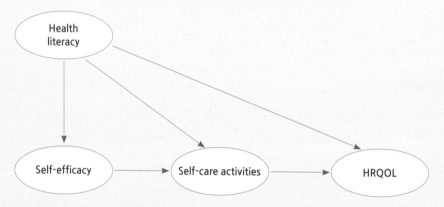

출처: Lee, E-H., Lee, Y. W., & Moon, S. H., (2016). A structural equation model linking health literacy to self-efficacy, self-care activities, and health-related quality of life in patients with type 2 diabetes. *Asian Nursing Research*, 10, 82-87.

2) 기존이론을 사용하는 접근법

위에서는 문헌고찰을 통해 명제/가설을 도출하여 연구기틀을 구성하고 도식화한 것이다. 이와 달리 기존에 존재하는 추상적 수준의 이론이나 모델을 기틀로 이용해서 연구자가 관심 있는 어떤 특정 상황에 적용할 수도 있다. 이러한 접근방법은 기존 이론이나 모델을 기틀로 연구되기 때문에 이론/모형 검증이라고도 불리 운다.

예를 들어, de Peralta, Holaday, & McDonell (2015)은 건강신념모델(Health Belief Model: HBM)을 바탕으로 라틴아메리카계 여성을 대상으로 자궁경부암 검사를 위한 건강행위에 영향을 미치는 요인에 대한 연구를 실시하였다. HBM은 심리사회적 모델로, 어떤 요인들이 개인으로 하여금 질병예방 프로그램에 참여하게 하는지를 파악하기 위해 만들어진 것이다. HBM에 의하면, 건강행위변화에 영향을 미치는 주요 예측요인으로는 인지된 민감성, 인지된 심각성, 인지된 위협, 인지된 유익성, 인지된 장애성 및 인지된 자기효능감이 있고, 이외에 인구사회학적 및 경제적 요인, 지식이 영향을 미친다고 한다(Janz, Champion, & Strecher, 2002) (그림 3-2). 연구자는 이 추상적인 수

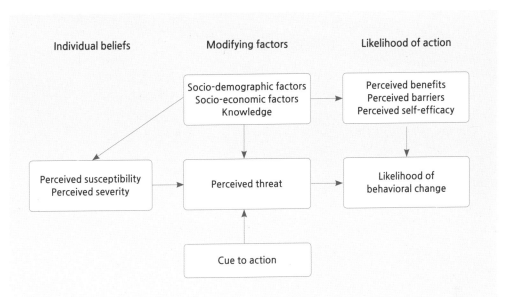

출처: Janz, N. K., Champion, V. L., & Strecher, V. J. (2002). The health belief model. In: Glanz, K., Rimer, B. K., Lewis, F. M. editors. *Health Behavior and Health Education*. San Francisco: Jossey–Bass, pp. 45–66.

그림 3-2 건강신념모델

Individual beliefs   **Modifying factors**   **Likelihood of action**

Socio-demographic factors
Socio-economic factors
Knowledge

Perceived benefits
Perceived barriers
Perceived self-efficacy
to get screened

Perceived susceptibility
to cervical cancer
Perceived severity
of cervical cancer

Perceived threat
of cervical cancer

Likelihood
of having a Pap test

Cue to action

Cultural factors
Familism
Fatalism
Acculturation

출처: de Peralta, A. M., Holaday, B. & McDonell, J. R. (2015). Factors affecting Hispanic women's participation in screening for cervical cancer. *Journal of Immigrant and Minority Health*, *17*, 684–695.

그림 3-3 라틴아메리카계 여성 자궁경부암 검사 행위에 적용한 건강신념모델

준의 HBM모형을 자궁경부암 검사라는 특정 건강행위에 적용하였고, 또한 라틴아메리카계 여성의 문화를 고려하여 문화적 요인을 첨가하였다(그림 3-3).

참고문헌

Creswell, J. W. (1994). *Research design: Qualitative and quantitative approaches*. California: Sage.

de Peralta, A. M., Holaday, B. & McDonell, J. R. (2015). Factors affecting Hispanic women's participation in screening for cervical cancer. *Journal of Immigrant and Minority Health*, *17*, 684-695.

Fawcett, J. (1999). *The relationship of theory and research*. Philadelphia: F.A. David.

Fawcett, J., & Downs, F. S. (1992). Conceptual models, theories, and research. In J. Fawcett (Ed.), *The Relationship of Theory and Research*, *2nd. ed*. Philadelphia. F.A. Davis, pp. 101-115.

Janz, N. K., Champion, V. L., & Strecher, V. J. (2002). The health belief model. In: Glanz, K., Rimer, B. K., Lewis, F. M. (Eds) *Health behavior and health education*. San Francisco: Jossey-Bass, pp. 45-66.

Kaplan, A. (1964). *The conduct of inquiry*. San Francisco: Chandler.

Lee, E-H., & Kim J. S. (2000). Major effect models of social support and its statistical methods of Korean nursing research. *Journal of Korean Academy of Nursing*, *30*, 1503-1520.

Lee, E-H., Lee, Y. W., & Moon, S. H., (2016). A structural equation model linking health literacy to self-efficacy, self-care activities, and health-related quality of life in patients with type 2 diabetes. *Asian Nursing Research*. *10*, 82-87.

Lee, E-H. Park, H-B. Kim, M-W. Kang, S-H. Lee, H-J. Lee, W-H. & Chun, H-S.(2002). Analyses of the studies on cancer-related quality of life published in Korea. *Radiation Oncology Journal*, *20*(4), 359-366.

Lee, E-H. Tak, S-J. & Song, Y-S.(2005). Analyses of the studies on cardiovascular disease-specific quality of life reported in Korea. *Journal of Korean Academic Society of Adult Nursing. 17*(3), 452-463

Padilla, G. V. & Grant, M. M. (1984). Quality of life as a cancer nursing outcome variable. *Advanced Nursing Science. 8*, 45-60.

Yoon, B-S. & Lee, H-J. (2005). Mediating role empowerment in the relations to Job and organizational factors, and job satisfaction and organizational commitment empirical evidence from national university hospital employees. *Journal of Preventive Medicine and Public Health, 38*(3), 315-324.

04
CHAPTER

조사연구 설계

04 조사연구설계

조사연구설계는 둘 이상의 연구변수들 간의 관계를 규명하기 위한 것인데, 이때 독립변수에 대한 실험적 조작이 없는 것을 말한다. 이러한 설계는 독립변수에 대한 통제가 이루어지지 않았기 때문에 원인-결과 관계를 지지하는 내적 타당도(internal validity)는 감소하는 한편, 외적 타당도 (external validity)가 높다는 장점이 있다. 즉, 대상 모집단에서 무작위로 추출된 표본을 대상으로 변수들의 관계를 조사하고, 그 결과를 대상 모집단에 대한 결론으로 끌어내도록 하는 방법이다. 또한 이러한 연구설계에서는 변수에 대한 연구자의 의도적인 조작이 없기 때문에 자연적으로 발생하는 현상에 대한 정보를 얻을 수 있다. 본 장에서는 조사연구설계 중에서 관계연구설계와 비교연구 설계, 역학적 설계에 대해 살펴보겠다.

1. 상관관계연구

상관관계 연구설계(correlational study design)는 변수들 간의 관계를 설명하기 위해 사용한다. 상관관계연구의 목적은 다양한 수준을 포함하는데, 변수 간의 관계를 기술하기 위한 것에서부터 변수 간의 관계를 예측하기 위한 것, 또는 연구결과를 통해 특정 이론이나 모델에서 제시한 변수 간의 관계를 검증할 수도 있다.

　이론이나 모델을 근거로 하지 않는 상관관계연구를 수행하는 경우 현상에 포함되어 있는 변수들이 독립변수인지 종속변수인지 확실하지 않으며 변수 간 관계의 방향에 대해서도 확실하지 않을 수 있다. 또한 어떤 변수가 다른 변수에 직접적으로 영향을 미치는지, 다른 변수에 의해 영향을 받는지도 파악하기 어렵다. 그러므로 상관관계 연구설계는 변수들 간의 관련성을 탐구하기 위해 적용될 수 있으나, 변수들 간 관계의 특성에 대해서는 확인할 수 없다. 한편, 이론이나 모델은 변수들 간의 관계를 설명하기 위해 개발된 것이므로 상당히 잘 개발된 이론적 기틀을 가지고 상관관계 연구설계를 하는 경우 일부 변수 간의 관계를 정련하기 위해 적용될 수 있다.

상관관계 연구설계는 양적자료 수집방법과 다변량 통계분석방법을 사용하여 인과모형을 개발해 낼 수 있으나, 무작위실험설계에 비해 인과성에 대한 근거가 약하다. 요인분석, 인과모형분석, 정준상관관계분석, 경로분석, 잔차분석은 독립변수와 종속변수의 강도와 방향에 대한 질문에 답을 제공하고, 변수관계에 대한 개념적 설명에 대한 지지를 도출하기 위해 사용된다. 요즘에는 이런 자료 분석을 도울 수 있는 컴퓨터 프로그램을 쉽게 접할 수 있기 때문에 이런 분석방법의 사용이 용이하다. 분석의 결과를 통해 개념들이 다른 개념과 어떻게 연관되는지에 대한 이론을 개발할 수 있다. 이 연구설계에서는 독립변수에 대한 통제가 없다. 모든 변수는 있는 그대로 측정되고, 인위적 조작이 없다.

BOX 4-1	상관관계연구 주제

- 유방절제술 후 항호르몬요법을 받고 있는 유방암 환자의 삶의 질에 영향을 미치는 요인
- 제2형 당뇨환자의 자기효능감, 사회적지지와 삶의 질과의 관련성

1) 기본 가정
상관관계 연구설계의 기본 가정은 다음과 같다.
- 개념적 기틀은 변수 간의 관계를 지지하기 위해 사용될 수 있다.
- 변수 간의 가능한 관계를 예측하는 검증된 이론이 없다.
- 변수들은 모집단에 존재하고 연구에서 다룰 수 있어야 한다.
- 표본은 모집단을 대표한다.
- 변수에 대한 인위적 조작이 없다.

2) 기본 설계
기본 설계는 다음을 포함한다.
- 모집단의 대단위 확률 표본이 사용된다.
- 잠재적인 관계를 설명하기 위해 개념적 기틀이 제안된다.
- 가설보다는 연구문제가 변수 간의 가능한 관계를 제시한다.
- 대상자로부터 각 변수에 대해 횡적으로 자료가 수집된다.
- 자료는 양적자료로 측정되며 가능한 전 범위의 측정값을 가져야 한다.

• 변수 간의 관계를 보기 위해 상관관계분석이 사용된다.

상관관계연구에서 중요시해야 할 것은 개념적 기틀이다. 일반적으로 연구자들은 변수 간의 관계를 설명할 이론적 토대를 가지고 있지 않다. 하지만 연구의 필요성을 주장하기 위해 변수들 간의 공통 변인에 대한 가능성을 제시하는 것이 중요하다. 예를 들어, 임신부의 현재 영양상태와 아이가 자라서 초등학교 학생이 되었을 때 지적 수행과의 관계를 보려고 한다고 하자. 태아기부터 초등학교 시기까지 아이가 노출되어 온 많은 다른 사건에도 불구하고 이 두 변수가 관계가 있다는 매우 강한 주장이 있지 않는 한, 엄마와 아이에게 장기간의 시간과 노력을 들여 질문을 하는 연구는 가치가 없다. 이 사례에서 가정되는 관계는 특성상 생리적인 것이거나 심리사회적인 것이 될 수 있다. 이 사례의 경우에 있어 만약 개념적 기틀이 없다면, 8년 이상 걸리는 연구보다 현재 초등학생의 지적 수행과 관련되는 다양한 생리적, 심리사회적 변수를 탐구하는 탐색적 서술연구(exploratory descriptive study)가 더 효율적일 것이다.

상관관계연구에서 개념적 기틀은 다른 연구들에서 검증된 것이 아니라 보통은 연구자에 의해 제안된 것이기 때문에 연구가설보다는 연구문제의 형태를 사용한다. 때로는 연구자가 이론개발의 한 단계로 여러 변수 간의 상호작용을 검증하기 위해 상관관계연구가 사용되기도 한다. 이 연구설계에 대한 자료는 주로 양적자료이며 대체로 자료수집은 횡적조사를 하게 된다. 자료수집 동안 연구자는 모든 참여자에게 모든 변수들을 측정하며, 자료수집 후 변수들 간에 유의한 관계가 있는지 통계적으로 분석한다. 어떤 변수에도 조작이 이루어지지 않고, 있는 그대로 측정된다. 이 연구설계의 장점은 동시에 여러 변수들 간의 상호작용을 볼 수 있다는 것이다. 그러나 상관관계연구의 대표적인 단점은 개념적 기틀을 이용하더라도 인과적 추론이 강하지 않으므로 연구에 대한 내적타당도가 위협을 받게 된다.

BOX 4-2 상관관계 설계의 개념적 기틀

• 국내 선행 연구에서는 인구사회학적 요인과 개인의 건강행태, 특정행위를 수행하는 것에 대한 자신감인 자기효능감이 높을수록 건강행위의 수행과 건강관련 삶의 질에 긍정적인 영향을 미치는 것으로 나타났다. 기존 문헌에서 사회적 지지는 개인의 건강관리에 대한 자신감을 증대시킴과 동시에 지역사회의 건강문제 해결 능력을 강화시킴으로써 건강수준 향상에 기여하는 중요한 요인으로 확인되고 있다.

• Bandura의 사회인지이론에 의하면 자기효능감이 개인이 행위를 수행하는데 가장 강력한 영향을 준다 (Bandura, 1995). Xu 등의 연구(2008)에서도 자기효능감이 제2형 당뇨환자의 식이관련 자가간호 수행에 유의한 예측요소로 제시되고 있다.

출처: Lee, H. K., Cho, S. H., Kim, J. H., Kim, Y. K., & Choo, H. I. (2014). Influence of self efficacy, social support and sense of community on health-related quality of life for middle-aged and elderly residents living in a rural community. *Journal of Korean Academy of Nursing, 44*(6), 608-616.

3) 표본

상관관계연구를 위한 가장 좋은 표본은 모집단으로부터 무작위 추출된 충분한 크기의 표본이다. 이런 점은 거의 모든 연구설계에서 중요한 것이지만, 표본이 모집단을 대표해야 한다는 것은 특히 상관관계연구에서 매우 중요하다. 상관관계 연구설계의 전반적인 아이디어는 한 변수의 변화가 다른 변수의 변화와 상응하는지를 결정하는 것이다. 만약 표본으로부터 나온 이러한 관계를 모집단에 일반화시킬 수 없다면 무의미한 일이 된다. 그러므로 표본의 대표성은 상관관계 연구설계의 가치를 결정하고, 충분한 수의 확률표본은 대표성을 보장하는 가장 좋은 방법이다.

기본 조사연구에서 연구자가 확률표집을 사용할 수 없을 경우는 계통적 표본추출(systematic sampling)이나 임의 표본추출(convenience sampling) 방법이 사용된다. 하지만 이러한 방법들이 사용되면 표본의 대표성이 문제가 된다. 비확률 표본추출을 사용하는 경우, 연구자는 표본에 대한 자세한 정보를 제공하여 다른 사람들로 하여금 표본의 대표성에 대해 평가할 수 있도록 해야 한다. 그리고 비확률 표본추출을 사용한 경우 외적 타당성(external validity)에도 문제가 생기게 된다. 상관관계 연구에서 시간에 따른 변수의 변화를 보고자 할 때는 시계열(time-series) 연구설계가 사용된다. 이는 전향적 또는 후향적으로 실시될 수 있고, 때로는 미래의 사건을 예측하고자 할 때 사용되기도 한다.

BOX 4-3 상관관계 설계의 표본

- 본 연구의 대상자는 경기지역에서 선정한 4개 보건진료소의 관할구역에 거주하는 65세 이상 노인으로, 가정방문을 통해 접촉한 주민 중 연구의 목적을 이해하고 연구 참여에 서면으로 동의한 자를 편의 추출하였다. 보건진료소에서 파악된 65세 이상 실 거주 인구 중 약 50%인 총 350명이 설문에 응답하였다. 이 중 설문 응답이 불충분한 자료를 제외한 315부를 최종 분석에 사용하였다.
- 본 연구의 대상자는 전국 12개 병원의 내과 및 외과병동에서 근무하는 650명의 간호사이다. 다단계 층화무작위 표집방법을 이용하여 전국에 등록된 병원을 대규모병원(200병상 이상), 중등규모(100-199병상), 소규모병원(100병상 미만)으로 구분한 후 단순무작위표집을 통해 모집하였다.

상관관계연구의 주요 목적은 특정 모집단에서 변수들 간의 관계를 기술하는 것이므로 외적 타당도(external validity)나 일반화(generalizability)가 매우 중요하다. 특정 모집단에 일반화할 수 없는 통계적 관계를 기술하는 것은 무의미하다. 그러므로 주어진 모집단을 대표하는 표본을 추출하는 것이 매우 중요하다. 가장 좋은 표본은 연구결과가 일반화 될 수 있도록 표적 모집단(target population)으로부터 확률추출된 표본이다. 표본의 크기는 사용할 분석방법과 관련이 있으며 상관관계

연구에서 표본크기는 검정력 분석을 사용해 계산될 수 있다.

BOX 4-4 　상관관계 연구의 표본크기 검정력 분석

Cohen의 표본추출 공식에 따른 표본수 계산 프로그램인 G*Power를 이용해 계산한 결과, 양측 검정, 상관관
계분석 효과크기의 값 0.3, 검정력 80%, α=.05일 때 상관관계분석에 필요한 총 대상자 수는 82명이었다. 효과
크기의 값은 시설거주 노인을 대상으로 우울과 정서상태 간의 상관도에 대한 Lee (2008)의 연구결과에 근거하
였다.

---

4) 자료분석

상관관계연구에서 흔히 사용되는 분석방법은 다음과 같다.

(1) 상관관계 분석

상관계수는 두 변수 간의 선형관계의 정도를 측정한다. 이는 한 변수의 증가는 다른 변수의 증가
(또는 감소)와 관련 있다는 것이다. 상관계수는 항상 '+1'과 '−1' 사이에 있게 된다. 두 변수가 관련이
없을 경우 또는 다른 변수에 거의 효과가 없을 경우, 상관관계 계수는 거의 '0'에 가깝게 된다. 한
변수의 증가가 다른 변수의 증가와 관련이 있는 양의 상관관계에서 상관관계 계수는 '0'과 '+1' 사이
에 있게 된다. 한 변수의 증가가 다른 변수의 감소와 관련이 있는 음의 상관관계에서 계수는 '0'과
'−1'사이에 있게 된다. 상관관계 분석에서 주의해야 할 점은 계수는 두 변수의 관계 정도만을 나타
내고, 관계의 원인−결과에 대해서는 아무 정보를 제공하지 못한다는 것이다.

(2) 다중상관관계

앞에서 언급된 것처럼 상관관계란 독립변수(X)와 종속변수(Y) 두 변수 간의 선형관계의 정도를 나
타낸다. 다중상관관계는 상관관계의 연장으로 둘 이상의 독립변수와 하나의 종속변수 간의 관계에
대한 것이다. 다중상관관계에서 계수의 범위는 0에서 +1까지 나타난다. 다중상관관계 계수를 계산
할 때는 최소제곱(least squares) 방법이 사용되기 때문에 음의 상관관계는 존재하지 않는다. 다중
상관관계는 종속변수와 독립변수들의 가중된 조합과의 관계를 측정할 때 사용된다.

(3) 단순회귀분석

선형회귀분석은 함수적 관계의 타당성을 검정하고자 할 때 사용된다. 함수적 관계는 한 변수가 다

른 변수의 변화에 의해 영향을 받는다고 생각될 때 사용된다. 회귀(regression)는 어떤 변수의 변량을 예측하기 위해 변수 간의 상관관계를 사용한다. 예를 들어, "입원환자의 스트레스는 진단이 확실하지 않을수록 높다."라는 것은 입원환자의 스트레스 정도에 불확실성 정도가 관련됨을 나타낸다. 회귀분석은 개념간의 관계가 선형임을 가정한다. 즉, 스트레스와 불확실성의 관계가 선형임을 가정한다. 다시 말해 불확실성의 증가는 스트레스를 일정한 비율로 증가시켜서 그래프로 나타내면 기울기가 증가하는 직선으로 나타나게 된다. 상관관계는 두 변수가 공유하는 분산의 양을 말해준다. 하지만 회귀분석에서는 불확실성과 스트레스 점수의 변량이 두 변수 간의 함수적 관계를 지지하는 직선을 형성할 만큼 충분히 선형의 관계가 있는지를 결정할 수 있다. 선형회귀에서는 독립변수와 종속변수를 결정하고 두 변수 모두 연속변수로 측정되어야 한다.

(4) 다중회귀분석

선형회귀는 하나의 독립변수와 하나의 종속변수를 다루는 것이다. 만약 여러 개의 독립변수가 동시에 하나의 종속변수에 영향을 미치는 개념적 기틀을 바탕으로 수립된 연구라면, 다중회귀분석을 이용하여 동시에 여러 요인의 영향을 측정할 수 있는 방법이 요구된다. 다중회귀분석 결과에서는 종속변수에 대한 다른 독립변수들을 통제하고 어떤 특정한 독립변수의 영향에 대한 정보를 얻을 수 있다. 또한 각각의 독립변수의 상대적 효과를 확인할 수도 있다.

(5) 요인분석

요인분석의 목적은 적은 수의 개념(요인)들이 다수의 변수들을 대표할 수 있는지를 결정하기 위함이다. 예를 들어, 상관관계연구에서 연구자는 비만 요인이라고 생각되는 많은 변수들을 측정할 수 있다. 이렇게 얻은 자료만으로는 연구에 포함된 많은 변수들 간에 공유하는 차원(dimension)을 구분할 수 없다. 이때 요인분석으로 자료들 간에 공유하는 차원이 있는지를 결정하게 된다. 만약 차원이 존재하면, 개별적인 원 변수들보다 요인분석에 의해 도출된 요인들을 실제적인 비만 요인이라고 볼 수 있다.

(6) 신뢰도와 타당도

상관관계연구에서 신뢰도와 타당도란 개념은 중요한 의미를 가진다. 연구결과는 자료에 대한 통계분석에 의해 결정되기 때문에 각각의 연구변수의 측정은 측정되는 특성에 대한 참 값을 정확히 나타내야 한다. 따라서 신뢰도와 타당도가 수립된 측정도구를 사용하는 것이 매우 중요하다. 일반적으로 도구의 신뢰도 분석은 내적 일관성을 평가하는 Cronbach's alpha를 보고하고, 이분척도(0, 1)

로 측정하는 도구의 경우 KR-20으로 보고한다.

BOX 4-5   상관관계 설계의 도구설명

사회적 지지는 Park [22]에 의해 개발되고 Kim [23]이 전문가 4인의 자문을 토대로 문구의 표현을 이해하기 쉽게 수정·보완한 사회적지지 도구를 이용하였다. 본 도구는 총 25문항으로 이루어져 있으며, 사회적 지지의 4가지 하위요인(정서적 지지, 물질적 지지, 정보적 지지, 평가적 지지)을 측정하도록 구성되어 있다. 각 문항은 '전혀 그렇지 않다' 1점에서 '매우 그렇다' 5점까지의 5점 척도로 측정하였다. 각 문항의 점수를 합산한 후 문항수로 나누어 평량평균을 구한 값을 사용하였으며, 점수가 높을수록 사회적 지지가 높은 것을 의미한다. 도구 개발 당시 요인분석과 다중속성 다중측정법(multi-trait multi-method approach)을 수행하였을 때 척도개발을 위한 개념적 기틀과 전제를 만족하여 구성타당도가 확인되었으며[22], 내적일관성 신뢰도 Cronbach's α는 .94였고, Kim [23]의 연구에서의 Cronbach's α는 .97, 본 연구에서의 Cronbach's α는 .960이었다.

출처: Lee, H. K., Cho, S. H., Kim, J. H., Kim, Y. K., & Choo, H. I. (2014). Influence of self efficacy, social support and sense of community on health-related quality of life for middle-aged and elderly residents living in a rural community. *Journal of Korean Academy of Nursing, 44*(6), 608-616.

---

5) 윤리적 고려

연구대상자에게 연구 참여에 따른 편리성을 제공하는 것이 중요하다. 연구 참여자는 시간과 에너지를 들여 자료수집에 참여하게 된다. 따라서 연구설계의 오류로 인해 연구대상자의 노고가 낭비되는 일이 없도록 주의해야 한다. 이를 위해 기관생명 연구윤리위원회(Institutional Review Board [IRB])의 사전 승인을 받아야 한다.

6) 연구 계획서

상관관계연구에서 개념적 기틀은 필요사항이다. 또한 측정도구의 신뢰도와 타당도에 주의해야 한다. 모집단과 표본추출방법에 대한 기술로 표본의 대표성과 외적 타당성에 대한 근거를 제시하게 된다. 사용되는 도구에 대해서는 왜 이 도구를 사용해야 하는지, 개념적 기틀과 어떤 관계가 있는지를 설명한다. 자료분석 기법은 변수 간의 관계, 자료의 수준(범주형 또는 연속형) 등을 고려해 적합한 것을 사용한다.

7) 연구 비평

상관관계연구의 비평은 표본과 측정 두 가지 면에 집중된다. 이 연구설계의 기본은 모집단을 대표할 수 있는 충분한 크기의 확률표본을 확보해야 한다는 것이다. 상관관계 조사연구에서 충분한 수의 표본을 표집했다 하더라도 표본이 편중된 경우 연구의 심각한 제한점으로 남게 된다. 측정 부분에서는 신뢰도와 타당도가 수립된 측정도구를 사용하는 것이 측정오류를 줄이는 최선의 방법이며, 특히 연구 대상자와 특성이 같은 집단에서 개발되었거나 신뢰도와 타당도가 수립된 것을 사용하는 것이 중요하다.

8) 요약
이 연구설계는 변수 간의 관계를 보기 위한 것으로 아래와 같은 사항이 중요하다.
- 충분한 크기의 확률표본
- 개념적 기틀
- 신뢰도와 타당도가 수립된 측정도구로 측정된 양적 자료
- 변수들 간의 상관관계에 중점을 둔 통계분석 방법

2. 비교연구설계
비교연구설계는 인위적 조작이 없이 자연적으로 발생한 둘 이상의 집단에 대해 차이를 검증하기 위한 연구설계 방법이다. 일반적으로 독립변수를 조작하는 것이 비윤리적인 경우(예를 들어, 독립변수의 조작이 대상자에게 해를 주는 경우) 또는 조작이 불가능한 경우(예를 들어 나이, 성별 등)에 적용된다.

1) 기본 설계
비교연구설계의 기본 형태는 두 집단 설계이다. 이 방법은 두 집단이 연구자가 인위적으로 조작하지 않고도 이미 존재한다는 것 이외에는 실험연구와 유사하다. 독립변수는 처치군 여부이고, 종속변수는 등간이나 비율척도 수준으로 측정되고, 대개는 전향적 조사가 이루어진다. 이러한 설계는 두 가지의 비판적인 측면을 가지고 있다. 두 집단에 대한 대상자의 무작위 배정(random assignment)이 불가능하므로 두 집단은 독립변수의 차이만을 제외하고 주요 외생변수(extraneous variable)에 대해 유사한 특성을 가지고 있어야 한다. 또한 이 설계는 종속변수에 대한 독립변수의 효과를 예측하므로, 독립변수와 종속변수가 원인−결과의 관계가 있음을 설명하는 이론적 기틀이 필수적이다. 전형적인 비교연구설계는 흡연과 폐암에 대한 연구에서 찾아볼 수 있다. 1950년대 초반 이 두 변수에 대한 상관관계가 수립되기 시작한 이후 흡연가나 비흡연가를 대상으로 많은 비교연구설계가 실시되었다. 예를 들어 흡연가들을 대상으로 성별, 나이와 흡연형태(흡연기간, 하루 흡연한 담배개피) 등은 독립변수 집단으로 분류하였고, 종속변수는 폐암 발생으로 보았다. 다른 연구에서는 폐암의 발생과 종류에 지속적으로 영향을 미치는 일상적 요인이 있는지를 결정하기 위해 흡연가의 직업 환경을 독

립변수에 포함하였다(US Department of Health and Human Services [DHHS], 1982).

비교연구설계에는 기본형태 이외에도 변형된 설계유형이 많다. 비교연구설계에 독립변수가 세 집단이상인 경우도 있다. 예를 들어, 여러 종류의 환자관리체계를 하나 이상의 결과변수에 대해 비교할 수 있다. 비교연구설계는 종속변수에 대한 시계열 측정을 사용할 수도 있다. 만약 표본이 독립변수가 아닌 종속변수를 중심으로 선택되면, 비교연구 설계는 후향적일 수도 있다.

비교연구설계 시 포함되어야 할 기본 가정:

• 독립변수의 조작 없이도 인과관계를 지지할 기틀적 근거가 있어야 한다.
• 이론이나 사전연구를 기초로 가설을 세울 만큼 연구변수에 대한 충분한 지식이 있어야 한다.
• 표본추출을 통해 비교 집단을 구성한다.
• 외적타당도를 수립하기 위해 모집단을 대표하는 표본을 추출한다.
• 종속변수의 측정은 정확해야 한다.
• 표본추출 및 자료분석 방법으로 외생변수를 통제한다.

BOX 4-6   비교연구설계의 주제

1) 노인의 주거형태가 건강행위, 심리정신 건강에 영향을 준다고 알려져 있다. 따라서 본 연구에서는 재가노인과 시설노인을 각각 표집하여 두 집단의 건강행위, 영적 안녕과 행복감을 비교하였다.

2) 흡연행위에 영향을 미치는 요인은 연령에 따라 다를 것으로 예측되었다. 본 연구에서는 성인 흡연집단과 청소년 흡연집단을 각각 표집하여 두 집단에서 흡연행위에 영향을 주는 관련변인을 탐구하고자 하였으며, 이에 따른 구체적인 연구목적은 다음과 같다.
   • 청소년 집단과 성인집단의 흡연행위와 흡연 관련요인을 비교한다.
   • 청소년 집단과 성인집단에서의 흡연행위에 대한 예측변인을 확인한다.

3) 인종에 따른 암성 통증조절의 차이를 알아보고자 한다. 본 연구에서는 암센터에 등록된 암성 통증조절을 받고 있는 백인과 흑인을 각각 표집하여 진통제사용 순응도와 예측요인들을 탐구하였다.

출처: 1) Kim, K. B., Yun, J. S., & Sok, S. (2008). Comparative study on the sleep patters, satisfaction of sleep, and sleep enhancement behaviors between hospitalized and non-hospitalized elderly. *Journal of Korean Academy of Nursing, 38*(5), 685-693.
2) Chang, S. O., Kim, E. J., Seomun, G-A., Lee, S. J., & Park, C. S. (2006). Comparison of influential variables for smoking temptation between adolescent and adult smokers. *Journal of Korean Academy of Nursing, 36*(3), 561-570.
3) Meghani, S. H., Thompson, A. M., Chittams, J., Bruner, D. W., & Riegel, B. (2015). Adherence to analgesics for cancer pain: A comparative study of African American and Whites using an electronic monitoring device. *Journal of Pain, 16*(9), 825-835.

2) 자료에 대한 혼동변수의 통제

비교연구설계에 있어 자료에서 혼동변수의 통제는 표본추출(sample selection)방법을 통해, 측정된 변수에 의해, 통계분석방법에 의해 이루어진다. 독립변수는 이미 발생한 상태이기 때문에 독립변수에 대한 조작은 할 수 없다. 따라서 독립변수의 작용은 조절되기보다는 관찰된다고 할 수 있다. 그 대신, 독립변수는 표본추출을 통해 조절할 수 있다. 즉, 연구자가 표본을 추출할 때 어떤 연구대상의 출현, 부재, 또는 독립변수의 양 등을 토대로 그룹을 분류한다. 또한 관련된 외생변수들을 측정하여 독립변수에 대한 혼동변수를 간접적으로 조절 할 수 있다.

3) 표본

비교연구설계로 가장 이상적인 표본은 모집단으로부터 단순무작위 표집하여 모집단에 대해 대표성을 갖고 있으며, 하나 이상의 하부그룹(subgroup)이 상대적으로 다른 그룹에 비해 너무 작지 않은 것이다. 하부그룹이 상대적으로 작은 경우에는 계층화(stratified) 무작위표본이 바람직하다. 표본은 이용가능한 모집단(주로 인구센서스 기록)에 근거하여 독립변수를 계층화한다. 계층들을 정하고 각각의 계층 안에 인구비율을 확인하여 표본이 모집단과 같은 비율로 구성되도록 만든다. 하지만 각 계층에 같은 수를 포함하는 것이 바람직할 때도 있다.

연구하는데 필요한 표본 수는 제2종 오류의 가능성을 줄이기 위해 검정력(power) 분석을 통해

BOX 4-7　　비교연구설계의 표본

1) 본 연구의 대상자는 20세 이상의 성인집단과 고등학교에 재학하는 청소년집단의 두 집단으로 표집 하였다. 청소년 집단은 서울시내 고등학교에 재학 중인 대상자로 2개교의 실업계와 2개교의 인문계 남녀 고등학생으로 현재 흡연을 하고 있거나 또는 과거 1년 이내 흡연 경험이 있는 학생으로서 본 연구에 참여를 동의한 376명을 대상으로 하였다. 성인집단은 서울 지역과 충청지역의 거주자 중 대학생과 직장인을 중심으로 표집 하였으며, 본 연구에 참여를 동의한 현재 흡연을 하고 있거나 또는 과거 1년 이내 흡연 경험이 있는 451명을 대상으로 하였다.

2) 본 연구의 대상자는 4개 초등학교 4-6학년 아동에게 질문지와 내가 포함된 가족의 그림을 그리게 한 후 557명의 자료를 학대척도에 의해 분석하여 상위 25 percentile 점수를 얻은 143명을 학대 아동군으로 모집하고, 하위 25 percentile 점수를 얻은 150명을 일반 아동군으로 선정하여 총 293명을 분석대상으로 선정하였다 .

출처: 1) Chang, S. O., Kim, E. J., Seomun, G-A., Lee, S. J., & Park, C. S. (2006). Comparison of influential variables for smoking temptation between adolescent and adult smokers. *Journal of Korean Academy of Nursing, 36*(3), 561–570.

2) Lee, H. J., Kim, Y. H., & Park, N. H. (2006). A comparative study on family perception between abused children and normal children by Kinetic Family Drawing. *Journal of Korean Academy of Nursing, 36*(2), 265–277.

계산한다. 종속변수에 대해 기대되는 효과를 발견하기에 충분한 표본크기를 확보하지 않고 비교연구설계를 시행하는 것은 무의미하다. 학술지에 게재된 많은 연구논문을 보면, 적은 표본크기로 인해 실재하는 효과를 발견하기 부족한 검정력을 가지고 있다(Polit & Sherman, 1989). 비교연구설계에서 표본크기는 검정력 0.80이 이루어지도록 계획하여(Cohen, 1988) 비교되는 그룹의 수에 따라 t-검정이나 ANOVA를 사용한다. 유의수준 0.05인 단측 t-검정에 대한 Cohen의 표를 보면, 중간 효과크기를 발견하기 위해서는 50명의 표본이 필요하다. 이 50이라는 표본크기는 큰 효과크기를 보기 위해서는 20으로 줄고, 작은 효과크기를 위해서는 310명으로 증가한다(Cohen, 1988, p.54). 검정력 0.80을 산출하기 위해 필요한 표본크기보다 적은 수를 사용하면 제2종 오류의 가능성을 증가시켜서 실제로는 거짓(false)인 귀무가설을 수락하는 오류가 나타날 수 있다. 즉, 표본의 크기가 충분하였다면 유의한 결과를 도출할 수 있는 상황임에도 불구하고 작은 표본수로 유의하지 않는 결과가 나올 가능성이 높아진다.

4) 자료수집방법

자료수집방법으로는 관찰, 면접, 질문지, 투사기법(10장 참조), 생리적 검사 등이 있다. 측정의 종류는 연구질문, 가설, 그리고 연구가 수행되는 상황에 따라 매우 다양하다. 비교연구설계에서 그룹간의 차이를 검정하기 위해서는 정확한 측정이 중요하다. 그러므로 신뢰도와 타당도가 수립된 측정도구를 사용해야 한다. 가장 선호되는 종류의 측정은 모수통계를 사용하기 위해 등간이나 비율척도를 사용한 양적 측정을 하는 것이다.

자료수집과정에서 오차가 발생할 요인으로는 면접 시 응답자가 마지못해 응답을 하는 경우라든지, 면접과 설문지에서 나타나는 응답편향(response bias), 참여자들 간의 호손효과(Hawthorne effect) 등이 있다. 자료를 잘못 옮겨 기록한다던지 기록된 것의 의미를 잘못 해석하는 것 또한 비교연구설계 뿐만 아니라 모든 연구에 있어 오차의 근원이 될 수 있다.

5) 측정의 신뢰도 및 타당도

실험연구설계처럼 비교연구에서 중요한 것은 종속변수에 대해 그룹 간에 차이가 있는지 여부를 결정하는 것이다. 그러므로 측정기법의 정확성이 매우 중요하다. 모든 측정도구는 최소한 내용타당도를 가지고 있어야 한다. 연구의 질은 측정의 질에 달려있다고 해도 과언이 아니기 때문에 잘 검증된 도구를 사용하는 것이 중요하다. 비교연구는 이론이나 이전 연구결과를 바탕으로 실시되는 것이기 때문에 잘 개발된 측정도구 없이 연구를 진행하는 것은 바람직하지 않다. 이를 무시하고 진행한 경우 원하는 결과를 얻지 못하게 될 것은 자명하다. 그러므로 측정도구 선정에 있어 규범 근거

(norm-referenced) 또는 준거 근거(criterion-referenced) 타당도가 수립된 측정도구를 사용하는 것은 매우 중요하다. 또한 측정도구의 신뢰도가 수립된 것인가를 확인하는 것도 중요하다. 특히 주의해야 할 점은 신뢰도와 타당도는 내재되어 있는 속성이 아니므로 도구가 적용되는 특정 대상자 집단에 따라 달라질 수 있다는 것이다(Cronbach, 1970; Lynn, 1985; Nunnally, 1978).

6) 자료분석

비교연구설계의 기본 연구문제는 "종속변수에 대해 집단 간의 차이는 무엇인가?"이다. 확률표본 추출 방법이 사용되었고 종속변수가 등간이나 비율측정이라면, 두 그룹 간의 비교를 위해서는 t-검정이 사용된다. 만약 한 독립변수의 그룹이 셋 이상이고 종속변수가 양적 측정(등간 또는 비율 측정)이라면, 일원분산분석을 사용하는 것이 적절하다. 일원분산분석은 그룹의 평균들이 서로 다른지를 알려준다. 비교연구설계에서 비교대상인 독립변수도 수입 수준이나 스트레스 정도와 같이 연속변수 수준으로 측정될 수 있고, 종속변수도 연속변수로 측정되는 것이 가능하다. 이러한 경우에는 회귀분석을 사용한다.

공분산분석(ANCOVA)은 유의한 외생변수가 그룹 간에 동등하지 않을 경우 이러한 차이를 통계적으로 제거해주는 방법으로 비교연구에서 주로 사용되며, 실험설계에서 외생변수를 직접 통제할 수 없는 경우 사용되기도 한다. 공분산분석은 일원분산분석과 회귀분석 기법이 조합된 것으로 연속형 종속변수에 대해 범주화된 독립변수의 효과를 검증하고자 하는데, 하나 이상의 공변수(covariate)가 종속변수에 선형으로 영향을 미치는 경우 사용된다. 공분산분석은 먼저 공변인의 효과를 제거하고 난 후, 독립변수와 종속변수의 관계를 분석한다. 공분산분석에서 독립변수는 명목변수이고 종속변수는 연속형 변수이며, 공변수는 등간이나 비율척도 수준이다. 또한 공변수는 종속변수와 선형관계가 있다. 이러한 가정들이 위배되면, 연구결과의 신뢰성이 저하된다.

7) 윤리적 이슈

비교연구설계에서 중요하게 고려해야 할 것은 비교 집단의 익명을 보호하는 것이다. 개개인의 신상은 보고서에 나타나서는 안 된다. 그리고 모집단 전체를 대상으로 하는 연구에서 대상자를 대체할 수 없을지라도 모집단 개개인에게 연구 참여를 거부할 수 있는 권리는 주어져야 한다.

8) 비평

비교연구설계 비평의 첫 단계는 연구가 "집단 간의 차이"를 보기 위한 것인지를 평가하는 것이다. 다음은 표본추출(sample selection) 방법이 연구설계의 기본가정과 맞는지를 판단한다. 세 번째로는 측정법의 정확성이다. 즉, 신뢰도와 타당도가 수립된 측정도구인가? 하는 문제이다. 네 번째는 자료 분석방법이 연구질문에 적합한지를 판단한다. 마지막으로 결과가 연구질문에 맞게 논의되었는지와 연구의 제한점이 제시되었는지를 평가한다. 비교연구설계의 많은 경우에서 선정된 두 집단을 분리해서 별도의 분석이 수행되고 난 후 각 집단에 대한 설명만 제시되고, 두 집단 간의 결과변수가 어떻게 다른지에 대한 언급이 빠져있는 경우가 있다. 비교연구설계에서는 두 집단의 일반적 특성, 결과변수나 예측변수의 특성을 비교하는 분석결과가 제시되어야 한다.

비교연구설계에 있어 다른 중요한 이슈는 자료의 코딩, 자료수집, 표본선정, 통계방법의 선정에서 올 수 있는 오차이다. 이러한 오차의 원천은 연구 결과에 영향을 미치게 된다. "집단 간의 차이는 무엇인가?"라는 질문에 대한 대답은 이론적 기틀에 의해 정확히 예측되어야 한다. 만약 질문에 대한 답이 예측된 가설을 지지하지 못하면, 먼저 이론적 취약성을 살펴보아야 하고 그 다음에 표본추출방법과 자료분석에서의 오차에 대해 알아보아야 한다. 또한 이론적 기틀의 측면에서 연구결과에 대한 연구자의 해석이 맞았는지에 대해서도 검토해야 한다. 이 연구설계를 통해서는 강한 내적타당도를 기대하기는 어렵다. 그러므로 결과를 해석할 때 이러한 제한점을 반영해야 한다.

BOX 4-8 비교연구설계의 비평

- 목적: 10대 청소년 아버지집단과 성인 아버지집단 간 아버지에 대한 역할인식이 어떻게 다른지 비교하고자 하였다.
- 표본: 32개의 건강센터에 등록된 대상자 중 2-6개월 신생아를 둔 10대 아버지 70명과 성인 아버지 70명을 선정하였다.
- 측정변수: 설문지를 이용하여 아버지 역할 자신감, 양육행동, 부-자 관계에 대해 연속변수 형태로 측정한 결과 청소년 아버지가 성인 아버지에 비해 역할자신감이 낮았으며, 양육행동과 부-자 관계 점수도 낮은 것으로 나타났다.

출처: Sriyasak, A., Almqvist, A. L., Sridawruang, C., & Haggstrom-Nordin, E. (2015). Father role: A comparison between teenage and adult first-time fathers in Thailand. *Nursing Health Science, 17*(3), 377-386.

비평
- 청소년 대 성인을 비교하는 것으로 조작되지 않은 독립변수 임.
- 확률표본기법을 사용하지 않고 편의 표집 함.
- 종속변수의 측정수준은 설문지 다문항을 이용한 서열척도로 연속변수임.
- 도구의 신뢰도, 타당도 언급됨.

9) 요약

비교연구설계의 주요 고려사항은 다음과 같다.

(1) 독립변수는 조작되지 않는다.

(2) 독립변수를 기초로 확률표본기법을 사용한다.

(3) 종속변수의 측정수준을 고려한다.

(4) 신뢰도와 타당도가 수립된 측정도구를 사용한다.

비교연구설계에서 가장 중요한 이슈는 다음 사항을 확인하는 것으로 어느 하나를 위배하게 되면, 연구결과의 적용범위가 제한된다.

- 이론적 기틀 및 연구가설
- 대표적(확률) 표본
- 변수의 정확한 측정
- 측정수준과 표본에 적합한 자료분석

3. 역학설계

역학이란 문자 그대로 사람(demos)에게 유행하는(epi) 것에 대한 연구(logos)라는 매우 광범위한 의미를 가지고 있다. 역학은 인간 집단의 건강과 질병에 대한 분포와 결정요인을 연구하는 것이다. 역학의 특성 중의 하나는 종속변수가 결과변수로 건강이나 질병상태가 된다. 역학자의 관심사가 전염병에서 만성질환으로, 질병에서 건강으로 확장되고 있기 때문에 질병발생을 설명하는 모델도 매우 복잡해지고 있다. 역학의 다른 특성은 모집단을 대상으로 한다는 것이다. 비록 분석의 기본 단위는 개개인이지만, 모집단의 건강과 질병의 역동을 이해하는데 주력하고, 모집단에서 발생하는 사례의 빈도를 측정한다.

역학자들은 실험연구설계와 관찰연구설계를 사용한다. 역학적 방법으로 지역사회를 대상으로 중재 효과를 검증한 대규모 실험연구의 대표적인 예는 소아마비 예방백신에 대한 대규모 실험연구와 관상동맥성 심장질환자를 대상으로 한 다중위험요소중재시험(Multiple Risk Factor Intervention Trial [MRFIT])이 있다. 하지만 연구자가 독립변수를 통제하고 연구대상자를 무작위 방법에 의해 각 집단으로 배정하는 실험방법이 인간을 대상으로 건강효과를 연구할 때 윤리적이지 않거나 용이한 접근방법이 아닐 수 있다. 이런 이유로 역학자들은 자연적으로 발생하는 사건들에 대해 연구의 타당성을 위협하는 편향(bias)을 통제하는 엄격한 관찰 접근법을 개발하여 사용한다. 관찰연구에서는 유전적 소인, 직업적 환경, 또는 지리적 위치 등과 같은 독립변수에 노출된 참여자 집단과 이런 변수에 노출되지 않은 유사한 집단을 비교 그룹으로 사용한다. 이런 비교 또한 역학적 특성이라고 할 수 있다.

관찰연구설계는 종적연구와 횡적연구로 나눌 수 있다. 횡적연구에서 측정은 한 시점에 이루어지고, 종적연구에서의 측정은 최소한 두 시점 이상에서 일어난다. 종적 연구설계로서 대표적인 것으로는 코호트 연구와 환자-대조군(case-control) 연구가 있다. 본 장에서는 주로 관찰연구설계 중 코호트 연구에 대해 다룰 것이다.

1) 코호트 연구와 환자-대조군 연구의 논리

비록 연구자가 독립변수를 조작하지 않지만, 코호트 연구의 논리는 실험연구의 논리와 같다. 독립변수에 따라 연구참여자를 측정하고 범주화하고, 종속변수에 대한 관찰을 하게 된다. 즉, 코호트 연구의 초기에 모든 연구대상자를 관심 있는 독립변수(independent variable)에 노출되었는지 여부에 따라 분류한다. 반면 환자-대조군 연구에서는 종속변수(결과변수) – 즉 질병유무에 따라 연구참여자를 범주화한다. 따라서 이 연구의 목적은 결과변수(종속변수)를 설명할 수 있는 과거의 요인(독립변수)을 찾는 것이라고 할 수 있다.

BOX 4-9　코호트 연구의 주제

1) 불임치료를 받는 여성과 배우자를 대상으로 18개월 동안 중증 우울장애가 나타나는지와 우울장애의 예측요인이 무엇인지 관찰하였다. 대상자들은 불임치료를 받고 있는 174명의 여성과 144명의 배우자로 기초조사, 4개월, 10개월, 18개월 시점에 면담을 통해 자료수집을 하였다.

2) 류마티스 관절염 환자에게 우울이 나타나는 예측요인을 확인하고자 코호트 연구를 계획하였다. 국민건강보험 연구 database를 이용하여 18세 이상 류마티스 관절염 환자 3,698명을 선정하고, 류마티스 관절염 진단을 받지 않은 대조군을 성별, 연령 등으로 짝짓기하여 선정한 후 우울 발생률, 우울 예측요인을 집단 간 비교 평가하였다.

출처: 1) Holley, S. R., Pasch, L. A., Bleil, M. E., Gregorich, S., Katz, P. K., & Adler, N. E. (2015). Prevalence and predictors of major depressive disorder for fertility treatment patients and their partners. *Fertility and Sterility, 103*(5), 1332–1339.

2) Lin, M. C., Guo, H. R., Lu, M. C., Livneh, H., Lai, N. S., & Tsai, T. Y. (2015). Increased risk of depression in patients with rheumatoid arthritis: A seven year population based cohort study. *Clinics, 70*(2), 91–96.

---

2) 후향적(retrospective) 및 전향적(prospective) 접근

흔히 코호트 연구는 전향적 접근방법이고, 환자-대조군 연구는 후향적 접근이라고 생각하는데 반드시 그런 것은 아니다. 전향적 또는 후향적이란 용어는 시간 내에서 연구자의 위치와 관련되며 연구변수들이 발생한 시간을 의미한다.

BOX 4-10 | 코호트 연구의 전향적 및 후향적 접근

1) 모유수유와 조기 사춘기 발현과의 연관성을 확인하고자 전향적 코호트 연구를 계획하였다. 6개월 이상 모유수유를 받은 경험이 있는 아동과 받지 않은 아동으로 구분하여 지속적으로 측정을 한 결과, 전체 219명 중 50명(22.8%)의 아동이 조기 사춘기 발현을 경험하였으며, 6개월 이상 모유수유를 하는 것이 조기 사춘기 발현의 예방효과가 있는 것으로 나타났다. 이 예방효과는 관련 공변수를 조정한 후에도 유의하였다.

2) 대학병원에 근무하는 간호사집단에서 근무부서별 결핵발생의 특성을 확인하고자 병원 의무기록을 이용한 후향적 코호트 연구를 계획하였다. 2000년부터 2007년까지 총 351명의 간호사에 대하여 근무부서에 따라 결핵노출 고위험부서와 결핵노출 저위험부서로 나누어 2010년 10월까지 결핵발생을 추적조사한 후 결핵 발생률 차이를 비교하였다. 분석결과 결핵노출 저위험부서에 대한 결핵노출 고위험부서의 결핵 비교위험도는 6.52로 통계적으로 유의한 차이가 있었다.

출처: 1) Lee, H. A., Kim, Y. J., Lee, H., Gwak, H. S., Hong, Y. S., Kim, H. S.,...Park, H. (2015). The preventive effect of breast-feeding for long than 6 months on early pubertal development among children aged 7-9 yeas in Korea. *Public Health Nutrition, 18*(18), 3300-3307.

2) Yoon, J. H., Oh, S-S., Lee, K-H., Kim, S-K., Oh, J-H., Won, C-S.,...Koh, S-B. (2011). The relationship between hospital departments and risk of developing tuberculosis among nurses working at a university hospital in Korea: Retrospective Cohort study. *Korean Journal of Occupational Environment Medicine, 23*(1), 64-70.

환자-대조군 연구는 이미 발생한 노출, 질병자료를 이용하므로 항상 후향적 연구이며, 연구자는 종속변수가 발생 한 후에 연구를 시작하게 된다. 한편 코호트 연구는 전향적 또는 후향적으로 실시될 수 있는데 우선 대상자를 노출여부에 따라 분류한 후 질병의 발생여부를 비교하면 후향적 코호트가 된다. 또한 두 접근을 같이 사용할 수도 있다.

3) 코호트 연구

(1) 전반적 개요

코호트 연구에서는 모집단으로부터 표본을 추출한 후 스크리닝을 통해 관심 있는 결과변수가 이미 나타난 사람들을 제외시킨다. 즉 결과변수로 발전할 위험요인을 가지고 있는 사람들만 연구에 포함시킨다. 이렇게 포함된 사람들의 특성(위험요인, 노출, 독립변수)은 측정되고 분류된다. 이후 연구참여자에게 결과변수가 발생하는지를 지속적으로 관찰한다. 전통적인 역학연구의 관심 있는 결과변수는 질병발생여부이다. 분석으로는 특성(독립변수 수준, 위험요인, 노출)에 따른 결과변수에 대한 집단비교를 한다. 예를 들면, 위험요인을 가진 집단과 위험요인이 없는 집단의 질병 발생 유무를 비교한다(그림 4-1).

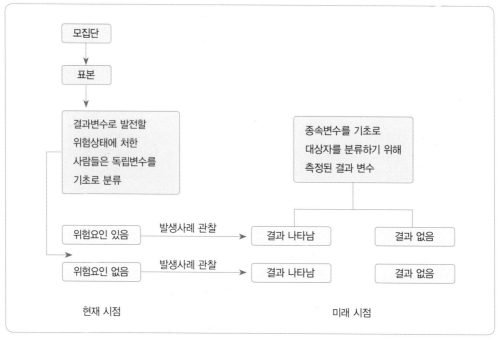

그림 4-1 전향적 코호트연구의 흐름도

(2) 대상자 선정

코호트 연구에서 자주 이용되는 표본은 다음의 세 가지로 구분할 수 있다.

- 특정 노출집단은 건강 결과에 영향을 줄 수 있다고 가정되는 물질에 과다 노출된 그룹을 말한다. 예를 들어, 화학물질에 노출된 근로자, 제초제에 노출된 군인, 방사선에 노출된 원자폭탄 생존자들이 여기에 해당된다.
- 추적가능집단(captive participant)은 잘 조직된 집단의 구성원으로 연락 가능한 사람들, 기록으로 추적 가능한 사람들을 말한다. 예를 들어, 전문조직 회원, 보험가입자, 학생들이 여기에 해당된다.
- 지리적으로 제한된 코호트는 역학연구에서 자주 사용되는 것이다. 매사추세츠(Massachu-setts)주의 프래밍햄(Framingham)에서 실시된 심혈관질환 연구가 대표적인 예라고 할 수 있다.

코호트 연구에서는 주로 독립변수에 노출된 사람들을 같은 모집단의 노출되지 않은 사람들과 비교한다. 때로는 이와 같은 비교집단이 용이하지 않을 때가 있다. 집단이나 지역사회 전체가 유해 물질이나 방사선에 노출 됐을 경우가 그 예이다. 이런 경우에는 보통 노출집단과 비슷한 다른 코호트를 사용한다. 아니면 노출된 코호트의 비율을 일반 모집단의 비율과 비교한다. 이런 경우 나이, 성별, 민족 등을 통제한다 할지라도 표본선택 편향으로 인해 특정한 코호트를 일반 모집단과 비교한다는 것이 타당하지 않을 수도 있다.

연구참여자의 적당한 선정대상이 정해졌으면, 표본추출 방법을 설계해야 한다. 선택방법으로는 확률표본추출 방법이 주로 사용되는데, 이 방법에서는 잠재적인 연구대상자가 표본으로 선출될 확률이 같다. 무작위 표본추출방법은 표적 모집단(target population)으로부터 대표성을 가진 표본을 선출할 수 있게 하고, 표본으로부터 나온 자료를 이용하여 모집단에 대한 통계적 추론을 하는데 기초가 된다.

관찰연구에서 연구자는 외생변수를 통제하기 위해 어떤 특성에 따라 대상자를 포함하거나 배제함으로써 연구의 내적타당성을 수립하는 수단으로 사용한다. 만약 참여자 제한이 필요하다면, 표본 표출 계획에 포함하여 대상자 무작위 추출 전에 실시하여야 한다.

(3) 효과측정

코호트 연구에서 분석의 기본구조는 하부의 집단을 다른 특성(독립변수, 위험요인, 노출)과 비교하는 것이다. 노출집단과 비노출집단에서 결과변수의 발생률을 비교하는 것이 분석의 핵심적 특성이다. 표 4-1은 코호트 연구에서 노출집단과 노출되지 않은 집단에 대한 발생률과 상대위험도(relative risk)에 대한 계산을 나타낸 2×2표이다.

발생률의 분자는 특정 기간(추적기간)동안 새롭게 발생한 결과변수의 수를 말한다. 분모는 추적기간 동안 결과변수로 발전할 위험성을 가진 사람들의 수를 의미한다. 이 분모는 추적기간 동안 일정하게 유지되지 않는다. 특히, 기간이 길수록 더 그러하다. 대상자들은 연구에 참여하기를 원하지 않거나, 이사를 가고, 사망하기도 하여 더 이상 관찰을 할 수 없게 된다. 또는 사람들이 서로 다른 시점에 연구에 참여하게 된다. 이런 이유로 인해 발생률의 분모 계산은 추적하는 대상자의 수와 각 개인에 대한 추적 기간을 설명하는 개인-시간으로 표현될 수 있다. 심혈관질환이나 암 같은 만성질환의 경우는 연구참여자를 오랫동안 추적해야 되므로, 이때 분모는 개인-년도로 표현된다. 추적기간이 좀 짧은, 예를 들어 임신결과에 대한 추적연구에서는 개인-주수가 된다. 개인-일수는 급성발생에 대한 역학연구에 적합하다고 할 수 있다. 표 4-1에 나타난 것처럼, 상대위험도는 발생률의 비율에 의해 계산된다. 이 외에도 효과를 측정하는 여러 방법이 있다.

표 4-1 코호트 연구에 대한 표 제시

독립변수	종속변수		
	추적기간 동안 결과 변수 발생	추적기간 동안 결과 변수 발생하지 않음	총합
노출	a	b	a+b
노출되지 않음	c	d	c+d
독립변수에 노출된 사람 중 결과변수가 발생한 경우	= 기간에 $a/(a+b)\times1000$		
독립변수에 노출되지 않은 사람 중 결과변수가 발생한 경우	= 기간에 $c/(c+d)\times1000$		
Relative risk=발생률의 단순비	= $[a/(a+b)] / [c/(c+d)]$		

(4) 변수 측정

변수에 대한 정보처는 신체검진, 환경측정, 자가보고, 임상/직장/학교 기록, 출생 및 사망기록 등이 있다. 다른 연구처럼 연구자는 측정도구의 신뢰도와 타당도를 고려해야 한다. 신뢰도 높은 측정은 확률오차를 감소시키고, 타당성 있는 측정은 계통적 측정오류를 감소시킨다.

4) 연구의 내적 타당성 확보

연구를 설계하고 수행하는 방법에 대해 계획을 짜는 것은 편향(bias)을 줄여 내적 타당성을 수립하기 위함이다. 편향은 효과측정을 추정하는 과정에서 나타나는 왜곡을 의미한다. 코호트 연구에서 주 관심 변수의 효과측정은 상대적 위험으로 나타내는데, 만약 연구가 편향되면 상대위험도는 원래보다 더 높거나 낮아진다. 더 나아가 왜곡의 정도가 크면, 위험요인과 건강 결과변수의 관계에 대한 추론이 틀리게 나타날 수 있다. 편향을 만드는 주 원인은 표본선택(sample selection), 측정(measurement), 그리고 혼동변수(confounding variable)이다.

(1) 표본 선택 편향

표본선택 편향은 모집단으로부터 표본을 선택하는 과정에서 발생한다. 코호트 연구에서 표본선택 편향이 나타나는 잠재적 원인에는 세 가지가 있다. 첫째 비교집단을 선택하는데 오류가 있을 때, 둘째 표본으로 선출된 대상자를 연구에 참여시킬 수 없을 때, 마지막으로 연구가 장기화되면서 초기 연구 참여자가 탈락될 때이다.

(2) 측정 편향

측정 편향(때로는 정보편향이라고 불림)은 독립변수(노출변수) 또는 종속변수(결과변수)가 정확하지 않게 측정되었을 때 발생하여 효과 추정을 왜곡되게 한다. 주요 원인은 a) 오류가 있는 측정 도구를 사용할 때, b) 결과변수를 확인하는 절차에서 민감도나 특이도가 떨어진 경우, c) 연구참여자의 응답이 선택적 회상일 경우(selective recall), d) 맹검측정(blind measurement)을 하지 못한 경우 등이다. 더 자세한 내용은 Kelsey 등(1986, pp. 285-352)을 참고하기 바란다.

(3) 혼동 편향

혼동 편향은 노출-결과 관계가 외생(혼동)요인과 상호관련 있을 때 발생한다. 연구설계나 분석에 있어 혼동 요인을 통제하지 않으면, 효과 추정이 왜곡되게 된다. 연구계획 단계에서 연구자는 연구하려는 노출-결과 관계에 잠재적으로 혼동을 주는 요인을 확인하여 이러한 요인의 영향을 제거하거나 통제하는 전략을 구상하여야 한다. 연구대상자에 대한 지식과 문헌고찰은 이러한 잠재적 혼동변수를 확인하는데 기초가 된다.

혼동 편향과 기타 편향과의 차이점은, 혼동 편향는 분석 단계에서 수정을 할 수 있으나 기타 편향은 수정이 불가능한 것이다. 혼동변수를 제거 또는 통제하기 위해서는 연구설계 단계에서 어떤 특성에 대해 비교집단과 비슷한(matching) 참가자를 표본에 포함함으로써 혼동 편향을 조절할 수 있다. 분석단계에서는 혼동요인을 조절하기 위해 다변인(multivariate) 통계분석방법을 사용하거나 혼동요인의 범주 내에서(층화분석) 노출-결과 관계를 검사한다.

5) 연구의 통계적 신뢰성 확보

통계적으로 신뢰성 있는 연구를 수행하기 위해서 표본의 크기를 결정하는 것은 매우 중요하다. 역학에서 표본크기를 결정하기 위해 사용가능한 공식과 표가 있다(Schlesselman, 1974, 1982; Walter, 1977). 이런 공식은 다음과 같은 요소들과 관련이 있다(8장 참고).

- 통계적 유의성(제 1 형 오류)
- 실재하는 효과를 기각할 기회(제 2 형 오류)
- 효과크기
- 위험요인에 노출이 없는 상태에서 질병의 비율
- 비교그룹의 상대적 크기

코호트 연구에 비해 환자-대조군 연구의 주요 장점은 필요한 표본크기에 있다. 예를 들어, 태아의 착상시기에 여성이 에스트로겐에 노출되면, 선천성 심장기형의 위험이 증가하는지를 조사하는 연구를 한다고 하자. 만약 노출되지 않은 여성이 낳은 1,000명의 아이 중 8명이 기형이었다면, 코호트 연구에서 상대위험도 2.0이상이 되도록 하기 위해 에스트로겐에 노출된 3,889명의 여성과 노출되지 않은 여성 3,889명의 분만을 관찰해야 한다. 약 30%의 여성이 태아의 착상시기에 에스트로겐에 노출되었다면, 환자-대조군 연구에서는 188명의 환자와 188명의 대조군이 필요하게 된다. 만약 연구자가 1,000명의 신생아 중 2명의 비율로 발생하는 특정한 심장 기형에 관심이 있다면, 코호트 연구에서 상대위험도 2.0이상이 되도록 하기 위해 에스트로겐에 노출된 15,700명의 여성과 노출되지 않은 여성 15,700 명의 분만을 추적 관찰해야 한다. 환자-대조군 연구에서는 단지 188명의 환자와 188명의 대조군이 필요하다. 즉, 표본크기의 측면에서 보면, 특히 결과변수가 드물게 발생하는 연구에서는 환자-대조군 연구에서 적은 표본크기가 요구되는 장점이 있다.

6) 윤리적 고려

역학설계에서도 다른 연구설계에서와 유사한 인권에 대한 잠재적 이슈를 가지고 있다. 역학연구에서는 특히 강조되는 이슈로는 특정한 유형의 참여자를 발견하거나 표집하기 위해 기록을 사용하는 것이다.

7) 비평

역학연구 중 코호트 연구는 질병에 노출되지 않은 대상자를 전향적으로 추적함으로써 질병의 발생 원인에 대한 정보를 제공할 수 있다는 점이 가장 대표적인 장점이다. 그러나 위험요인 노출에서부터 질병발생까지 시간이 오래 걸릴 수 있으므로 경제적인 부담이 따른다. 또한 발생률이 매우 낮은 질병의 경우에는 대상자 수가 많아야 한다는 제한이 있다. 반면 환자-대조군 연구는 비교적 수행하기에 용이하다. 질병이 이미 발생한 시점에서 연구가 진행되므로 장기간 추적조사가 필요하지 않아 경제적 부담이 적다는 장점이 있다. 이 설계는 발생률이 매우 낮은 질병에는 적용 가능하지만 오히려 원인요소가 드물게 노출되는 경우는 선택된 대상자들에게 나타나지 않을 수 있으므로 적절하지 않다. 암환자 등과 같이 잠복기가 긴 질병의 추적에 적합하다고 볼 수 있다. 이러한 장점에도 환자-대조군 연구는 편향 위험이 커서 인과관계를 확인하기에는 제한점을 갖는다.

8) 요약

역학에서 강조하는 것은 관찰적 접근이지만, 실험 및 관찰연구 둘 다 사용된다. 역학연구에서는 실험연구 설계라도 조절되지 않은 환경에서 실시된다. 이는 인간을 대상으로 건강과 관련된 결과변수를 연구하는 것이 항상 윤리적으로 용이하지 않기 때문이다. 그러므로 역학자들은 연구의 타당성을 감소시킬 수 있는 편향의 수많은 근원을 통제하는 관찰적 접근을 개발하여 사용한다. 이 장에서는 주로 코호트 연구에 대해 설명하였다. 코호트 연구의 장점은 연구 대상자가 결과변수가 나타날 때까지 관찰되므로 위험요인들이 결과변수의 선행요인으로 확인될 수 있다는 것이다. 사례비교(case-comparison) 연구의 주요 장점은 비교적 적은 수의 표본 수가 필요하다는 것이다. 그리고 편향의 근원이 되는 세 가지는 표본선택, 측정, 혼동변수이다. 이러한 편향을 다루는 방법들이 설명되었다.

참고문헌

Chang, S. O., Kim, E. J., Seomun, G-A., Lee, S. J., & Park, C. S. (2006). Comparison of influential variables for smoking temptation between adolescent and adult smokers. *Journal of Korean Academy of Nursing, 36*(3), 561-570.

Cohen J. (1988). *Statistical power for the behavioral sciences.* Hillsdale, NJ: Lawrence Erlbaum.

Cronbach, L. J. (1970). *Essentials of psychological testing* (3rd ed). New York: Harper & Row.

Green, S. B. (1991). How many subjects does it take to do a regression analysis? *Multivariate Behavioral Research, 26,* 499-510.

Holley, S. R., Pasch, L. A., Bleil, M. E., Gregorich, S., Katz, P. K., & Adler, N. E. (2015). Prevalence and predictors of major depressive disorder for fertility treatment patients and their partners. *Fertility and Sterility, 103*(5), 1332-1339.

Hwang, E. K., Yi, M. S. (2014). Factors influencing quality of life in patients with breast cancer on hormone therapy. *Journal of Korean Academy of Nursing, 44*(1), 108- 117.

Kelsey, J. L., Thopson, W. D., & Evans, A. S. (1986). *Methods in observational epidemiology.* New York: Oxford University Press.

Kim, K. B., Yun, J. S., & Sok, S. (2008). Comparative study on the sleep patters, satisfaction of sleep, and sleep enhancement behaviors between hospitalized and non-hospitalized elderly. *Journal of Korean Academy of Nursing, 38*(5), 685-693.

Lin, M. C., Guo, H. R., Lu, M. C., Livneh, H., Lai, N. S., & Tsai, T. Y. (2015). Increased risk of depression in patients with rheumatoid arthritis: A seven year population based cohort study. *Clinics, 70*(2), 91–96.

Lynn, M. (1985). Reliability estimates: Use and disuse. *Nursing Research, 34*(4), 254–265.

Lee, H. A., Kim, Y. J., Lee, H., Gwak, H. S., Hong, Y. S., Kim, H. S.,...Park, H. (2015). The preventive effect of breast-feeding for long than 6 months on early pubertal development among children aged 7–9 yeas in Korea. *Public Health Nutrition, 18*(18), 3300–3307.

Lee, H. K., Cho, S. H., Kim, J. H., Kim, Y. K., & Choo, H. I. (2014). Influence of self efficacy, social support and sense of community on health-related quality of life for middle-aged and elderly residents living in a rural community. *Journal of Korean Academy of Nursing, 44*(6), 608–616.

Lee, H. J., Kim, Y. H., & Park, N. H. (2006). A comparative Study on Family Perception between Abused Children and Normal Children by Kinetic Family Drawing. *Journal of Korean Academy of Nursing, 36*(2), 265–277.

Meghani, S. H., Thompson, A. M., Chittams, J., Bruner, D. W., & Riegel, B. (2015). Adherence to analgesics for cancer pain: A comparative study of african american and whites using an electronic monitoring device. *Journal of Pain, 16*(9), 825–835.

Nunnally, J. C. (1978). *Psychometric theory* (2nd ed.) New York: McGraw-Hill.

Polit, D. F. & Sherman, R. E. (1989). Statistical power in nursing research. *Nursing Research, 39*(6), 365–369.

Oh, J. H., & Lee, M. S. (2014). Structural equation modeling on quality of life in older adults with osteoarthritis. *Journal of Korean Academy of Nursing,44*(1),75–85.

Park, S. I., & Kim, S. A. (2014). Mediating effects of self-efficacy in the relationship between anger and functional health of homeless men. *Journal of Korean Academy of Nursing, 44*(4),361–370.

Schlesselman, J. J. (1974). Sample size requirements in cohort and case-control studies of disease. *American Journal of Epidemiology, 99*, 381–384.

Schlesselman, J. J. (1982). *Case-control studies: Design, conduct and analysis.* New York: Oxford University Press.

Sriyasak, A., Almqvist, A. L., Sridawruang, C., & Haggstrom-Nordin, E. (2015). Father role: A comparison between teenage and adult first-time fathers in Thailand. *Nursing Health Sci-*

ence, 17(3), 377–386.

Yoon, J. H., Oh, S–S., Lee, K–H., Kim, S–K., Oh, J–H., Won, C–S.,....Koh, S–B. (2011). The relationship between hospital departments and risk of developing tuberculosis among nurses working at a university hospital in Korea: Retrospective Cohort study. *Korean Journal of Occupational Environment Medicine, 23*(1), 64–70.

U.S. Department of Health and Human Services (1982). The health consequences of smoking: *A report of the surgeon general*. Rockville, MD: Public Health Service.

Walter S. D. (1977). Determination of significant relative risks and optimal sampling procedures in prospective and retrospective comparative studies of various sizes. *American Journal of Epidemiology, 105*, 387–397.

Wildt, A. R. & Ahtola, O. T. (1978). *Analysis of covariance*. Beverly Hills, CA: Sage.

05
CHAPTER

실험연구설계

05
CHAPTER

실험연구설계

실험(experiment)이란 검증을 의미하며, 검증(test)은 보통 인과적 명제에 대한 것이다. 실험은 또한 '시도(trial)' 또는 '인위적 조작(manipulation)'의 개념과도 연결된다.

실험연구설계의 주요 목적은 이론을 검증하기 위한 것이다. 실험연구설계와 비실험연구설계의 가장 큰 차이점은 독립변수가 조작된다(manipulation)는 것이다. 독립변수가 조작된 후 두 집단은 어떻게 달라지는가? 어떤 조작적 변화가 두 집단의 차이를 초래하였는가? 등과 같은 질문은 "–때문에"라고 설명되며, 이것이 연구의 이론적 틀을 제공하게 된다. 연구에서는 이론 전체보다는 이론의 일부만을 검증하게 된다. 인과관계(cause and effect)는 항상 이론을 근거로 예측된다. 연구에 앞서 예측가설이 기술되고, 독립변수의 조작에 의해 종속변수에서 나타날 것으로 기대되는 효과를 서술한다. 실험연구 설계에서 실험환경은 최대한 통제된다. 실험 변수는 조작되고, 집단간 무작위 배정을 하고, 최소한 하나 이상의 대조군을 둔다.

I. 가설검증을 위한 연구 설계의 기본 개념

1. 실험(Experiments)과 인과(Causation)

인과의 개념은 일상생활에서도 쉽게 인지되고 있다. 학습하는데 소요된 시간의 양(원인)에 의해 초래된 성적(결과)이 그 예이다. 좀 더 복잡한 인과 관계의 형태는 낮은 성적(1차 원인)에 너무 실망하게 되어 공부할 의욕이 없어지고(2차 원인) 더 낮은 성적(결과)을 얻게 된다는 상황이다. 또는 두 변수가 서로 원인과 결과로서 동시에 작용하게 되는 것을 '상호관계(reciprocal relationship)'라고도 한다. 이렇듯 인과관계가 일상적으로 사용되고는 있지만 이 개념은 철학자들 사이에서 오래전부터 정의되어왔다. 17세기 철학자 John Locke (1975)는 "단순성이나 복잡성에 관계없이 무엇이라도 만드는 것은 원인이며, 그것에 의해 만들어지는 것을 결과"라고 하였다. 이로부터 연구과정에서 '원인', '결과', '인과관계'라는 주요 개념들이 정의되어 사용되고 있다.

1) 원인(Cause)

산불의 원인은 다양할 수 있다. 지나가는 차에서 던진 성냥불, 번개, 완전히 꺼지지 않은 모닥불 등이 그 예이다. 그러나 이 원인들은 산불을 만드는데 충분한 조건이 아니며, 이외의 원인으로도 산불은 발생할 수 있으므로 필수조건도 아니다. 마른 나뭇잎에 불이 번질 정도로 충분히 오래 불씨가 남아있어야 하며 불의 연소가 가능하도록 산소도 있어야 하기 때문이다. 즉, 성냥불은 산불이 발생하게 되는 조건 중 하나이지만 산소나 마른 나뭇잎 등과 같은 조건이 동시에 존재할 때 산불 발생은 가능해지는 것이다. 이러한 상황에서의 성냥불은 Mackie (1974)가 언급한 "이누스 조건(INUS condition)" 즉 "불충분하지만 중복되지 않는(Insufficient but Non-redundant), 필수적이지는 않지만 충분한(Unnecessary but Sufficient) 조건"이 된다. 성냥불은 산소나 마른 잎 등 다른 조건들이 없으면 산불을 일으키기에 충분하지 않으므로 '불충분'하지만, 한편 산소나 마른 잎으로는 대치될 수 없는 산불 발생의 고유 기능이 있으므로 '중복되지 않는(필요한)' 역할을 하는 것이다. 결국 성냥불은 다른 조건들이 적절히 존재할 때 산불을 발생시키기에 '충분한' 조건이나 성냥불 이외에도 산불을 발생시킬 수 있는 다른 방법(모닥불, 번개 등)이 있으므로 필수조건은 아닌 것이다.

이누스 조건에 대한 연구 실례는 암을 정복하기 위한 새로운 치료법에 대한 것이다. 1990년대 말 보스톤의 연구팀은 종양조직의 혈류공급을 감소시켜 암 크기를 줄이는 효과를 가진 엔도스타틴(Endostatin)이라는 신약을 발표하였다. 그러나 다른 연구팀들은 엔도스타틴을 도입해 반복연구를 한 결과 효과가 없는 것으로 나타났다. 결국 연구자들이 보스톤의 연구실을 방문하여 원 연구팀이 시행하였던 모든 조건을 충족시킨 후에야 동일한 결과를 얻을 수 있었다. 이러한 상황을 "우리 수중에 있는(in-our-hands)" 현상이라고 부른다. 즉, 전체 과정 중 어떤 세세한 부분이 중요한지는 잘 알려져 있지 않으므로 과정을 제대로 파악하는데 시간이 걸린다는 설명이다. 이 경우 엔도스타틴은 "이누스 조건"이 된다. 엔도스타틴 단독으로는 원인이 되기에 '불충분'하며, 이 신약의 효능은 연구자들조차도 잘 파악하지 못한 수많은 다른 상황적 조건에 달려있는 것이다.

우리에게 알려진 대부분의 원인들은 "이누스 조건"인 경우가 많다. 대부분의 요인들은 결과가 나타나는데 필요한 것들이나 모든 원인과 결과의 관련성이 알려져 있는 경우는 드물다. 이것이 바로 실험연구에서 사용되는 인과관계의 개념이 결정적(deterministic)이 아닌 결과가 발생할 확률(probability)을 높이는 것으로 강조되는 이유이다(Ells, 1991; Holland, 1994). 또한 인과관계가 일정조건에서는 나타나지만, 시간과 공간, 대상자, 또는 다른 종류의 처치를 초월하여 나타나지 않는 이유이다. 결론적으로 모든 인과관계는 어느 정도 상황 의존적이므로, 연구결과의 일반화가 항상 문제가 된다.

2) 결과

결과(effect)의 의미는 18세기 철학자 David Hume이 제시한 역-실제 모형(counter-factual model)으로부터 이해될 수 있다(Lewis, 1973). 역 실제란 사실(fact)과 반대되는 어떤 것이다. 실험에서는 대상자가 처치를 받았을 때 발생한 결과를 관찰한다. 역 실제란 실험과 동시에 동일한 대상자가 처치를 받지 않았다고 가정했을 때 발생할 것으로 예상되는 정보를 의미한다. 따라서 결과(effect)는 실제 발생한 결과와 발생할 것으로 가정한 결과의 차이를 말한다.

역 실제란 사실상 관찰될 수 없는 것이다. 페닐케톤뇨증(phenylketonuria [PKU])는 유전적 대사질환으로 태어난 직후 몇 주 내 치료하지 않으면 정신장애를 초래하는 질병이다. PKU는 신경계에 치명적 독 작용을 하게 되는 페닐알라닌(phenylalanine)이 축적되는 것을 막아주는 효소가 부족한 상태를 말한다. 생후 일찍부터 철저하게 페닐알라닌 제한 식이를 시작하고 유지한다면 정신장애를 예방할 수 있다. 이 경우 원인이 되는 것은 유전적 결함이거나 효소성 장애, 또는 식이일 수도 있다. 각각의 상황이 서로 다른 역 실제를 암시하는 것이다. 예를 들어 생후 PKU가 진단되었을때, 페닐알라닌 제한 식이를 받은 환아에게서 정신장애가 나타나지 않았다면, 역 실제는 동일한 영아에게 제한식이를 실시하지 않았을 때 어떤 상황이 되는지에 대한 것이다. 동일한 논리로, 유전적 결함이 없었다면, 또는 효소성 장애가 없었다면에 대한 역 실제 가정도 가능해진다. 그러나 역 실제를 확인하기 위해 동일한 영아에게 동시에 이 모든 상황을 적용하는 것은 불가능해진다.

따라서 원인을 찾는 연구의 핵심과제는 실제적으로 불가능한 역 실제 상황에 가장 비슷하다고 판단되는 합리적인 대치상황을 만들어 내는 것이다. 예를 들어 윤리적으로 허용된다면, 인종, 성별, 경제상태 등 모든 점에서 유사한 특성을 가진 두 집단의 PKU 영아를 모집하여 한 집단은 제한식이를 제공하고 다른 집단은 제한식이를 제공하지 않았을 때를 비교하는 것이다. 또 하나의 상황은, 물론 윤리적으로 허용된다면, PKU 영아에게 첫 3개월간 제한식이를 주지 않고 있다가 4개월째 제한식이를 시작하면서 두 자료를 비교하는 것이다. 이 두 방법은 모두 역 실제상황하고는 차이가 있다. 첫 번째 상황은 치료군과 대조군이 서로 다른 영아들이며, 두 번째 상황에서는 동일 영아들을 비교하는 것이지만 치료 조건 이외에도 시간차를 비롯하여 여러 조건들이 서로 다를 수 있다. 따라서 실험연구 설계에서 극복해야하는 두 가지 핵심과제는 ⑴ 역 실제 추론과는 어쩔 수 없이 다르면서도 가장 유사한 상황을 만들어내는 것과 ⑵ 역 실제 추론과의 차이가 어떻게 치료 조건과 다른지를 이해하는 것이다.

3) 인과관계(Causal relationship)

원인과 결과가 어떻게 연관되는지 알 수 있는가? 19세기 철학자 John Stuart Mill은 인과관계는 (1) 원인이 결과를 선행할 때 (2) 원인이 결과와 연관될 때 (3) 원인 이외에 결과를 발생시키는 다른 대안을 찾을 수 없을 때 성립한다고 하였다. 이 세 가지 특징은 인과관계를 추구하는 실험연구에서도 찾아볼 수 있는데 즉 (1) 원인을 조작하고 난 이후에 결과를 관찰하는 것 (2) 원인변수의 변량이 결과변수의 변량과 관련되는지 관찰하는 것 (3) 실험연구 도중 여러 방법을 동원하여 결과를 초래할 수 있는 다른 요인들의 가능성을 배제하는 것 등이다. 따라서 실험연구는 인과관계를 탐구하기에 가장 적절한 방법이며, 실험연구만큼 인과관계의 특징을 만족시키는 다른 과학적 탐구방법은 없다. 예를 들어, 대부분의 상관연구(correlational study)에서는 두 변수 중 어떤 것이 선행하는지를 아는 것이 불가능하므로 이러한 연구결과를 기초로 인과관계를 설정하는 것은 불확실하다. 인과관계를 탐구하는 모든 연구는 인과관계의 특성에 대한 이해를 바탕으로 이루어져야 한다.

4) 인과관계와 상관관계, 혼동변수

연구에서 "상관관계는 인과관계를 증명하지 않는다"는 잘 알려진 사실이다. 그 이유는 상관관계에서는 두 변수중 어느 것이 선행하는지, 결과의 발생에 대한 다른 설명이 가능한 지를 알 수가 없기 때문이다. 예를 들어 수입과 교육수준은 상관관계를 갖는다. 고소득 상태에 있어야 교육비를 감당할 수 있는가? 아니면 교육 수준이 높아야 수입이 좋은 직업을 얻을 수 있는가? 양 방향이 모두 사실일 수 있으므로 어느 쪽으로 방향이 정해지기까지는 단순 상관에서 인과관계를 증명하기 어렵다. 또한 상관관계에서는 두 변수간의 관계에 다른 대안적 설명이 가능할 수도 있다. 즉, 상관관계에서 나타난 관계는 두 변수간의 인과 때문이 아닌 제3의 변수에 의한 것일 수 있다. 예를 들어 지능지수가 높은 사람이 고등교육을 받게 되고 좋은 직업을 얻을 수 있다는 것이다. 이 경우 교육수준과 소득은 직접적인 관계가 없이 '지능수준'에 의해 연관된 것이다. 따라서 실험연구의 주요 과제 중 하나는 특정한 연구영역에서 어떤 종류의 혼동변수가 존재하는지를 파악하고 그러한 혼동변수를 다루는 다양한 방법을 이해하는 것이다.

2. 실험연구설계의 특성

실험연구설계의 주요 개념에는 실험군과 대조군의 무작위배정과 독립변수를 변화시키기 위한 조작, 추론의 타당성을 높이기 위한 통제가 포함된다.

1) 무작위

순수실험연구설계에서 무작위(randomization)란 대상자가 처치를 받거나(실험군) 받지 않는 것(통제군)이 우연에 의해 배정되는 것을 의미한다. 각 집단에 대상자를 배정하는 방법에는 동전던지기, 난수표 또는 컴퓨터에 의해 무작위 숫자를 만들어내는 방법 등 여러가지가 있다. 이러한 방법의 공통된 원칙은 개인이 통제군 또는 실험군에 배정될 확률이 동일하고 알려진 확률법칙을 따른다는 것이다. 만일 어느 통제군이라도 특정 집단에 배정될 확률이 더 높거나 낮다면 그 배정방법은 무작위가 아니며, 무작위를 위한 가정에 위배되는 것이다.

무작위 배정의 가장 큰 장점은 처치가 제공되기 전 두 집단은 거의 동질하다는 점이다. 근본적으로 무작위 배정은 외생변수에 의해 생성되는 변량을 두 집단에 유사하게 존재하도록 함으로써 편견을 감소시키는 효과가 있다. 예를 들어, 지역사회 정신병원에서 치료받는 우울증 환자를 대상으로 간호중재의 효과를 검증하는 연구에서, 참가자의 반은 처치 집단에 무작위 배정하였고, 나머지는 통제군으로 대기자 집단에 속하게 하였다. 이러한 배정기법에 의해 두 집단의 우울증 환자들은 처치 전 우울증 수준은 물론 처치의 효과에 영향을 미칠 수 있는 다른 어떤 특성(예, 사회적 지지 등)에 대해서도 다르지 않을 것이다. 간호중재(실험처치)가 주어진 후 실험군의 우울수준이 통제군에 비해 유의하게 감소되었다고 가정한다면, 간호중재가 우울증을 감소시키는데 효과적이었다고 결론지을 수 있게 된다.

무작위 배정이 두 집단의 유사성을 보장하지는 않는다. 표본이론에 의하면, 두 집단간 유의한 차이(p < .05)는 20명 중 한 명 정도에서 나타난다고 한다. 즉, 표본수가 크지 않다면 주요 변수가 두 집단간 동일하게 분포되지 않을 수도 있다. 이러한 상황이라면 연구자는 무작위 배정을 하였더라도 두 집단간 변수들이 동일하게 분포되도록 하는 추가적 전략으로 짝짓기 또는 동질한 모집단의 선택 등을 고려하여야 한다. 그러나 연구결과에 의하면 각 집단에 대상자들을 짝짓기로 선택하는 방법보다 무작위 배정이 더 효율적인 것으로 보고된다(Sherwood, Morris, & Sherwood, 1975).

일부 연구형태에서는 개별 대상자가 아닌 단위(unit)로 무작위 배정을 하기도 한다. 예를 들어 시설노인의 인지 및 우울에 대한 집단 중재의 효과를 보는 연구에서 연구자들은 7개의 간호요양시설을 선택하였는데, 시설마다 노인들의 신체적, 정신적 장애수준이 다르기 때문에 대상자 선정기준을 적용하였을 때 실험군과 통제군을 구성할 만큼 대상자의 수가 충분한 시설은 단 한 곳뿐이었다. 따라서 개별 노인이 아닌 간호요양시설을 무작위 배정하여 실험군과 통제군을 결정하도록 하였다. 다른 연구에서는 처치 효과에 영향을 줄 수 있다고 알려진 요인에 대하여 층화 무작위법(Stratified randomization)을 권고한다. 이 방법은 외생변수를 설계에 포함함으로써 통제하는 방법이다. 예를 들어, 소아암 환자를 대상으로 흉관배액 효과를 보는 간호중재연구에서는 과거 수술경험이 흉관배

액효과와 관련된다고 알려져 있으므로 연구자들은 과거 흉곽수술의 경험이 있는지 여부에 따라 두 층(strata)으로 대상자를 나누어 모집한 후 흉곽배액을 촉진하기 위해 배액관을 짜주는 방법(tube stripping)과 배액관을 조작 없이 그대로 관리하는 방법을 각각 두 집단에 무작위로 배정하는 '고정적 무작위 배정'을 시도하였다. 무작위에 대한 또 다른 수정예는 집락형-무작위 통제-임상설계(Cluster-randomized controlled-trial design)이다(Gillis 등, 1993). 심장수술 집단을 대상으로 한 무작위 임상연구에서는 대상자들이 연구 참여에 동의하고 모집되는 순서에 따라 집락(cluster)표집을 하였다. 집락표집이란 더 큰 모집단위인 기관을 먼저 선정한 후 기관내에서 다시 대상자를 선정하는 방법으로, 원래 두 집단간 처치의 효과가 오염(contamination)되는 것을 막기 위해 사용된다. 병원에 따라 계층화된 집락의 크기는 다양할 수 있으며, 집락들은 컴퓨터로 생성된 난수표를 이용하여 실험군 또는 통제군으로 무작위 배정된다. 대상자들을 모집한 연구자들은 집락의 크기나 조건을 알 수 없도록 하였고, 대상자들이 중환자실에 입원하여 퇴원할 때까지 무작위 배정결과는 비밀로 하였다.

2) 조작

조작(Manipulation)이란 독립변수를 변화시킴으로써 그로 인해 종속변수에 나타나는 효과를 관찰하고 측정하는 과정이다. 실험설계에서 원인적 변수는 반드시 연구자에 의해 변화될 수 있어야 한다. 즉, 실험에서는 연구자가 대상자에게 "무엇인가를 하는 것"이 요구된다. "조작의 강도"란 "처치가 의도한 결과를 초래할 확률"에 대한 평가(Yeaton & Sechrest, 1981)이며, 종속변수가 처치에 의해 실제 어떻게 변화되는가와는 상관이 없다. 연구자는 반드시 "조작 점검"을 하여 조작이 의도한 결과를 가져오는지 또는 의도하지 않은 결과를 초래하여 연구의 타당도를 떨어뜨리는지를 확인하여야 한다(Pedhazur & Schmelkin, 1991). 예로서, 간호제공자에게 정보를 주어 대처능력을 증강시키고자 시도한 중재연구에서, 일부 간호제공자들이 환자의 질병이 점차 악화되고 있다는 사실에 직면하였을 때 예기치 않게 우울증이 나타난 것을 들 수 있다. 이렇듯 의도하지 않은 결과가 나타날 수 있으므로 연구자들은 반응적 척도(reactive measure)를 적용할 때에는 대상자들이 처치에 대한 인식이 높아져 종속변수에 다르게 반응할 수 있음을 고려하여야 한다.

통제군도 고려대상이 되어야 하는데, 연구자들은 통제군의 대상자들에게 실제 아무런 조작을 제공하지 않더라도 그들에게 어떤 일이 일어나는지를 파악하고 있어야 한다. 통제군은 독립변수의 제공을 제외하고는 환경이나 자료수집 시간 등 실험군과 동일한 조건에서 측정되어야 한다. 흔히 대상자들에게 통증이나 부정적 자극을 제공하는 것이 윤리적으로 불가능할 수 있다. 유사한 예로, 각 집단에서 서로 다르게 작용하는 일부 변수(태도, 연령, 질병력 등)는 조작이 불가능하다. 또한 연구체계에서 정책상 변수의 조작(예, 식이변경 또는 처방의 변경)이 힘들 수도 있다. 독립변수를 조작하는 연구자의 능력은 실험연구에서 통제를 가능하게 하는 대표적 요인이다.

3) 통제

통제(Control)는 실험연구설계의 주개념이다. 연구설계에서 통제(control)는 추론의 타당성을 높이기 위한 것으로 다음 세 가지(Cook & Campbell, 1979)를 포함한다.

(1) 통제란 외적 영향을 배제시키는 것을 의미한다. 실험도구를 멸균시키는 것, 실험의 진행을 실험실로 국한시키는 것 등이 외적 영향을 통제하기 위한 방법들이다.

(2) 처치변수에 대한 통제로 어떤 대상자에게 특정한 처치를 언제 주는가에 대한 결정이다. 이러한 독립변수에 대한 통제는 외생변수에 의한 영향으로부터 처치의 효과를 분리시키는데 도움이 된다.

(3) 통제는 내적 타당도에 대한 위협을 파악하고 제거하기 위한 것인데, 주로 통제군 또는 대조군을 포함시키거나 연구 과정이나 분석방법을 통해 처치 이외에 나타날 수 있는 변량들을 제거하는 과정이 포함된다. 간호연구에서는 실험군이 처치를 받는 동안 대조군은 '처치 없이' 또는 '일반적 또는 일상간호중재' 등을 받게 되며 종속변수의 측정결과를 실험군과 비교하게 된다. 또한, 대상자에게 소속집단이나 연구의 방향을 알려주지 않는다든지(연구과정에 의한 통제), 과거 경험이 종속변수에 주는 영향을 통제하기 위해 경험수준을 측정한 후 자료 분석시 통제변수로 포함시키는 방법(통계분석에 의한 통제) 등도 통제의 예이다. 통계적 통제는 실험적 통제의 대치방법으로 적절하다고 인정되고 있다. 위에서 언급한 세 가지 통제방법은 모두 추론의 타당성을 위협하는 요소들을 제거하는 과정을 의미한다.

실험연구설계의 가장 큰 장점은 편견을 배제하는 능력으로, 실험군과 대조군이 선택되거나 측정되는 방식에 일률적인 차이가 있다든지, 독립변수와 결과변수와의 관계에 혼동변수가 간섭되어있는 등의 이유로 나타날 수 있는 결과해석의 오류를 줄일 수 있다는 것이다. Kerlinger (1973)에 의하면 실험연구설계의 장점은 변량의 통제능력이며 연구의 타당도를 높이기 위해 다음 세 가지의 변량이 고려되어야 한다고 하였다.

(1) 체계적 또는 실험적 변량(Systematic or experimental variance)은 종속변수에 대한 독립변수의 체계적 효과를 의미하며 반드시 증강되어야 하는 변량이다. 즉, 실험조건은 가능한 다양하게 설계되어야한다. 연구자가 정신과 병동에 입원한 환자들에게 약물복용에 대한 집단교육과 개별

교육의 효과를 비교하는 경우, 체계적 변동을 최대화시키기 위해서는 두 가지 교육방법(실험조건)이 반드시 매우 달라서 종속변수(약물에 대한 지식)의 전체 변동(대부분 오차에 의한 변동)으로부터 교육효과가 분리될 수 있어야 한다.

(2) 외생 변량(extraneous variance)은 종속변수에 나타나는 외생변수에 의한 효과(즉 방해효과, 원하지 않는 효과)를 의미한다. 변량을 초래하는 요인들은 연구 설계에서 통제되어야 하는데 독립변수의 효과 외에도 외생 변수에 의해 집단간 차이가 초래될 수 있기 때문이다. 두 집단간 나타날 수 있는 외생변수를 동시에 통제할 수 있는 가장 효율적인 방법인 무작위 배정과 더불어, Issac과 Michael (1971)은 외생변수를 통제하기 위한 다음 4가지 방법을 제시하였다. 이를 위해 연구자들은 반드시 연구 전에 어떤 외생변수들이 존재하는지에 대하여 알고 있어야 한다.

- 외생변수를 연구설계에 독립변수로서 포함시킨다. 즉, 대상자의 성별이 중재에 대한 반응을 결정하는 주요 변수라고 판단되는 경우 각 성별에 따라 대상자를 나누어 표집하는 무작위 블럭설계(randomized block design)를 사용한다.
- 가능한 동질의 대상자를 선정함으로써 외생변수를 제거하거나 상수화시킨다. 즉, 성별이나 연령이 외생변수로 의심될 경우 모든 대상자를 여성노인 중에서 표집한다.
- 종속변수와 관련성이 높은 하나 이상의 외생변수에 대해 대상자를 짝짓기 표집한다. 즉, 주거지역이나 질병유형을 고려하여 균등하게 대상자를 모집한다. 그러나 무작위 배정 대신에 짝짓기를 사용하는 것은 적절하지 않으며, 다른 방법들이 가능하지 않을 때에만 사용되어야 한다. 더욱이 3개 이상의 변수에 대해 짝짓기를 하게되면 적용이 너무 복잡해진다. 예를 들어 3개의 변수가 각각 2개 분류로 구성된다면 6개의 조합으로 짝짓기가 이루어져야 하는 것이다. 그 이상 조합이 요구되면 짝짓기 방법은 불가능할 수 있다.
- 변수를 공분산분석(ANCOVA) 등을 이용하여 통계적으로 통제한다.

(3) 오차 변량(error variance)은 측정오차 등과 같은 측정상의 변동을 의미한다. 오차변량은 원칙적으로 측정조건(처치조건)을 표준화시키고, 측정도구의 민감성을 높이고, 측정도구의 신뢰도를 높임으로써 통제될 수 있다.

- 처치조건의 통제는 측정장소, 측정시점, 참가 지침 및 실험참가요원의 일정성을 유지함으로써 이루어진다. 이외에도 소음, 배고픔, 피로, 불안 등이 측정오차를 초래할 수 있다.

• 측정도구의 신뢰도(정확성)는 항목을 명료하게 기술하고, 유사한 항목을 추가시키고, 명료하고 일관성있는 지침을 주었을 때 높일 수 있다(Kerlinger, 1973). 신뢰도가 떨어지는 도구는 오차변량을 증가시킴으로써 체계적 변량의 효과를 낮추게 된다. 때로 사람에 의한 측정은 신뢰도가 낮아 연구결과에 영향을 미친다. 아동을 대상으로 심첨맥박의 정확성을 측정한 Margolius 등(1991)의 연구에서 여러 명의 의료인이 측정한 결과와 HP 심전도로 측정한 결과를 비교하였을 때 최대오차 맥박수는 분당 58회까지 나타났으며 평균 오차 맥박수는 분당 8회이었다.

실험연구설계는 연구자가 체계적 변량을 최대화하는 한편 외생변량과 오차변량을 통제할 수 있다는 점에서 가장 효율적인 연구방법으로 인정된다. 이를 위해 실험연구의 내적 타당도를 확립하는 것이 가장 중요한 문제이다. 그러나 실험연구에서 자연적 연구환경이 침해되고 대상자가 모집단으로부터 무작위 표출되지 않는다면 일반화는 제한된다. 실험연구설계에서 통제의 목적은 내적 타당도를 위협하는 요인들을 효율적으로 통제하여 인과관계를 검증하기 위한 것이라 할 수 있다.

3. 실험연구설계의 타당도(Validity)

연구설계의 타당도(validity)는 추론이 어느 정도 사실에 근접하는가를 의미한다. 관련된 증거를 근거로 추론이 사실이거나 옳다고 판단되면 '어떤 것이 타당하다'라고 할 수 있다. 관련증거에는 경험적으로 밝혀진 결과와 기존의 지식 및 이론 등이 포함된다. 하나의 실험결과로부터 얻어진 추론들은 절대적인 사실 또는 거짓으로 판단될 수 없다. 즉, 타당도에 대한 판단은 절대적인 것이 아니며 다양한 수준의 타당도가 가능하다.

연구설계의 타당도는 설계나 방법과 관련된 것이 아니라 추론에 대한 것이다. 따라서 동일한 연구설계를 적용하더라도 서로 다른 상황에서 수행된 연구의 타당도 수준은 달라질 수 있다. 예를 들어, 무작위 실험연구의 적용만으로 인과관계에 대한 타당한 추론을 보장할 수는 없다. 두 집단간 탈락률이 서로 달라 무작위의 효과가 없어지기도 하고, 효과를 찾아낼 수 없을 정도로 검정력이 낮을 수도 있고, 부적절한 통계방법을 사용하여 자료를 분석하거나, 표집오차로 인해 실험효과의 방향이 잘못 나타날 수도 있다. 같은 논리가 조사연구나 관계연구에서도 적용되므로, 어떤 연구방법을 사용하더라도 추론에 대한 타당도는 보장되지 않는다.

선택된 연구방법은 다양한 유형의 타당도에 동시에 영향을 미치며, 잘 알려진 예로 무작위 실험연구를 수행하는 경우 내적 타당도는 높아질 수 있지만 외적 타당도는 제한된다. 다양한 대상자를 포함하는 표집방법을 사용하면 외적 타당도는 향상시킬 수 있으나 통계적 결론 타당도가 감소하며,

표준화된 처치를 사용하는 경우 처치의 구성 타당도는 높일 수 있으나 그러한 표준화 처치가 잘 사용되지 않은 곳에서의 외적 타당도는 낮아질 수밖에 없다. 따라서 연구설계를 선택할 때에는 타당도의 여러 측면에 미치는 영향을 고려하여야 한다.

1) 타당도의 유형과 정의

Cook과 Campbell (1979)은 4가지 유형의 타당도를 제시하였으며, 4가지 유형은 통계적 결론 타당도(statistical conclusion validity), 내적 타당도(internal validity), 구성 타당도(construct validity) 및 외적 타당도(external validity)이다. 통계적 결론 타당도는 제시된 독립변수와 종속변수가 공변(상호관련)하는지를 추론하기 위해 적절한 통계기법이 사용되었는지에 대한 평가로 주로 효과크기(effect size)의 역할을 고려한다. 내적 타당도(internal validity)는 "실험처치가 구체적인 실험상황에서 변화를 가져왔는지"에 대한 추론이 타당한지에 관한 것으로 원인변수와 결과변수 간에 관찰된 공변성이 인과관계를 반영하는지에 대한 것이다. 구성 타당도와 외적 타당도는 모두 일반화에 관한 것으로 구성 타당도는 추상적 구성개념(construct)이 조작적 정의에 의해 측정된 변수를 반영하는지에 초점을 두는 한편, 외적 타당도는 인과관계에 대한 연구결과가 대상자, 연구환경, 처치변수 및 측정변수가 달라져도 일반화될 수 있는지에 대한 것이다.

2) 타당도에 대한 위협요인

연구과정에서 다양한 요인들이 타당도를 위협하게 되므로 연구자는 공변도, 인과관계, 구성개념, 인과관계의 일반화에 대해 부분적으로 또는 전적으로 잘못 추론할 수 있다. 타당도를 위협하는 요인들은 모든 연구과정에 공통적으로 나타나는 것은 아니지만, 이들을 인식함으로서 연구자는 연구결과의 추론을 위해 예상되는 위협요소들을 사전에 통제할 수 있다. 위협요인들을 통제하는 가장 대표적인 방법이 연구설계에 의한 것으로, 무작위 배정방법이 그 예이다. 그러나 연구설계로 통제할 수 없는 타당도의 위협요인도 다수 있으므로 이 경우 위협요인들을 확인하여 이들이 연구결과에 미치는 영향을 파악할 수 있어야 한다.

(1) 통계적 결론 타당도(Statistical conclusion validity)

통계적 결론 타당도에서는 인과관계의 공변이(covariation)와 관련된 두 가지 통계적 추론에 초점을 두는데 (1) 예상된 원인과 결과변수가 공변이하는가? (2) 두 변수가 어느정도 공변이 하는가?에 대한 것이다. 첫 번째 추론에서 연구자는 두 변수가 사실상 공변이 하지 않음에도 공변이 한다고 결론(제1 오류) 내리거나, 실제 공변이 하고 있는 두 변수간에 공변이가 없다(제2 오류)고 잘못 결론지을 수 있다. 두 번째 추론에서 연구자는 공변이의 크기에 대해 과대 또는 과소평가할 수 있다. 통계적 결론 타당도를 위협하는 요인들은 다음과 같다.

- **낮은 통계적 검정력:** 검정력(power)이란 모수 집단에 존재하는 관계를 찾아내는 연구의 힘을 의미하며, 통계적으로는 '영가설이 거짓일 때 통계적 기법이 영가설을 기각하는 확률'이라고 정의된다. 연구의 검정력이 불충분하게 되면 효과크기의 추정치가 부정확해지므로 처치(원인)와 결과의 관계가 유의하지 않다고 잘못 판단하게 되는 것이다. 표본수, 제1 오류, 제2 오류의 크기와 효과크기를 알면 컴퓨터 프로그램을 이용하여 검정력을 계산할 수 있다. 사회과학연구에서 일반적으로 제1 오류는 $\alpha = .05$에 맞추고 있으며, 제2 오류(β)는 .20, 따라서 검정력($1-\beta$)은 .80으로 정해지게 된다. 효과크기의 기준은 실질적 의미 또는 이론적으로 의미 있는 효과라고 판단되는 크기(Cohen, 1996; Lipsey, 1990)로 주로 기존 연구결과나 예비 연구결과를 기준으로 세워진다. 만일 연구의 검정력이 너무 낮다고 판단되는 경우에는 검정력을 높이기 위한 다양한 방법들이 적용될 수 있다.

- **통계적 기법적용에 요구되는 가정의 위반:** 통계기법의 가정이 위반되면 효과 크기 및 유의성을 과대 또는 과소평가할 수 있다. 예를 들어, t-검정에서 표본크기가 충분히 크고 두 집단의 표본수가 동일할 경우 정규분포에 대한 가정이 위반되어도 결과에는 별 영향이 없을 수 있다. 그러나 '관찰이 독립적이어야 한다'라는 가정이 위반될 경우에는 두 변수간의 공변이에 대한 추정이 부정확해질 수 있다.

- **무계획적인 반복검사:** 미리 계획된 변수들 간의 관계를 검증하지 않고 자료에 있는 모든 변수를 무계획적으로 반복검사(fishing)하여 '유의성'을 찾게 되면 검사 횟수에 따라 오류 비율도 높아지게 된다. 한번의 검사에서 제1 오류의 확률이 $\alpha = .05$라면, 세 번 반복하는 경우 $\alpha = .143$, 20번의 검사에서는 $\alpha = .642$, 50번을 반복하는 경우 $.923$ (Maxwell & Delaney, 1990)이 된다. 더구나 50번의 t-검정 중에서 유의성을 보인 일부 결과만 보고한다면 연구결과의 해석과 실제 현상은 매우 달라진다.

- **신뢰도가 낮은 측정:** 원인 및 결과 변수를 신뢰도가 낮은 도구로 측정하였을 때 공변이에 대한 결과는 부정확해 진다. 특히 3개 이상의 변수가 관련된 경우 낮은 신뢰도에 의한 효과는 더욱 예측하기 어려워진다. 예를 들어 공변수의 측정이 신뢰할 수 없는 수준으로 측정된 경

우 실제 처치의 효과와는 상관없이 공분산분석 결과 유의하게 나올 수 있는 것이다. 신뢰도가 낮은 측정도구의 해결책은 측정수를 늘리기 위해 항목을 추가하거나, 측정의 질을 높이는 것이다.

- **제한된 범위:** 일반적으로 제한된 값의 범위를 가진 변수는 그로 인해 다른 변수와의 연관성이 약화된다. 유사한 특성을 가진 두 처치의 효과를 비교하는 연구에서 결과변수의 범위가 2개 정도로 제한되어있는 경우 바닥효과(floor effect) 또는 천정효과(ceiling effect)로 인해 두 처치의 차이를 확인하기 어렵게 된다. 제한된 범위는 또한 검정력을 낮추고 변수 간 관계를 약화시킨다. 대부분의 대상자들이 매우 심한 우울 성향을 보이는 경우와 같이 이미 점수의 최저점에 분포하는 경우 종속변수에서 나타날 수 있는 변화가 제한되는 바닥효과를 보이게 된다. 반면에 IQ가 높은 학생들을 대상으로 한 처치의 효과를 볼 때 이미 학습도가 최고 수준에 분포하고 있어 천정효과가 나타나는 것이다.

- **처치 적용상의 오류:** 실험처치가 표준화되어 적용되지 않고 연구장소에 따라 다르게 적용되었거나, 동일한 장소라 할지라도 대상자에 따라 다르게 선별 적용되었다면 전 대상자에게 표준화되어 적용된 경우에 비해 처치의 효과가 과소평가 될 수 있다. 실험실에서 수행되는 연구와 비교할 때 현장연구의 경우 처치의 적용수준을 통제하기 어렵기 때문에 이런 문제점이 더 자주 발생하게 된다.

- **실험상황의 외생변량:** 실험상황의 어떤 특성으로 인해 오차가 커져 실제 변수 간의 관계를 파악하기가 어려워진다. 예로서 실험실의 소음, 지나치게 덥거나 추운 환경, 또는 운영팀의 잦은 교체 등과 같이 연구대상자의 집중능력을 방해하는 요소들이다. 해결방안은 미리 발생할 수 있는 외생변량을 고려하여 최대한 감소시키도록 하고, 통제될 수 없는 외생변수는 연구설계에 포함시켜 측정하도록 함으로써 추후 통계에 의한 통제를 시도하는 것이다.

- **단위의 이질성:** 결과변수에 대해 대상자 간의 차이(이질성)가 크면 해당변수의 표준편차가 커지게 되며, 따라서 오차변량이 커지게 되어 변수 간의 관계를 파악하기가 어려워진다. 동질의 변수일 때보다 표준편차가 큰 변수는 처치와 결과변수 간의 체계적 공변이를 감소시킨다. 해결책은 주요 결과변수와 관련된 특성에 대해 가능한 동질의 대상자를 선택하는 것이지만, 이 경우 연구의 외적 타당도는 줄어들게 된다. 또 다른 해결 방법은 결과변수와 관련

된 대상자의 특성을 측정하여 설계상 차단시키거나 분석에서 공변수로 취급하는 것이다.

• **부정확한 효과크기의 추정:** 일부 통계기법은 체계적으로 효과크기를 과대 또는 과소 측정한 다.

(2) 내적 타당도(Internal Validity)

내적 타당도란 두 변수 사이에서 관찰된 공변이 관계가 인과관계에 의한 것인지에 대한 평가이다. 즉, 종속변수를 측정한 결과가 독립변수를 조작한 처치행위에 의해 나타나게 되었는지를 규명한다. 인과관계에 대한 추론을 지지하기 위하여 연구자는 A(독립변수)가 B(종속변수)를 선행하였고, A와 B는 공변하며, A와 B를 제외한 다른 변수와의 관계가 없다는 것을 보여주어야 한다. 첫 번째 조건의 경우, 실험연구에서는 A를 조작하는 것이 B의 측정에 선행하므로 비교적 쉽게 증명된다. 그러나 비실험연구에서, 특히 횡적 조사연구의 경우는 인과의 순서를 밝히기가 쉽지 않다. 내적 타당도란 반복가능성(reproducibility)이 아니며, 모집단에 대한 추론도 아니고, 측정에 대한 타당도도 아니고, 연구자가 측정하는 바를 측정하였는지에 대한 것도 아니다. Campbell (1986)의 정의에 의하면 내적 타당도란 국소적인 복합단위의 인과 타당도(causal validity)이다. 즉, 내적 타당도란 연구시점과 환경에 국한되어 복합적인 단위로 나타나는 특정 처치와 결과사이의 인과관계에 대한 타당도를 의미한다. 따라서 실험연구의 결과를 평가하기 위해서는 설계상 결과에 영향을 미칠 수 있다고 판단되는 위협요인들 즉 외생변수들을 어느 정도 통제하였는지에 달려있다. 다음에 소개되는 내적 타당도의 위협요인들은 독립된 개념이라기 보다는 서로 연관되어 작용한다.

• **시간적 선행에 대한 불확실성:** 원인은 반드시 결과에 선행하여야 하나, 상관연구 등에서는 때로 두 변수 중 어느 것이 선행하는지 불확실하다. 실험연구에서는 종속변수를 측정하기 전에 한 변수를 먼저 조작하게 되므로 선행조건을 충족시킬 수 있다. 상관연구에서도 시간 차를 두어 종적 연구를 하면 선행변수를 파악할 수 있으나, 시간적 선행조건만 충족한다고 인과관계가 인정되는 것은 아니며, 다른 인과관계 조건도 만족시켜야 한다. 어떤 인과관계는 양방향 즉 상호관련성을 보이기도 하는데, 예로서 높은 학업성취도가 학생의 자기 효능감을 높임으로써 학업성취도를 더 높이게 된다는 것이다. 그러나 실험연구에서의 인과관계는 대부분 일방향성을 기본으로 한다.

• **표본 선정상의 오류:** 표본 선정과정에서 나타나는 오류의 주 특성은 처치의 효과가 집단의

차이에 의해 혼동되는 것이다. 때로 실험의 시작에서부터 처치를 받는 대상자의 조건이 처치를 받지 않는 통제군의 조건과 다를 수 있다. 그러한 시작 시점의 차이가 실험 종료 시점에 나타난 차이의 이유일 수 있다. 예를 들어, 보충수업의 학업성취효과에 대한 연구에서 보충수업을 듣기로 자원한 부모의 자녀들을 실험군으로 배정하고, 자원하지 않은 부모의 자녀들을 통제군으로 하였다. 이러한 프로그램에 자원한 부모들은 성격상 더 적극적으로 평소 자녀들에게 책을 읽어주거나 다양한 학습환경을 제공하였을 수 있다. 따라서 보충수업을 받게되는 실험집단의 학생들은 처치 전 이미 더 나은 학업성취도를 보일 수 있다. 이런 경우 무작위 배정이 적절히 적용되었다면 표본 선정에 대한 편향(selection bias)은 피할 수 있다. 무작위 배정이 성공적으로 되었을 때 두 집단 간에는 단지 우연에 의한 차이만 있게 된다.

- **연구기간 중의 사건(history):** 연구기간 중 사건이란 처치의 시작에서부터 처치 종료 후 측정까지의 기간동안 발생한 모든 사건 중 종속변수에 영향을 미칠 수 있다고 판단되는 사건들을 의미한다. 예로서, 국가에서 모자보호프로그램을 신설하고 프로그램을 이용할 자격조건으로 저소득층 임산부를 규정한 후 프로그램이 제공한 물질적, 교육적 지원이 임산부와 태아의 영양에 미치는 영향을 연구하였다. 그러나 같은 기간에 복지부에서 저소득층 여성과 영아를 위한 무료 급식 프로그램을 운영하였다면 이러한 무료 급식 프로그램은 '연구기간 중 사건'으로서 동일한 종속변수에 영향을 줄 것이다. 실험실 연구에서는 대상자들을 외부 세계와 철저히 고립시키거나 외부의 영향을 받지 않을 것으로 보이는 종속변수(예, 의미가 통하지 않는 문장 외우기 등)를 선택함으로써 연구기간 중의 사건을 통제한다. 그러나 현장연구에서는 실험실과 같은 통제가 가능하지 않다. 이런 경우 비슷한 지역에서 집단을 형성하고 실험군과 통제군의 측정시점을 비슷한 시기로 정함(즉, 한 집단을 먼저 선정해서 측정하고, 이후 다른 집단을 이어서 선정하여 측정하는 것은 피함)으로써 연구기간 중 사건이 주는 위협을 최소화 할 수 있다.

- **성숙효과(maturation):** 연구에 참여한 대상자들은 처치와 상관없이 자연적인 다양한 변화, 즉 더 나이가 들고, 배고픔을 느끼거나, 더 현명해지고, 더 강해지거나, 더 경력이 쌓이는 등을 경험할 수 있다. 이러한 변화들이 처치와 관련된 결과변수에 영향을 준다면 내적 타당도를 위협하는 요인이 된다. 예를 들어 보충수업 프로그램의 효과에 대한 연구에서 학생들이 프로그램에 참여하여 피로를 느낀다면 오히려 수업능력이 떨어지게 될 것이다. 성숙 효과에 의한 위협은 두 집단 선정시 연령, 지역적 특성 등의 유사성을 유지함으로써 낮출 수 있다.

- **중앙 집중 경향성에 의한 오류(regression artifacts):** 실험연구, 특히 유사실험연구에서는 때로 대상자의 극단적인 특성(우울집단, 학력저하집단 등)을 기준으로 실험군과 통제군을 선정하게 된다. 이렇듯 극단적 상태에 있는 대상자는 추후검사나 재검사에서 처음보다는 중앙에 가까운, 덜 극단적인 점수를 선택하는 경향을 보이게 된다. 예를 들어, 첫 측정에서 가장 높은 점수를 기록한 사람은 두 번째 측정에서는 덜 높은 점수를 기록하게 되며, 극단적으로 불안을 보여 심리치료에 참가하기로 선정된 대상자는 추후검사에서는 심리치료가 아무런 효과가 없었어도 불안상태가 낮아진 것으로 나타난다. 이러한 현상은 반대로 극단적인 추후검사를 보이는 사람들의 경우 사전검사에서는 덜 극단적으로 나타나기도 한다. 따라서 대상자가 평균보다 낮거나 높은 특성으로 선정되는 경우 중앙집중 경향성에 의한 오류 가능성을 고려하여야 한다.

- **탈락(attrition):** 탈락이란 처치에 참여한 대상자들이 결과변수의 측정에 참여하지 않는 것을 의미한다. 만일 탈락한 사람들과 남아있는 사람들 간에 어떤 특징적 차이가 있어 결과변수와 관련된다면, 결과변수에서 나타나는 집단 차는 처치의 효과가 아닌 탈락군과 참여군 간의 특성차이로 인한 것일 수 있다. 예를 들어 약물중독자들을 대상으로 가족치료와 대화에 의한 치료효과를 비교하려 한다. 연구가 진행될수록 약물 중독자들 중 예후가 나쁜 사람들은 대화치료 군으로부터 주로 탈락하는 한편 가족치료 군에는 대부분이 남아있었다고 한다면, 처치 후 가족치료군의 약물중독 상태가 대화치료 군에 비해 더 나쁜 것으로 나타날 수 있다. 그러나 이 결과는 대화치료의 효과가 약물중독을 치료하는데 더 좋았다기보다는 예후가 나쁜 약물중독자들이 대화치료 군으로부터 더 많이 탈락하였기 때문일 수 있다. 따라서 탈락은 표본선정의 오류에 속하는 위협요인으로 단지 처치가 이미 시작된 후 나타나는 위협요인이다. 그러나 표본선정의 오류와는 달리 탈락에 의한 위협은 무작위 배정에 의해 해결될 수 없다.

- **검사에 대한 학습효과(testing):** 이전 측정에 참여했던 경험이 때로 추후 측정 점수에 영향을 미칠 수 있다. 연습, 익숙함, 또는 다른 형태의 반응에 의해 측정효과를 변화시킬 수 있다. 사전에 체중측정을 한 후 처치와 상관없이 대상자가 체중감소를 시도하여 사후측정에서는 체중이 줄어들 수 있다. 또는 사전에 언어능력을 측정한 뒤 언어에 대한 관심이 높아져 사후측정에서는 높은 점수를 받을 수 있게 된다. 반면에 신장과 같은 다수의 측정변수들은 대상자의 의도에 따라 변화될 수 없다. 문항반응이론(item response theory)은 대상자들에게 나타날 수 있는 검사효과를 줄일 수 있는 전략으로, 동일 특성을 측정할 수 있는 유사하

지만 다른 검사를 사용하도록 제시한다. 때로 무작위 복수통제군 실험설계와 같은 4집단 설계를 통해 한 군은 사전검사를 하고 다른 군은 사전검사를 하지 않아 사전검사 자체가 결과변수에 영향을 주는지 확인할 수 있다. 일반적으로 검사에 의한 학습효과는 내적 타당도를 우려할 만큼 위협을 주는 것으로 알려져 있으나, 사전측정과 사후측정의 시간차가 큰 경우에는 위협이 적다.

- **도구의 변화**(instrumentation): 시간이 흐름에 따라 처치와 상관없이 측정도구가 변화되어 결과변수에 영향을 줄 수 있다. 예를 들어 근력측정을 위한 스텝기계의 용수철이 느슨해져 사전측정보다 사후 측정에서 대상자가 더 쉽게 점수를 딸 수 있다. 또는 관찰자 자신이 사전측정에서의 경험으로 익숙하게 되어 사후 측정에서는 더 효율적으로 정확하게 점수를 평가할 수 있게 된다. 공통적으로 사전측정과 사후측정 사이의 변화에 의한 위협요인이지만 검사에 대한 학습효과는 대상자에게 나타나는 변화인 반면, 도구의 변화는 측정 도구에 나타나는 변화이다. 장기간에 거쳐 이루어지는 종단연구에서 특히 도구의 변화에 의한 위협이 심각해진다. 연구자는 측정시점에 따라 도구를 바꾸지 않아야 하며, 혹시 도구를 부득이하게 바꾸어야 하는 경우에는 이전 도구와 새로운 도구를 가지고 기준선에 맞추어 서로 눈금을 조정하여야 한다.

- **내적 타당도의 위협요인들 간의 부가적 및 상호적 효과:** 내적 타당도를 위협하는 요인들은 여러 요인들이 동시에 작용할 수 있다. 이 경우 요인들의 관계망 효과는 개별 위협요인의 크기와 방향, 그리고 위협요인들의 효과가 서로 부가적인지 혹은 상호관련 되는지에 따라 정해진다. 사회과학연구에서 이러한 위협요인들의 관계망 효과의 크기를 파악하기는 어렵지만, 여러 위협요인들이 동시에 같은 방향으로 작용한다면 인과관계에 대한 추론은 더욱 부정확하게 될 것이다. 예를 들어 표본선정과 성숙요인의 부가효과는 실험 시작부터 비동등성 실험군을 형성하게 되고 처치 중에도 두 군 간의 성숙도가 달라 집단 간 차이를 초래할 수 있다. 표본선정과 연구기간 중 사건의 부가효과에서도 비동등성 집단이 각기 다른 지역과 환경에서 선정되어 서로 다른 사건을 경험하게 된다면 그 위협정도는 커질 수밖에 없다. 표본선정－도구의 변화요인에 의한 부가효과도 비동등성 집단이 각기 다른 도구에 의해 측정되고 측정시기도 각기 다르거나, 한 집단에서는 바닥 또는 천정효과가 나타나고 다른 집단에서는 나타나지 않을 때 위협요인의 효과가 발생한다.

(3) 구성 타당도

국립과학회(NAS)의 아동 초기의 발달연구에 대한 최근 보고서에는 구성 타당도(construct valid-ity)와 관련된 문제점이 다음과 같이 제시되어있다.

> 대상자의 키나 체중을 측정하고자 할 때에는 측정하려는 개념의 의미가 무엇인지 일반적으로 쉽게 동의한 다. 그러나 심리학 영역에서 '성장'을 측정하려 할 때에는 문제가 심각해진다. 측정하려는 구성개념의 정의에 대해 동의가 쉽게 이루어지지 않는데, 부분적 이유는 구성개념을 측정할 수 있는 자연적 단위가 없기 때문 이다.

예시된 보고서에 의하면 구성 타당도와 관련하여 두 가지 문제점이 나타나는데, 구성개념에 대한 이해문제와 측정에 대한 문제이다. 구성 타당도란 연구에서 선택된 표본특성으로부터 그것이 반영하는 더 추상적인 구성개념으로 추론하는 것과 관련된 개념이다. 예를 들어, 경제학자가 실업자 또는 저소득층 불우한 노동자에 관심을 갖고 있으면서, 연구에서 실제 선택되는 표본은 최근 6개월 간 가족수입이 일정 빈민 수준 이하인 경우라는 선정기준을 채택하게 된다. 경제학자는 불우한 빈민 노동자라는 구성개념과 자신이 선정한 집단의 선정기준이 유사하다는 가정으로 연구를 진행하지만, 때로 고도의 기술을 갖춘 능력 있는 노동자가 최근 직장을 잃었기 때문에 '불우한 노동자'와는 관계가 없으면서도 연구의 대상자 선정기준에 부합되어 연구에 참여할 수 있다. 이렇듯이 연구에서는 '구성개념'의 사용이 필수적이다.

구성 타당도는 다음 3가지의 의미에서 중요성을 갖는다.

- 구성개념은 이론으로부터 연구, 연구결과로부터 실무행위까지를 연결하는 중심 도구이다. 따라서 연구에서 구성개념상의 오류는 이론과 더불어 실무에까지 영향을 주게 된다.
- 구성개념의 명칭은 주로 사회적, 정치적, 경제적 의미를 갖는다. 구성개념은 구성원들의 견해를 반영하고, 반론을 형성하며, 지지와 비판을 불러일으킨다. 예를 들어, 성폭력이나 인종차별 재판에서는 '공격적인 업무환경'의 명칭에 대해 반대의견이 속출하였으며, 해당 구성개념의 의미가 무엇인지, 어떻게 측정되어야 하고, 어떤 상황에서 적용되는지 등에 대한 서로 다른 견해도 나타났다.
- 기본 구성개념을 만들어 내고 지지하는 것은 모든 과학의 근본적인 업무이다. 물리학에서 분자표를 만들거나, 물의 성분을 밝혀내고, 동식물의 종과 근원을 파악하는 것들이 그러한

실례에 포함된다.

그러나 사회과학연구에서는 이러한 명명을 위한 작업이 상대적으로 어렵다. 학문에서 어떤 것을 명명한다는 것은 늘 어려움을 내포하는데, 그 이유는 '명칭'이란 개념이나 이론에서 관계에 대한 의미를 갖는 분류형태를 반영하기 때문이다. 때로 아주 간단한 사건이나 물질을 명명하는데도 수많은 이견이 있을 수 있다. 따라서 구성 타당도는 다음의 4가지 과정을 통해 향상될 수 있다.

- 대상자, 환경, 처치 및 연구결과에 대한 구성개념을 명확히 해석, 서술한다.
- 그러한 구성개념과 일치하는 실례를 주의 깊게 선별한다.
- 사례와 구성 개념 간에 어떤 차이가 나타나는지 일치도를 사정한다.
- 일치도의 평가에 따라 구성개념을 재해석한다.

구성개념의 명확한 해석은 구성 타당도를 위해 중요한 작업이다. 그러나 이외에도 구성 타당도와 관련된 또 다른 초점은 연구에서 표본 특성을 잘 측정함으로써 구성개념과의 일치도 여부를 확인하는 것이다. 구성 타당도와 관련하여 특히 측정에 대한 관심이 높아지면서 심리학적 검사도구의 질에 대한 관심도 커져왔다. 미국 심리학회(APA)에서는 모든 종류의 심리적 검사 도구를 출판하기 전 반드시 도구의 구성 타당도를 확인해야 한다고 하였다. 구성 타당도는 "어느 특정 도구가 탐구대상인 구성개념을 측정하는 정도"에 대한 평가이다. Cronbach와 Meehl (1955)에 의하면 측정과 구성개념은 구성 타당도의 양쪽 면을 반영하는 것이라고 하였다. 구성 타당도와 관련된 위협요인은 구성개념과 조작적 정의 사이의 일치도이다. 때로 구성개념의 해석상 문제일 수 있으나, 표본이나 측정 설계와 관련되는 문제일 수도 있다. 연구의 조작과정이 관련된 구성개념의 모든 특성을 반영하지 못하기도 한다. Cook과 Campbell (1979)은 구성 타당도를 위협하는 요인들을 다음과 같이 소개하고 있다.

- **구성개념의 부적절한 해석:** 연구의 초점인 구성개념에 대한 분석이 부적절한 경우 실험처치와 구성개념간의 불일치가 발생한다. 예를 들어 (1) 두 소년이 실수로 부딪혀서 한 소년이 다른 소년의 눈을 멍들게 한 경우 (2) 한 소년이 다른 소년으로부터 사탕을 빼앗기 위해(수단적 폭력) 또는 단지 해치려는 목적(비수단적 폭력)으로 소년의 눈을 멍들게 한 경우 (3) 한 소년이 다른 소년에게 사탕을 주지 않으면 때리겠다고 언어적 위협을 가한 경우의 세 가지 상황을 고려해 보자. 이때 폭력이라는 구성개념을 '의도적인 것'과 '신체적 상해'를 포함하여 정의 내린다면 위

의 상황 중 (2)번만이 폭력에 해당된다. 연구 초기에 구성개념에 대해 정확한 해석을 내리는 것은 개념의 정의를 정확하게 기술하도록 한다. 더불어 연구가 진행된 후에도 항상 구성개념의 해석에 대한 평가가 요구되는데, 연구결과를 분석하면 때로 구성개념을 재서술 할 필요성이 제시되기 때문이다. Mark (2000)에 의하면 구성개념의 해석에 있어 4가지 일반적 오류가 있다. (1) 구성개념을 지나치게 일반적 수준으로 기술하는 것으로, 예를 들어 실험연구의 처치가 '연구적 심리치료'의 특성을 보임에도 단지 '심리치료'로만 서술하는 경우 (2) 구성개념을 지나치게 구체적 수준으로 기술하는 것으로, 예를 들어 간호요양기관의 정신 질환자에게 나타나는 불만 수준에 대해 개념화 하였지만 사실상 간호요양기관 이외에 다른 빈민요양기관에 수용되어있는 정신 질환자에게도 일반적으로 나타날 수 있는 경우 (3) 구성개념을 잘못 선택하는 경우의 예로 미국 이민자들이 지적능력검사에서 낮은 점수를 받아 '지능저하'로 분류하였는데, 사실상 낮은 검사점수의 원인이 언어와 문화에 대한 이질성 때문인 경우 (4) 두 개 이상의 구성개념을 반영하는 연구의 변수를 측정하면서 그중 하나의 구성개념만을 서술한 경우이다. 예를 들어, 측정하려는 특성변수의 명칭에는 반드시 측정방법도 명시하여야 하므로 우울보다는 자가 보고형−우울이라는 명칭이 더 정확한 기술이다. 이러한 구성개념의 해석상 오류는 대상자, 연구 환경, 처치 및 결과변수를 포함한 모든 연구의 특성과 연관된다.

• **구성개념의 혼동변수:** 연구의 진행에 있어서 조작 변수가 구성개념을 순수하게 반영하는 경우란 드물다. 위에서 예로 들었던 '실직자'의 연구를 살펴보자. 연구의 의도된 대상자는 최근 6개월 동안 가족수입이 일정액 이하인 빈곤층 노동자이거나 정부의 복지보조대상자이다. 그러나 선정된 대상자들은 또한 대부분 '흑인'이거나 '인종차별의 희생자'일 수도 있다. 이러한 특징들은 '실직 노동자'의 대상자 선정기준에 포함되지 않았음에도 연구의 조작변수가 반영하는 구성개념의 의미에 혼동변수로 작용할 수 있다.

• **단일 조작에 따른 편견:** 대부분의 연구에서 개별 구성개념에 대해 하나의 조작적 정의를 내리게 된다. 단일 조작변수는 구성개념에 대한 대표성이 낮거나 부적절한 의미를 포함할 수 있으므로 다중 조작변수를 사용할 때보다 구성 타당도가 낮다. 주어진 결과변수를 여러 방면으로 측정하는 것은 비용상 비교적 어렵지 않으므로 특히 사회과학연구에서는 변수를 다중 측정하는 경우를 흔히 볼 수 있다. 그러나 대부분의 실험연구에서는 주로 동일 세팅에서 처치 당 하나 또는 두 개의 조작적 정의를 내리고 측정하는데, 그 이유는 개별 변수에 대한 다중 측정이 비용이 많이 들며, 처치 횟수도 늘고, 필요한 대상자 수도 많아지기 때문이다.

그럼에도 처치(독립변수)에 대한 다양한 조작적 예시를 적용하는 것이 단일 조작에 따른 편견을 줄이는 가장 바람직한 방법이다.

- **단일 방법에 의한 편향:** 구성개념에 대해 하나 이상의 조작적 예시를 포함하는 것이 효과적이지만, 모든 처치의 예가 동일한 방법으로 대상자에게 제공된다면 방법 자체로 인해 편향이 발생할 수 있다. 예를 들어, 결과변수의 측정이 모두 동일한 형식의 응답지를 이용하거나, 환경에 대한 서술이 한 명의 행정직원으로부터 얻어진 것이거나, 대상자의 특성에 대한 정보가 의무기록지를 통해서만 얻어졌다면 방법 자체가 결과변수에 영향을 미치게 된다. 연구에서 '태도'에 대한 측정도구는 일반적으로 (1) 다른 방법에 대한 고려 없이 설문지에 의해서만 측정되며 (2) 문장이 긍정적 또는 부정적인 방향으로 일괄적으로 서술되기가 쉽다. 설문지 뿐 아니라 관찰이나 생리적 측정도구가 포함되었을 때 결과는 달라질 수 있으며, 설문지의 문항 서술이 한 방향으로만 서술된다면 응답상의 편향은 더욱 커지게 될 것이다.

- **구성개념의 수준에 대한 혼동변수:** 때로 구성개념을 정의하면서 일부 수준만을 분류하여 조작함에 따라 결과에 영향을 주게 될 수 있다. 예를 들어, 구성개념의 낮은 수준을 조작화하여 처치로 제공하였을 때 결과변수에 아무런 영향을 주지 못하였다면, 구성개념이 처치로서 효과가 없었던 것이 아니라 낮은 수준으로 처치를 제공한 경우 영향을 주지 못한 것으로 볼 수 있다. 이것의 해결책은 처치를 여러 수준으로 분리하여 제공하는 것이다. 때로 두가지 처치를 비교하는 연구에서 처치 A는 1단계, B는 0단계로 동등하지 않게 조작화하기도 한다. 이러한 경우 연구결과에서는 A가 B보다 효과가 있다기보다는 1단계의 A가 0단계의 B보다 효과가 있다고 명시하여야 한다. 이러한 오류는 대상자(연령제한을 하는 경우), 연구환경(공립학교만을 대상으로 하는 경우) 등과 같이 다양하게 나타날 수 있는데, 이러한 구성개념의 조작오류가 결과보고서에서는 명확하게 나타나지 않는 경우가 많다.

- **처치에 민감한 요인구조:** 앞에서 언급한 내적 타당도의 위협요인으로 처치와 상관없이 도구적 변화가 일어날 수 있다는 설명을 하였다. 그러나 도구적 변화는 때로 처치로 인해 발생할 수 있는데, 학습훈련이 처치로 제공된 경우 측정도구를 보는 관점도 달라지기 때문이다. 예를 들어, 처치가 제공되지 않은 통제군에서는 다른 인종을 대하는 태도에 대한 질문에 대부분 일괄적으로 응답할 수 있다. 그러나 처치군에서는 좀더 복잡한 요인구조를 보이는데 예로서, "나는 과거에 의도적으로 인종차별적인 신체적 또는 언어적 폭력을 사용한 적이 없으

나, 지금에 와서 생각해보니 과거에 무심히 던진 인종에 대한 농담이 차별의 의미를 담고 있다는 것을 깨달았다"는 등으로 나타난다. 이렇듯 변화된 요인구조 자체가 처치에 의한 결과변수의 일부가 되나, 연구에서 각 집단별로 나타나는 요인구조의 변화를 인식하는 일은 드물다.

- **자가보고에 대한 반응적 변화:** Aiken과 West (1990)는 자가보고와 관련된 측정문제를 서술하면서 대상자가 실험군 또는 대조군에 배정됨에 따라 처치가 제공되기도 전에 측정도구에 대한 반응이 달라질 수 있다고 하였다. 예를 들어, 처치집단에 배정되기 원하는 대상자는 처치에 의해서 자신이 좀더 연구에 적합한 상태가 되기를 기대한다. 이러한 집단 간의 다른 동기부여 수준으로 인해 사후 측정시 나타나는 집단차는 증상의 차이(결과변수)와 더불어 차별된 동기부여의 정도를 반영하게 되지만, 연구자는 이 집단차를 단지 증상의 차이로만 보려는 경향이 있다. 해결책으로는 (1) 결과변수의 측정을 자가보고에만 의존하지 않고 덜 주관적이며 비교적 정확하고 객관적인 외부 측정도구를 포함시키는 것으로, 예를 들어 정확한 답을 유도하는 오답 탐지기와 같은 모니터를 활용하는 것 (2) 집단 배정을 담당한 사람에게 사전 검사 결과를 알리지 않는 방법 (3) 자가보고에 의한 응답을 객관화하기 위한 명확한 행동적 기준을 제시하는 것 등이 포함된다.

- **실험적 상황에 대한 반응:** 인간은 자신이 처한 상황, 실험상황에 대해 적극적으로 이해하려고 하므로 주요 처치프로그램에는 그러한 반응들이 포함된다. 반응은 많은 형태로 나타난다. Rosenzweig (1933)에 의하면 연구 참여자들은 연구의 주제가 무엇인지 추측하여 연구자가 원하는 결과를 제공하려 한다고 지적하였다. Orne (1959)은 실험상황에서 나타나는 '요구적 특성'에 의해 참가자들에게 예상되는 행위가 무엇인지를 암시하게 되어 참가자들이 의도하는 방향으로 따라오도록 한다고 하였다. 반응에는 위약효과(placebo)도 포함되어있는데, 설탕으로 만들어진 약을 투여해도 증상이 호전되는 것과 같은 현상이다. 이러한 현상의 원인으로 Rosenberg (1969)는 대상자들은 어떤 영역에 전문가인 다른 사람에 의해 평가받는다는 사실을 감지하고 능력있는 사람 또는 정신적으로 건강한 사람으로 평가받기 위한 방향으로 행동한다고 설명하였다. Rosenthal과 Rosnow (1991)가 제시한 해결책은 다음과 같다.

  - 실험상황에서 벗어나 종속변수를 측정함으로써 이것이 결과변수라는 인식을 낮게 하고
  - 결과변수의 측정을 처치 직후가 아닌 간격을 두고 후에 측정하며

- 결과변수의 내용에 대한 암시를 줄 수 있는 사전검사는 피하고
- 반응성에 대한 위협요인을 사정하기 위해 4집단의 무작위 복수통제군 설계를 시도하고
- 연구자와 대상자 간의 상호작용을 낮추거나 표준화 시키며
- 연구자와 대상자 모두 연구가설에 대해 알지 못하도록(masking effect) 조치하고
- 윤리적으로 문제가 없다면, 거짓 가설을 내세우는 방법을 사용하며
- 유사통제군을 두어 그들에게 가설을 알려준 후 어떻게 행동할 것으로 예상하는지 파악하고
- 연구에 참가한 대상자들의 실험 방향에 맞추려는 욕구를 실험전 다른 방법으로 충족시켜 주고
- '무기명'과 '내용 공개불가' 등의 신뢰성을 높이는 방법을 이용함으로써 대상자들이 평가받는 것에 대한 긴장을 완화시키고 연구의 조건을 덜 위협적으로 만드는 등이다.

여기 제시된 방법들로서도 위협요인을 완전히 해결할 수는 없는데, 그 이유는 대상자들이 나름 대로 연구의 가설을 세워 그에 따라 행동을 변화시키는 것을 막을 수 없으며, 특히 현장연구에서 는 대상자들에게 연구의 방향을 속이거나 알려주지 않는 것이 불가능하거나 비윤리적이 될 수도 있기 때문이다.

- **연구자의 기대:** 유사한 개념으로 Rosenthal (1956)은 연구자의 기대가 처치를 제공하는 과 정에 암시적으로 반영되어 결과변수에 영향을 줄 수 있다고 하였다. 예를 들어, 자신의 상을 연모하던 피그말리온 효과처럼, 학생들의 성취도가 좋을 것이라고 기대하는 교사의 기대감 이 만족도 향상을 초래하는 예언적 역할을 하게 된다는 것이다. 위에서 언급한 위약효과에서 도 일부 연구자의 기대에 의한 효과가 포함된다. 환자에게 간호사가 위약임에도 약을 복용하 면 일정 효과가 있을 것이라는 말을 했을때 위약의 효과는 커지는 것이다. 이러한 위협요인 을 해결하기 위해 Rosenthal과 Rosnow (1991)가 제시한 방법은 다음과 같다.

- 처치를 제공하는 과정에 다수의 연구자를 포함시키고,
- 연구자들의 기대 암시에 의해 초래되는 행위를 파악하고 감소시키기 위해 관찰하며,
- 처치를 제공하는 연구자가 연구의 가설에 대해 알지 못하도록 하고(masking procedure),
- 연구자와 연구대상자와의 접촉을 최소화하며
- 이러한 위협요인이 존재하는지 파악하기 위한 통제군(placebo control)을 활용하는 방안 등이다.

- **참신효과와 혼란효과:** Bracht와 Glass (1968)에 의하면 기존 처치에 의한 변화가 거의 없는 경우 새로운 처치가 도입되면 '참신성'으로 인해 관심이 모아지고 기대감이 높아져 좋은 결과로 이어지게 된다. 그러나 혁신적인 처치라도 세월이 흘러 익숙해지고나면 기대반응이 낮아져 처치의 효과가 적어진다. 반대로, 기존에 매우 효과적인 방법이 도입되어 있는 경우 새로운 처치의 도입은 오히려 역반응을 일으키게 되어 '혼란'을 초래하고 처치의 결과도 덜 효과적으로 나타난다. 이러한 참신효과와 혼란효과는 처치의 일부에 포함되는 효과들이다.

- **보상적 동등성:** 연구에서 제공되는 처치가 긍정적인 서비스와 보상으로 이루어지고, 대조군은 일상적 서비스만을 받게되는 경우 실무자들은 특별히 고안된 처치가 실험군에만 주어지고 대조군에게는 주어지지 않는다는 사실에 불공정성을 느끼게 되어 대조군에게도 집중서비스를 주게되는 경우가 있다. 이렇게 되면 처치의 차별성이 의도적으로 없어지고 두 집단간의 서비스가 동등해져 연구를 위한 대조가 이루어지지 않는다. 이런 이유로 연구에 참여하는 시설의 행정가들은 무작위배정을 거부하기도 한다. 보상적 동등성이 일어나는지 여부를 연구전 면담을 통해 확인하고 연구가 진행되는 동안에도 사정하여야 한다.

- **보상적 경쟁심리:** 대상자를 실험군과 대조군에 공개적으로 배정하는 것은 두 집단 간의 경쟁심리를 불러일으킬 수 있어, 대조군은 처치를 받지 않아도 그들이 실험군과 동등하다는 것을 보이고 싶어 한다. Saretsky (1972)는 이러한 현상을 "존 헨리 효과"라고 하였는데 한 근로자가 자신의 작업성과가 기계(drill)와 비교될 것을 알고 쉬지 않고 일한 결과 기계보다도 더 높은 성과를 낸 후 과로사 했다는 이야기에서 나온 용어이다. 이러한 현상을 해결하는 방법은 비구조적 인터뷰와 직접 관찰을 통해 그러한 효과가 나타나는지를 발견할 수 있으며, 처치가 주어지기 전 대조군 대상자들의 성취도와 처치가 주어진 후 대조군 대상자들의 성취도를 비교해 볼 수도 있다.

- **분노와 사기저하:** 보상적 경쟁 심리와는 반대로 처치를 받지 못하게 된 대조군 대상자들이 분노를 느끼고 좌절하게 되어 결과변수에 대한 자신들의 응답을 변화시킬 수도 있다. Fetterman (1982)은 고등학교 중퇴자들을 대상으로 한 새로운 교육프로그램을 제공하고 직업훈련과 고등학교 졸업장을 주는 연구를 예로 들었는데, 지원자 중 70%에게 교육프로그램의 참여를 허락하고 나머지 30%를 대조군으로 하였다. 이때 이들은 자신이 고등학교를 마치고 미래를 개척할 수 있는 제2의 기회를 놓쳤다고 생각하여 매우 좌절하는 모습을 보였다. 이렇듯 대조군이 느끼

는 분노와 사기저하현상은 처치가 긍정적이거나 유익하다고 느껴질 때 더 심하게 나타난다.

• **처치의 확산:** 때로 한 조건의 대상자들이 다른 조건에서 처치의 일부나 전체를 제공받을 수 있다. 예를 들어, 플로리다에서 수행된 직업복지연구에서 대조군의 약 25%가 다른 곳에서 직업훈련처치를 받은 것으로 나타났다. 이 연구에서는 다행히 처치를 받은 대조군 대상자들에 대해 연구자가 알게되어 조치를 취하게 되었지만, 많은 경우 연구자가 그러한 사실을 모르고 지나가기도 한다. 이러한 처치의 확산문제는 대조군과 실험군이 가까운 거리에 위치하거나, 서로 의사소통이 가능한 경우에 더욱 심하다. 확산을 막기 위한 방법은

   ■ 실험군과 대조군이 공통으로 받는 영향을 최소화하고(예로, 실험군에 처치를 제공하는 사람과 대조군에 일상적 간호를 제공하는 사람이 동일하지 않음)

   ■ 실험군과 대조군을 서로 격리시키며(예로, 서로 다른 기관이나 지역을 분리해서 실험군과 대조군을 선정함),

   ■ 위의 두 가지 방법이 실행 가능하지 않은 경우는 두 집단 모두에서 처치의 제공수준을 측정하도록 한다. 측정결과 집단 간 처치의 제공수준이 차이가 없거나 적을 때 처치의 확산을 의심하게 된다.

(4) 외적 타당도

외적 타당도란 대상자, 연구환경, 처치 및 결과변수가 변하더라도 인과관계의 수준이 얼마나 유지되는지에 대한 추론과 관련된 것이다. 예를 들어, 18세에서 40세까지의 정신지체를 가진 성인을 대상으로 직업훈련 프로그램을 적용하여 영구적인 직업을 유지하는 능력이 생기는지를 연구하였다. 연구결과, 직업훈련프로그램에 참여한 대상자들이 직업을 갖는 비율과 수입수준이 더 높은 것으로 나타났다. 그러나 연구자들은 다음과 같은 외적 타당도 문제를 제기하였다. 첫째, 참여자들의 IQ가 높을 수록 직업훈련프로그램의 효과가 높았으며, IQ가 40이하인 경우는 효과가 적거나 전혀 나타나지 않았다. 둘째, 12개 연구장소를 비교한 결과 성공률이 제공하는 직업의 종류에 따라 매우 다른 것으로 나타났다. 셋째, 미국 전역의 12개 도시에서 연구를 수행하였는데 그 중 남쪽의 도시는 포함되지 않았다. 넷째, 참여를 권유하기 위해 보낸 초청장을 받은 사람중 단 5%만이 연구에 참여하였고, 그 중에서도 2/3은 연구의 선정기준에 부합되지 않아 탈락하였다. 따라서 연구의 결과가 긍정적이었어도 연구에 참여하지 않은 정신지체 성인에 대한 효과는 여전히 의문으로 남아있다. 더불어 연구자들은 성공적인 프로그램에 참여한 대상자들은 모험을 좋아하고 기존에 익숙한 일이나 직업에서 벗어나 새로운 사회로 나아가 직업을 찾을 의지가 있었다는 것을 밝혀내고, 모험을 좋아

하지 않고 변화에 소극적인 정신 지체자 들에게도 프로그램이 성공적일까에 의문을 제기하였다. 이 연구에서 지적한 바와 같이 외적 타당도란 발견된 인과관계가 (1) 현재 연구에 포함된 대상자, 환경, 처치 및 결과변수가 변화되어도 일정하게 유지되는지 (2) 연구에 포함되지 않은 대상자, 환경, 처치 및 결과변수의 변화에도 적용되는지에 대한 것이다. 외적 타당도를 위협하는 요인들은 다음과 같다.

- **인과관계와 대상자의 상호작용:** 대상자의 특징과 인과관계의 존재가 어떻게 상호작용 되는지에 대한 것이다. 1980년대 미국의 보건관련연구는 대부분 백인 남자를 대상으로 이루어지고, 여성이나 다른 인종을 대상으로 한 연구는 거의 없었다. 따라서 연구자들은 주로 백인남성을 대상으로 한 연구결과를 여성이나 다른 인종에게까지 일반화할 수 있는지에 대해 의문을 갖게 되었다. 더구나 연구의 대상이 흑인여성으로 국한되어있어도, 실제 연구에 참여한 표본이 전체 흑인여성과는 체계적으로 다른 특성을 갖고 있을 수 있다. 표본들은 대부분 자원자이고, 자신을 타인에게 내세우고 싶어 하거나, 건강에 대한 관심이 높고, 과학적 연구에 대해 호감이 있으며, 돈이 필요하거나 학점을 얻을 필요성이 있던지, 또는 특별히 다른 할 일이 없었다는 등의 특성을 갖는다. 학교의 재학생을 대상으로 하는 연구에서 특히 지원자를 대상으로 할 경우 가장 적극적이고, 자신감이 높은 집단이 선정될 수 있다. 이러한 특징적인 일부 대상자들로부터 얻은 결과를 일반적이고 보통의, 때로 보통 이하의 특성을 가진 대상자에게 일반화하는 것은 문제가 될 수 있다.

- **인과관계와 처치 변량의 상호작용:** 인과관계의 크기와 방향은 처치의 변량에 따라 달라지게 된다. 소규모 집단수업을 적용한 연구에서 교실수가 충분하고 능력 있는 교사의 확보가 가능한 상황에서는 소규모 집단수업의 효과가 긍정적일 수 있지만, 교실수도 부족하고 교사의 확보가 어려워 경험이 부족한 시간제 교사로 충원된다면 처치의 효과는 낮아질 것이다. 일반적으로 실험연구의 처치는 단기간에 주어지므로 대상자들에게 나타난 변화를 초래할 수 있지만, 처치의 기간이 길어진다면 다르게 나타날 수도 있다. 처치 간의 상호작용도 이 경우에 포함되는데, 약물의 상호작용이 가장 잘 알려진 예이다. 한가지 약물의 적용시 긍정적 효과가 나타나지만, 다른 약물과 혼용되는 경우 전혀 효과가 없거나 오히려 역효과를 가져올 수 있다.

- **인과관계와 결과변수의 상호작용:** 인과관계가 다른 결과변수에도 일반화될 수 있는지에 대한 고려이다. 종양연구에서 처치의 결과변수가 '치유'로 이해될 수 있지만 '치유'의 개념에는

삶의 질, 전이가 나타나지 않는 5년 생존율, 생존율 등 다양한 정의가 주어질 수 있다. 사회 연구에서도 취업률을 높이는 것으로 보고 된 직업훈련프로그램이 졸업 후 취업률 이외에 '적응적 작업기술' 또는 '수행능력'까지 향상시킨다고 할 수 있는지에 대해 의문이 생기며, 이에 답하기 위해서는 처치의 영향에 대한 전반적 상황을 고려하여야 한다. 때로 처치는 첫 번째 결과변수에는 긍정적인 효과를 주지만, 그 다음에 나타나는 결과 변수에는 효과가 없고, 세 번째 결과변수에는 오히려 부정적 효과를 주기도 한다. 연구 설계전 미리 처치의 효과에 대하여 일반화될 수 있는 범위를 알아보아야 한다.

- **인과관계와 연구환경의 상호작용:** 인과관계가 어떤 연구환경에서 나타날 것인지에 대한 고려이다. Kazdin (1992)은 약물중독자를 대상으로 한 치료 프로그램이 농촌지역에서는 효과적이었지만, 도시지역에서는 효과가 없는 것으로 나타났는데, 그 이유는 도시지역에서 약물을 구하기가 더 용이하였기 때문으로 설명하였다. 원칙적으로 이 문제의 해결점은 다양한 연구현장을 포함시키고 각 현장별로 결과를 분석하는 것이다. 단일 현장에서 표본수를 늘려 다양한 특성(예, 대학의 각 단과대학과 학과를 포함하는 것)을 반영하도록 하는 방법도 있고, 다수의 연구현장을 동시에 운영하기도 한다.

- **상황 의존적인 인과적 매개(causal mediation):** 원인이 제공된 후 결과가 나타나기 위해서 반드시 발생하게 되는 매개 과정이다. 그러나 한 상황에서 인과적 매개변수로 확인되었더라도 상황이 바뀌면 그 변수는 인과관계를 초래하지 않을 수도 있다. 예를 들어, 비영리 병원에서 새로운 건강보험제도를 적용한 연구결과 중간관리자의 수를 감축하여 비용절감 효과를 초래하였다고 보고하였다. 그러나 병원의 특성상 영리를 추구하는 경우에는 동일한 인과관계가 성립되지 않는다. 즉, 비용절감 효과의 원인이 중간관리자 수의 감축이 아닌 환자에게 제공되는 서비스의 질이 낮아졌기 때문일 수 있다. 이 경우의 상황은 병원환경이었지만, 연구대상자나 처치의 특성, 결과변수의 유형 등 상황의 변화에서도 매개효과의 변화를 발견할 수 있다. 인과적 매개변수가 다양한 상황에서 확인되고 나면, 매개변수로서의 일관성은 다집단 구조방정식 모델을 통해 검증될 수 있다.

05
CHAPTER

II. 순수실험연구설계

실험연구설계는 다양한 연구주제 중에서 '이론 및 인과관계의 검증'이 요구되는 경우에 적용될 수 있는 가장 적절한 기법이다. 일반적으로 실험(experiments)에는 최소한 하나의 처치(독립변수), 처치 또는 비처치군에 배정되는 분석 대상자(unit), 그리고 처치의 효과를 추론하기 위한 대조군(comparison)이 필요하다. 실험연구설계는 일반적으로 순수실험과 유사실험 두 가지로 분류된다. 순수 실험연구설계에는 위에서 언급한 요소들 이외에 처치에 의해 초래된 변화를 유추하기 위해 처치집단과 대조군을 무작위 배정하는 것이 포함된다. 무작위 배정은 순수 실험연구에서 필수요소이다. 유사 실험연구설계에는 처치(독립변수), 결과(종속변수)와 분석대상자를 포함하지만, 대상자의 무작위배정은 포함되지 않는다.

순수실험연구 또는 유사실험연구 모두 이론검증을 위한 연구질문(Brink & Wood, 1983)에 답하기에 적합한 설계이다. 실험연구설계를 계획하는 연구자는 현재의 이론과 연구결과에서 끌어낸 논리적 관계를 고려하여야 한다. 이러한 연구설계들은 변수 간의 인과관계에 대한 가정을 검증하는데 검정력이 높은 방법들로서 다음 4가지 기준을 충족하는데, 즉 (1) 인과관계의 확립 (2) 독립변수의 조작 (3) 독립변수의 영향에 의한 종속변수의 변화 측정 (4) 독립변수 이외에 종속변수에 영향을 미치는 기타 변수효과의 최소화 또는 통제이다. 과학적 연구의 핵심으로 불리는 순수실험연구설계는 무작위 배정에 의해 대조군을 형성함으로써 치료의 효과에 의한 두 집단의 차이를 비교하기 때문에 위의 4가지 기준을 충족시키면서 가설을 검증할 수 있는 검정력이 가장 높은 방법으로 인정된다.

1. 순수실험연구설계의 유형

다음에 소개되는 4가지 설계는 순수실험연구의 기준을 충족하는 대표적 유형들이다. 모든 순수실험연구설계의 가장 중요한 가정은 실험연구가 진행되는 동안 집단간의 동질성을 유지하여야 한다는 것이다. 예로서, 두 집단 간 탈락률이 다를 경우 사후 측정 시점에 두 집단의 주요 특성이 서로 달라질 수 있으며, 이 경우 연구설계는 유사실험연구가 된다.

1) 전통적 실험연구설계

전통적 실험연구설계의 기본 특성은 실험군과 통제군의 두 집단으로 구성되고, 독립변수와 종속변수의 두 변수를 포함한다는 것이다. 대상자들은 실험군 또는 통제군으로 무작위 배정된다. 실험군의 대상자들은 연구자가 조작한 독립변수(처치)를 제공받으며, 통제군의 대상자들은 처치를 제공받지 않는다. 종속변수의 변화를 평가하기 위해서 사전측정과 사후측정이 이루어지며, 독립변수(처치)의 제공과 아무 상관없는 통제군도 실험군과 동일 시점에 측정에 참여한다.

연구자들은 주로 치료나 중재가 주어진 후 대상자들에게 어떤 변화가 있었는지 파악하기 위해 실험연구설계를 적용한다. 이러한 유형의 설계는 "사전-사후" 또는 "전-후"설계로서 사후측정만 이루어지는 설계와는 구분된다. 가장 큰 차이점은 사후측정설계(posttest only design)에서는 두 집단 모두 사전측정이 이루어지지 않으며, 처치가 주어진 후에만 두 집단 모두 종속변수의 변화를 측정하게 된다는 것이다. 때로 사전 측정이 대상자들에게 학습효과(learning effect)를 주어 '처치'의 제공과 상관없이 사후측정에 영향을 미친다고 판단될 경우, 사후측정설계가 선호되기도 한다.

$$
\begin{array}{cccccc}
R & \text{실험군} & O_1 & X & O_2 \\
R & \text{대조군} & O_1 & & O_2
\end{array}
$$

R: 무작위 배정, O: 관찰 또는 측정, X: 처치

그림 5-1 전통적 실험연구설계

BOX 5-1   **전통적 실험연구설계의 예**

심근경색 진단을 받은 대상자들에게 제공한 외래형 심장재활프로그램이 생활습관 변화에 미치는 효과를 알아보고자 실험연구설계를 계획하였다. 심혈관센터에 등록하고 외래에서 관리를 받고 있는 심근경색 환자들에게 연구대상자 모집공고를 하고 주치의로부터 운동프로그램에 참여해도 좋다는 허락을 받은 대상자를 모집하였다. 대상자들에게 12주간 주 2회 운동과 교육에 참여하는 실험군 또는 3개월 후에 운동과 교육에 참여하는 대조군에 무작위로 속할 수 있음을 설명하고 연구참여 동의를 받았다. 연구에 참여하기로 동의한 100명을 대상으로 운동시작 1주일 전 사전검사로 설문지와 혈액검사, 신체계측 측정을 완료하였으며, 컴퓨터 프로그램으로 무작위 집단배정을 하였다. 실험군과 대조군에게 집단 배정결과를 개별 통보하였고, 실험군에게는 12주간의 운동과 교육, 상담을 제공하는 심장재활프로그램을 시행하였다. 12주 후 운동군과 대조군의 사후측정을 완료한 후 대조군에게 12주간의 심장재활프로그램을 제공하였다.

출처: Song, R., Park, M. K., Chung, J. O., Park, J. H., & Sung, I. W. (2013). Effects of Tai Chi exercise on cardiovascular risks, recurrence risk, and quality of life in patients with coronary artery disease. *Korean Journal of Adult Nursing*, 25(5), 516-527.

---

2) 요인설계

전통적 순수실험 연구설계에서는 다른 변수들은 일정하게 유지되는 상황에서 한 번에 하나의 변수만 조작이 가능하도록 되어있다. 간호학 연구에서는 종종 그보다 복잡한 상황이 요구될 수 있는데,

예로서 다양한 요인들(factors)이 서로 상호작용함으로써 행동의 변화에 영향을 주게 되는 것과 같은 상황이다.

요인설계(factorial design)란 하나 이상의 독립변수(또는 요인)를 동시에 조작할 수 있도록 한다는 점에서 전통적 실험연구설계와 구분된다. 또한 변수간의 상호작용효과(interaction effect)를 알 수 있으며, 여러 가설을 동시에 검증할 수 있다. 요인설계에서, 연구자는 각 변수의 효과(주효과)와, 변수간의 상호작용 또는 독립변수에 대한 교합효과(joint effects)를 알 수 있다는 점에서 유용하다.

요인설계는 주로 2×2의 형태로 구성되나 실제 설계에서 분류(category)의 수와 독립변수(요인)의 수에는 제한이 없다. 각 요인은 두 개 이상의 단계(level)가 주어지므로 새로운 요인이 추가될수록 분석은 더 복잡해진다. 예로, 4×5 요인설계의 의미는 요인 하나가 4단계, 다른 요인은 5단계로 분류되어 있다는 것을 의미한다. 또한 요인하나가 더 추가되어 3×2×4 요인설계의 형태로 구성될 수 있다. 이 경우 3개의 요인이 각각 3개, 2개, 4개로 분류(category)되어 있음을 의미한다.

요인설계는 '단계적 처치'설계로도 설명된다. 요인들 중 하나가 성별이나 인종과 같이 조작될 수 없는 변수라면 '차단 변수'로 고려되어 '무작위 차단 설계(randomized block design)'가 된다. 이 경우 주로 층화 무작위(stratified randomization)를 적용하여 각 분류 내 비슷한 수의 대상자들이 분포되어 다양한 처치에 무작위로 배정되도록 한다. 그림 2는 요인설계를 이용한 연구 예로서 운동의 유형(수중운동 또는 타이치운동)과 운동의 횟수(주 1회, 주 2회)를 달리 했을 때 처치의 효과가 어떻게 나타나는지를 비교한 연구설계이다. 이 경우 대상자를 수중운동과 타이치운동 집단으로 분류한 후, 2가지(주 1회, 주 2회) 운동횟수를 적용하는 4개의 집단이 요구된다.

BOX 5-2   요인설계의 예

관절염환자에게 적용한 운동프로그램이 통증과 뻣뻣함에 미치는 효과를 검증하고자 실험설계를 계획하고 지역사회에 거주하는 관절염환자를 대상으로 선정기준에 따라 60명을 모집하였다. 효과검증을 하고자 하는 운동프로그램은 수중운동과 타이치운동이며, 운동을 어느정도 적용해야 효과가 있는지를 알기 위해 주 1회 집단과 주 2회 집단으로 구분하였다. 60명을 무작위로 수중 운동군 30명과 타이치 운동군 30명에 배정한 후 무작위로 다시 주 1회군과 주 2회군으로 배정하여 4집단을 구성하였다. 결과변수는 한국형 WOMAC도구를 이용하여 통증, 뻣뻣함, 일상생활 수행의 어려움을 측정하였다.

		처치 (A)	
		A1 (수중운동)	A2 (타이치운동)
처치 (B)	B1 (주 1회)	A1 B1	A2 B1
	B2 (주 2회)	A1 B2	A2 B2

그림 5-2 요인설계의 예

3) 다중처치집단 반복측정설계

다중처치집단설계(multiple treatment groups-repeated measures)에서는 여러 실험군들이 각각 서로 다른 처치를 받는다. 통제는 각 집단간을 비교하고, 모든 집단에 대한 종속변수의 측정을 여러 시점에 시행함으로써 이루어진다. 통제군에 처치가 주어지기도 하고, 사전-사후측정 이외의 측정이 추가되기도 한다.

R	실험군A	O_1	X_1	O_2	O_3
R	실험군B	O_1	X_2	O_2	O_3
R	대조군	O_1	X_0	O_2	O_3

R: 무작위 배정, O: 관찰 또는 측정, X: 처치, X_0: placebo

그림 5-3 다중처치 집단 반복측정 설계

BOX 5-3 　　다중처치 집단 반복측정 설계의 예

새로 출시된 인슐린 펌프가 당뇨환자의 혈당조절에 효과적인지를 확인하기 위하여 실험설계를 계획하였다. 제2형 당뇨환자 60명을 모집한 후 무작위로 경구용 혈당강하제만 투여되는 대조군과 피하주사로 인슐린을 투여하는 실험군 A, 새로 나온 인슐린 펌프로 인슐린을 투여하는 실험군 B에 배정하였다. 결과변수로 공복시 혈당과 당화혈색소, 대상자의 만족도를 측정하였다.

---

4) 무작위 복수통제군 실험설계

무작위 복수통제군(Solomon four-group design) 실험설계의 강점은 독립변수 이외에 종속변수에 미치는 모든 효과를 통제한다는 것이다. 그럼에도 동질의 대상자가 네 집단을 구성할 만큼 대규모로 요구된다는 점에서 다른 설계유형보다 덜 선호된다. 시간적 차이를 없애기 위해서 모든 집단에게 처치를 동시에 제공해야 한다는 점도 어렵고, 통계적 분석기법도 복잡하다.

R	실험군	O_1	X	O_2
R	대조군A	O_1		O_2
R	대조군B		X	O_2
R	대조군C		O_2	

R: 무작위 배정, O: 관찰 또는 측정, X: 처치

그림 5-4 무작위 복수통제군 실험설계

05
CHAPTER

| BOX 5-4 | 무작위 복수통제군 실험설계의 예 |

청소년에게 제공되는 성교육이 성병 발생과 원하지 않은 임신 예방에 미치는 효과를 검증하기 위해 솔로몬 복수 통제군 실험설계를 계획하였다. 유럽 한 지역에서 고등학교 고학년을 대상으로 무작위로 124개 반을 표집하였고 무작위로 성교육을 받는 실험군, 성교육없이 사전, 사후측정만 참여하는 대조군 A, 성교육과 사후측정만 참여하는 대조군 B, 사후측정만 참여하는 대조군 C로 배정하였다. 결과변수로 성관계 시 콘돔사용 횟수를 측정하였다.

5) 둥우리 설계

일부 실험상황에서 연구자들은 독립변수의 제한된 수준에 대한 효과만을 연구하게 되는데 이것을 둥우리 설계(nested design)라고 한다. 성별이나 인종, 사회경제상태 또는 교육수준 등의 변수가 둥우리 설계에 사용될 수 있다. 때로 특정 병동이나 병원에 입원한 환자를 둥우리 설계변수로 포함시키기도 하는데 이러한 경우 분석은 개별 환자가 아닌 마치 병동이나 병원이 대상자인 것처럼 수행된다. 실제 상황에서 간호단위의 숫자가 매우 많아야하며 각 단위가 대상자로 취급되어 실험군에 무작위 배정된다. 예로서, Harris와 Hyman (1984)의 연구에서 기관절개관 관리의 형태가 폐렴의 수준에 미치는 영향을 조사하기 위해 10개 병원의 특정 병동을 둥우리 설계하였는데, 무작위 배정한 후 각 병동마다 15명의 기관절개술 환자의 기록지를 조사하였다.

| BOX 5-5 | 둥우리 설계의 예 |

요양원에서 노인들에게 적용하는 욕창예방프로토콜의 효과를 측정하고자 실험설계를 하였다. 대전, 충청지역에 있는 요양원 25개를 대상으로 무작위 배정을 한 결과, 13개의 요양원에 거주하는 149명은 실험군, 12개의 요양원에 거주하는 138명은 대조군으로 배정하였다. 중재는 실험군에 배정된 각 요양원의 모든 간호제공자에게 제공한 두 번의 교육이다. 연구원들이 실험군 요양원에 속한 간호제공자들에게 직접 2회 교육을 한 후 요양원 거주 노인들의 욕창사정 및 중재를 프로토콜에 따라 시범보였다.

6) 교차 또는 평형설계

일부 연구에서 한 번 이상의 처치가 대상자에게 제공되기도 한다. 이때 처치는 동시에 제공되지 않고 시간차를 두고 제공된다. 이후 동일 대상자에게 제공된 서로 다른 처치에 대한 효과를 비교한다. 예를 들어, 이완에 효과가 있는 두 가지 방법을 선택하여 환자들에게 두 처치를 제공한다. 이 경우 위협요인은 하나의 처치에 대한 노출이 두 번째 처치에 대한 대상자의 반응에 영향을 주는 이월효과(carryover effects)이다. 또는 대상자들이 점차 처치의 제공방식에 익숙해지면서 향상되는 것으로 연습효과(practice effect)도 문제가 된다. 또는 대상자들이 피로를 느끼거나 지루해지는 피로효과(fatigue effect)도 나타날 수 있다. 두 약물에 대한 비교 등과 같이 한 처치와 다른 처치와의 상호작용도 두 처치간의 차이를 비교할 때 혼동변수가 될 수 있다.

교차 또는 평형설계(crossover or counterbalanced design)는 이월효과로 인해 연구결과가 잘못 해석될 수 있는 가능성을 교정하기 위한 방법이다. 평형 원리에 의해서 대상자들은 처치조건의 구체적 순서에 무작위로 배정된다. 이 방법으로 이월효과는 연구 과정 전체를 통해 균일하게 나타나게 되므로 통제된다. 시간에 따른 효과를 조정하기 위해서는 각 처치가 주어지는 시간 간격을 균등하게 한다. 더불어 첫 번째 처치의 효과가 완전히 없어질 시간을 주기위해 각 처치 간 충분한 시간간격—즉 처치의 효과가 사라지는데 요구되는 기간(효과유실기간: washout period)—을 허용한다. 예를 들어, 각 처치의 효과가 6일간 지속되는 경우 대상자들은 2일간의 효과유실기간을 허용한 후 8일째 되는 날 교차하여 처치를 받게 된다.

또한 결과변수의 변화가 질병의 진행, 회복과정, 실험처치와 상관없는 질병치료의 효과 등과 같은 요인들에 의한 것일 가능성도 배제할 수 없다. 평형설계의 과정은 2개 이상의 처치가 주어질 때 복잡해진다. 평형설계는 처치 A로부터 처치 B로 주어지는 이월효과가 처치 B로부터 처치 A로 이어지는 것과 동일하다는 전제하에 효과가 있다. 만일 한 처치가 다른 처치에 비해 더 심한 피로를 초래한다면 결과변수에 대한 다른 처치의 효과에 영향을 주게 되는데 이 경우 교차설계에 의해 조정되지 않는다.

교차설계는 연구의 변량을 통제하므로 효과크기의 확인을 위해 요구되는 표본수가 더 작아진다. 즉, 대상자들은 자신이 서로의 통제군으로 기능하므로 유의한 차이를 발견하기 위한 표본수가 작아진다. 그러나 자료수집 기간이 길어지므로 대상자의 탈락률은 증가할 수 있다(Beck, 1989).

R	실험군	O_1	X_1	O_2		O_1	X_2	O_2
R	대조군	O_1	X_2	O_2		O_1	X	O_2

효과유실기간

R: 무작위 배정, O: 관찰 또는 측정, X: 처치

그림 5-6 교차 또는 평형 설계

BOX 5-6   교차(평형)설계의 예

18세 이상의 성인 고혈압 환자를 대상으로 새로 출시된 Hypertena의 수축기 및 이완기 혈압 강하효과를 확인하기 위하여 실험설계를 계획하였다. 고혈압 환자 100명을 모집한 후 무작위로 Hypertena를 투여하는 실험군과 동일 모양의 위약을 투여 받는 대조군으로 배정하였다. 2주간 투약한 후 효과유실기간으로 2주간 투약을 중단하였다. 이후 대조군은 동일 용량의 Hypertena를 2주간 복용하였고, 실험군에게 동일 모양의 위약을 투여하였다. 결과변수로 혈압의 변화와 투약순응도를 측정하였다.

7) 무작위 임상실험 설계

무작위 임상실험설계(randomized clinical trials)는 1945년부터 의학연구에서 적용되어왔다. 당시 새로운 의학치료의 발견은 대부분 (1) 확고한 의지에 의한 치료의 우연한 발견 (2) 실험이 동반되지 않은 가설의 활용 (3) 통제, 무작위, 이중처리, 충분한 표본 수 등의 방법이 고려되지 않은 실험설계 등의 방법에 의해 이루어졌다(Wooding, 1994). 이중 (2)와 (3)에 의해 개발된 치료법들은 흔히 경험적 증거가 부족함에도 오랫동안 널리 이용되어왔다. 임상실험설계의 방법론은 의학 연구를 위한 전략이다. 임상실험설계는 실험적 약물치료를 검증하기 위해 다음 4가지 단계로 개발되었다. 제1단계는 새로운 약물의 초기 검증단계로 약물의 적정용량과 안전한 효능을 확인하기 위한 절차이다. 제2단계는 제1단계에서 확인된 약물의 용량을 적용하여 효능과 부작용에 대한 예비적 증거를 찾는다. 제1단계와 제2단계는 통제군을 두거나 무작위법을 적용하지 않으므로 실험설계에 포함되지 않으며, 사전조사에 가깝다. 제3단계는 신약의 효과를 기존 표준약물의 효과와 비교하여 효과를 결정하는 단계이다. 이 단계의 연구는 때로 "전 규모의 결정적 임상실험"이라고도 하는데, 이 단계의 연구결과를 기초로 실험적 약물이 더 효과적인지에 대한 판단을 내리게 된다. 일부 제3단계 연구에서는 표본 크기를 자료수집의 초기에 결정하지 않고, 유의한 차이가 발견될 때까지 일정한 간격을 두고 자료를 분석하여 유의한 차이가 발견되면 자료수집이 종결된다. 차이가 유의하지 않게 나타나면 자료수집은 지속되며, 표본이 추가된 후 재분석을 한다(Meinert & Tonascia, 1986). 제4단계는 신약이 법률적으로 허용된 후 대상자를 종적으로 연구하여 예상하지 않은 부작용이 나타나는지와 시장판매 전략을 알아보는 과정이며, 통제군과 무작위과정은 포함되지 않는다.

Piantadosi (1997)는 이 4가지 단계적 실험을 좀 더 넓은 의미에서 다양한 실험의 유형에 적용할 수 있도록 재분류할 것을 주장하였고 (1) 초기 개발단계 (2) 중간 개발단계 (3) 비교연구단계 (4) 후기 개발단계로 제시하였다. '초기 개발단계'의 목적은 처치의 기전(Treatment Mechanism [TM])을 개발하고 검증하는 것으로 TM 실험기라고 불린다. '중간 개발단계'에서는 임상적 결과와 치료의 허용성(tolerability)을 탐구한다. 약물의 허용성이란 실용가능성(feasibility)과 안전성(safety), 효능

(efficacy) 등의 3가지 요소로 구성된다. 안정성(Safety)과 효능(Efficacy)에 중점을 두는 중간개발단계는 SE 실험기라고 불리며 연구자들은 실험처치가 환자에게 유익하거나 부작용을 보일지에 대한 확률을 평가한다. 성공률 등과 같은 수행기준이 이용되기도 한다. '비교연구단계'는 연구의 마지막 결과로서 상대적인 치료의 효능(Comparative Treatment Efficacy [CTE])을 보기위한 것으로 CTE 실험기로 정의된다. '후기 개발단계'에서는 드물게 나타나는 부작용을 확인하는 한편 다른 치료와의 상호작용 및 합병증 등을 평가하므로 확대안전(Expanded safety [ES]) 연구라고 하며, ES 실험기로도 알려져 있다.

Meinert와 Tonascia (1986)는 임상실험연구를 "인간을 대상으로 관찰하고 처치를 제공하는 연구방법으로, 실험적 치료를 받은 집단과 대조를 위해 통제적 치료를 받은 집단간 결과측정의 차이를 비교함으로써 치료의 효능을 사정하기 위한 것"으로 정의하였다. 대상자들은 무작위법이나 다른 방법으로 두 집단에 배정된다. 결과변수는 사망률, 임상적 사건 또는 실험실 검사 등이 포함된다. 관찰기간은 결과변수에 효과가 나타나는 시점에 따라 결정된다.

임상실험연구를 여러 지역에서 동시에 수행하여 표본수와 자원을 늘리고 대표성 있는 표본을 포함할 수 있다. 이 경우 주 연구자는 모든 연구현장에서 조정자역할을 한다. 여러 곳의 연구현장에서 수행할 경우 1년 간의 환자당 연구비용이 단일 연구현장에 비해 더 저렴한 것으로 나타났다(Meinert & Tonascia, 1986). 단, 여러 현장에서 동일한 처치를 제공하기 위해 시간과 노력이 더 요구되고 각 지역의 연구팀원들과의 의사소통과 협조가 필수적이다. 임상실험연구는 간호학 연구에서는 잘 수행되지 않았으나, 최근 점차 늘어나고 있다. 임상실험연구가 간호학에 적용되기 위해서는 간호학에서 요구하는 지식개발의 목적에 맞도록 방법들이 재정립되어야 한다.

BOX 5-7	무작위 실험연구설계의 예

제2형 당뇨 환자에게 타이치 기공운동을 3개월간 적용하여 혈당조절에 미치는 효과를 보고자한다. 지역사회에 거주하는 제2형 당뇨환자를 모집하고 연구의 목적과 3개월간 주 2회 A 또는 B 프로그램에 추첨을 통해 참여하게 됨을 설명한 후 동의한 140명의 대상자에게 사전조사를 실시하였다. 대상자 모집에 참여하지 않은 연구자가 대상자의 ID를 컴퓨터에 입력하고 컴퓨터 무작위 생성표를 기준으로 70명은 실험군, 70명은 대조군에 배정하였다. 중재프로그램이 시작하기 직전 대상자들에게 배정된 군을 전화로 통보하였고, 이후 3개월 간 실험군은 주 2회 한 시간씩 타이치 기공운동을 수행하였으며, 대조군은 주 2회 기공운동과 유사하게 구성된 삼운동을 한 시간씩 수행하였다. 프로그램 기간동안 가족, 직장 등의 개인적 사유로 실험군 9명, 대조군 7명이 프로그램에 80% 이상 참여하지 않아 탈락하였다. 3개월 후 두 군 모두 사후조사를 측정하였으며, 탈락군도 측정에 포함하여 총 140명이 분석에 포함되었다.

III. 유사실험 연구설계

유사실험 연구설계란 대상자의 무작위 배정을 하지 않는다는 점을 제외하면 순수실험 연구설계와 유사한 목적과 구조적 특징을 갖는 연구 설계이다. 따라서 유사실험연구의 결과로부터 인과관계를 추정할 때에도 반드시 인과관계의 3가지 특징-(1) 원인은 결과에 선행한다 (2) 원인과 결과는 공변이한다 (3) 원인 이외에 결과의 발생을 초래하는 다른 변수는 없다-을 만족하여야 한다. 실험연구와 마찬가지로 유사실험연구에서도 결과가 나타나기 전에 원인(처치)을 제공한다. 원인과 결과변수 간의 공변이 관계는 통계분석을 통해 쉽게 확인될 수 있다. 세 번째 인과관계의 조건을 위해 실험연구에서는 두 집단을 무작위 배정함으로써 원인과 결과변수 간의 관계에 영향을 줄 수 있는 다른 혼동변수들을 제거한다. 그러나 유사실험연구에서는 무작위 배정을 적용하지 않으므로 다음에 소개하는 3가지 원칙으로 이 조건을 만족시킨다.

- 첫 번째 원칙은 내적 타당도에 위협이 될 수 있는 가능한 요인들을 파악한다. 일단 위협 요인을 확인하면 이들의 인과관계에 어떤 영향을 주는지 탐구한다.

- 두 번째 원칙은 설계에 의한 우선적 통제이다. 통제군을 추가시키거나, 관찰 시점을 늘리는 등의 설계를 통해 유사실험연구에서는 처치의 효과에 대한 타당도를 위협하는 혼동변수들을 예방하거나 그 위협의 가능성에 대한 증거를 제공한다. 설계에 의한 통제 이외에도 통계적 통제를 통해 연구가 수행된 이후 혼동변수의 영향을 통계적 조정을 통해 제거한다. 설계적 통제와 통계적 통제는 반드시 함께 사용되어야 하며, 설계적 통제를 우선적으로 최대한 활용한 후 남아있는 최소한의 혼동변수에 의한 효과를 통계적으로 조정하는 것이 적절한 방법이다.

- 세 번째 원칙은 일관된 관계형태의 짝짓기이다. 즉, 혼동변수의 영향으로 연결될 수 없는 복합적인 인과관계에 대한 가설을 제시하는 것이다. 예를 들어, 비동등성 종속변수를 사용하면서 예상되는 상호작용을 제시한다. 성공적으로 예측되는 관계형태가 복합적일수록 대안적으로 다른 독립변수에 의해 유사한 인과관계가 성립될 확률은 낮아지고, 따라서 처치의 실질적 효과가 증명된다.

그러나 위의 3가지 중 어떤 원칙도 인과적 추론을 쉽게 만들어주지는 못한다. 대신 유사실험연구에서 인과적 추론의 논리는 주의 깊고 세심한 관심으로 대안적인 인과관계 설명이 가능한지를 확인하고 조정하는 일이 요구된다.

1. 유사실험 연구설계의 유형

1) 비동등성 통제군 설계

비동등성 통제군 설계(nonequivalent control group design)란 무작위 방법을 사용하지 않고 통제군을 선정하는 것을 말한다. 연구상황에 따라 어떤 집단이 다른 집단보다 좀 더 비동등 할 수 있으며, 일부 유사실험연구 설계에서는 무작위 방법을 사용하지 않고 자연스럽게 실험군과 통제군으로 나누어지기도 한다. 이 설계에서 통제군에 속한 대상자는 실험군 대상자와 다를 수 있으므로 동등하다고 볼 수 없다. 대상자들은 연구자에 의해 개별적으로 선정된 것이 아니라 특정 집단에 속해 있다는 이유로 선정되었으므로 선정과정이 연구의 타당도에 위협요인이 된다.

유사실험 연구설계에서는 통계분석방법이 문제가 된다. 대부분의 연구에서 실험연구와 동일한 통계분석방법을 사용하지만 유사실험연구에 내재된 선정상의 편견으로 이 과정에 의문이 제기된다. Reichardt (1979)는 이러한 경우 자료를 다양한 관점에서 여러 통계분석을 통해 분석한 후 각 분석에서 얻어진 유의수준을 비교해보도록 권고하였다. 타당도에 대한 위협요인들은 통계에 의해 조정되지 않으므로 연구자는 반드시 통계분석을 해석하는 과정에서 타당도에 영향을 줄 수 있는 위협요인을 파악하여야 한다. 다음은 비동등성 통제군 설계에 속하는 대표적인 설계예시이다.

(1) 단일군 사후측정 설계: 단일군 사후측정설계(one-group posttest-only design)는 설계상의 약점과 타당도를 위협하는 다수의 요인들이 존재하기 때문에 유사실험연구라기보다는 전실험연구(pre-experimental)설계로 지칭된다. 이 설계는 인과관계를 추론하기에 부적합하다. 특징은 처치를 받는 실험군의 대상자를 선정하는데 아무런 통제가 없으며, 연구에 참여한 대상자 이외로 연구결과를 일반화하기도 어렵다. 이 집단은 사전측정이 되지 않았으므로, 변화를 측정할 수 있는 직접적인 방법이 없다. 처치 전 측정점수를 모르는 상태에서 연구자들은 사후 측정이 처치 효과에 의한 결과라는 것을 주장할 수 없다. 또한 통제군이 없으므로 처치를 받지 않은 집단이 종속변수에서 유사한 점수를 나타내게 될 것인지를 알 수 없다. 단일집단 사후측정설계는 간호중재 또는 처치 프로그램을 평가하는 연구에서 일반적으로 경험 없는 연구자에 의해 수행된다.

```
─────────────────────────────
실험군          X        O
─────────────────────────────
```
O: 관찰 또는 측정, X: 처치

그림 5-7 단일군 사후측정 설계

BOX 5-8   단일군 사후측정 설계

Cook과 Campbell (1979)은 단일군 사후측정 설계의 선택이 적절하고 인과관계를 추론하기에 적합할 수 있는 상황의 예로서 공장에서 사용되는 비닐이 이웃과 근로자들에게 암 발생을 증가시키는지에 대한 연구를 제시하였다. 대규모 지역사회의 암 발생률은 이미 알려져 있고, 비닐류와 같은 화학물질이 암 발생을 초래하며 어떤 종류의 암이 주로 발생하는지도 이미 알려져 있다. 이 연구에서는 기존의 대규모 지역사회에서 조사된 암 발생률에 대한 사전측정점수를 대조군 대신 사용하여 특정 공장의 지역 주민과 근로자에게 나타나는 암 발생률이 비닐의 사용에 의해 증가한 것인지를 확인하였다.

(2) 비동등성 통제군 사후측정 설계(posttest-only design with nonequivalent groups): 통제군을 포함시키므로 이 설계는 위에서 소개된 단일집단 설계의 단점을 보완하였다. 그러나 통제군이 비동등성 집단으로 구성되므로 이 설계유형 역시 전실험설계로 구분된다. 비동등한 통제군을 포함함으로써 연구자는 결과의 타당도에 대해 잘못된 믿음을 가질 수 있다. 두 집단 모두 선정과 관련된 문제점이 있다. 사전측정을 하지 않는다는 점도 처치에 의한 변화를 확인하는데 심각한 문제점을 남긴다. 사후 측정에서 두 집단 간의 차이는 처치에 의한 것일 수도 있으나 두 집단의 선정과정에서 발생한 차이에 의한 것일 수도 있다.

실험군	X	O
통제군		O

O: 관찰 또는 측정, X: 처치

그림 5-8 비동등성 통제군 사후측정 설계

BOX 5-9   비동등성 통제군 사후측정 설계의 예

한 대학병원에서 임상 질관리 프로젝트로 수술환자의 통증관리 교육의 효과를 연구하였다. 외래 수술실에서 복강경으로 담낭절제술을 받는 환자를 대상으로 연구목적을 설명하고 연구 참여 동의를 받았다. 실험군은 수술 전 가이드라인에 따라 제작된 수술 후 통증관리법에 대한 교육에 참여하였으며, 대조군은 수술동의서를 받은 후 교육 없이 수술을 받았다. 집단 간 중재 확산을 방지하기 위해 월, 수에 수술을 받는 대상자를 실험군에, 화, 목에 수술을 받는 대상자를 대조군에 배정하였다. 수술 후 첫 번째 외래에 오는 시점인 1주 후 실험군과 대조군 모두 수술 후 첫 24시간 통증정도, 진통제사용횟수, 진통제 부작용, 정상적 일상생활회복 일수, 비약물적 통증 치료 사용횟수 등에 대한 설문을 완료하였다.

(3) 단일군 사전-사후측정 설계(One-group pretest-posttest design): 이 설계 유형도 전실험연구 설계로서 가장 흔히 사용되는 설계이나 역시 심각한 약점을 가지고 있어 때로 결과를 해석하기에 불가능 하기도 하다. 사전측정점수는 통제군의 기능을 충분히 대신할 수 없다. 사전검사와 사후검사 사이에 사건이 발생할 수 있다. 이러한 사건들이 처치에 의해 사후측정검사가 변화되었다는 가설 이외에 다른 설명이 가능하게 한다. 즉, 사후 측정검사는 (1) 성숙과정 (2) 사전검사의 수행 (3) 도구상의 변화 등에 의해 영향을 받을 수 있다. 또한, 대부분의 연구에서 단일군의 사전검사 점수의 높고, 낮음을 기준으로 실험군과 대조군을 선정한다. 이 경우 사후검사의 점수가 중앙집중경향성에 의해 변화될 수도 있다. 이러한 경우 비동등성 대조군을 설계에 포함함으로써 연구결과의 타당도를 강화할 수 있다.

| 실험군 | O_1 | X | O_2 |

O: 관찰 또는 측정, X: 처치

그림 5-9 단일군 사전-사후측정 설계

BOX 5-10 단일군 사전-사후측정 설계의 예

경력개발프로그램이 간호대학생의 취업장애, 취업에 대한 자기효능감, 취업준비행위에 미치는 효과를 연구하고자 하였다. 단일군 사전-사후측정 설계를 적용하여 4년제 간호대학에서 연구참여에 동의한 100명의 간호대학 학부생을 편의모집하고 경력개발프로그램을 매주 1회 8주간 진행하였다. 프로그램 완료 후 참여학생들의 취업에 대한 자기효능감이 상승되었으며, 인지된 장애정도가 낮아졌고, 취업준비행위가 향상되었다.

---

(4) 비처치 통제군 사전-사후측정 설계(untreated control group design with pretest and post-test): 사회과학연구에서는 사전사후 측정과 더불어 비처치 또는 허위처치(placebo) 집단을 사용하기도 한다. 이러한 유사실험연구설계는 일반적으로 받아들여지는 유형으로 조정되지 않는 위협요인은 주로 무작위 배정을 하지 않음에서 기인하거나, 연구자가 처치의 조작을 하지 못하는 경우에 나타난다. 다양한 형태의 설계가 사용되며, (1) 유사 사전측정(사후측정과 다르지만 연관되어있는 사전측정) (2) 사전측정과 사후측정의 대상자 분리 (3) 한 번 이상의 시점에서 사전측정 등이 있다. 처음 두 가지의 형태는 연구의 타당도를 약화시킬 수 있지만, 세 번째 유형은 오히려 강화시킨다. 일부 연구에서는 비처치 집단을 임상에서 일반적으로 제공되는 처치(Usual Care)로 규정하기도 한다. 환자들에게 일반적으로 제공되는 처치의 형태가 매우 다를 수 있으므로, 이 경우 실험처치의 효과 크기는 감소하게 되며, 변량이 커져 두 집단 간 유의한 차이를 발견할 가능성도 줄어든다.

실험군	O_1	X	O_2
통제군	O_1		O_2

O: 관찰 또는 측정, X: 처치

그림 5-10 비처치 통제군 사전-사후 측정설계

BOX 5-11 비처치 통제군 사전-사후 측정설계의 예

심부전 관리를 위한 새로운 가이드라인이 발표된 후 여러 병원에서 어느 정도 가이드라인에 따라 치료가 진행되고 있는지를 파악하고자 전국 규모의 연구를 계획하였다. 유사실험 비처치 통제군 설계로 사전, 사후측정을 분리하여 시행하였다. 비처치 대조군으로 65세 이상 심부전을 진단받은 대상자를 모집하였으며, 비동등성 대조군으로 뇌졸중 진단을 받은 대상자가 포함되었다. 사후측정은 가이드라인이 전국적으로 도입된 후 입원한 심부전 환자와 뇌졸중 환자를 대상으로 하였다. 심부전 가이드라인 중재에는 EMR에 자동화된 임상경로, 근거자료 접근허용, HF 자가관리를 위한 교육자료, 가이드라인 수행에 대한 지속적 피드백 등이 포함되었다. 분석결과 임상의사들의 가이드라인 수용도 중에서 교육자료 이용도는 유의하게 높았으나 의학치료상의 수용도는 유의한 차이가 없었다. 임상경로를 통한 의학치료는 환자상태에 따라 변이가 컸으므로 이에 기인한 것으로 설명되었다.

출처: Dykes, P. C. et al. (2005). Clinical practice guideline adherence before and after implementation of the HEARTFELT(HEART Failure Effectiveness & Leadership Team) intervention. *Journal of Cardiovascular Nursing*, *20(5)*, 306-314.

---

(5) 제거된 처치를 이용한 사전-사후 측정설계(removed-treatment design with pretest and posttest): 일부 연구에서는 비동등성 대조군을 포함시키는 것이 불가능할 경우가 있다. 이 경우 제거된 처치를 이용한 사전, 사후 측정설계가 활용될 수 있으며, 이론적으로 처치를 받지 않는 통제군과 같은 역할을 한다. 이 설계는 기본적으로 단일군 사전-사후측정설계이다. 그러나 일정한 시간이 지난 후 종속변수에 대한 3차 측정이 이루어지고 처치가 제거된 후 4차 측정을 하게 된다. 각 측정 간의 간격은 반드시 동일해야 한다. 간호연구상황에서는 환자에게 긍정적 효과를 줄 수 있는 처치를 제거하는 것에 대한 윤리적 고려가 필요하다. 윤리적으로 문제가 없는 경우라 할지라도 처치를 제거하는 것에 대한 대상자의 반응이 결과해석을 어렵게 만들 수 있다.

실험군	O_1	X	O_2		O_3	$\dot{X}$	O_4

O: 관찰 또는 측정 (측정간 간격 동일), X: 처치, $\dot{X}$: 처치의 제거

그림 5-11 제거된 처치를 이용한 사전-사후 측정설계

(6) 역처치 비동등성 통제군 사전-사후 측정설계(reversed-treatment nonequivalent control group design with pretest and posttest): 여기에는 두 가지 독립변수가 적용되는데, 하나는 긍정적 영향을 초래하고 다른 하나는 부정적 영향을 초래한다. 두 개의 실험군을 두고 각각의 처치를 제공하고 두 가지 처치에 대한 대상자의 반응을 비교한다. 이 유형은 구성 타당도를 높임으로 비처치 통제군 설계에 비해 이론 검증연구에 더 유용하다. 이론적인 원인변수는 반드시 명확히 정의되어 각각의 처치 효과에 대한 방향을 구분되게 제시할 수 있어야 한다. 인과관계를 최대한 설명하기 위해 다음에 소개되는 두 집단 즉, (1) 처치가 종속변수에 영향을 주지 않는 허위처치(placebo) 통제군 (2) 기초자료를 제공하기 위한 비처치 통제군을 반드시 포함하여야 한다.

실험군 A	O_1	X^+	O_2
실험군 B	O_1	X^-	O_2
통제군 A	O_1	X^0	O_2
통제군 B	O_1		O_2

O: 관찰 또는 측정, X^+: 예상되는 방향으로 영향을 주는 주 처치,
X^-: 개념적으로 주처치의 효과와 역방향으로 영향을 주는 처치, X^0: placebo

그림 5-12 역처치 비동등성 통제군 사전-사후 측정설계

2) 간헐적 시계열 설계

간헐적 시계열 설계(interrupted time-series design)는 서술형 시간 설계와 유사하나 측정시점 중 한 지점에 처치가 제공되는 것이 다르다. 시계열 분석은 다른 유사실험연구에 비해 장점이 많다. 첫째, 반복 사전측정으로 처치가 제공되기 전 성숙도 경향을 사정할 수 있다. 둘째, 반복 사전측정은 처치 전에 점수의 경향을 측정할 수 있도록 하여 결과의 해석에 오류를 가져올 수 있는 통계적 중앙집중경향성의 위험을 감소시킨다. 또한 연구기간 중의 사건들에 대한 기록을 남기면, 연구자로 하여금 처치에 대한 반응에 영향을 줄 수 있는 사건이 마지막 사전측정과 첫 번째 사후측정 사이에 발생하였는지를 확인할 수 있게 해준다.

그러나 일부 위협 요인은 시계열 설계에서 특히 문제가 된다. 기록 방법이나 자료수집을 위한 구성개념의 정의 등은 시간이 흐름에 따라 변화할 수 있다. 따라서 연구기간 동안 일관성을 유지하기가 힘들어 진다. 처치에 의해 탈락하는 대상자가 발생할 수 있으므로 처치 전의 표본과 사후측정의 내상사 사이에 주요 특성에서 차이가 있을 수 있다. 계절에 따른 변화, 주기적 변화 등도 처치 효과로서 해석될 수 있다. 따라서 연구결과의 분석에서 주기적 패턴을 확인하고 조정하는 것이 매우 중요하다.

147

McCain과 McCleary (1979)는 시계열 자료를 분석하기위해 ARIMA (autoregressive inte-grated moving average)라는 통계모델을 제시하였다. ARIMA는 회귀분석에 비해 많은 유용성을 지닌 비교적 새로운 모델이며, 적절한 통계적 분석을 위해 최소한 50개의 측정시점이 요구된다. 그러나 Cook과 Campbell (1979)은 적은 수의 측정시점이라도 횡적조사연구에 비해 시계열 설계가 더 나은 정보를 제공한다고 주장하였다.

(1) 단순 간헐적 시계열 설계: 단순 간헐적 시계열 설계(simple interrupted time series)는 서술연구와 유사하나 일정한 시점에 처치가 제공된다. 일부 연구에서 처치는 연구자의 통제하에 이루어지지 않을 수도 있으며, 이 경우 처치는 명확하게 정의되어야 한다. 종속변수를 다양한 방법으로 측정하는 것이 설계를 더 강력하게 만들 수 있다. 일반적으로 처치는 제공된 후 중단하거나 제거하지 않고 유지된다. 성숙효과와 통계적 중심집중경향과 같은 위협요인들은 이 설계에서는 비교적 조정되기 쉽다. 그러나 연구과정 중의 사건, 계절에 따른 경향, 도구적 변화, 선정상의 오류 등과 같은 위협요인은 남아있게 된다.

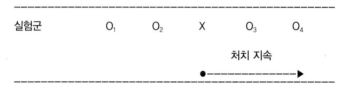

O: 관찰 또는 측정, X: 처치 (일회적 또는 지속가능)

그림 5-13 간헐적 시계열 설계

BOX 5-12	간헐적 시계열 설계의 예

병원인증평가가 병원의 품질수행(quality performance)에 미치는 영향을 연구하고자 한다. 500병상 이상의 대학병원 3곳을 임의 선정하여 병원인증평가 1년 전(2009년)과 병원인증평가 받은 후 3년간(2010년, 2011년, 2012년)에 질평가 척도 27문항을 이용하여 측정하였다. 사전조사에서 총 2만여명의 환자기록지로부터 자료를 추출하였고 이후 단순 무작위 표본으로 매달 전체 환자의 20% 자료를 선택하여 총 35만 관찰자료가 입력되었다. 효과변수는 구조, 과정, 성과에 대해 품질수행과 환자안전에 대한 주요항목이 포함되었다.

---

(2) 비동등성 비처치 통제군을 활용한 간헐적 시계열 설계(interrupted time series with a non-equivalent no-treatment control group time series): 간헐적 시계열 설계에 통제군을 활용하는 것은 결과의 타당도를 매우 강화시킬 수 있다. 통제군은 처치가 주어진 후 두 집단간 경향의 차이와 시간에 따른 처치의 효과를 평가할 수 있게 한다. 처치는 사전검사와 사후검사 사이의 한 시점에 실험대상자들의 종속변수에 대한 반응을 변화시킬 것으로 예상되는 사건을 의미하며, 일반적으로 처치를 제거하거나 중단하지 않고 계속 제공하게 된다. 처치가 지속되더라도(예, 간호관리정책의 변화 또는 환자교육전략 등) 처치에 대한 초기 반응은 후기 반응과 다를 수 있다. 선정상의 오류와 사건간의 상호작용, 대상자와 처치간의 상호작용 등과 같은 위협요인이 고려되어야 한다.

실험군	O_1	O_2	X	O_3	O_4
대조군	O_1	O_2		O_3	O_4

O: 관찰 또는 측정, X: 처치 (일회적 또는 지속가능)

그림 5-14 비동등성 비처치 통제군을 활용한 간헐적 시계열 설계

BOX 5-13 비동등성 비처치 통제군을 활용한 간헐적 시계열 설계의 예

치매노인에게 인지자극훈련을 제공한 후 인지기능이 어떻게 변화되는지를 보려고 한다. 지역사회 거주하는 치매노인 60명을 모집하고 실험군과 대조군에 배정하였다. 실험군은 매주 인지훈련프로그램에 4회 참여하였고 집에서는 보호자에 의해 반복 훈련하도록 하였다. 대조군은 프로그램 참여 없이 일상생활을 수행하였다. 4주간의 프로그램 종료 후 두 군 모두 매달 동일 시점에 인지기능검사를 하였다. 연구결과 실험군은 프로그램 종료 후 비처치 통제군에 비해 유의하게 인지기능이 향상되었으나 6개월 시점에서 다시 원 수준으로 감소하였으며, 대조군은 다소 감소경향을 보였다.

---

(3) 다수 반복형 간헐적 시계열 설계(interrupted time series with multiple replications): 이 설계는 인과관계를 추론하기에 강력한 설계유형으로 처치가 반복되면서 각 처치마다 사전검사와 사후검사를 수행하게 된다. 이때 반드시 처치의 효과는 쉽게 없어질 수 있는 것이어야 한다. 실험실 밖에서 이루어지는 사회과학연구는 인과관계의 추론을 위해서 허용되는 수준보다 더 강력한 연구자의 통제를 요구한다. 행동수정전략을 도입한 연구에서 주로 이 설계를 사용한다. 유의한 차

이가 있다고 판단하기 위해서 사전측정과 사후측정 점수가 반드시 서로 다른 방향을 보여야한다. 이 설계에서 처치는 서로 다른 처치를 대치하거나 통합하는 방법으로 변화시킬 수 있으며, 처치 간 상호작용을 검사할 수 있다.

$$O_1 \quad X_1 \quad O_2 \quad X_1^- \quad O_3 \quad X_2 \quad O_4 \quad X_2^- \quad O_5 \quad X_3 \quad O_6$$

O: 관찰 또는 측정, X: 처치, X⁻ : 처치의 제거

그림 5-15 다수 반복형 간헐적 시계열 설계

BOX 5-14	다수 반복형 간헐적 시계열 설계의 예

스트레스 상황에 대한 경험이 개인이 받은 주관적 스트레스와 신체반응에 어떤 영향을 주는지 연구하였다. 40명의 간호대학 신입생을 대상으로 임상실습, 환자간호수행, 중간고사, 기말고사 등의 급성 스트레스 상황에 반복적으로 노출하면서 지각한 스트레스, 불안, 혈압, 맥박 등을 측정하였다.

IV. 연구 설계별 국제표준보고지침

1. 무작위 임상실험연구설계의 보고지침(CONSORT)

무작위 임상실험연구를 수행한 후에는 결과를 국제표준지침에 따라 보고하여야 한다. 무작위 실험연구 보고지침(Consolidated Standards of Reporting Trials: CONSORT http://www.equator-network.org/reporting-guidelines/consort/)은 건강분야의 무작위 임상실험연구의 결과를 신뢰성있게 보고하기 위한 기준으로 2006년 제정되었으며 현재 500여개 이상의 의학, 간호학 등 건강정보를 보고하는 학회지에서 출판을 위한 조건으로 요구한다. 2010년 개정된 CONSORT 지침은 25개 항목과 연구 흐름도(flow diagram)로 구성된다.

영문초록은 다음 항목에 대한 내용이 포함되도록 구조적으로 작성한다.

1) 영문초록 작성지침

항목	내용(초록)
Trial design	설계 제시
Methods	연구방법
Participants	대상자의 선정조건, 자료수집 장소
Interventions	각 집단에게 제공된 중재
Objective	구체적 목표와 가설
Outcome	본 연구에서 제시하는 일차 결과
Randomization	집단 배정방식
Blinding(masking)	대상자, 중재제공자, 결과측정자의 집단배정에 대한 인지여부
Results	연구결과
Numbers randomized	무작위 배정된 대상자수
Recruitment	대상자 모집결과
Numbers analyzed	최종 분석에 포함된 대상자수
Outcome	일차 결과에 대한 각 집단의 효과비교 및 효과크기제시
Harms	명시할만한 부작용
Conclusion	결과에 대한 결론
Trial Registration	실험연구 등록번호(해당시)
Funding	연구비 제공기관(해당시)

2) 무작위 임상실험연구결과의 작성지침

무작위 임상실험연구결과는 다음 지침에 따라 작성한다.

항목	번호	기술내용
제목 및 초록	1	참가자가 어떻게 치료군에 배정되었는가?(예: 무작위 배정 등)
서론 배경	2	과학적 배경 및 근거 설명
방법		
참가자	3	연구 참여 기준, 자료 수집 장소 및 환경
처치	4	각 군에 의도된 처치의 적용시점, 방법 등 자세히 언급
목표	5	연구 목표와 가설을 구체적으로 기술

항목	번호	기술내용
결과	6	일차적, 이차적 결과 변수의 측정 방법, 측정의 질을 향상시킬 수 있는 방법(반복 측정, 평가자 교육 등)을 기술
표본수 계산	7	결과변수의 효과크기와 분석기법에 따라 계산된 대상자수 서술
무작위 배정		
배정의 순서	8	치료군과 대조군의 순서를 무작위 결정하는 방법을 기술. 층화(stratification)나 차단(blocking) 등의 제한 방법을 기술
배정의 눈가림	9	무작위 배정을 시행하는 방법을 기술(예, 숫자가 적힌 상자 또는 전화로 문의). 환자가 배정될 때까지 소속된 군을 비밀로 했는지를 명확히 기술
배정의 실행	10	누가 배정의 순서를 결정하는가, 누가 참가자를 연구에 포함시키는가, 누가 참가자를 각 군에 배정하는가를 기술
맹검	11	참가자, 처치 제공자, 결과 분석자에게 배정된 소속군이 비밀로 유지되었는가, 비밀 유지 여부의 평가는 어떻게 이루어졌는가를 기술
통계방법	12	일차적 결과 변수(들)을 비교하기 위한 통계 방법, 소그룹 분석 또는 보정 분석(adjustment analysis) 등의 추가적 분석 방법을 기술
결과		
참가자 흐름도	13	참가자의 흐름을 가능하면 도표로 표시. 구체적으로는 각 군의 무작위 배정된 숫자, 계획된 처치를 시행받은 숫자, 연구를 계획하고 끝마친 숫자, 일차적 결과 변수를 분석한 숫자를 기술
모집	14	참가자 모집 기간과 추적 관찰 기간을 명시
시작시점의 자료	15	연구 시작 시점에서 각 군의 역학적, 임상적 특징 기술
분석된 숫자	16	결과 분석에 포함된 각 군의 참가자 숫자를 기술. 분석이 치료 의도의 원칙(intention to treat)에 의해 시행되었는지 여부기술. 가능하면 결과를 정대 숫자로 기술할 것(예, 50% 보다는 20명 중 10명으로)
결과의 추정치	17	일차, 이차 변수에 대하여 각 군의 결과치를 요약하고 추정치 및 정확도를 기술(예, 95% 신뢰구간)
부차적 분석	18	소그룹 분석, 보정 분석 등의 추가 분석 결과를 기술. 그것이 사전에 계획된 것인지 여부를 기술
부작용	19	각 군의 모든 중요한 부작용을 기술
고찰		
해석	20	연구 가설을 염두에 둔 결과의 해석. 편견이 개입될 소지는 없었는지, 결과 해석의 주의점을 기술
일반화	21	연구 결과를 다른 집단에 일반화할 수 있는가
전체적 근거	22	최근까지의 근거에 비추어 볼 때 연구 결과의 일반적인 해석을 기술

3) 연구의 흐름도(Flow Diagram)

대상자 모집과정을 선정과 제외기준을 평가하여 최종 선정시 표본수, 무작위배정 후 중재를 받은 대상자수, 추적관찰시 탈락한 수와 각각의 이유, 최종분석에 참여한 수를 흐름도에 따라 기술한다. 이때 각 군간 탈락자를 추적관찰에서 포함시켰는지(intention to treat) 여부를 명시하여야 한다.

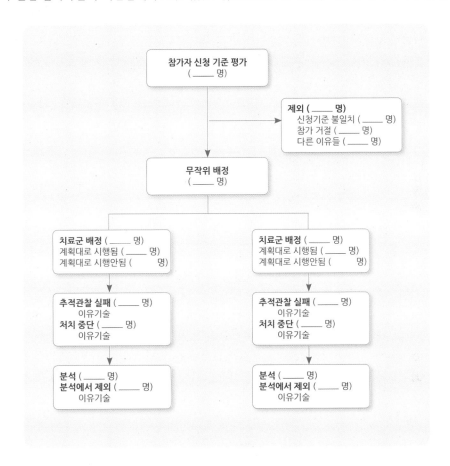

4) 대상자의 주관적 결과를 위한 CONSORT (Patient-reported Outcome: PRO)

최근 기존의 CONSORT 지침이 대상자의 자가보고형태로 수집하는 주관적 결과에 대해 확대적 용되었다. 사회학 연구에서는 주요 결과변수가 대상자 자가보고형태로 수집되는데, 예로서 건강 관련 삶의 질, 대상자의 주관적 건강상태, 증상, 약물 순응도, 간호만족도 등이 여기에 포함된다. 따라서 자가보고 형태의 결과변수에 초점을 둔 무작위 실험연구를 위한 개정지침이 제시되었다.

(1) 대상자 보고 결과변수(PRO)

관찰자에 의해 해석되지 않고 대상자가 직접 보고하는 결과변수를 의미한다. 여기에는 대상자가 지각하는 건강상태, 삶의 질, 돌봄에 대한 만족감, 증상, 약물 순응도 등이 포함된다.

(2) 일차 결과변수와 이차 결과변수

가장 임상적으로 관련성이 높은 결과변수를 일차변수로 지정하며, 중재를 통해 추가효과로 보여지는 것을 이차 결과변수로 지정한다.

5) 무작위 임상실험연구의 등록

무작위 임상실험연구설계는 과학적 연구방법 중 임상효과성을 제시하기에 가장 적합한 강력한 연구설계로 추천되고 있다. 따라서 최근 근거기반 실무를 위해 무작위 임상실험연구에 대한 의존도가 높아지면서 정보에 대한 일관성과 투명도를 높이기 위한 노력으로 표준보고지침(CONSORT)과 더불어 실험연구의 등록(trial registry)이 요구되고 있다. 등록제도는 연구과정을 과도하게 통제한다는 비판도 받고 있지만(Elliott, 2007), 인간의 건강을 다루는 실무에 영향을 주는 중재연구라는 점에서 RCT의 수행 전 연구설계를 등록하고 등록된 기존 설계에 충실하게 수행할 것이 요구되고 있다. 미식약청은 Section801 규정에 의해 연구자들이 연구를 등록하고 결과를 제출하도록 의무화하고 있다. 연구설계를 등록한다는 의미는 일반 대중, 동료 과학자, 미래의 연구참가자들에게 연구에 대한 정보를 미리 공개한다는 점에서 연구자들의 윤리적 의무로 인식되고 있으며, 출판 편향을 감소시키는 효과가 있다. 간호학 연구에서 무작위 임상실험연구의 등록은 국내에서 진행되는 임상시험 및 임상연구에 대한 온라인 등록시스템인 임상연구정보서비스(Clinical Research Information Service [CRIS])를 이용할 수 있으며, 국외의 등록시스템으로는 clinicaltrials.gov 또는 사회과학 연구등록 site인 socialscienceregistry.org 등을 이용할 수 있다. 등록절차는 다음과 같다.

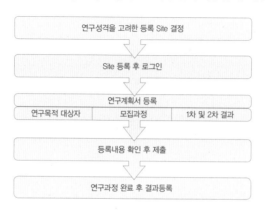

2. 비무작위 실험연구를 위한 표준보고지침
(Transparent Reporting of Evaluations with Nonrandomized Designs: TREND)

비무작위 실험연구(유사실험연구)도 표준보고 지침에 따라 보고하여야 하며, 중재프로그램을 개발하는 이론적 근거와 대조군 비교조건 등의 보고를 강조한다. 보고지침의 항목은 다음과 같다.

■ TREND checklist
유사실험 연구결과는 다음 지침에 따라 작성한다.

항목	번호	기술내용
제목 및 초록	1	참가자가 어떻게 치료군에 배당되었는가?(예: 편의배정 등) 표적모집단과 표본에 대한 정보제공
서론 배경	2	과학적 배경 및 근거 설명 행동중재를 설계하는 근거이론 제시
방법		
참가자	3	대상자 선정기준, 자료 수집 장소 및 환경
처치	4	각 군에 의도된 처치의 적용시점, 방법 등 자세히 언급 누가 중재를 어디서, 몇 명의 집단구성원에게 제공하였는지 설명 참여율, 탈락률, 동기부여를 위한 방법 제시
목표	5	연구 목표와 가설을 구체적으로 기술
결과측정	6	일차적, 이차적 결과 변수의 측정 방법, 측정의 질을 향상시킬 수 있는 방법(반복 측정, 평가자 교육 등) 기술
표본수 계산	7	결과변수의 효과크기와 분석기법에 따라 계산된 대상자수 서술
집단배정방법	8	배정단위(실험조건을 개인, 집단, 지역사회단위에 적용하였는지) 배정방법 비무작위 방법에 의한 배정으로 발생하는 잠재적 편향 해결방법제시
맹검	9	참가자, 처치 제공자, 결과 분석자에게 배당된 소속군이 비밀로 유지되었는가, 비밀 유지 여부의 평가는 어떻게 이루어졌는가를 기술
분석단위	10	분석단위(개인, 집단, 지역사회 등) 서술 집단배정단위와 분석단위가 다른 경우 보정방법제시
통계방법	11	일차적 결과 변수(들)을 비교하기 위한 통계 방법, 집단차에 대한 보정방법 기술
결과		
참가자 흐름도	12	참가자의 흐름을 가능하면 도표로 표시 구체적으로는 각 군에 배정된 숫자 계획된 처치를 시행받은 숫자, 연구를 계획하고 끝마친 숫자, 일차적 결과 변수를 분석한 숫자 기술

항목	번호	기술내용
모집	13	참가자 모집 기간과 추적 관찰 기간 명시
사전조사	14	각 집단별 대상자의 사전 인구학적 특성, 추후분석에서 탈락자가 있는 경우 탈락자와 참여군간의 특성차이비교, 표적모집단과 표본간의 특성비교
사전동질성	15	대상자의 사전동질성, 차이를 통제하기 위한 통계기법
분석된 숫자	16	결과 분석에 포함된 각 군의 참가자 숫자 기술 분석이 치료 의도(intention to treat)에 의해 시행되었는지 여부기술 가능하면 결과를 절대 숫자로 기술할 것(예, 50% 보다는 20명 중 10명으로)
결과의 추정치	17	일차, 이차 변수에 대하여 각 군의 결과치를 요약하고 추정치 및 정확도 기술 (예, 95% 신뢰구간)
부차적 분석	18	소그룹 분석, 보정 분석 등의 추가 분석 결과 기술 부차적 분석의 사전계획여부 기술
부작용	19	각 군의 모든 중요한 부작용 기술
고찰		
해석	20	연구 가설을 염두에 둔 결과의 해석 편견이 개입될 소지는 없었는지, 결과 해석의 주의점 기술 제공된 중재가 인과경로에 따라 효과를 보이는지 여부
일반화	21	연구 결과를 다른 집단에 일반화할 수 있는가
전체적 근거	22	최근까지의 근거에 비추어 본 연구 결과의 일반적인 해석 기술

참고문헌

Burns, N., & Grove, S. K. (2001). *The Practice of nursing research: Conduct, critique, & utilization* (4th ed.). Philadelphia: W. B. Saunders.

Cook, T. D., & Campbell, D. T. (1979). *Quasi experimentation: Design & analysis issues for field settings*. Boston: Houghton Mifflin.

Dracup, K., McKinley, R., Riegel, B., Mieschke, H., Doering, L. V., & Moser, D. K. (2006). A nursing intervention to reduce prehospital delay in acute coronary syndrome: a randomized clinical trial. *Journal of Cardiovascular Nursing, 21*(3), 186-193.

Dykes, P. C., Acevedo, K., Boldrighini, J., Boucher, C., Frumento, K., Gray, P., ⋯ Bakken, S. (2005). Clinical practice guideline adherence before and after implementation of HEART-

FELT (HEART Failure Effectiveness & Leadership Team) intervention. *Journal of Cardio-vascular Nursing, 20*(5), 306–314.

Elliott, T. R. (2008). Registering randomized clinical trials and the case for CONSORT. *Experimental and Clinical Psychopharmacology, 15*(6), 511–518.

LoBion-Wood, G., & Haber, J. (2002). *Nursing research: Methods, critical appraisal, and utilization.* Philadelphia: Mosby.

Meinert, C. L., & Tonascia, S. (1986). *Clinical trials: Design, conduct, and analysis.* New York: Oxford University.

Piantadosi, S. (1997). *Clinical Trials: A Methodological perspective.* New York: John Wiley & Sons, Inc.

Reichardt, C. S. (1979). The statistical analysis of data from nonequivalent group designs. In T. D. Cook & D. T. Campbell, *Quasi experimentation: Design & analysis issues for field settings.* Boston: Houghton Mifflin.

Song, R., Park, M. K., Chung, J. O., Park, J. H., & Sung, I. W. (2013). Effects of Tai Chi exercise on cardiovascular risks, recurrence risk, and quality of life in patients with coronary artery disease. *Korean Journal of Adult Nursing, 25*(5), 516–527.

Wooding, W. M. (1994). *Planning pharmaceutical clinical trials: Basic statistical principles.* NJ: Wiley & Hoboken.

CHAPTER

질적 연구

06 CHAPTER 질적 연구

질적 연구는 수량적 수단이나 통계적 절차를 쓰지 않고 연구결과를 생성하는 연구방법이다. 질적 연구의 탐구 대상은 개인의 삶과 경험, 행동, 감정 등과 같이 개인이 주관적 관점에서 경험하고 상호작용하며 만들어가는 독특한 주관적 세계이다. 주관적 세계란 개인의 경험을 통해 만들어진 결과이며, 현재 개인이 경험하는 상황, 즉 situated context로 표현된다. 객관적으로 수량화시키는 양적 연구방법을 통해서는 얻을 수 없는 연구현상의 심도 깊은 이해를 위해 적용된다.

질적 연구를 수행하기 위한 첫 번째 조건은 연구하려는 현상에 대해 '가정'을 하지 않는다는 것이다. 가정을 내리는 것은 연구자의 편견이나 예측오류를 초래할 위험이 있으므로 가정을 하지 않음으로써 연구과정이 좀 더 실제 경험과 유사해진다. 실제 경험은 다면적인 현상으로서 독립변수나 종속변수와 같은 형태로 단순화시킬 수 없으며, 이러한 단순화 과정은 경험 전체를 이해하는 데도 도움이 되지 않는다. Bohm (1985)은 경험 전체가 함축적 질서를 가지고 있으며, 함축적 질서에서는 모든 것이 내재적으로 표현된다고 하였다.

질적 연구의 두 번째 조건은 전체주의(holism)에 관한 것이다. Bohm (1985)은 객관성을 갖는다는 것은 있을 수 없는 것이라고 했다. 전체로서의 인간의 경험은 다른 세계와 상호작용하면서 구성되므로, 질적 연구는 인간 경험을 여러 부분으로 분리하여 따로 탐구하지 않는다. 예를 들어 운동과 비만의 관계를 탐구하려고 한다고 하자. 양적 연구에서는 두 변수를 분리하여 정의하며, 객관성을 가지고 동질적인 표본집단을 구성하여 운동과 비만을 각각 측정한 후 통계적으로 두 변수의 관계를 탐색한다. 그러나 질적 연구에서는 동일 현상을 "개인의 비만경험"이라는 전체주의적 관점에서 접근하므로, 개인의 신체와 마음, 개인과 교류하는 타인과 환경을 하나의 단위로 본다.

본 장에서는 질적 연구의 기본 개념과 특성에 대해 알아보고 다음의 대표적인 질적 연구의 유형에 대해 설명하고자 한다.

- 문화기술지(ethnography)
- 현상학적 연구(phenomenology)
- 근거이론적 연구(grounded theory)
- 사례 연구(case study)
- 나래티브 탐구(narrative inquiry)

1. 질적 연구의 개념

1) 질적 연구설계

일반적으로 양적 연구에서는 자료수집을 하기 전에 연구설계를 구체화하며 연구 진행 과정은 정한 설계에서 거의 벗어나지 않는다. 그러나 질적 연구는 연구가 진행되는 동안 연구설계가 변화될 수 있으며, 누구에게서, 얼마나 최선으로, 얼마나 오랜 기간 정보를 수집하는지에 대한 결정은 연구가 진행되면서 내려진다. 질적 연구에서는 다양한 방법으로 관심 있는 주제를 다루게 되는데, 몇 가지 공통된 특성은 다음과 같다.

- 전체론적 관점에서 전체를 이해하기 위해 노력한다.
- 질적 연구의 자료는 면접, 관찰, 문서, 녹음 등 다양한 자료수집 전략을 통해 얻어진다.
- 융통성 있고, 유연하며, 자료수집 동안 얻어진 정도에 따라 조정이 가능하다.
- 연구자가 집중적으로 관여해야하고, 오랜 시간이 필요할 수도 있다.
- 서술된 자료로부터 공통요소를 추출하거나 합성하여 대상자의 언어를 연구자의 언어로 바꾸는 과정, 즉 자료의 개념화와 축소, 속성과 차원에 따른 범주의 정교화, 일련의 명제를 기술하는 것 등을 포함한다.
- 자료분석을 진행하면서 내용에 따라 차후의 전략과 자료수집의 완료시점에 대한 결정을 한다.

사전에 구체적인 연구설계 방법을 결정하지는 않시만, 질적 연구자들은 연구가 유연하게 진행되도록 돕기 위해 일반적으로 대략적인 계획을 짠다. 예를 들어 연구전통, 연구장소, 연구에 필요한 최대 시간, 대략적인 자료수집 전략, 연구수행을 위해 현장에서 필요한 도구에 관한 결정을 내린다.

질적 연구자들은 다양한 상황에 대비하여 계획을 세우지만, 시간, 장소, 인간 상호 작용의 사회적 맥락이 더 잘 이해되었을 때 연구진행과 관련된 결정을 내린다.

2) 질적 연구설계의 특징

질적 연구설계는 사전에 구체적으로 계획되기보다 연구가 진행되면서 경험적으로 결정되지만, 대략적인 특징은 존재한다. 양적 연구설계에 익숙한 연구자들을 위해 질적 연구설계에 대한 특징을 양적 연구설계의 구성요소에 따라 설명하고자 한다.

• 중재, 통제, 눈가림

질적 연구는 대부분 비 실험적이다. 질적 연구에서는 관심 현상을 설명하기 위해 독립변수와 종속변수를 개념화하지 않는다. 또한 연구 대상자나 환경의 어떠한 측면도 통제하지 않으며 눈가림도 사용하지 않는다. 탐구의 목표는 개인이 인식하여 구성하고 주관적으로 존재하는 현상을 주어진 주관적 맥락 내에서 충분히 이해하고자 하는 것이다.

• 대조군

일반적으로 질적 연구 계획에 대조군은 포함되지 않는다. 질적 연구의 목적은 철저하게 하나의 현상을 묘사하고 설명하는 데 있다. Morse (2004)가 "모든 묘사는 비교를 요구한다."라고 한 것처럼, 때로는 자료에서 나타나는 패턴이 대조군을 명확히 할 것을 제안하기도 한다. 질적 자료를 분석하고 분류가 포화되었는지를 결정할 때, "현재 수집된 자료"와 "기존에 형성되어진 어떤 자료"를 비교하는 것은 필요하다.

• 연구환경

질적 연구자들은 주로 현실과 유사한 자연적 환경에서 자료를 수집한다. 양적 연구에서는 자료의 일관성을 유지하고 혼동 변수를 가능한 통제하기 위해 일정 환경에서 자료를 수집하려고 노력하지만, 질적 연구 특히 민속지학 연구자들은 의도적으로 다양한 자연적 맥락에서 현상을 연구하기 위해 노력한다. 예를 들어 특정 남아메리카 문화에서 인식되는 '노화과정과 돌봄'에 대한 경험을 연구하고자 할 때, 일정 연령 이상의 주민과 인터뷰를 계획하며, 주어진 자연적 맥락에서 이해하기 위해 다양한 주거환경, 사회적 배경 등을 가진 노인을 찾아 심층면담과 관찰을 한다.

● 시간 틀표

질적 연구에서도 양적 연구와 마찬가지로 하나의 자료수집 지점만 있는 횡단적인 연구와 현상의 진화를 관찰하기 위해 설계된 여러 차례의 자료수집 지점이 있는 종단적 연구가 있다. Taylor 등 (2011)은 직장 대장암 치료를 받으며 생존하며 재발에 대한 두려움을 다루는 경험에 대해 12개월에 걸쳐 종단적으로 연구하였다. 전향적/후향적 구별에서는 대부분의 질적 연구는 후향적이 된다. 현재에 일어난 결과나 경험을 중심으로 자료수집이 진행된다.

3) 질적 연구와 인과관계

연구결과가 어느 정도 인과적 근거를 제공하는지에 초점을 두는 근거 계층구조에서 질적 연구는 주로 맨 아래 단계에 속한다. 그러나 구성주의적 관점에서 지식체를 분석하면 인과관계는 적절한 개념이 아니다. Lincoln과 Guba (1985)에 의하면 현 시점의 모든 것은 다른 모든 것에 영향을 미치기 때문이다.

그럼에도 일부 연구자들은 질적 연구방법이 특히 인과관계를 이해하는데 잘 들어맞는다고 주장하기도 한다. Huberman과 Miles (1994)는 질적 연구를 통해 사건과 상황이 시간적 연속선 상에서 어떻게 특정한 결과를 이끌어내는지 직접적이고 종적으로 볼 수 있다고 하였다. 질적 연구에서는 현상에 대해 묘사하고 설명하면서 이끌어내는 패턴에 근거하여 인과관계적 암시를 제시하기도 한다.

2. 질적 연구의 분류

질적 연구설계는 공통된 특징을 공유하고 있지만 다양한 접근법이 존재한다. 질적 연구설계를 분류하는 한 가지 방법은 질적 연구를 학문적 전통에 따라 설명하는 것이다(표 6-1).

표 6-1 학문적 전통에 따른 질적 연구설계의 분류

학문	범위	질적 연구설계	연구 분야
인류학	문화	문화기술지	특수한 민족의 생활방식에 대한 기술적 설명
심리학/철학	삶의 경험	현상학 해석학	개인의 삶에서 경험과 의미 개인의 경험에 대한 해석과 의미
사회학	사회적 환경	근거 이론	사회적 환경 내에서 사회 심리적, 구조적 과정

1) 문화기술지

질적 연구의 한 유형인 문화기술지(Ethnography)는 인류학에서 발전된 연구방법으로 특수 민족의 문화와 생활방식을 설명하고 해석하기 위한 것이다. 문화란 의미있는 인간 활동의 패턴과 상징 구조(예, 가치와 규범)를 가진 집단의 사람들이 살아가는 방식을 의미한다. 문화기술지적 연구에서 이용하는 기본 탐구방식은 참여 관찰, 면접과 기록 검토이다. 문화기술지를 기반으로 보건의학의 관점에서 개발된 문화 보건의학 연구에서도 특정 문화권에 속한 지역주민들의 관점, 신념과 관행을 연구하고 분석하여 실무에 적용하고자 한다. 문화는 본질적으로 눈에 보이거나 실재하지 않으므로, 집단 구성원들이 표출하는 언어나 행동을 통해 추론하게 되며, 문화기술지적 글쓰기를 통해 나타난다. 문화기술지 연구는 일반적으로 특수한 문화권에서 일어나는 경험을 탐구하게 되므로 연구자의 주관을 배제한 객관적 서술을 확보하기 위하여 사실을 강조하는 문화기술지적 글쓰기를 적용한다. 이는 보고서의 객관성을 어느 정도 확보하는 장점이 있으나 대안적 관점이나 의식을 배제한 수동적 서술로 구성된다는 비판도 있다.

문화기술지 연구의 범위는 유럽문화 등과 같이 넓은 범위를 다루는 거시적 문화기술지(macro-ethnography)에서부터 협의로 정의된 문화집단을 연구하는 미시적 문화기술지(micro-ethnography)까지 다양하다. 문화기술지의 근본적인 가정은 모든 인간 집단이 결국에는 세상에 대한 구성원의 시각을 이끌며 그들의 경험을 구조화하는 방식인 문화를 진화시킨다는 것이다.

BOX 6-1	미시적(초점) 문화기술지의 예

1) 건강신념이 간호실무수행에 어떻게 연관되는지 알아보고자 연구를 수행하였다. 중환자실 간호사의 신념이 실무에 어떻게 영향을 주는지, 그에 따라 행동패턴이 어떻게 달라지는지를 탐구하기 위해 중환자실 간호사를 표집하여 면담하였다. 자료수집은 총 400시간의 문화기술지 관찰시간 동안 이루어졌다. 분석결과 8개의 신념 패턴이 중환자실 간호사의 실무에 영향을 주는 것으로 나타났다.

2) 비만클리닉에 내원하는 성인들의 체중관리 행위양상을 사회문화적 맥락과 연관하여 이들의 시각에서 심층적이고 포괄적으로 이해하고자 연구를 수행하였다. 만 18세 이상의 과체중이나 비만 판정을 받은 대상자와 보호자들을 표집하여 면담하면서 지금의 상태에 어떤 의미를 부여하는지, 진단받은 후 지금까지 어떻게 생활하였는지, 이 과정에서 이들과 주변사람들의 삶은 어떤 변화를 겪어왔는지, 어떠한 사회문화적 맥락에서 이들 행위가 구성되는지를 탐구하였다.

출처: 1) Heydari, A., Vafaee-Najar, A., & Bakhshi, M. (2016). Intensive care nurses' belief systems regarding the health economics: A focused ethnography. *Global Journal of Health Science, 8*(9), 529–539.
2) Yang, J. H., Cho, M. O., & Lee, K. Y. (2012). Patterns of health behavior for weight loss among adults using obesity clinics. *Journal of Korean Academy of Nursing, 42*(5), 759–770.

문화기술지 연구자들은 문화집단의 관점을 이해하기 위해서라기 보다는 그들로부터 배우기 위해 연구를 수행한다. 문화기술지에서는 "emic (내부자적)"과 "etic (외부자적)"의 관점이 소개되는데, 내부자적인 관점이란 특정 문화의 구성원이 그들의 세계를 인지하는 방식으로 문화기술지 연구에 접근하는 것을 말하며, 대상자의 경험을 명명하고 특성화하기 위해 대상 집단의 구성원에 의해 사용되는 지역 언어, 개념 또는 표현의 의미를 포함한다. 반대로, 외부자적 관점은 외부인이 주어진 문화와 연관된 행동과 현상을 인지하고 해석하는 것이다. 같은 현상을 외부인이 사용하는 언어와 개념으로 나타낸다. 상징이란 예술, 의복, 기술과 같은 문화의 물질적 유물로서 문화의 의미를 내포하므로 문화기술지 연구의 초점이 된다. 무언의 지식(tacit knowledge)은 특정 문화집단에서 깊이 간직되고 가정된 문화적 신념으로 구성원들이 언급하지 않아도 한 문화에 대한 내부적 관점으로 역할하며, 문화적 경험 내에서 매우 깊숙이 뿌리 박혀있어, 구성원들이 그것에 대해 말하지 않으며 의식적으로 인식하지 않을 수도 있는 문화에 대한 정보이다.

문화기술지 연구자들은 주로 문화적 행동(그 문화의 구성원이 무엇을 하는가?), 문화적 유물(구성원이 무엇을 만들고 사용하는가?), 그리고 문화적 언어(그들은 무엇을 말하는가?)와 같은 정보를 찾는다. 자료수집 과정은 관찰, 면밀한 면담, 녹음, 사진이나 일기와 같은 물질적 근거를 포함하여 매우 다양한 출처에 의존한다. 문화기술지 연구에서 흔히 이용하는 참여 관찰은 연구자가 특정 문화 활동에 참여하면서 문화를 관찰하는 것이다. 민족지학자들은 다양한 상황의 집합체에서 행동을 관찰하기 위해 다양한 사람들이 자연적인 환경에 있을 때 일상을 관찰한다. 민족지학자들은 또한 그들이 이해하고 관찰하는 사건과 활동을 해석하는 것을 돕기 위해 중요한 정보제공자에게 도움을 요청한다. 문화기술지 연구는 노동-집약적이고 시간-소비적이다. 문화에 대해 배우기 위해 수개월이나 심지어는 수년 동안의 현장 작업이 요구될 수도 있다. 문화기술지는 문화적인 집단의 구성원과 어느 정도의 친밀함을 요구하며, 그러한 친밀함은 시간이 흐르고, 활동적인 참여자로 구성원들과 직접적으로 작업을 함으로써 개발될 수 있다.

문화기술지의 산물은 문화에 대한 풍부하고 전체론적인 서술이다. 민족지학은 건강관리 연구자들이 한 문화의 건강 신념과 관행에 접근 가능하도록 한다. 그러므로 민속지학 연구는 건강과 질병에 영향을 미치는 행동에 대한 이해를 촉진한다. Leininger는 문화간호기술지(ethnonursing) 라는 새로운 단어를 만들었으며, "지정된 문화 과정과 간호행동에 대한 토착민의 관점, 신념, 관행에 대한 연구와 분석"이라고 정의하였다(1985, 38쪽).

1) Scumacher (2010)는 도미니카 공화국의 시골 지역 사람들을 대상으로 돌봄에 대한 의미, 신념, 관행에 대해 조사하였다. 연구에서 문화-돌봄 다양성과 보편성의 Leininger 이론을 개념적 기초로 사용하였고, 4단계의 민속 간호 방법이 채택되었다. 29명의 정보제공자에게 면담이 실시되었다.

2) Wolf (2016)는 미국에 거주하는 소말리아 이주민이 가지고 있는 정신건강에 대한 의미, 신념, 실천에 대해 탐구하고 이해하여 간호사가 문화적으로 일관적인 정신건강 간호를 제공할 수 있도록 하기 위해 연구를 수행하였다. Leininger의 문화간호기술지 연구방법을 사용하였고 Leininger이론의 Sunrise Enabler, Observation-Participation-Reflection Enabler, Stranger to Friend Enabler 개념이 연구를 하는 동안 문화 간호 경험을 이해하는데 도움이 되었다고 하였다.

출처: 1) Scumacher, G. (2010). Culture care meanings, beliefs, and practices in rural Dominican Republic. *Journal of Transcultural Nursing, 21*(2), 93–103.
2) Wolf, K. M., Zoucha, R., McFarland, M., Salman, K., Dagne, A., & Hashi, N. (2016). Somali immigrant perceptions of mental health and illness: An ethnonursing study. *Journal of Transcultural Nursing, 27*(4), 349–358.

2) 현상학적 연구

현상학은 개인이 경험한 삶을 탐구하고 이해하는 것이다. 현상학은 개인이 일상에서 경험한 것을 좀 더 깊이 이해하고 의미를 탐구함을 목적으로 한다. 현상학적 연구자들은 현상을 이론화, 개념화, 분류화하기보다 현상에서 개인이 경험한 본질은 무엇이며 그 구조가 무엇인지를 탐구한다. 현상학자들은 필수적인 구조인 *본질(essence)*이 존재한다고 추정한다. 그것은 민족지학자들이 문화가 존재한다고 추정하는 것과 동일한 방식으로 이해될 수 있다. 현상학의 적절한 주제는 고통의 의미나 만성적 통증과 삶의 질과 같은 인간의 삶의 경험에 기초한다.

현상학적 연구의 목표는 삶의 경험과 떠오르는 인식, 즉 현상의 본질에 대해 완전히 이해하는 것이다. 현상학적 방법에는 현상을 확인하고, 연구를 구조화하며, 자료를 수집하여 분석하고, 보고서를 작성하는 기본 요소를 포함한다. 즉, 연구의 관심영역으로 인간이 경험하는 영역을 확인하고, 연구계획을 조직화하기 위해 연구문제를 구체화 한 후 연구 대상자를 확인한다. 현상학적 연구는 연구목적에 따라 현상을 경험한 소수의 참여자를 목적적으로 선정한다. 이후 정보를 더 수집하기 위해서는 눈덩이 표집법으로 대상자를 모집한다. 현상학적 연구에는 정보제공자로부터 정보를 모으는 것뿐만 아니라 참여, 관찰, 반영을 통해 현상을 경험하는 노력도 포함한다. 현상학적 연구에서 연구대상자에게 자료수집에 대한 서면동의를 받을 때 포함되는 정보는 다음과 같다.

- 본 면담은 연구라는 것
- 연구의 목적
- 연구절차
- 연구참여에 따른 위험과 이익
- 연구참여에 대한 자발성
- 대상자가 원하면 언제라도 연구를 중단할 수 있다는 점
- 기밀유지를 위해 적용되는 절차 등

현상학적 연구에서 자료수집을 위한 주요한 자료원은 제한된 시간 없이 진행되는 심층 면담이다. 이러한 면담을 통해 연구자들은 대상자가 경험하는 삶에 접근하며, 경험에 대해 말이나 에세이 등과 같이 글로 쓰여진 정보와 행동이나 몸짓, 표정을 포함하여 기술한다. 자료수집을 위해 자신의 경험에 대한 관점과 느낌을 글로 써보도록 요청할 수도 있다.

현상학자들은 이렇게 수집된 현장노트와 면담기록지를 중심으로 녹음된 자료를 필사하여 정리하면서 자료분석을 준비한다. 현상학적 연구에서는 직관적으로 구성요소들의 상호관계를 찾아내는 지향적 분석을 수행한다(Shin et al., 2003). 현상학적 연구에서는 분석(analysis)이라는 용어보다는 자료의 표현 또는 기술(explicitation)이라는 용어를 쓰게 되는데, 분석은 양적 연구에서 쓰는 용어로 자료를 작은 요소로 환원한다는 의미를 내포하기 때문이다(Groenewald, 2004). 자료표현의 과정에는 다음 5가지 단계가 포함된다.

- 현상학적 환원: 자료 모아 묶기
- 의미 단위 뽑기
- 주제(theme)를 형성하기 위해 의미 단위 분류하기
- 면담자료를 수정·확인하면서 각 면담 요약하기
- 전체 면담자료에서 일반적이고 독특한 주제를 뽑아내어 통합본 만들기

현상학자들은 주요 주제를 분명하고 충분히 서술하는 보고서를 통해 그들의 통찰을 공유한다. 현상학적 보고서의 결론에서는 해당 현상에 대한 개인의 경험에 대해 독자들이 "알도록" 도와야한다. 현상학의 두 주요 사조는 기술적 현상학과 해석학적 현상학이다.

(1) 기술적 현상학

기술적 현상학은 후설(Husserl)에 의해 창시된 철학적 사조에 기반한 것이다. 독일의 수학자인 후설은 처음에는 '사람으로서 우리는 무엇을 알고 있는가?' 라는 '의식'(consciousness)과 관련하여 인간 경험의 기술을 강조했다. 후설이 '의도한 것'(intentionality)으로 표현하는 것에는 개인의 지각, 생각, 기억, 상상과 감정 등이 포함되는데, 특정 사물이나 상황에 대해 인간이 지향하는 의식이나 인식을 의미한다. 따라서 후설의 기술적 현상학에서는 연구자의 의견이나 선입견을 차단한 채 일상에서 개인이 인식하고 의도하는 경험들에 대해 기술하도록 한다.

　기술적 현상학 연구의 초점은 개인이 경험하는 현상을 기술하기 위함이며, 연구자들의 선입견을 차단한 상태에서 정보를 얻는다. 기술적 현상학은 다음 4단계를 포함한다.

- 괄호치기
- 직관하기
- 분석하기
- 기술하기

　괄호치기(bracketing)는 연구현상에 대해 이전에 인식된 신념과 구별하여 판단중지, 또는 선입견을 차단하는 과정을 말한다. 연구자들은 정보를 순수한 형태로 얻기 위해 자신이 미리 인지하고 있는 의견이나 선입견을 차단하려고 노력한다. 다른 질적 연구자들뿐 아니라 현상학적 연구자들은 선입견을 차단하기 위한 노력으로 참여자들로부터 반영적 글(reflexive journal)을 받기도 한다. 기술적 현상학의 두 번째 단계인 직관하기는 연구자들이 경험자로서 현상의 의미에 열린 자세를 유지함을 의미한다. 세 번째 분석하기는 중요한 진술을 추출하고, 분류화하며, 현상에 대한 중요한 의미를 이해하는 것이다. 마지막으로 기술하기 단계는 연구자들이 현상을 이해하고 정의하는 것이다.

　자료분석의 방법은 Colaizzi, Giorgi, Van Kaam 등 다양하며, 연구자는 자신의 연구현상을 명확히 설명해 줄 수 있는 적절한 현상학적 자료분석 방법을 선택하여 적용한다. Colaizzi와 Giorgi 분석방법의 구체적인 단계는 표6-2와 같다.

표6-2 현상학적 자료분석 방법의 예

분석방법	Colaizzi	Giorgi
정의	연구 대상자의 살아있는 경험의 의미를 밝히고자 함	적절한 자료출처를 적절한 자료수집 방법과 일치시켜 기술하고자 함.
단계	1. 대상자의 언어로 표현한 경험 본래의 의미단위 규명 2. 대상자의 경험을 나타내는 주제 규명 3. 대상자에게 의미하는 경험의 중심의미 규명 4. 중심의미를 통합하여 상황적, 구조적 기술 5. 전체 대상자의 관점에서 파악된 경험의 의미를 일반적, 구조적으로 기술	1. 대상자의 기술을 읽음 2. 현상을 포함하는 구나 문장으로부터 의미있는 진술을 도출함 3. 의미있는 진술에서 일반적 형태로 재진술함 4. 의미있는 진술과 재진술로부터 구성된 의미를 이끌어 냄 5. 도출된 의미를 주제, 주제모음, 범주로 조직함 6. 주제를 관심현상과 연관시켜 명확한 진술로 최종 기술함

출처: Kim, et al. (1999). A comparison of phenomenological research methodology: Focused on Giorgi, Colaizzi, Van Kaam methods. *Journal of Korean Academy of Nursing*, 29(6), 1208–1220.

BOX 6-3 기술적 현상학 연구의 예

1) 간호학과 학생들의 임상실습 경험을 기술하고자 현상학적 연구를 계획하였다. 임상실습에 참여하는 3학년, 4학년 학생들을 10명씩 선정하여 비구조적 면담과 임상실습현장을 관찰하였다. 학생들이 환자 간호에 참여한 후에는 구조적 면담을 진행하였고, 학생들은 환자 간호에 참여한 자신들의 경험을 서술하였고, 서술한 자료는 녹음되었다. 녹음자료는 필사하였고 콜라찌 분석방법을 통해 분석하였다. 연구자들은 학생들이 자신의 경험에 대해 기술한 내용에 근거하여 의미를 찾고 공통 주제를 뽑아내었다. 심층면담 내용에서 뽑은 주제는 인정받음, 지지, 멘토링의 질, 학생의 주도성 등 4개였다. 뽑아낸 주제 결과는 참여학생 중 6명에게 공유되었고 지지되었다.

2) 혈액투석 환자를 대상으로 수액관리 경험을 탐색하고 그 경험의 의미를 심층적으로 분석함으로써 간호사들이 혈액투석 환자를 간호할 때 혈액투석 환자들이 수액을 어떻게 관리하며 수액관리에 도움이 되는 요인이 무엇인지를 이해하고자 Giorgi의 현상학적 연구방법을 적용하였다.

3) 우울증 노인의 수면장애라는 현상에서 양적인 연구방법으로는 드러나지 않았거나 제외된 부분을 Giorgi의 현상학적 연구방법을 통해 밝혀내고자 하였다.

4) 우리나라 한센인의 질병 경험을 총체적으로 이해하고 탐구하기 위해 Colaizzi의 현상학적 연구방법을 사용하였다.

출처: 1) Papp, I., Markkanen M., & von Bonsdorff, M. (2003). Clinical environment as a learning environment: student nurses' perceptions concerning clinical learning experiences. *Nurse Education Today, 23*(4), 262–268.
2) Kim, Y. S., & Kim, M. Y. (2015). The Experience of Fluid Management in Hemodialysis Patients. *Journal of Korean Academy of Nursing, 45*(5), 773–782.
3) Jun, S. S., & Ha, S. J. (2014). Sleep disorder experience in older patients with depression. *Journal of Korean Academy of Nursing, 44*(3), 270–279.
4) Yang, Y. K. (2014). Life experiences of Korean patients with Hansen's disease in Sorok island hospital. *Journal of Korean Academy of Nursing, 44*(6), 639–648.

(2) 해석적 현상학

해석학이란 글이나 예술 작품 같은 사물의 의미를 해석하는 예술이나 철학을 의미한다. 후설의 제자인 하이데거(Heidegger)는 해석 철학을 확대시킨 해석학적 현상학을 창시하였다. 하이데거는 현상에 대해서 알려고 탐구하기보다는 "존재란 무엇인가? (what is being?)"라는 비판적 질문을 던졌고, 존재의 개념에 초점을 두었다. 그는 단순히 인간 경험에 대해 기술하기 보다는 일상에서 경험이 갖는 의미를 해석하고 이해하고자 하였다. 그는 삶의 경험이 본질적으로 해석적인 과정이라고 믿었으며 해석학("이해")은 인간 존재의 기본적인 특징이라고 주장했다. 해석학이란 현상에 대해 미리 이해한 상태에서 이루어지는 것이므로 연구 대상인 현상과 관련하여 우리의 경험을 완벽하게 차단하는 것은 불가능하다고 보았다. 해석적 현상학에서는 인간으로서 우리가 알고 이해하는 것이 아닌, 우리에게 어떤 의미로 해석되는지를 그대로 받아들이게 된다. 인간의 존재는 인간의 의식이나 지식보다 더 본질적인 것이다. 인간의 이해에서 가장 본질적인 것이 해석학이며, 즉 일상 세계에서 우리가 이해하는 것은 그 세계를 우리가 어떻게 해석하느냐에 달려있다고 보는 것이다.

해석학적 현상학 연구의 초점은 현상의 의미가 무엇인지 알아보는 것이며 연구자들은 해당 현상에 대해 자료수집을 하기 전에 자신의 선입견을 차단하지 않는다. 하이데거는 한 사람의 세계 내 존재를 차단하는 것이 불가능하다고 믿었다. 해석학적 현상학자들은 열린 마음으로 각각의 면담에 접근한다. 그들은 반드시 열린 마음으로 참여자가 말하는 것을 들어야 한다. 해석학적 현상학자들은 기술적 현상학자들과 같이 우선 흥미 있는 현상을 경험한 개인을 심층 면담하면서 자료를 수집한다. 그러나 정보를 모으고 분석하는데 전통적 방식을 뛰어 넘을 수 있다. 예를 들어 해석학적 현상학자들은 현상에 대한 그들의 이해를 높이기 위해 소설, 시 또는 다른 예술적인 표현을 통해 보충 텍스트를 분석하거나 연구참여자와 추가적인 대화를 통해 정보를 얻을 수 있다.

기술적 현상학과는 달리 해석학적 현상학에서는 연구자가 경험에 참여하게 되므로 연구자의 사전 지식이나 의견을 차단하지 않는다. 하이데거는 해석학적 순환을 인정하였으며, 현상의 이해와 해석이 공유된 지식과 경험을 통해 얻어진다고 하였다. 즉, 어떤 현상을 이해할수록 현상에 빠져들게 되며 현상에 빠져들수록 더 이해할 수 있게 된다는 것이다. 해석학적 현상학에서는 사전 지식이나 의견이 차단되지 않으므로 기술적 현상학에서처럼 최종 결과물을 다시 대상자에게 확인받는 과정은 요구되지 않는다.

3) 근거이론 연구

근거이론(grounded theory) 연구는 사회학자인 Glaser와 Strauss (1967)에 의해 개발된 것으로 체계적으로 수집되고 분석된 자료에 근거하여 이론을 개발하는 방법이다. 근거이론의 목적은 상징적 상호작용주의의 관점에서 사회현상을 연구하는 것이다. 검증을 통해 존재하는 이론을 확인하는 것이 아니라 경험적 자료로부터 이론을 도출해 내는 것이다(Shin et al., 2003). 근거이론에서 흔히 적용되는 방법은 다음과 같다.

- 참여 관찰(Participant observation) – 현장 작업에 해당하는 것으로 연구자들이 연구 대상의 삶과 일상에 녹아드는 것을 의미한다.
- 면담(Interviewing) – 근거이론 방법을 적용하는 연구자들은 문화나 집단의 구성원, 정보 제공자와 대화를 통해 많은 정보를 얻는다. 면담의 유형은 다양하며 구조적, 반구조적 면담을 적용한다.
- 물적 자료 모으기(Collection of artifacts and texts) – 문화나 집단으로부터 문서, 챠트, 기록지, 교육용 유인물 등과 같은 물적 자료를 통해 그들의 문화에 대한 정보를 얻는다.

BOX 6-4 해석학적 현상학 연구의 예

1) 간호학과 학생들이 환자와의 상호작용에서 일어나는 현상을 어떻게 해석하는지 알아보고자 현상학적 방법으로 연구를 계획하였다. 2학년 28명에게 환자를 배정해주고 환자와의 상호작용 과정에서 자신의 생각, 느낌, 감정을 녹음하도록 하였다. 자료는 순환적 해석과정을 거쳐 분석하였다. 분석에 앞서 간호과학, 간호, 돌봄, 간호예술 등과 관련된 문헌고찰을 통해 사전 분류를 하였다. 연구자들은 녹음자료 전체를 부호화한 후 사전에 분류한 카테고리에 따라 배정하였다. 이후 자료를 다시 읽으면서 경험 안에서 유사한 주제가 발견되는지 확인하였다. 환자와의 상호작용 경험을 간호학생들이 해석한 5개의 주제는 상호작용에 대한 두려움, 자신감이 생김, 자신을 인식함, 지식과 연결함, 환자와 연결함 등이었다.

2) 중년남성 6명의 자살시도 후 삶의 체험에 관한 본질적 의미를 발견하여 자살을 시도한 중년남성을 깊이 이해하고자 해석학적 현상학 접근법을 적용하였다.

3) 미국으로 이주한 한인 간호사 15명의 임상실무경험에 대해 해석학적 현상학 방법을 적용하여 간호사로서 경험과 관련한 의미를 기술하고 이들 경험에 대한 이해를 탐색하였다.

출처: 1) Idczak, S. E. (2007). I am a nurse: Nursing students learn the art and science of nursing. *Nurse Education Perspective, 28*(2), 66–71.
2) Chin, E. Y., & Kim, H. K. (2016). Life experience following suicide attempt among middle-aged men. *Journal of Korean Academy of Nursing, 46*(2), 215–225.
3) Seo, K. S., & Kim, M. Y. (2016). Clinical work experience of Korean immigrant nurses in U.S. hospitals. *Journal of Korean Academy of Nursing, 46*(2), 238–248.

(1) 근거이론 접근방법

근거이론 연구는 요인이나 요인의 관련성을 탐색하기 위한 연구방법으로 다른 연구방법들과 구별되는 다음과 같은 특성을 갖는다.

- 구체적으로 정의된 연구문제를 정해 놓고 시작하지 않는다. 따라서 연구의 기본 틀은 이전 연구결과를 바탕으로 하지 않고 수집된 자료로부터 이끌어낸다. 즉, 연구문제와 문제를 파악하는 과정은 수집된 자료를 근거로 파악되며 연구를 하는 동안에 구체화된다.

- 근거이론 연구에서, 자료수집, 자료분석, 대상자 표본조사는 동시에 일어난다. 근거이론 접근방법에는 지속적인 비교 분석(constant comparison)이 요구되는데 연구자들은 자료를 수집함과 동시에 분석 과정에도 참여하며, 끊임없이 자료수집과 분석 과정을 반복하게 된다. 연구자들은 자료를 수집하고, 분류하고, 나타나는 주요 현상을 기술하고, 다시 초기의 단계로 순환한다. 지속적 비교 과정은 이론적으로 관련된 개념과 분류를 개발하고 정제하기 위해 사용된다. 자료로부터 명확해진 분류는 지속적으로 이전에 얻어진 자료와 비교되며, 이러한 비교과정에서 공통 속성과 변수가 발견될 수 있다.

- 이론적 표본추출(theoretical sampling)을 이용한다. 자료수집이 진행되면서 연구는 점점 더 떠오르는 이론적 논점에 집중하게 된다. 심층 면담과 대상자 관찰은 근거이론 연구에서 흔한 자료원이지만 존재하는 문서나 다른 자료들 또한 사용될 수 있다. 수집된 자료를 분석하는 과정을 통해 연구문제에 대한 초기이론이 생성되는데, 이 초기이론에 기초하여 연구자들은 어떤 연구 대상자를 추가적으로 선택할 것인지 결정하게 된다. 이것을 이론적 표본추출이라 한다. 이론적 표본추출을 통해 얻어진 자료에 대해 진행되는 지속적 비교과정은 포화(saturation)상태, 즉 자료로부터 새로운 내용이 나오지 않고 기존에 발견했던 주제가 반복되면 중단된다. 이론적 포화에 이르는 구체적 상황은 범주에 대해 더 이상 새로운 자료가 나타나지 않고, 범주사이의 관계들이 잘 설정되고 근거가 타당하다고 확인되었을 때이다 (Shin et al., 2003).

근거이론 연구에서 자료분석 과정에 적용되는 코딩의 유형은 다음과 같다.
- 개방 코딩: 자료를 유사한 내용으로 분류함으로써 연구 대상인 현상에 대해 초기 분류를 만드는 과정
- 축 코딩: 개방 코딩을 한 후 연구자들이 초기 분류자료를 다시 재구성하면서 주제를 형성하는 과정으로 현상을 새롭게 이해할 수 있게 됨

• 선택적 코딩: 연구자들이 분류된 주제를 조직하고 통합하면서 연구 대상인 현상에 대한 이론을 구성하는 단계

BOX 6-5 근거이론 연구의 예

1) 급성기 간호상황에서 심폐소생술 과정 중 가족이 참관하는 것이 1980년대 이후 허용되었으나 아직도 가족 참관은 일관성있게 이루어지지 않고 있다. 구조주의적 근거이론방법을 적용하여 심폐소생술 중 가족참관에 미치는 영향요인을 파악하고자 하였다. 25명의 의료인, 가족, 환자에게 심층면담을 시행하고 심폐소생술 중 가족참관을 허용하거나/참여하는 경우 결정에 대한 의미를 설명하고자 하였다. 분석결과 가족참관을 허용하거나 거부하는 결정은 사회적 과정에 의해 영향을 받으며, 사회적 과정에는 선호하는 우선적 권리, 상황의 적절성 사정, 자신과 환자를 보호하기 위한 경계설정 등이 포함되는 것으로 나타났다. 공식 규정이 없는 상황에서 가족참관 허용여부는 개인의 가치, 선도도, 기존의 예상 상황 등에 의해 영향을 받는 것으로 나타났으며, 심폐소생술 과정 중 가족참관의 중요성과 유익성을 고려할 때 이에 대한 정책적 임상 가이드라인이 요구된다.

2) Park 등(2016)은 간호학 교수의 '간호사에서 교수로의 역할적응에 대한 경험'을 탐색하기 위하여 근거이론방법을 사용하였다. 임상간호사로서 6년 이상의 임상경력을 가지고 있으면서 최근 2~3년 전에 간호사에서 교수로 역할적응 경험을 한 13명의 대상자와 면담하여 얻은 자료를 분석하였다.

3) Kang과 Yun (2016)은 간호사의 직장 내 괴롭힘 경험을 심층적으로 파악하기 위하여 근거이론 방법을 적용하였다. 20명의 대상자와 포커스 그룹 면담, 개인면담을 하여 직장 내 괴롭힘 경험의 인과적 조건, 맥락, 중재, 상호작용 및 결과를 포함하는 총체적인 과정을 파악하였다.

4) Kang과 Yang (2016)은 생체 신장 공여자의 공여 후 적응 경험에 대한 의미 체계를 이해하고 기술하고자 연구를 진행하였다. 참여자의 수는 13명으로, 공여 후 6개월 이상이 경과한 성인 생체 신장 공여자로, 공여 후 어떠한 상황과 맥락에서 적응을 해나가며 관련 변수와 결과가 어떻게 상호 관련되는지를 파악하여 적응 경험에 대한 근거이론을 도출하였다.

출처: 1) Giles, T., Lacey, D., & Muir-Cochrane, E. (2016). Factors influencing decision-making around family presence during resuscitation: a grounded theory study. *Journal of Advanced Nursing*, [Epub ahead of print]

4) 기타 질적 연구

질적 연구는 엄격한 연구 전통의 관점에서 특성화되고 기술되고 있으나 특정 규율과 연관되지 않은 질적 연구도 몇 가지 제시되고 있다.

(1) 사례 연구

사례 연구는 하나 또는 소수의 독립체에 관한 심층 조사이다. 독립체는 개인, 가족, 기관, 지역

사회, 또는 다른 사회적 단위일 수 있다. 사례 연구자들은 연구 대상에 대한 역사, 발달, 또는 상황에 중요한 논점을 분석하고 이해하고자 시도한다.

질적 또는 양적 연구에서는 특정 현상이나 변수가 연구의 핵심이다. 사례 연구에서는 사례 그 자체가 핵심이다. 일반적으로 사례 연구의 초점은 대상자의 상태나 행동이 무엇인지를 기술하기보다 왜 개인이 특정한 방식으로 생각하고 행동하고 발달하는지를 이해하는 것이다. 이러한 종류의 조사 연구는 주로 상당한 기간 동안의 상세한 연구가 요구되며, 연구문제와 관련된 개인의 현재 상태뿐 아니라 과거의 경험과 상황에 대해서도 조사한다.

사례 연구의 강점은 소수를 깊이 조사할 수 있다는 점이다. 사례 연구자들은 대상자의 감정, 행동(과거와 현재), 의도, 환경에 대한 사적인 정보를 얻을 수 있는 기회를 가진다. 그러나 이러한 강점은 연구자 한 명이 주요 관찰자로서 관찰에 의존해 자료를 수집하게 되면 오히려 잠재적인 약점이 될 수도 있다. 연구자가 연구 대상인 개인이나 집단과 가까워지면 객관성을 유지하기 어려워지기 때문이다. 사례 연구의 또 다른 단점은 일반화 가능성이다. 연구자가 소수 대상자를 관찰하여 중요한 연관성을 발견하였다 하더라도, 다른 사람들에게 같은 연관성이 일어날지에 대해 예측하기는 어렵다.

BOX 6-6　　**사례 연구의 예**

1) 자폐증 환자에게 정신병이 흔히 나타나고 있음에도 임상에서는 이를 잘 인식하지 못하고 지나가는 경우가 많다. 한 연구에서 자폐증을 진단받은 16세 남자환자가 경험하는 단기 반응성 정신병에 대해 사례 연구를 통해 기술하였다. 사례 연구결과 자폐증 장애와 조현병 장애증상이 상당부분 서로 겹쳐서 나타나는 것을 알 수 있었다.

2) Moro와 동료들은(2011) 다양한 심층적 면담과 의료 기록의 자료에 근거하여, 극심한 미숙아의 삶을 지지하는 부모의 결정에 관해 심도 있는 사례 연구를 실시하였다.

3) Braathen과 동료들(2016)은 장애와 HIV를 가지고 살아가는 사람들이 받고 있는 간호의 장애요소, 촉진요소, 결과에 대해서 심도 있는 맥락적인 관점을 파악하기 위해 사례 연구방법을 사용하였다. 개인의 경험을 이해하고, 이야기에서 무엇이 독특한지 알아내는 것 뿐 아니라 개인의 이야기를 통해 더 큰 맥락에서 질문을 제기하고자 하였다.

출처: 1) Cashin, A. (2016). Autism spectrum disorder and psychosis: a case study. *Journal of Child Adolescent Psychiatric Nursing*. [Epub ahead of print].

(2) 내러티브 탐구

내러티브란 사건이나 체험에 대한 이야기를 뜻한다. 내러티브 분석(Narrative analyses)에서는 개인의 삶의 사건에 대해 스스로 어떻게 이해하는지를 파악하기 위해 이야기에 초점을 맞춘다. 개인의 체험을 탐구하는 질적 연구에서 내러티브, 즉 이야기는 형상과 방법을 모두 지칭하는 말이다. 내러티브(담화) 연구자는 사람들의 삶에 대한 이야기를 수집하고 기술한다. 내러티브 연구에서 주요 용어는 시간성(temporality), 장면(scene), 구성(plot), 인물의 성격(character) 등이 포함되어 서로 어우러지면서 담화의 경험적 특성을 만들어 낸다(Shin et al., 2003).

내러티브 분석의 근본적인 전제는 사람은 이야기를 만들고 서술함으로써 자신의 세계에 대해 가장 효과적으로 이해하고 의미를 소통한다는 것이다. 개인 내부 세계의 욕구와 외부 세계의 관찰 가능한 행동이 연결되는 특정한 사건과 상황을 이해하기 위해 이야기를 구성한다. 시간의 중심구조는 과거와 현재, 미래가 된다. 장소는 행동이 발생하고 성격이 형성되며 인물의 이야기가 구성되는 곳으로 구성의 필수요소가 된다.

| BOX 6–7 | 내러티브 분석의 예 |

1) 지적장애가 있는 자녀를 가진 이민가족이 고향을 떠나 이국땅으로 건너오기까지의 이야기에 초점을 둔 연구를 하였다. 이민가족 5팀을 선택하여 반 구조적 면담을 시행하였으며, 이민 가족이 외국에 건너와 지적장애를 가진 자녀를 위해 어떻게 도움을 요청하며 어려움을 극복해왔는지를 서술하고, 면담내용을 내러티브 분석방법으로 분석하였다.

2) Beck (2006)은 출산 트라우마를 가진 어머니 11명의 내러티브 분석을 수행하였는데 Burke의 극적 5요소(dramatistic pentad) 구조를 사용하였다. 5요소 도표(pentadic cartography)를 사용하여 대화 내용을 상황(scene), 행동(act), 목적(purpose), 행동자(agent), 수단(agency)의 영역으로 분류하였고 행동과 행동을 수행하는데 사용하는 수단 사이의 불균형이 가장 두드러졌다. 행동과 수단의 비율을 통해 어머니들의 내러티브를 살펴보니 어머니들이 경험했던 트라우마가 진통과 출산 과정에서 발생했다는 것을 발견할 수 있었다.

3) Yih와 Yi (2009)는 15명의 요실금 여성노인들이 어떻게 살아왔는지 그 생애과정을 통해 형성된 행위 패턴을 찾아내어 현재 질병행위와의 상호관련성을 밝히고자 했다. 내러티브 연구방법을 이용하여 요실금 여성노인의 생애 이야기에서 나타나고 있는 서사적 특성을 밝혀 유형화하고 각 서사 유형이 지닌 요실금 서사의 특성을 파악해봄으로써 생애사적 의미와 그에 따른 질병행위와의 상호관련성, 질병관을 파악해보고자 했다.

출처: 1) Sandhu, P., Ibrahim, J., & Chinn, D. (2016). I wanted to come here because of my child: Stories of migration told by Turkish-speaking families who have a son or daughter with intellectual disabilities. *Journal of Applied Research Intellectual Disability*. [Epub ahead of print].

3. 비평

질적 연구에서는 연구설계에 대한 결정이나 결정 과정에 대한 설명이 구체적으로 제시되지 않을 수 있으므로 질적 설계를 평가하는 것은 쉽지 않다. 질적 연구를 분석하기 위해서는 어떤 특정한 질적 전통 내에서 수행되었는지를 파악하여야 한다. 예를 들어, 문화기술지 연구를 수행하는데 현장연구에 두 달이 소요되었다고 한다면, 연구의 목적인 문화적 관점에 대한 진정한 내부적 관점을 획득하기 위해 현장에서 사용된 시간이 불충분하지 않았을까 생각해 볼 수 있다. 또한 문화기술지 또는 근거이론 연구를 위한 정보수집을 위해 면담을 통해서만 정보를 얻었다면 자료의 범위가 충분하지 않다고 판단할 수 있다. 근거이론 연구에서는 자료가 수집되고 분석하는 과정에서 지속적 비교과정이 정확하게 수행되었는지 평가하여야 한다. 현상학적 연구에서는 연구의 유형이 기술적인지 해석적인지를 우선 판단해서 연구자가 질적 연구 전통의 기본적인 주의사항을 잘 지켰는지 평가한다. 예를 들어, 기술적 현상학 연구에서 차단하기가 이루어졌는지를 살펴본다. 방법론을 비판하는 것과 더불어 현상학적 연구에서는 연구현상에 대한 의미가 잘 포착되었는지를 살펴보아야 한다. 질적 연구를 평가할 때 연구자들이 연구 전반에 하나의 질적 전통을 유지하였는지, 또는 서로 다른 질적 전통을 혼용하였는지를 확인하는 것도 중요하다. 예를 들어, 연구자가 근거이론이 사용되었다고 진술하였으나 자료수집 결과로 이론 생성 없이 현상의 묘사만 제시된 경우도 있을 수 있다.

　질적 연구의 설계에 대한 평가요소는 다음과 같다.
- 질적 연구의 전통적 연구흐름이 가지고 있는 특성을 반영하는가? 하나 이상으로 분류되는 경우 서로 어떻게 연결되는가?
- 연구질문이 질적 접근과 특정 연구방법에서 탐구하는 주제로 적합한가? 자료 출처, 연구방법, 분석 접근법이 전통적 연구방법과 일치하는가?
- 연구설계가 잘 묘사되었는가? 설계의 결정이 설명되고 정당화되었는가? 설계가 자료수집 중에 구체화되면서 연구자가 초기 정보를 사용할 수 있도록 하였는가?
- 주어진 연구질문에 적절한 설계인가? 관심 주제에 대해 체계적이고 심도깊은 탐구가 가능하도록 설계되어있는가?
- 설계에서 근거를 반영하는 것이 있었는가?
- 연구는 이데올로기적 관점에서 수행되었는가? 이 경우 이데올로기적 방법과 목표가 성취되었다는 근거가 있는가? (예, 연구자들과 대상자들 사이에 완전한 협력의 근거가 있는가? 연구는 변형을 일으킬만한 힘을 가지고 있는가? 또는 변형적 과정이 발생하는 근거가 있는가?)

참고문헌

Batch, M., & Carol, W. (2014). Nursing casualization and communication: a critical ethnography. *Journal of Advanced Nursing, 71*(4), 870−880.

Beck, C. T. (2006). Pentadic cartography: Mapping birth trauma narratives. *Qualitative Health Research, 16*(4), 453−466.

Bohm, D. (1985). *Unfolding meaning: A weekend of dialogue with David Bohm*. London: Ark Paperbacks.

Braathen, S. H., Sanudi, L., Swartz, L., Jurgens, T., Banda, H. T., & Eide, A. H. (2016). A household perspective on access to health care in the context of HIV and disability: a qualitative case study from Malawi. *BMC International Health Human Rights, 16*(12).

Chin, E. Y., & Kim, H. K. (2016). Life experience following suicide attempt among middle−aged men. *Journal of Korean Academy of Nursing, 46*(2), 215−225.

Glaser, B. G., & Strauss, A. L. (1967). *The discovery of grounded theory: Strategies for qualitative Research*. Chicago: Aldine.

Groenewald, T. (2004). A phenomenological research design illustrated. *International Journal of Qualitative Methods, 3*(1). Retrieved from http://www.ualberta.ca/~iiqm/backissues/3_1/pdf/groenewald.pdf

Heydari, A., Vafaee−Najar, A., & Bakhshi, M. (2016). Intensive care nurses' belief systems regarding the health economics: A focused ethnography. *Global Journal of Health Science, 8*(9), 529−539.

Hilton, C. (2014). Joint geriatric and old−age psychiatric wards in the U.K., 1940s−early 1990s: a historical study. *International Journal of Geriatric Psychiatry, 29*(10), 1071−1078.

Hudon, C., Loignon, C., Grabovschi, C., Bush, P., Lambert, M., Goulet, E.,... Fournier, N. (2016). Medical education for equity in health: a participatory action research involving persons living in poverty and healthcare professionals. *BMC Medical Education, 16*(1).

Idczak, S. E. (2007). I am a nurse: Nursing students learn the art and science of nursing. *Nurse Education Perspective, 28*(2), 66−71.

Jun, S. S., & Ha, S. J. (2014). Sleep disorder experience in older patients with depression. *Journal of Korean Academy of Nursing, 44*(3), 270–279.

Kang, D. H. S., & Yang, J. H. (2016). Adaptation experience of living kidney donors after donation. *Journal of Korean Academy of Nursing, 46*(2), 271–282.

Kang, J. Y., & Yun, S. Y. (2016). A grounded theory approach on nurses' experience with workplace bullying. *Journal of Korean Academy of Nursing, 46*(2), 226–237.

Kim, B. H., Kim, K. J., Park, I. S., Lee, K. J., Kim, J. K., Hong, J. J.,....Lee, H. Y. (1999). A comparison of phenomenological research methodology: Focused on Giorgi, Colaizzi, Van Kaam methods. *Journal of Korean Academy of Nursing, 29*(6), 1208–1220.

Kim, Y. S., & Kim, M. Y. (2015). The experience of fluid management in hemodialysis patients. *Journal of Korean Academy of Nursing, 45*(5), 773–782.

Lee, B. S., Eo, Y. S., & Lee, M. A. (2015). Leadership experience of clinical nurses: applying focus group interviews. *Journal of Korean Academy of Nursing, 45*(5), 671–683.

Leininger M. (1985). *Qualitative research methods in nursing* (pp. 38). Orlando, FL: Grune & Stratton.

Lincoln, Y. S., & Guba E. G. (1985). *Naturalistic inquiry*. Newbury Park, CA: Sage Publications.

Miles M. B., & Huberman A. M. (1994). *Qualitative data analysis: an expanded source book*. Thousand Oaks, CA: Sage Publications.

Moro T. T., Kavanaugh K., Savage T. A., Reyes M. R., Kimura R. E., & Bhat R. (2011). Parent decision making for life support for extremely premature infants: from the prenatal through end-of-life period. *Journal of Perinatal and Neonatal Nursing, 25*(1), 52–60.

Morse, J. M. (2004). Qualitative comparison: cppropriateness, equivalence, and fit. *Qualitative Health Research, 14*(10), 1323–1325.

Munhall, P. L. (2012). Nursing research: *A qualitative perspective* (5th ed.). London: Jones & Bartlett Learning International.

Papp, I., Markkanen, M., & von Bonsdorff, M. (2003). Clinical environment as a learning environment: student nurses' perceptions concerning clinical learning experiences. *Nurse Education Today, 23*(4), 262–268.

Park, K. O., Kim, J. K., & Yu, M. (2016). Experience of role adaptation from nurse to member of the nursing faculty. *Journal of Korean Academy of Nursing, 46*(2), 168–182.

Reiners, G. M. (2012). Understanding the differences between Husserl's (Descriptive) and Heidegger's (Interpretive) phenomenological research. *Journal of Nursing Care, 1*(5), 117–119.

Scumacher, G. (2010). Culture care meanings, beliefs, and practices in rural Dominican Republic. *Journal of Transcultural Nursing, 21*(2), 93–103.

Seo, K. S., & Kim, M. Y. (2016). Clinical work experience of Korean immigrant nurses in U. S. hospitals. *Journal of Korean Academy of Nursing, 46*(2), 238–248.

Shin, K. R., Chang, Y. J., Cho, Y. D, & Kim, N. S. (2003). *Qualitative research terminology dictionary*. Seoul: Hyunmoon.

Taylor, C., Richardson, A., & Cowley, S. (2011). Surviving cancer treatment: an investigation of the experience of fear about, and monitoring for, recurrence in patients following treatment for colorectal cancer. *European Journal of Oncology Nursing, 15*(3), 243–249.

van Mulken, M. R., McAllister, M., & Lowe, J. B. (2016). The stigmatisation of pregnancy: societal influences on pregnant women's physical activity behaviour. *Culture, Health & Sexuality, 18*(8), 921–935.

Wolf, K. M., Zoucha, R., McFarland, M., Salman, K., Dagne, A., & Hashi, N. (2016). Somali immigrant perceptions of mental health and illness: An ethnonursing study. *Journal of Transcultural Nursing, 27*(4), 349–358.

Yang, J. H., Cho, M. O., & Lee, K. Y. (2012). Patterns of health behavior for weight loss among adults using obesity clinics. *Journal of Korean Academy of Nursing, 42*(5), 759–770.

Yang, Y. K. (2014). Life experiences of Korean patients with Hansen's disease in Sorok island hospital. *Journal of Korean Academy of Nursing, 44*(6), 639–648.

Yih, B. S., & Yi, M. (2009). The life stories of elderly Korean women with urinary incontinence: a narrative study approach. *Journal of Korean Academy of Nursing, 39*(2), 237–248.

CHAPTER

비전형적 연구설계

07

비전형적 연구설계

하루에도 수백 편의 논문이 발표되는 현실 속에서 관심있는 연구중재의 성과를 종합적으로 평가한 체계적 고찰이나 메타분석 논문을 찾는다면, 연구자는 연구중재의 효과크기에 대한 근거를 확인할 뿐 아니라 보다 강력한 연구설계를 기획, 수행할 수 있을 것이다. 또한 실무자에게는 이러한 논문이 대상자에게 최상의 실무, 즉 가장 강력한 근거에 바탕을 둔 근거중심 실무를 수행할 수 있는 유용한 자원으로 활용될 것이다. 체계적 고찰이라는 용어는 메타분석이라는 용어와 서로 혼용되어 사용된다. 하지만 메타분석은 체계적 고찰이라는 방법을 이용하여 연구결과를 고찰한 후 자료를 결합하여 수량화된 효과크기를 계산하고 이에 대한 결론을 내리기 때문에, 메타분석 안에 체계적 고찰이 포함된다고 볼 수 있다. 이에 본 장에서는 메타분석의 과정을 학습한다.

I. 메타분석

체계적 고찰은 명백한 연구목적을 가지고, 명백하고 재현성있는 연구방법론을 사용하여 수행한 일차 연구논문을 중심으로 체계적 고찰에 포함할 논문 선정기준과 제외기준을 통해 선정한 연구논문들의 종합적인 평가를 말한다. 즉 일차 연구논문을 모아서 표준화되고 객관적인 방법, 즉 체계적인 방법으로 연구결과를 확인하거나 분석하는 것이다(Greenhalgh, 1997).

실험연구에 대한 체계적 고찰을 계획한다면 Joanna Briggs Institute (JBI, 근거기반연구개발센터) 또는 Cochrane Collaboration (코크란)에서 제시한 연구방법론을 따른다(Cochrane Center, 1997). 1) 연구논문에 대한 체계적 고찰의 목적을 기술하고 선정기준을 제시한다. 2) 선정기준에 적합한 연구논문을 검색한다. 3) 개별 연구논문의 특성을 명시하고 방법론의 질을 평가한다. 4)

선정기준을 적용하고 제외할 논문에 대해서는 정당한 사유를 제시한다. 5) 개별 연구논문에서 나온 자료를 수집하여 체계적 고찰에 필요한 자료셋을 만든다. 6) 포함한 연구논문에 대한 결과를 분석한다. 가능하다면 자료의 수학적 합성(메타분석)을 수행할 수 있다. 7) 다른 분석법과 비교한다. 8) 비평적인 관점으로 고찰 결과를 연구의 목적, 연구의 재료와 방법 및 연구결과로 각각 기술한다.

메타분석은 한 가지 주제에 대해 연구한 일차 연구논문의 결과를 여러 편 자료로 수집하여 수학적으로 합성하고 분석함으로써 연구 성과에 대한 효과와 효율성을 평가하는 것으로, 그 방법론이 타당하고 신뢰성을 갖추고 있어야 한다(Greenhalgh, 1997). 이런 방법론을 통해 메타분석에서는 연구의 불확실성을 검증하면서 효과크기를 이용하여 어떤 중재(치료, 또는 기술)의 효과를 정량화할 수 있고, 이를 통해 결과의 일관성을 평가할 수 있다.

1. 메타분석의 조건

메타분석을 하려면, 1) 연구 목적에 적합한 선행연구 논문을 확보한 후, 2) 해당 논문에 효과크기에 해당하는 정보(대상자 수, 평균, 표준편차, 통계량, 유의확률, 승산비 등)가 있어야 하고, 3) 해당 논문의 질 평가를 통해 양질의 논문을 포함해야 한다.

2. 메타분석의 수행

메타분석은 다음과 같은 다섯 단계에 걸쳐 수행한다.
• 연구주제 설정
• 연구자료의 포함기준 및 제외기준 설정
• 문헌 탐색 및 논문 선택
• 비뚤림 위험 평가
• 출판 비뚤림 평가
• 통계분석

본 장에서는 메타분석의 과정을 코크란 핸드북에서 제시한 메타분석의 프로토콜에 따라 설명한 후, '타이치 운동이 균형감에 미치는 효과: 메타분석' 연구논문(Song et al., 2015)을 예제로 제시하고자 한다.

1) 연구주제 설정

메타분석의 첫 단계는 연구주제를 명확히 설정하고 연구 목적과 가설들을 자세히 명시한 프로토콜을 작성하는 것이다. 연구의 목적은 구체적이고 명확해야 되며 중재의 종류, 비교집단에 관한 내용, 관심 변수 등을 포함한다. 예를 들면, 노인의 균형감 증진을 위한 운동의 효과에 관심이 있고, 이 중 타이치 운동에 관심이 있다면, 연구의 목적은 노인에게 시행한 타이치 운동이 균형감에 미치는 효과를 검정하는 것이 된다.

코크란 가이드라인에서는 이와 같이 임상적 문제를 구조적인 질문의 형태로 전환하여 연구의 개념적 틀을 구축하기 위해 다음의 PICO 기준에 기초한 핵심질문 설정을 추천하고 있다(Higgins & Green, 2008): Population (어떤 집단에 대해 연구할 것인가?) / Intervention 또는 exposure (어떤 중재에 대한 연구를 하려고 하는가?) / Comparison (어떤 비교대상을 사용해 해당 중재가 더 좋은 결과를 제공한다는 것을 보이고자 하는가?) / Outcomes (해당 중재의 효과로 무엇을 보고자 하는가?).

BOX 7-1

Song et al. (2015) 연구에서 사용한 PICO 기준을 살펴보면, P에는 노인집단(하위집단: 낙상위험이 적은 건강한 노인집단과 낙상위험이 높은 만성질환을 가진 노인집단별), I에는 타이치 운동(하위집단: 운동 시간별 및 운동중재 기간별), C에는 대조군(하위집단: 다른 운동군 또는 일상생활군), O에는 균형감(하위집단: 균형감 유형별) 변수이다.

---

2) 연구자료의 포함기준 및 제외기준 설정

연구주제에 합당한 연구들을 검색하기 위해서는 먼저 연구자료 선정기준을 구체적이고 명확하게 정해야 한다. 여기에는 주로 연구설계의 형태(주로 무작위시험설계(randomized controlled trial [RCT])로 한정 또는 비무작위시험설계(non-RCT) 포함), 대상자군의 특성(예: 연령, 성별, 건강 상태 등), 자료의 출판형태(예: 출판된 논문으로 한정, 초록집에 출판된 자료 포함, 미출간 학위논문자료 포함 등), 사용된 언어(예: 영어가 아닌 다른 언어로 출판된 연구를 포함), 그리고 연구기간(예: 최근 5년 또는 10년) 등이 포함된다.

제외기준 역시 명확하게 제시할 필요가 있다. 예를 들면 연구 포함기준에 무작위시험설계로만 제한을 한다면 비무작위시험설계를 수행한 실험연구, 비실험연구(조사연구, 고찰, 임상사례보고서, 질적 연구)를 제외기준으로 명시하고, 타이치운동중재 연구중에서 결과변수로 균형감을 측정하지 않은 연구는 제외한다는 설명이 필요하다.

Song et al. (2015) 연구에서 설정한 포함 기준은 (1) 출간 연도에 상관없이 전문가심사를 통해 영문으로 출간된 논문, (2) 타이치 운동(기공 포함여부는 무관)을 8주 이상 시행한 논문, (3) 무작위시험설계(RCT)를 이용한 연구 논문이다.

3) 문헌 검색을 통한 연구대상 논문 찾기

연구주제에 관한 답을 찾기 위해서는 주제와 관련이 있는 연구를 가능한 한 많이 찾아내는 것이 중요하며, 설정된 포함기준에 해당하는 연구들을 모두 찾아내도록 노력해야 한다. 국외 논문을 검색하기 위해서는 국외 검색 데이터베이스에서 검색을 수행한다. 주로 Cochrane Library, PubMed/MEDLINE, EMBASE, CINAHL (Nursing and Allied Health Literature), PsycInfo, ProQuest Central, Science Direct, Scopus 등 보건의료 전문분야의 데이터베이스를 사용해 전문가 심사과정을 거친 논문(peer-reviewed journal)을 찾는다. 국내 논문을 포함하기 위해서는 국내 데이터베이스에서도 검색을 수행해야 한다. 주로 KISS (한국학술정보), NDSL (국가과학기술정보센터), 국립중앙도서관, dBpia, KoreaMed, KMbase, KiSTi (한국과학기술정보연구원) 등을 이용한다. 또한 주요 검색 데이터베이스 이외의 데이터베이스 및 데이터베이스 이외의 출처에서도 검색을 시도하여 다른 정보원에서 논문을 추가할 수 있다. 검색 전략에는 데이터베이스별로 주요어를 입력하여 검색을 수행한다. PubMed/MEDLINE, Cochrane library, PsycInfo 데이터베이스에서는 Medical Subject Heading (MeSH)을 이용한다. MeSH는 미국의학도서관에서 색인을 위해 구축한 계층적인 용어구조이다. 반면 EMBASE에서는 EMTREE라는 용어구조를, CINAHL에서는 CINAHL Heading을 제공한다.

Song et al. (2015) 연구에서는 PubMed/MEDLINE, CINAHL, ProQuest Central, Science Direct, Scopus, Cochrane Library에서 연구논문을 검색하였다.

또한 문헌탐색 시 사용한 특정 탐색어들은 연구 논문에 제시해야 한다. 효과적인 문헌탐색을 위해서는 아래의 전략들을 단계적으로 사용하는 것이 좋다. 위 연구에서 검색 전략으로 사용한 논문 주요어 검색의 예를 BOX 7-4에 제시하였다.

BOX 7-4	논문 주요어 검색의 예

Source	PubMed
#1	Tai Ji는 MeSH에서 검색되는 주요어이다. 유사 검색어로 Tai-ji; Tai Chi; Chi, Tai; Tai Ji Quan; Quan, Tai Ji; Taiji; Taijiquan; T'ai Chi; Tai Chi Chuan 으로도 검색한다.
검색어	Tai Ji[tiab] OR Tai-ji[tiab] OR Tai Chi[tiab] OR Chi, Tai[tiab] OR Tai Ji Quan[tiab] OR Quan, Tai Ji[tiab] OR Taiji[tiab] OR Taijiquan[tiab] OR T'ai Chi[tiab] OR Tai Chi Chuan[tiab]
#2	postural balance는 MeSH에서 검색되는 주요어이다. 유사 검색어로 balance; stability; equilibrium 으로도 검색한다.
검색어	postural balance[tiab] OR balance[tiab] OR stability[tiab] OR equilibrium[tiab]
#3	randomized controlled trial (RCT) 또는 randomized clinical trial을 주요 검색어로 이용한다.
검색어	randomized controlled trial (RCT)[publication type] OR randomized[tiab] clinical trial[tiab]
#4	#1 AND #2 AND #3

출처: Song, R., Ahn, S., So, H., Lee, E-H., Chung, Y., & Park, M. Effects of t'ai chi on balance: A population-based meta-analysis. *Journal of Alternative Complementary Medicine, 21*(3), 141-151.

4) 문헌선택 흐름도

문헌선택의 과정은 PRISMA 흐름도 기준에 맞추어 제시한다. 문헌선택 흐름도에 따르면, 검색단계에서는 데이터베이스 검색을 통해 확인된 문헌 수와 다른 정보원에서 확인된 추가 문헌 수, 중복제거후 남은 문헌 수를 기록한다. 선별단계에서는 선별대상 문헌 수와 배제된 문헌 수를 기록한다. 선정단계에서는 선정대상 원문 수와 배제된 원문 수와 그 이유를 기록한다. 포함단계에서는 질적 합성에 포함된 연구 수와 양적 합성(메타분석)에 포함된 연구 수를 기록한다. 이는 논문 투고시 그림 파일로 작성하여 제출한다(BOX 7-5).

5) 비뚤림 위험 평가

메타분석에서 연구의 질에 대한 평가는 포함기준에 따라 선정된 논문들에 대해 타당도를 평가하는 것을 의미한다. 비뚤림 평가는 흔히 문헌의 질 평가로 알려져 왔는데 질 평가는 연구의 수준을 평가하는 것이기 때문에 비뚤림 위험(risk of bias) 평가로 명확히 표현하길 권고한다(NECA, 2011). 비뚤림은 체계적 오류이고, 비뚤림 위험은 비뚤림이 발생할 위험 정도를 의미한다. 연구설계 별로 비뚤림 위험을 평가하는 도구를 사용하여 평가한다. 무작위시험연구에서는 Scottish Intercollegiate

BOX 7-5

Song et al. (2015) 연구에서는 연구문헌의 선택과정을 다음과 같이 제시하였다.

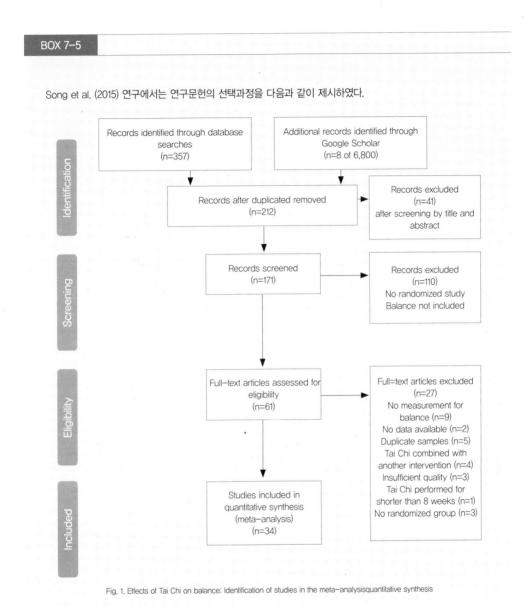

Fig. 1. Effects of Tai Chi on balance: Identification of studies in the meta-analysisquantitative synthesis

출처: Song, R., Ahn, S., So, H., Lee, E-H., Chung, Y., & Park, M. Effects of t'ai chi on balance: A population-based meta-analysis. *Journal of Alternative Complementary Medicine, 21*(3), 141-151.

Guidelines Network (SIGN)이 개발한 checklist 또는 코크란그룹이 제시한 Risk of Bias (RoB) 도구를, 비무작위 연구 평가에서는 Risk of Bias Assessment tool for Non-randomized Study

(RoBANS) 도구 사용을 추천한다(NECA, 2011).

SIGN이 개발한 도구에서는 내적 타당도를 위협하는 항목 10개와 전반적인 연구의 평가항목 4개로 구성된다. 구체적인 내용은 다음 링크를 접속하여 확인한다(Website at http://sign.ac.uk/methodology/checklists.html). 코크란그룹이 개발한 RoB 도구의 항목에서, 선택 비뚤림(selection bias) 항목에서 무작위 배정순서 생성, 배정순서 은폐에 대해 평가하고, 실행 비뚤림(performance bias) 항목에서는 연구참여자, 연구자에 대한 눈가림, 타당도를 위협하는 다른 잠재적 비뚤림에 대해 평가한다. 결과확인 비뚤림(detection bias)에서는 결과 평가자에 대한 눈가림, 타당도를 위협하는 다른 잠재적 비뚤림에 대해 평가하고, 탈락 비뚤림(attrition bias)에서는 불완전한 결과보고에 대해, 보고 비뚤림(reporting bias)에서는 선택적 결과 보고를 평가한다(NECA, 2011). 평가는 각 항목에 대해 비뚤림 위험이 높음, 낮음, 불확실로 구분한다. 구체적인 내용은 코크란 핸드북 8장 비뚤림 위험 평가에서 또는 다음 링크를 접속하여 확인한다(Website at http://handbook.cochrane.org/chapter_8/table_8_5_a_the_cochrane_collaborations_tool_for_assessing.htm).

연구자료를 추출할 때나 비뚤림 위험 평가를 수행할 때에는 정확성과 객관성을 유지하기 위해 두 명 또는 세 명의 연구자가 각각 독립적으로 실시해야 한다. 또한 평가결과에 대한 평가자들 간의 일치도를 계산해야 하고(예: 카파 통계량), 불일치 결과가 발생했을 때는 어떻게 해결했는지에 대해서도 기록해야 한다.

BOX 7-6

Song et al. (2015) 연구에서는 2인 1조로 구성한 3개 연구팀은 분석대상 논문이 RCT의 연구 조건 즉 처치의 배정 은폐, 무작위 배정, 무작위화 실시 여부, 배정 은폐에 관한 언급 여부, 이중눈가림 실시 여부, 연구철회 및 탈락에 대한 언급 여부, 그리고 적절한 통계분석 사용 여부 등에 대한 조건을 충족하였는가 평가하기 위해서, 선정기준에 포함된 61편의 논문 전문을 조별로 20~21개 논문을 나누어 배정하였다. 조별 연구원은 모든 논문을 질 평가 도구를 이용하여 평가하였다. 질 평가 도구는 수정된 Scottish Intercollegiate Guidelines Network의 RCT 방법 체크리스트를 이용하였고, 조별 모임을 통해 개인별 평가결과를 논의하여 분석대상에 적절한 논문을 선정하였다.

---

6) 출판 비뚤림

출판 비뚤림(publication bias)이란 저널 편집자들이 통계적으로 유의한 연구를 통계적으로 유의하지 않은 연구보다 선호하기 때문에, 연구자는 유의한 연구성과를 학회지에 투고하여 출간의 기회를 얻는다. 따라서 실제 메타분석을 하기 위해 문헌을 검색하면, 유의한 결과를 보고한 연구들이 주로 검색 데이터베이스를 통해 찾아지기 때문에 결과적으로 유의한 효과크기가 있는 것으로 비뚤린 결과를 보고하게 된다(Simes, 1987).

출판 비뚤림의 존재 여부를 확인하기 위해 깔때기 그림(funnel plot), 다듬기와 채우기 방식(trim and fill method) (〈10% 또는 fail-safe numbers (Orwin method; trivial effect=0.20, missing study effect)를 평가한다(Egger, Davey Smith, Schneider, & Minder, 1997). 깔때기 그림이란 x-축에는 각 연구에서 추정된 처리효과(예를 들면 OR)를, y-축에는 해당 연구의 정밀성을 나타내는 척도(예를 들면 표본 수나 OR의 표준오차 등)를 사용해 산점도를 그린 것이다[보통의 경우는 x-축 척도의 대칭성을 위해 로그변환한 값들을 사용한다]. '깔때기 그림'의 명칭은 연구의 표본수가 커지면 커질수록 실제 효과에 대한 추정이 더 정밀하게 되는 점을 반영해 붙인 이름이다.

즉, 만일 메타분석 결과에 출판 비뚤림이 개입되지 않았다면, 소규모 연구들은 연구의 정밀성이 낮기 때문에 이 연구들의 처리효과 추정치들 간에는 변동 폭이 심할 것이고 따라서 해당 점들은 산점도의 아래 부분에 좌우로 넓게 퍼지게 된다. 반면, 대규모 연구들은 정밀성이 높은 연구들이라서 서로 비슷한 크기의 처리효과 추정치들을 제공할 것이고 해당 점들 또한 산점도의 윗부분에 서로

BOX 7-7

폐경기 여성을 대상으로 뇌손상 예후를 메타분석 연구에서는 폐경전기 여성을 대상으로 한 연구자료에서 출판 비뚤림 정도를 확인하기 위하여 깔때기 그림(왼쪽)을 그렸다. 깔때기 그림에서 비대칭 모양의 분포가 나타나면 출판 비뚤림을 의심하나, 아래 그림에서는 대칭 분포를 나타내고 있다. 다듬기와 채우기 방식으로 보정한 이후 시행한 깔때기 그림(오른쪽)에서도 대칭 분포를 보였기에 출판 비뚤림은 없다고 볼 수 있다.

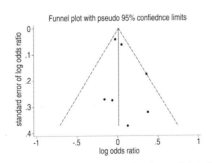

Fig. 4. Funnel plot of premenopausal aged group. Substantial asymmetry was not seen.

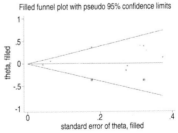

Fig. 5. Funnel plot after Trim and Fill method of pre-menopausal aged group. Open square means missing counterpart study and replaces the omitted study. Theta means log odds ratio.

출처: Byun, H. S., Choi, H. S., Choi, H. S., Hong, H. P., Ko, Y. G., Lim, S. G., Kim, S. C., & Kim, D. P. (2011). Effect of gender on moderate to severe traumatic brain injury: A meta-analysis and systematic review. *Journal of the Korean Society of Emergency Medicine, 22*(3), 206-216.

모여 있게 되어, 결과적으로 점들이 대칭적이면서 뒤집어진 형태의 깔때기 모양으로 표현될 것이다. 만일 출판 비뚤림이 존재하는 경우라면 깔때기 그림의 점들은 어느 한 쪽으로 치우치게 되어 비대칭적인 형태의 산점도가 그려지게 되는데, 주로 그림의 왼쪽 아랫부분에 빈 공간이 생기게 된다. 왜냐하면 이 부분은 바로 정밀성이 낮으면서 실험효과의 크기가 작은 연구들에 해당하는 점들이 위치하는 부분인데, 실험효과의 크기가 작은 경우 너무 적은 표본수를 사용한 연구에서 유의하지 않은 결과를 보였을 것이고, 따라서 해당 연구결과는 출간이 되지 않았을 가능성이 높아 메타분석을 위한 문헌탐색에서도 발견되지 않았을 것이기 때문이다(Lee, 2008).

7) 통계분석

메타분석을 수행하기 위한 프로그램에는 코크란 협력단체에서 무료로 제공하는 RevMan (Review Manager: RevMan 5.3) 프로그램, 사용료를 지불하는 메타분석 전문 프로그램인 Comprehensive Meta-Analysis (CMA) Software (Version 3.0), 그리고 상용 통계분석 전문 소프트웨어이면서 고급화된 메타분석 수행이 가능한 STATA (Version 14.0) 등이 있다.

우선 최종 분석대상 논문에서 분석에 필요한 자료를 추출한다. 연구자는 연구목적을 달성하기 위해 자료추출 조사지를 이용하여 연구 저자(연도), 연구 대상자의 특성(연령, 성별, 질병 특성 등), 실험군과 대조군의 참여자 수, 중재결과의 측정 도구, 중재의 종류(시간, 횟수, 기간 등), 대조군의 특성(다른 운동 또는 일상생활/일반 관리), 연구 기간, 일차 결과변수 및 이차 결과변수에 대한 정보를 기록한다.

이때 추출되는 자료들은 동일한 척도(예를 들면, 평균과 표준편차, 또는 승산비 등)로 평가한 자료이어야 한다. 왜냐하면 결과변수의 자료는 이분형 자료, 순서형 자료, 연속형 자료 및 생존형 자료로 다양할 수 있기 때문에, 이들과 관련된 요약 통계량의 유형을 세부적으로 검토하여 어떤 요약 통계량으로 산출할지 결정한다.

다음 단계는 적절한 통계적 방법을 사용해 연구결과들을 결합하는 작업이다. 연구마다 실험군과 대조군 별 결과 변수의 값을 대상자 수와 함께 정리한 후 표본 수에 근거한 가중평균을 사용하여 중재군과 대조군간 중재효과 차이를 효과크기로 계산한다. 이후 모든 연구의 효과크기를 결합하여 총 효과크기를 계산한다.

결합효과 및 해당 신뢰구간을 추정하고 결합효과에 대한 가설검정을 실시하기 위해 통계 모형을 결정한다. 고정효과모형으로 메타분석을 시행하여 평균 효과 추정치를 산출할 것인가, 변량효과모형으로 일반화 가능성을 고려한 효과 추정치를 검토할지 결정한다. 다음은 고정효과모형과 변량효과모형에 대한 설명이다.

(1) 고정효과모형(Fixed-effects Model)

고정효과모형은 각 연구가 가정한 실제 효과크기가 고정되어 있을 것이라 가정한다. 즉 각 연구는 동일한 모집단에서 얻어졌다는 동질성을 가정하고, 실제 연구에서의 중재효과는 같은데 연구결과가 서로 다르게 나타난 이유는 표본추출에서 생기는 표본 간의 변동으로 인한 오차 때문이라고 가정하는 모형이다. 따라서 이 모형은 각 연구들의 중재효과들 간에 보이는 변동의 크기가 단순한 표본추출오차에 기인한 정도라고 믿어지는 경우, 즉, 각 연구들의 연구설계나 방법론 등이 서로 유사한 경우에 사용되는 모형이다.

(2) 변량효과모형(Random-effects Model)

변량효과모형은 각 연구에서 보고자 했던 실제 효과크기가 고정되어 있지 않다는 것을 전제하고, 즉 효과크기가 각각 다르다고 가정하는 모형이다. 이는 일명 DerSimonian과 Laird (1986)가 제시한 DerSimonian and Laird method라고 불리며 메타분석에서 널리 사용된다. 각 연구설계는 서로 다른 특성을 가지고 있기 때문에(예를 들면 각 연구에서 사용된 연구 모집단, 지역, 또는 중재의 강도 등이 다르기 때문에) 이들 메타분석에 포함되는 연구들이 동질성을 갖고 있지 않다는 것이다. 만일 연구들 간에 이질성이 전혀 없다면 변량효과모형은 고정효과모형과 동일한 결과를 제공한다.

BOX 7-8

폐경 후 여성을 대상으로 뇌손상 예후를 메타분석한 연구(Byun et al., 2011)에서 고정효과모델 대비 변량효과모델로 그 효과를 검정하였다. 검정결과 표 5에서 고정효과모델에서 교차비에 대한 결합추정치는 0.807(95% CI 0.756~0.861), 변량효과모델에서는 1.237(95% CI 0.895~1.712)로 나타났다. 통계적 이질성을 평가한 결과 Cochrane Q값은 44.72($p<.001$), Higgins의 I^2 값은 86.6%로 각 논문의 자료 간 이질성이 심해 변량효과모형을 적용한 교차비 1.237을 보고하였다($p=0.198$).

Table 5. Meta-analysis of postmenopausal aged group

Method	Pooled estimate	95% CI*		Asymptotic		Number of studies
		lower	upper	z value	p value	
Fixed effect	0.807	0.756	0.861	−6.484	0.000	7
Random effect	1.237	0.895	1.712	−1.287	0.198	

Test for heterogeneity: Q=44.724 on 6 degrees of freedom (p<0.001)
Higgins I2=86.6%
*CI: Confidence Interval

출처: Byun, H. S., Choi, H. S., Hong, H. P., Ko, Y. G., Lim, S. G., Kim, S. C., & Kim, D. P. (2011). Effect of gender on moderate to severe traumatic brain injury: A meta-analysis and systematic review. *Journal of the Korean Society of Emergency Medicine, 22*(3), 206-216.

하지만 연구들 간에 이질성이 존재한다면 변량효과모형은 고정효과모형에 비해 연구들 간에 더 많은 변동을 인정하기 때문에, 결합추정치에 대해서 더 넓은 신뢰구간을 제공한다. 또한 변량효과모형은 자료결합 시 고정효과모형에 비해, 소규모 연구에 상대적으로 더 많은 가중치를 부여한다(Lee, 2008).

(3) 통계적 이질성 평가(statistical heterogeneity)

자료형태 및 요약 통계량, 모형을 선정하여 분석을 수행한 후 산출된 결과에 대해 통계적 이질성이 있는가 평가한다. 연구들 간의 통계적 이질성이란 각 연구결과에 관한 요약 자료(처리효과에 대한 측정값 및 해당 신뢰구간)의 크기들이 통계적으로 서로 다른 것을 의미한다. 결합처리효과에 대한 고정효과모형의 결과와 변량효과모형의 결과가 서로 같다면 연구들 간에는 통계적으로 유의한 이질성이 존재하지 않음을 의미한다. 그러나 만일 연구들 간에 통계적인 이질성이 많이 존재한다면 두 모형의 메타분석 결과는 상당한 차이를 보이게 된다. 이런 경우에는 더 보수적인 결과, 즉, 일반적으로 변량효과모형에 의한 분석결과를 제시해야 된다.

연구결과들 간의 통계적 이질성 존재여부에 관한 평가는 숲그림(forest plot)에 포함된 일차 연구들의 신뢰구간의 겹침 정도 등을 시각적으로 평가하는 방법과 통계적 검정 및 이질성 측정치를 고려하는 방법으로 시행한다(Park, 2014). 통계적 검정에는 카이제곱 검정이 일반적인 방법으로 사용되며, 이때의 Cochrane의 Q-검정(Sutton, Abrams, Jones, Sheldon, & Song, 2000; Cochrane, 1954)은 통계적 검정을 통한 p값을 제시해 주긴 하지만 이때 귀무가설은 '연구결과들이 동질적이다'라는 것이며, p값이 낮으면 연구들 간에 통계적인 이질성이 존재한다는 의미이다. 그러나 Q-검정에 사용하는 연구 편수가 적기 때문에 실제 차이를 발견할 수 있는 검정력이 낮아지는 점을 감안하여야 한다. 따라서 통계적 유의수준은 일반적으로 사용하는 0.05를 사용하기 보다는 유의수준 0.1로 사용할 것을 권고한다(Fleiss, 1986). Higgins의 I^2-통계량(Higgins, Thompson, Deeks, & Altman, 2002; Higgins, Thompson, Deeks, & Altman, 2003)은 연구의 수나 결과변수의 형태 또는 중재효과의 종류(예를 들면 OR) 등에 영향을 받지 않도록 만든 지표로, 연구들 간의 이질성 정도가 메타분석 결과에 미치는 영향력의 크기를 정량화해 주는 척도이다. 즉 이질성에 대한 통계량은 효과 추정치에서의 변이성에 대한 퍼센트로 표현하는데, 50% 이상이면 실제적인 이질성이 있는 것으로 평가한다. 이 값에 대한 평가 기준으로는 $I^2 < 25\%$이면 통계적 이질성이 낮은 것으로, $25\% < I^2 < 75\%$이면 중간 정도의 이질성이 있는 것으로, 그리고 $I^2 > 75\%$이면 이질성 정도가 심한 것으로 간주하며, 모형 선택 시의 기준 값으로는 $I^2 = 50\%$가 주로 이용된다(Lee, 2008).

Box 7–9

숲그림에서는 폐경 후 여성의 사망에 대한 교차비와 결합추정치를 그림으로 나타내었다.

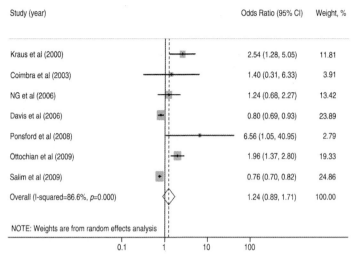

Fig. 3. Forest plot of postmenopausal aged group performed according to random effect model. Odds ratio less than 1 represents better results of female mortality than that of male.

출처: Byun, H. S., Choi, H. S., Hong, H. P., Ko, Y. G., Lim, S. G., Kim, S. C., & Kim, D. P. (2011). Effect of gender on moderate to severe traumatic brain injury: A meta-analysis and systematic review. *Journal of the Korean Society of Emergency Medicine, 22*(3), 206–216.

BOX 7–10

Song et al. (2015) 연구에서 낙상 저위험군에서 정적 균형에 대한 타이치 운동의 효과를 평가할 때 단기(3개월 이내) 중재 효과를 평가한 자료셋에서 Q=54.44, *p*<.001이고 I²=87.1%로 계산되었고, 장기(6개월) 중재 자료의 경우 Q=24.44, *p*=.011로 나타났고 I²=55.0%였다. 이는 위 연구자료들이 통계적으로 이질성이 있음을 의미한다. 이에 위 자료는 고정효과모델 대신 변량효과모델을 사용하여 분석결과를 제시하였다.

(4) 부집단 분석

부집단 분석은 환자군의 특성, 중재의 특성, 측정 변수의 특성에 따라 대상 연구들을 동질적인 세 부집단으로 분류해서 분석하는 것이다. 부집단 분석의 목적은 연구들 간의 통계적인 이질성이 임상적인 이질성(clinical heterogeneity)- 예를 들면, 연구들 간 환자 포함기준, 환자들의 기저질환 정도, 연령대 및 성별, 진단기준, 강도(약물의 용량, 중재의 횟수) 또는 기간(약물투여기간, 중재수행기간), 중재의 종류(약물, 운동, 교육 등), 결과변수에 대한 정의, 추적기간, 연구 지역 및 연구 상황 등의 차이 여부-이나 방법론적인 이질성(methodological heterogeneity) - 예를 들면, 연구중재 기간을 단기 중재 대비 장기 중재로 구분, 대상자의 건강특성에 따라 낙상 저위험군 대비 고위험군, 결과변수의 분류(균형감을 정적 균형, 동적 균형, 혼합 측정한 균형) 등에 따라 차이가 있는가 평가 하기 위함이다. 그러나 부집단 분석은 사용되는 연구의 수가 더 작아져 검정력이 굉장히 낮아지기 때문에 해석에 더욱 주의를 기울여야 한다(Lee, 2008).

(5) 민감도 분석
민감도 분석은 메타분석 연구결과의 강건함(robustness)을 조사하기 위해 수행하는 분석방법이다. 추정치가 강건하다는 것은 메타분석의 결과에 신뢰도가 높다는 것이다. 그러나 메타분석 결과가 포함된 특정 논문의 질에 따라 분석결과가 달라질 수 있기 때문에, 특정 논문을 포함 또는 배제시켜 분석한 후 그 결과의 차이를 비교할 필요가 있다. 서로 다른 분석결과가 나올 경우 질 높은 연구의 통합 추정치에 초점을 두고 결론을 내릴 수 있다. 이 때 차이가 나온 연구의 포함여부에 따른 연구 결과를 보고하면서 그 차이에 대해 논의할 수 있다(NECA, 2011).

3. 메타분석 결과의 제시
메타분석 연구를 실시할 때 무엇보다도 중요한 것은 모든 분석과정을 투명하게 제시하고, 연구들의 포함기준과 제외기준을 명확히 기록하는 것이다. 또한 이 선택기준들을 적용한 문헌탐색 대상 자료 원과 사용된 탐색 전략들을 명시하여야 하고, 선택된 연구들의 질을 평가하는데 사용된 기준들에 대해서도 자세히 기술하여야 한다. 이렇게 하는 이유는 연구자가 논문을 선택하는 과정 중에 본인 의 의도와는 상관없이 발생될 수도 있는 bias들을 투명하게 밝혀서 독자들로 하여금 해당 메타분 석의 결과에 기초한 근거의 한계들, 이러한 한계들을 극복하기 위한 노력, 그리고 해당 결과로부터 유도된 추론의 신뢰성 등을 평가할 수 있도록 하기 위해서이다.

논문을 작성할 때에는 RCT를 대상으로 한 메타분석의 경우, 연구의 질을 향상시키고 그 기준을 제시하기 위해 개발된, QUOROM 지침(The QUOROM group; Moher et al., 1999)을, 그리고 관 찰연구를 대상으로 한 메타분석의 경우에는 MOOSE 지침(The MOOSE group; Stroup et al., 2000)을 준수하는 것이 좋다.

BOX 7-11은 예제 연구에서 보고한 메타분석 결과표이다. 대상자를 낙상 저위험군과 고위험군 으로 분류하고, 균형감 유형에 따라 중재 기간을 단기 중재(3개월)와 장기 중재(6개월)로 분류하였 다. 이에 해당하는 연구 자료를 결합하여 타이치 운동군과 대조군의 대상자 수, 효과크기, 95% 신뢰구간과 유의성을 제시하였다. 자료의 동질성을 확인하기 위해 Q 통계량과 I^2값을 보고하였다. 출판 비뚤림을 평가하기 위하여 깔대기 그림(funnel plot)의 대칭성 여부와 다듬기와 채우기 방식(trim and fill method)에서 10% 미만인지 보고하였다.

분석결과, 낙상 저위험군에서 정적 균형에 대한 타이치 운동의 효과를 평가할 때 연구자료들의 통계적 동질성이 보장되지 않았기 때문에(단기중재 자료: Q=54.44, $p<$.001; I^2=87.1; 장기중재 자료: Q=24.44, $p=$.011; I^2=55.0) 본 연구에서는 고정효과모델 대신 변량효과모델을 이용하여 효과크기의 유의성을 검정하였다. 단기 중재시 타이치 운동이 균형감에 미치는 효과는 ES=0.73($p=$.002)으로 중간 효과크기를, 장기 중재시 효과는 ES=0.33($p<$.001)으로 작은 효과크기를 보고하였다. 혼합 측정한 균형감에 대해서는 통계적 동질성이 보장되었기에(단기중재 자료: Q=2.08, $p=$.149; I^2=52.0; 장기중재 자료: Q=0.07, $p=$.792; I^2=0) 고정효과모델을 이용하여 효과크기의 유의성을 검정하였다. 단기 중재시 타이치 운동이 균형감에 미치는 효과는 ES=0.45($p<$.001)로 중간 효과크기를, 장기 중재시 효과는 ES=0.83($p<$.001)으로 큰 효과크기를 보고하였다.

출판 비뚤림에 대한 평가는 깔대기 그림(funnel plot)의 경우 비대칭을 나타내었고, 다듬기와 채우기 방식(trim and fill method)에서도 평가기준 <10%를 모두 넘어서고 있어 출판 비뚤림이 있음을 확인할 수 있었다.

BOX 7-11 메타분석 결과

Table 3. Population-based effect size on other balance measurements

Population	Balance measure	Duration (months)	n	Sample size		ES	95% CI	Z (p)	Q (p)	I^2	Publication bias				
				Tai Chi	Control						Nfs	Funnel plot	Trim and fill		
													Fill (n)	Adjusted value	Change in value (%)
Low fall risk	Static	3	8	407	387	0.73ᵃ	0.27-1.19	3.12 (0.002)	54.44 ((0.001)	87.1		AS	1	0.91	24.7
		6	12	761	745	0.33ᵃ	0.16-0.51	3.69 ((0.001)	24.44 (0.011)	55.0		AS	2	0.39	17.4
	Dynamic	3	7	275	281	0.52ᵃ	0.23-0.82	3.45 (0.001)	13.90 (0.031)	56.8		AS	3	0.29	43.9
		6	5	231	248	0.66ᵃ	-0.00 to 1.32	1.95 (0.050)	35.57 ((0.001)	88.7		AS	1	0.86	31.2
	Mixed	3	2	150	159	0.45	0.22-0.67	3.87 ((0.001)	2.08 (0.149)	52.0					
		6	2	150	159	0.83	0.60-1.06	6.99 ((0.001)	0.07 (0.792)	0					
	Direct	3	4	93	76	0.47	0.16-0.79	2.93 (0.003)	3.74 (0.291)	19.8	6	AS	1	0.35	25.6
		6	7	166	153	0.64ᵃ	0.07-1.21	2.20 (0.028)	33.91 ((0.001)	82.3		AS	2	0.92	44.3
High fall risk	Static	3	5	117	110	0.47	0.21-.74	3.48 (0.001)	5.62 (0.229)	24.8	7	AS	2	0.28	41.8
		6	3	132	128	0.46ᵃ	-0.00 to 0.92	1.94 (0.052)	6.12 (0.047)	64.3		S			
	Dynamic	3	3	85	81	0.62	-0.15 to 1.39	1.58 (0.113)	8.16 (0.017)	75.5		S			
		6	4	544	561	0.10	-0.02 to 0.22	1.70 (0.088)	1.96 (0.579)	0		AS	1	0.13	30.3
	Mixed	3	4	184	176	0.44ᵃ	-0.12 to 1.00	1.55 (0.121)	10.86 (0.012)	72.3		S			
		6	2	113	115	0.09	-0.17 to 0.35	0.67 (0.500)	0.01 (0.950)	0					
	Direct	3	3	80	75	0.33	0.02-0.65	2.05 (0.040)	2.25 (0.325)	11.1	3	S			
		6	1	21	19	0.83	1.18-1.49	2.48 (0.013)							

ᵃ Meta-analysis based on random-effect model

Note: 95% CI = 95% confidence, AS = asymmetric, ES = effect size, Nfs = fail-safe number, S = symmetric.

출처: Song, R., Ahn, S., So, H., Lee, E-H., Chung, Y., & Park, M. Effects of t'ai chi on balance: A population-based meta-analysis. *Journal of Alternative Complementary Medicine, 21*(3), 141-151.

4. 비평

메타분석은 상당수의 RCT 논문이 출간되었다는 전제 하에, 연구주제를 탐구한 개별 연구논문의 근거들을 결합하여 중재 또는 처치에 대한 결과변수의 효과크기를 평가할 수 있기 때문에 매우 매력적인 연구방법이라 할 수 있다. 그러나 메타분석에 대한 비판은 근본적으로 자료가 각기 다른 연구들로부터 모아졌을 때에는 통계적인 방법을 실시해도 연구들 간 차이가 완전히 보정되지 못한다는 것이다. 이들 비판들 중 가장 주된 것은 메타분석 결과에는 여러 종류의 bias(예: selection bias, identification bias, language bias, citation bias, publication bias, time-lag bias, database bias, multiple publication bias 등)가 동시에 존재할 수 있다는 점이다(Lee, 2008). 따라서 메타분석에 포함된 연구들은 내적 타당도(internal validity)와 관련된 문제점이 있는가를 확인하기 위해 연구의 질 평가를 수행하고 질 높은 연구만을 포함하는게 바람직하다.

또 다른 비판은 부적절한 메타분석의 수행이다. 해당 주제에 대한 지식이나 이론적 배경 없이 연구자료를 무분별하게 결합하여 메타분석을 수행하는 경우, 메타분석을 수행하는 연구자의 편견이 개입되는 경우, 충분한 지식 없이 통계적인 방법을 통해 얻은 결과에 따라 결론(예: 상대적 위험도)을 과소 또는 과대 평가하는 경우 등이 메타분석 결과의 신뢰성을 떨어뜨리는 주요 원인이 된다(Shapiro, 1994). 사실 메타분석 결과가 잘 수행된 대규모 무작위 임상시험 결과와 다른 경우도 있으며, 비슷한 시기에 동일한 문헌탐색을 거친 메타분석 연구들이 서로 모순된 결과를 보이거나 전혀 상반되는 주장을 펼친 경우에 메타분석의 신뢰도와 타당성은 떨어지게 된다. 따라서 연구자들이 메타분석의 연구방향 및 연구방법을 정확히 설정하고, 선택된 각 연구의 특성에 대해 세심한 주의를 기울이며, 사용된 가정들을 명확하게 정리하여, 메타분석 시 발생할 수 있는 bias를 줄이기 위해 노력하고 연구들 간의 이질성을 최소화하면서 연구결과에 대한 해석에 좀 더 세심한 주의를 기울인다면 타당하고 신뢰성 있는 연구결과들이 도출될 것이라 생각한다.

II. 대규모 자료세트를 이용한 이차 자료분석

최근 대규모 자료세트를 이용한 이차자료분석을 한 연구논문이 많이 출간되고 있다. 이에 본 장에서는 이차자료분석의 정의와 장단점을 파악하고, 이차자료분석의 수행과정을 학습하면서 이차자료분석 결과표를 통해 연구결과를 이해하고자 한다.

1. 이차자료분석의 정의와 장단점

이차자료분석이란 연구자가 연구에 필요한 자료를 직접 수집하지 않고, 기존 자료, 다른 기관 또는 다른 연구자가 수집한 자료를 제2의 연구주제와 목적에 맞게 자료를 추출하여 가설을 검정하기 위해 자료를 사용하는 것이다(Polit & Beck, 2011). 예를 들면 연구를 수행할 때 1차 연구목적을 달성하기 위한 자료뿐 아니라 관련 개념을 측정할 수 있는 자료도 수집하게 된다. 개별 연구의 목적을 달성하기 위해 자료수집을 하는 것은 시간과 노력이 많이 필요하기 때문에, 기존 자료를 이용하여 연구를 수행하는 것은 경제적이면서 효율적인 연구 방법이라 할 수 있다. 연구자는 이차자료분석을 할 때 개인연구에서 수집한 자료뿐 아니라, 국민건강영양조사, 청소년온라인행태조사, 지역사회 건강조사, 통계청 자료, 국민건강보험공단 자료, 여성가족패널조사, 고령화연구패널조사 등 국가단위의 대형 자료를 활용하여 연구를 수행할 수 있다.

이차자료분석의 장점은 (1) 이차적인 연구목적을 달성하기 위해 이미 수집된 자료를 분석하기 때문에 자료 수집에 필요한 시간과 비용을 줄이면서 기존 자료를 효율적으로 분석할 수 있다는 것이다. (2) 새로운 조사를 하기 전에 이미 수집된 자료를 가지고 여러 가지 가설을 검정해 봄으로써 관심 영역에 대한 사전 탐색의 목적으로 사용할 수 있다. (3) 공공기관의 대형 자료의 경우 확률표본 추출법에 의해 수집한 자료이기 때문에 일반조사연구에서 편의표출법의 제한점을 극복할 수 있어, 연구결과의 일반화가 가능하다. 또한 개인 연구수준에서 수집하기 어려운 대형 표본의 신체계측 자료, 의료비용 자료, 식품영양 자료와 건강 설문지 자료를 복합적으로 활용할 수 있는 자료를 활용할 수 있다. 특히 보건의료분야 연구자가 인구보건 및 건강관련 데이터 연계를 통해 얻을 수 있는 이점은 직접적인 연구수행에 비해 저비용으로 효율적인 연구성과를 얻을 수 있고, 이러한 연구성과를 바탕으로 보건의료 정책이 도출될 경우 보건복지부 건강관리서비스 체계에 중요한 이익을 가져와 보건복지 예산의 효율성이 증대될 수 있다.

반면, 단점으로는 (1) 자료의 적합성 문제를 들 수 있다. 자신이 관심을 갖고 있는 현상을 분석하기 위한 분석 단위인가, 관심있는 변수가 이차자료에서 측정한 자료로 적합한 것인가? 측정수준이

기대한 바와 동일한 수준으로 측정이 되었는가 등을 확인하여 적합성을 검정하여야 한다. (2) 이차
자료 자체가 조사 과정 중에 자료수집에 오류가 있었거나 비뚤린 자료를 수집한 경우, 이차자료분석
에서도 자료의 오류나 비뚤림으로 인하여 제대로 된 결과를 얻을 수 없게 된다. 이는 쓰레기 자료를
넣으면 쓰레기 결과가 나온다는 일명 "garbage in, garbage out!"을 초래할 수 밖에 없는 상황을
의미한다. (3) 새로운 연구를 계획할 때 이차자료에 해당 변수가 존재하지 않을 때 원하는 연구목적
을 달성할 수 없기 때문에 제한적인 연구를 수행할 수 밖에 없다. 본 장에서는 최근 국민건강영양조
사 자료를 활용하여 이차자료 분석을 수행한 연구를 예제로 소개하면서 이차자료분석을 수행할 때
필요한 단계별 접근방법을 설명하려고 한다.

2. 이차자료분석의 수행

1) 원시(일차)자료의 이해

연구자는 연구자가 관심을 갖고 있는 원시자료가 무엇인가 탐색한다. 원시자료의 종류에는 1) 1차
연구에서 수행한 자료를 이용하되, 1차 연구의 목적과 다른 연구문제를 설정하여 자료를 새롭게 분
석하는 것, 2) 사업보고서 또는 과제수행보고서와 같이 비연구 목적으로 수집한 자료를 연구문제
를 설정하여 자료를 분석하는 것, 3) 연구자료의 부그룹을 대상으로 자료를 분석하는 것(예: 국민건
강영양조사 자료 중 65세 이상 노인의 흡연관련 자료만 사용하는 것), 4) 분석단위를 바꾸어 자료
를 분석하는 것(예: 개인단위 자료를 가족단위 자료로 변환하는 것)이 있다.

이차자료분석을 할 때에는 원시자료에 대한 이해가 필수적이다. 연구자가 직접 수집한 자료의 경
우 대상자, 변수 및 자료의 특성을 이미 알고 있지만, 이차자료의 경우 해당 원시자료에 대한 정보
가 없기 때문에 원시자료를 수집할 때 사용한 조사표(질문지)와 원시자료 이용지침서(코딩북)를 이
용하여 원시자료의 대상자, 변수 및 자료의 특성을 세심하게 파악한다. 예를 들면 국민건강영양조
사는 국민의 건강 및 영양 상태에 관한 현황 및 추이를 파악하기 위한 통계를 산출하기 위해 매년
192개 지역의 20가구를 확률표본으로 추출하여 만 1세 이상 가구원 약 1만명을 조사한 것이다. 조
사 내용에는 대상자의 생애주기별 특성에 따라 소아(1~11세), 청소년(12~18세), 성인(19세 이상)으
로 나누어, 각기 특성에 맞는 조사항목(검진조사, 건강설문조사, 영양조사)이 있다.

2) 원시자료 사용 승인 및 다운로드

원시자료를 사용할 때에는 연구자료의 특성에 따라 승인과 다운로드 방법이 다르다. 만일 개인 연
구자의 자료를 사용하고자 한다면, 원 자료를 소유한 개인 연구자에게 사용 승인을 받아야 하고,

이차자료를 받을 때에는 대상자의 개인 정보를 알아볼 수 있는 모든 정보(예: 이름, 주민등록번호, 주소, 전화번호, 병록번호 등)를 삭제한 자료를 받아야 한다.

공공기관의 대형자료인 경우에는 조사의 목적으로 수집한 원시자료에서 개인 식별 가능 정보를 제외한 자료를 공개한다. 자료를 신청하는 방법은 대형자료를 수집한 기관 홈페이지를 통해 원시자료 다운로드 신청절차에 따라 이메일로 로그인을 하고, 개인정보 수집 및 이용 동의서와 보안서약서를 작성하면, 자료를 다운로드할 수 있다. 통계프로그램 사용유형에 따라 SPSS 또는 SAS 용 원시자료셋, 원시자료 이용지침서, 원시자료 분석지침서를 모두 내려받는다.

3) 연구 계획하기

연구자는 이차자료분석을 수행하기 위해서, 연구를 왜 수행해야 하는가? 어떤 목적을 달성하고자 하는가? 어떤 방법으로 자료를 추출하고 분석할 것인가에 대한 연구계획서를 작성한다. 과학적이고 체계적인 문헌 고찰을 통해 연구의 필요성과 목적을 설정한다. 연구의 목적을 달성하기 위해 자료를 직접 수집하는 것이 아니기 때문에, 제한된 자료 범위 안에서 연구목적을 설정하고, 연구가설을 수립한다. 이를 위해 원시자료의 대상자, 변수 및 자료의 특성을 자세하게 파악하고 있어야 한다.

4) 연구대상자 선정 및 윤리적 고려사항

다음으로 원시자료 중 연구의 목적을 달성하기 위한 대상자 선정작업이 필요하다. 대상자 선정을 아동, 청소년, 성인 또는 노인으로 선정할 수 있고, 특정 연령대의 대상자를 또는 특정 질환을 가진 특정 연령군으로 선정할 수도 있다.

BOX 7-12

일 연구(Chun & Chae, 2015)에서는 여성의 생애주기별 골건강 문제 및 골밀도 영향요인을 파악하기 위하여 2010년 국민건강영양조사 원시자료에서 생애주기를 참고하여 19세 이상의 여성을 연구대상으로 선정하였다. 19세 이상이면서 폐경이 되지 않은 '폐경 전 여성', 폐경이 되었으며 65세 미만인 '폐경 후 여성', 65세 이상의 '노인여성'으로 분류하였다. 폐경 유무는 골밀도 설문조사의 폐경 여부 문항에 대한 응답을 기준으로 '아니오'에 응답한 경우는 폐경이 되지 않은 것으로, '예' 또는 '양측난소절제술'에 응답한 경우는 폐경이 된 것으로 분류하였다. 이에 총 3,499명을 최종 연구대상으로 하였다.

대상자를 직접 접촉하지 않는 이차자료분석이라 할지라도 연구논문을 출간하기 위해서는 연구윤리위원회에 연구계획서를 제출하여 '심의 면제'의 승인을 받는다.

Chun과 Choi(2015) 연구에서는 생애주기별 골건강 문제 및 골밀도 영향요인을 파악하기 위해 질병관리본부에서 실시한 국민건강영양조사 제5기 1차년도(2010) 자료를 2차 분석하였다. 국민건강영양조사는 질병관리본부 연구 윤리심의위원회의 승인(2010-02CON-21-C)을 받아 수행한 것을 밝혔고, 연구자는 본 이차자료분석 목적의 연구를 수행하기 위하여 소속 대학 생명윤리심의위원회에서 '심의면제'를 받았음(irb 2014-001)을 기술하였다.

5) 자료 분석에 필요한 복합표본계획파일 준비

개인 연구자의 자료는 SPSS 또는 SAS 통계분석프로그램을 이용하여 자료분석 메뉴에 따라 자료분석을 수행할 수 있다. 반면 공공기관의 대형자료를 이용할 경우, 예를 들어 국민건강영양조사의 경우 층화, 집락, 가중치 등 복합표본설계 요소를 반영한 복합표본 자료분석을 수행해야 한다. 그 이유는 이 자료를 단순임의추출을 가정한 분석방법으로 분석할 때에는 표본에서 얻은 비뚤린 결과를 산출하고, 조사 참석자에 대한 결과로만 해석될 뿐 우리나라 국민의 경향으로 해석이 불가능하기 때문이다.

즉 공공기관의 대형자료는 모집단의 추출 틀에 따라 표본을 추출하여 표본조사를 완료한 후, 조사에 참여한 표본이 모집단을 대표할 수 있도록 가중치를 부여하기 때문에 이 세 가지 복합표본설계 요소를 반영한 자료를 이용하여 분석을 해야 한다는 것이다. 따라서 SPSS에서 복합표본 자료분석을 시행하기 위해서는, 복합표본 프로시져를 이용하여 복합표본설계 정보(층화, 집락, 가중치)를 지정하는 복합표본계획파일을 생성해야 한다.

6) 자료분석의 방법

복합표본계획파일(CSPLAN)을 생성한 후, 복합표본 프로시져 메뉴에서 주요 변수의 빈도분석과 기술통계를 통하여 자료의 특성을 파악할 필요가 있다. 또한 명목변수간 관련성 검정을 위해 교차분석을, 변수간 차이검정을 위한 t 검정, ANOVA 검정부터는 모두 일반선형모형 또는 로지스틱 회귀분석을 이용한다. 연속변수로 측정한 결과변수에 차이를 보이는 독립변수를 확인하거나, 결과변수에 영향을 미치는 독립변수들의 설명력과 개별 독립변수의 유의성 및 표준화회귀계수를 평가하기 위해서는 일반선형모형을 이용한다. 만일 우울 유무와 같이 명목변수로 측정한 변수에 대한 독립변수들의 설명력과 개별 독립변수의 유의성 및 승산비를 검정하기 위해서는 로지스틱회귀분석을 수행한다.

BOX 7-14

Chun과 Chae (2015) 연구에서 자료분석은 복합표본 자료분석방법을 이용하였고, 생애주기별 일반적 특성 및 건강 관련 특성에 따른 골밀도 영향 요인은 복합표본 일반선형모형(Complex Sample General Linear Model, CSGLM)을 이용하였음을 기술하였다.

다음 제시한 그림은 복합표본 자료분석에서 기술통계를 수행하기 위한 분석과정을 보여준다. 먼저 변수창에서 분석하고자 하는 변수를 선택하여 측도변수창으로 보낸다. 이후 통계 메뉴를 선택하면 평균, 표준오차의 기본값에 가중되지 않은 계수를 추가로 선택한다. 다음으로 결측값 메뉴를 선택하여 측도변수 통계에서는 사용 가능한 모든 데이터 사용을 선택, 범주형 디자인 변수에서는 사용자 결측값이 유효함을 선택한다.

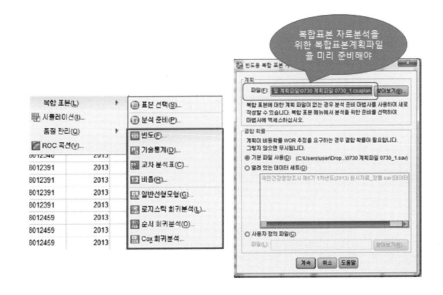

그림 7-1 복합표본계획파일 생성 절차

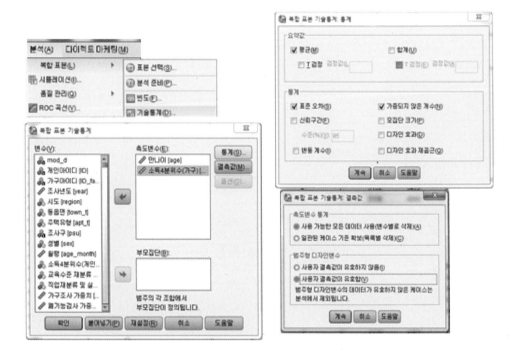

그림 7–2 복합표본 기술통계 절차

다음은 복합표본 분석결과로써 기술통계, 빈도분석 및 교차분석 결과를 보여준다.
BOX 7–15는 대상자 나이에 대한 기술통계에서 만 나이는 추정평균 47.22세, 표준오차 0.483으로 나타났다.

BOX 7–15	복합표본 기술통계의 결과

일변량 통계량

		추정	표준 오차	가중되지 않은 개수
평균	만나이	47.22	.483	3307

BOX 7–16은 대상자 성별과 주관적 건강상태에 대한 빈도분석 결과이다. 성별에서는 남자와 여자 대상자의 분포가 50%로 동일하다. 주관적 건강상태에서는 보통으로 응답한 사람이 44.6%로 가장 많았고, 다음으로 좋음(32.3%), 나쁨(11.3%), 매우 좋음(9.0%), 매우 나쁨(2.8%) 순으로 나타났다.

BOX 7-16	복합표본 빈도분석의 결과

		추정	표준오차	가중되지 않은 계수
모집단크기	남자	24896946.00	684196.678	3415
	여자	24864869.00	656433.295	4165
	총계	49763815.00	1228561.103	7580
총계의 %	남자	50.0%	0.5%	3415
	여자	50.0%	0.5%	4165
	총계	100.0%	0.0%	7580

		추정	표준오차	가중되지 않은 계수
모집단크기	매우좋음	4161901.261	241304.410	703
	좋음	1495266.74	562584.100	2277
	보통	20693893.76	595387.410	3065
	나쁨	5257356.965	246690.934	836
	매우나쁨	1296631.148	116370.125	234
	총계	46389054.87	1179228.392	7115
총계의 %	매우좋음	9.0%	0.4%	703
	좋음	32.3%	0.7%	2277
	보통	44.6%	.8%	3065
	나쁨	11.3%	0.5%	836
	매우나쁨	2.8%	0.3%	234
	총계	100.0%	0.0%	7115

BOX 7-17은 성별과 주관적 건강상태에 대한 교차분석 결과표이다. 분석결과, 남성의 경우에는 주관적 건강상태가 매우 좋음이 50.8%, 좋음이 53.7%로 여성보다 약간 높은 반면, 여성의 경우에는 주관적 건강상태가 나쁨이 58.3%, 매우 나쁨이 65.7%로 나타나 여성의 주관적 건강상태가 남성에 비해 나쁜 것으로 나타났다. 이는 카이제곱검정 결과, $\chi^2=55.18$, $p<.001$로 나타나 통계적으로 유의한 차이가 있었다.

주관적 건강상태*성별

주관적 건강상태			남자	여자	총계
매우우울	모집단크기	추정	2114912.168	2046989.093	4161901.261
		표준오차	162644.510	152462.920	241304.410
	주관적건강상태 내 %	추정	50.8%	49.2%	100.0%
		표준오차	2.4%	2.4%	0.0%
좋음	모집단크기	추정	8036365.248	6922901.494	14959266.74
		표준오차	363530.917	297017.566	562584.100
	주관적건강상태 내 %	추정	53.7%	46.3%	100.0%
		표준오차	1.2%	1.2%	0.0%
보통	모집단크기	추정	10202816.35	10491082.41	20693898.76
		표준오차	361344.612	354702.336	595387.410
	주관적건강상태 내 %	추정	49.3%	50.7%	100.0%
		표준오차	1.0%	1.0%	0.0%
나쁨	모집단크기	추정	2189981.142	3067376.823	5257356.965
		표준오차	156513.821	161461.186	246690.934
	주관적건강상태 내 %	추정	41.7%	58.3%	100.0%
		표준오차	1.9%	1.9%	0.0%
매우나쁨	모집단크기	추정	444240.552	852390.596	1296631.148
		표준오차	73143.455	88930.324	116370.125
	주관적건강상태 내 %	추정	34.3%	65.7%	100.0%
		표준오차	4.3%	4.3%	0.0%
총계	모집단크기	추정	22988315.46	23380739.42	46369054.87
		표준오차	651366.298	639620.001	1179228.392
	주관적건강상태 내 %	추정	49.6%	50.4%	100.0%
		표준오차	0.6%	0.6%	0.0%

독립성 검정

		카이제곱	조정된 F	df1	df2	유의수준
주관적 건강상태 * 성별	Pearson	55.180	9.280	3.840	641.300	.000
	우도비	55.632	9.357	3.840	641.300	.000

3. 이차자료분석 결과의 제시

이차자료분석에서 결과 서술은 일반 연구논문에서 결과표를 제시하는 순서와 동일하게 대상자 특성에 대한 빈도분석, 관련 변수에 대한 차이 검정, 결과변수에 대한 설명변수 탐색 순서로 결과표를 작성하고 결과를 읽는다.

1) 빈도분석과 교차분석 결과

BOX 7-18에서는 대사증후군을 가진 대상자를 대상으로 식품 영양표시 이용여부와 성별, 연령군, 거주지역간 차이를 검정하고자 교차분석을 시행한 후 해당 셀에 대한 빈도(비율)를 보고하고 카이제곱검정 값과 유의확률을 보고하였다. 결과표를 읽어보면 대사증후군을 가진 대상자 1335명 중 영양표시 이용자의 성별 분포는 남성이 36.8%인 반면 여성은 63.2%를 차지하여 성별과 영양표시 이용 여부에 대해 유의한 차이가 있었다(χ^2=14.34, p=.006). 또 영양표시 이용자들의 연령군 분포는 19~44세의 청장년층이 52.4%인 반면, 45~64세 군은 42.6%, 65세 이상인 군은 5.0%로 나타나 연령과 영양표시 이용 여부와도 유의한 차이를 보였다(χ^2=92.58, p<.001).

BOX 7-18	이차자료분석의 예제: 교차분석 결과

Table 1. Comparison of demographic characteristics between those who use labels and those who do not use labels among adults with metabolic syndrome (N=1335)

Variables		Use labels n†(%)‡	Do not use labels n†(%)‡	χ^2	p
Gender	Male	44(36.8)	531(52.5)	14.34	.006
	Female	104(63.2)	656(47.5)		
Age(yr)	19~44	65(52.4)	153(20.8)	92.58	<.001
	45~64	73(42.6)	544(50.6)		
	≥65	10(5.0)	490(28.6)		
Residence	Urban area	123(78.4)	860(72.0)	3.00	.306
	Rural area	25(21.6)	327(28.0)		

† unweighed.
‡ weighed

출처: Kim, M. S., Kim, J. S., & Yu, J. O. (2012). Factors relating to use of food labels among adults with metabolic syndrome. *Korean Journal of Health Education and Promotion*, 29(5), 1-12.

2) 집단별 평균차이 검정

BOX 7-19에서는 생애주기별 일반적 특성 및 건강 관련 특성에 따른 대퇴골 경부 골밀도의 차이를 검정한 결과를 제시하였다. 변수별 기술통계는 평균값과 표준오차로 표기하였고, 차이검정을 위해 t 검정 또는 ANOVA 검정을 수행하고 그 통계량과 유의확률을 표기하였다.

　폐경 후 여성 군에서 일반적 특성에 따른 골밀도 차이를 분석한 결과, 대상자의 연령, 거주지역, 학력, 결혼상태, 직업, 소득수준, 및 체질량지수에 따라 대퇴골 경부 골밀도에 유의한 차이가 있었다. 폐경 후 여성의 연령은 30대의 골밀도 수준보다 40대, 50대, 60대의 골밀도가 유의하게 낮았으며(F=22.12, p<.001), 수도권 거주 여성이 비수도권 거주 여성에 비해 골밀도가 낮았고(t=11.35, p=.001), 초졸 이하 여성이 대졸 이상 여성에 비해 골밀도가 낮게 나타났다(F=9.33, p<.001). 미혼여성의 골밀도가 다른 군에 비해 가장 낮았고(F=7.18, p=.001), 직업

이 없는 여성이 직업이 있는 여성에 비해 골밀도가 낮게 나타났다(t=4.65, p=.033). 소득수준이 1사분위인 여성과 3사분위인 여성의 골밀도가 다른 군에 비해 가장 낮았으며(F=5.55, p=.001), 체질량지수는 저체중군이 정상군, 과체중군, 비만군에 비해 골밀도가 낮게 나타났다(F=7.96, p<.001).

BOX 7–19   이차자료분석의 예제: 대상자 특성에 따른 차이 검정 결과

Table 4. Bone Mineral Density (T-score) according to Women's Characteristics   (N=3,499)

Characteristics	Categories	Premenopausal women (n=1,706)			Postmenopausal women (n=964)			Elderly women (n=829)		
		Mean†	SE	t or F (p)	Mean†	SE	t or F (p)	Mean†	SE	t or F (p)
Age (year)	19~29	-0.24	.07	2.11						
	30~39	-0.41	.05	(.101)	-0.63	.25	22.12			
	40~49	-0.44	.06		-0.71	.09	(<.001)			
	50~59	-0.40	.10		-1.12	.05				
	60~69				-1.52	.06		-1.84	.06	52.12
	70~79							-2.38	.05	(<.001)
	≥ 80							-3.02	.11	
Residential area	Metropolitan area	-0.47	.05	7.80	-1.29	.05	11.35	-2.34	.06	0.11
	Other area	-0.28	.05	(.006)	-1.06	.04	(.001)	-2.31	.06	(.745)
Education	≤ Elementary school	-0.28	.13	2.22	-1.34	.05	9.33	-2.34	.04	7.88
	Middle school	-0.51	.15	(.087)	-1.06	.08	(<.001)	-1.88	.13	(<.001)
	High school	-0.30	.05		-0.98	.06		-1.87	.11	
	≥ University	-0.44	.05		-0.89	.14		-1.99	.30	
Marital status	Unmarried	-0.26	.07	2.66	-1.62	.43	7.18	-2.17	.06	9.73
	Married	-0.42	.04	(.073)	-1.10	.04	(.001)	-2.42	.06	(.002)
	Others	-0.26	.12		-1.43	.08				
Occupation	No	-0.42	.05	1.79	-1.24	.05	4.65	-2.33	.05	0.14
	Yes	-0.34	.04	(.182)	-1.09	.05	(.033)	-2.30	.07	(.705)
Income	1st quartile	-0.29	.07	0.93	-1.28	.06	5.55	-2.21	.07	1.60
	2nd quartile	-0.39	.06	(.429)	-1.05	.06	(.001)	-2.33	.08	(.192)
	3rd quartile	-0.40	.06		-1.28	.06		-2.37	.08	
	4th quartile	-0.42	.05		-0.99	.08		-2.42	.08	
Alcohol drinking (per month)	No	-0.54	.07	5.28	-1.10	.10	1.10	-2.50	.09	3.10
	≤ 1 time	-0.39	.05	(.002)	-1.13	.06	(.351)	-2.15	.09	(.028)
	2~4 times	-0.29	.07		-1.06	.09		-2.32	.13	
	≥ 5 times	-0.19	.07		-0.88	.13		-2.11	.17	
Smoking	No	-0.24	.07	3.96	-1.25	.12	0.81	-2.59	.16	4.28
	Yes	-0.40	.04	(.048)	-1.14	.04	(.370)	-2.26	.04	(.040)
Physical activity	No	-0.40	.05	1.88	-1.23	.05	3.91	-2.39	.06	7.00
	Yes	-0.33	.05	(.172)	-1.08	.05	(.050)	-2.17	.06	(.009)
BMI	Underweight (< 18.5)	-0.87	.09	37.10	-1.48	.24	7.96	-3.34	.17	24.06
	Normal (18.5~22.9)	-0.53	.04	(<.001)	-1.35	.06	(<.001)	-2.59	.06	(<.001)
	Overweight (23~24.9)	-0.16	.08		-1.18	.06		-2.25	.07	
	Obesity (≥ 25)	0.10	.06		-0.92	.06		-2.04	.07	
Depressive symptom	No	-0.29	.08	1.23	-1.17	.08	0.17	-2.36	.08	0.80
	Yes	-0.38	.04	(.269)	-1.14	.03	(.682)	-2.27	.05	(.372)
Stress	Low	-0.32	.05	1.63	-1.16	.07	0.89	-2.26	.08	0.32
	High	-0.40	.04	(.203)	-1.14	.04	(.766)	-2.30	.04	(.573)
Hormone therapy	No	-0.41	.21	0.04	-1.07	.10	1.02	-1.83	.11	18.67
	Yes	-0.37	.04	(.843)	-1.17	.04	(.314)	-2.33	.04	(<.001)

†Estimated mean; SE=standard error; BMI=Body Mass Index.
출처: Chun, N. M., & Chae, H. (2015). Problems with bone health and the influencing factors of bone mineral density in women across the life cycle. *Korean Journal of Women Health Nursing, 21*(1), 43–54.

3) 결과변수에 대한 독립변수의 유의성과 표준화회귀계수: 다중회귀분석의 경우

결과변수가 연속변수인 경우, 독립변수들의 유의성과 영향력을 평가하기 위해 다중회귀분석을 수행한다. BOX 7-20은 생애주기별 골밀도에 차이 분석에서 유의한 차이를 보인 변수들을 투입하여 골밀도 영향요인을 분석한 결과이다.

폐경 전 여성의 골밀도에 영향을 미치는 유의한 독립변수에는 거주 지역, 음주, 체질량지수였으며 회귀모형은 유의하였고(F=19.82, $p<$.001), 설명력은 12.5%였다. 영향력 정도를 평가하면, 거주 지역의 경우 기타 지역 거주 여성에 비해 수도권 거주 여성(β=-.16)의 골밀도가 낮았고, 음주 횟수의 경우 음주를 월 5회 이상 하는 여성에 비해 음주를 전혀 하지 않는 여성(β=-.24)의 골밀도가 낮았으며, 체질량지수의 경우 비만인 여성에 비해 저체중 여성(β=-.99), 정상 체중 여성(β=-.66), 과체중 여성(β=-.26, p=.008) 순으로 골밀도가 낮게 나타났다.

BOX 7-20 이차자료분석의 예제: 선형회귀분석의 결과

Table 5. Influencing Factors of Bone Mineral Density (N=3,499)

Factors	Variables	Categories	β	SE	t	p
Premenopausal women (n=1,706)	Residential area	Metropolitan area	-.16	.06	-2.79	.006
		Other area	Reference			
	Alcohol drinking (per month)	No	-.24	.08	-2.90	.004
		≤ 1 time	-.12	.07	-1.63	.105
		2~4 times	-.02	.08	-0.25	.806
		≥ 5 times	Reference			
	BMI	Underweight (<18.5)	-.99	.12	-8.11	<.001
		Normal (18.5~22.9)	-.66	.07	-9.99	<.001
		Overweight (23~24.9)	-.26	.10	-2.67	.008
		Obesity (≥ 25)	Reference			

R^2=.125, F=19.82, $p<$.001

BMI=Body Mass Index.

출처: Chun, N. M., & Chae, H. (2015). Problems with bone health and the influencing factors of bone mineral density in women across the life cycle. *Korean Journal of Women Health Nursing, 21*(1), 43-54.

4) 결과변수에 대한 독립변수의 유의성과 승산비: 다중로지스틱회귀분석의 경우

결과변수가 유무 또는 여부의 명목변수로 측정된 경우, 그 현상의 발생 유무 또는 여부를 설명하는 독립변수들의 유의성과 승산비를 평가하기 위해 다중 로지스틱회귀분석을 실시한다.

BOX 7-21에서는 대사증후군을 가진 성인에서 영양표시 이해에 영향을 미치는 요인을 다중로지스틱회귀분석을 통해 분석하고 유의한 변수와 해당 변수의 승산비를 보고하였다(Kim, Kim, & Yu, 2015). 추가할 것은 회귀모델의 적합도를 평가하기 위한 카이제곱 값과 유의확률을 보고하여

모형의 유의성을 설명할 필요가 있다. 대사증후군 집단에서 영양표시 이용 여부와 관련된 유의한 독립변수는 성별, 연령, 교육수준, 체중조절노력 변수로 나타났다. 영양표시를 이용하는 것은 남자보다 여자일 때 3.17배(95% CI=2.47~4.07), 연령이 65세 이상 군보다 19~44세일 때 8.06배(95% CI=4.55~14.27), 45~64세 일 때 3.61배(95% CI=2.14~6.10)로 나타났다. 교육수준에서는 초등학교 이하 졸업군에 비해 대학졸업 이상일 때 7.98배(95% CI=5.08~12.55), 고등학교 졸업 이상일 때 6.09배(95% CI=4.01~9.26), 중학교 졸업 이상일 때 4.75배(95% CI=3.07~7.46)로 나타났다.

BOX 7-21 이차자료분석의 예제: 로지스틱회귀분석의 결과

Table 3. Influencing factors for food label use in adults with metabolic syndrome

Variables		Odds ratio	95% CI
Gender	Male	3.17	2.47–4.07
	Female	1	
Age(yr)	19~44	8.06	4.55–14.27
	45~64	3.61	2.14–6.10
	≥65	1	
Education	≥University	7.98	5.08–12.55
	High school	6.09	4.01–9.26
	Middle school	4.75	3.07–7.46
	≤Elementary	1	

출처: Kim, M. S., Kim, J. S., & Yu, J. O. (2012). Factors relating to use of food labels among adults with metabolic syndrome. *Korean Journal of Health Education and Promotion, 29*(5), 1–12.

4. 비평

최근 들어 이차자료분석을 이용한 학술논문이 국내외 학술지에 다수 발표되고 있다. 2015년 10월 현재 PubMed 데이터베이스에 우리나라 국민건강영양조사를 이용한 연구논문이 1,159편이 등재되어 있다. 원시자료를 이용한 이차자료분석이 저비용과 고효율성을 갖춘 연구라는 장점에도 불구하고, 연구자는 기존 자료의 틀 안에서 대상자의 제한성, 측정 변수의 제한점으로 인해 관찰하고자 하는 현상을 원하는 만큼 탐색하기는 어렵다. 이런 논문에서는 만일 이러이러한 변수를 측정했었다면 이러한 결과를 얻었으리라 기대한다는 논의를 길게 서술하게 된다.

　그럼에도 불구하고 이차자료분석을 통해 유용한 학술정보를 추가적으로 탐색할 수 있다는 것은 가치로운 일이다. 더구나 확률표집법을 이용하여 자료를 수집한 국가차원의 대형 조사자료의 분석은 일반화가 가능한 연구결과를 산출할 수 있기 때문에 편의표출에 의한 개별 조사연구의 제한점을 극복할 수 있게 한다. 또한 질문지 자료에 더하여 생리적 자료를 포함한 통합자료(예: 국민건강영

양조사의 경우 건강설문 자료에 신체검진/영양 자료를 결합할 때)를 분석할 경우, 다양한 관점의 연구결과를 획득할 수 있을 것이다. 이를 위해서는 이차자료분석에 필요한 상급 통계기술을 습득할 필요가 있고, 논문발표시 분석결과를 올바르게 해석하고 그 의미를 논의함으로써 연구의 가치와 추후 연구의 방향을 찾는 독자에게 유용한 정보를 줄 수 있다.

참고문헌

Byun, H. S., Choi, H. S., Hong, H. P., Ko, Y. G., Lim, S. G., Kim, S. C., & Kim, D. P. (2011). Effect of gender on moderate to severe traumatic brain injury: A meta-analysis and systematic review. *Journal of the Korean Society of Emergency Medicine, 22*(3), 206-216.

Chalmers, T. C., Smith, H., Blackburn, B., Silverman, B., Schroeder, B., Reitman, D., & Ambroz, A. (1981). A method for assessing the quality of a randomized control trial. *Controlled Clinical Trials, 2*(1), 31-49.

Chun, N. M., & Chae, H. (2015). Problems with bone health and the influencing factors of bone mineral density in women across the life cycle. *Korean Journal of Women Health Nursing, 21*(1), 43-54.

Cochran, W. G. (1954). The combination of estimates from different experiments. *Biometrics, 10,* 101-129.

DerSimonian, R., & Laird, N. M. (1986). Meta-analysis in clinical trials. *Controlled Clinical Trials, 7*(3), 177-186.

Egger, M., Davey Smith, G., Schneider, M., & Minder, C. (1997). Bias in meta-analysis detected by a simple, graphical test. *British Medical Journal, 315*(7109), 629-634.

Fleiss, J. L (1986). Analysis of data from multiclinic trials. *Controlled Clinical Trials, 7*(4), 267-275.

Greenhalgh, T. (1997). Papers that summarise other papers (systematic reviews and meta-analyses). *British Medical Journal, 315*(7109), 672-675.

Higgins, J. P., & Green, S. (2008). *Cochrane handbook for systematic reviews of interventions, version 5.1.0.* The Cochrane Collaboration, 2011. Available from http://www.cochranehandbook.org Accessed Sep 2, 2015.

Higgins, J. P., Thompson, S. G., Deeks, J., & Altman, D. G. (2002). Statistical heterogeneity in systematic reviews of clinical trials: A critical appraisal of guidelines and practice. *Journal of Health Service Research & Policy, 7*(1), 51–61.

Higgins, J. P., Thompson, S. G., Deeks, J. J., & Altman, D. G. (2003). Measuring inconsistency in meta-analyses. *British Medical Journal, 327*(414):557–560.

Jadad, A. R., Moore, R. A., Carroll, D., Jenkinson, C., Reynolds, D. J., Gavaghan, D. J., & McQuay, H. J. (1996). Assessing the quality of reports of randomized clinical trials: Is blinding necessary? *Controlled Clinical Trials, 17*(1), 1–12.

Kim, M. S., Kim, J. S., & Yu, J. O. (2012). Factors relating to use of food labels among adults with metabolic syndrome. *Korean Journal of Health Education and Promotion, 29*(5), 1–12.

Lee, J. (2008). Meta-analysis. *Journal of Korean Endocrinology Science, 23*(6), 361–378.

Moher, D., Becker, B. J., Sipe, T. A., & Thacker, S. B. (2000). Meta-analysis of observational studies in epidemiology: A proposal for reporting. Meta-analysis Of Observational Studies in Epidemiology (MOOSE) group. *Journal of American Medical Association, 283*(15), 2008–2012.

Moher, D., Cook, D. J., Eastwood, S., Olkin, I., Rennie, D., & Stroup, D. F. (2000). Improving the quality of reports of meta-analyses of randomized controlled trials: The QUOROM statement. Quality of Reporting of Meta-analysis. *Lancet, 354*(9193), 1896–1900.

National Evidence-based Healthcare Collaborating Agency [NECA]. (2011). NECA's guidance for undertaking systematic reviews and meta-analyses for intervention. Author: Seoul.

Park, D. (2014). Evidence-based Medicine: Meta-analysis. Hi NECA, NECA Report(2014.2.13.) [Internet]. National Evidence based Healthcare Collaborating Agency; 2014. [cited 2015 October 16]. Available from: http://hineca.kr/entry/Vol3-7%EC%9B%94%ED%98%B8-%EC%95%8C%EA%B8%B0-%EC%89%AC%EC%9A%B4-EBM-%EB%A9%94%ED%83%80%EB%B6%84%EC%84%9D .

Polit, D. F., & Beck, C. T. (2011)(9th eds.). *Nursing research: Generating and assessing evidence for nursing practice.* Philadelphia: LWW.

Shapiro, S. (1994). Meta-analysis/Shmeta-analysis. *American Journal of Epidemiology, 140*(9), 771–778.

SIGN checklist for controlled trials. website at http://sign.ac.uk/methodology/checklists.html

Simes, R. J. (1987). Confronting publication bias: A cohort design for meta-analysis. *Statistics in Medicine, 6*(1), 11-29.

Song, R., Ahn, S., So, H., Lee, E-H., Chung, Y., & Park, M. Effects of t'ai chi on balance: A population-based meta-analysis. *Journal of Alternative Complementary Medicine, 21*(3), 141-151.

Stroup, D. F., Berlin, J. A., Morton, S. C., Olkin, I., Williamson, G. D., Rennie, D., Moher, D.,... Thacker, S. B. (2000). Meta-analysis of observational studies in epidmiology. A proposal for reporting. Meta-analysis of observational studies in epidmiology (MOOSE) group. *JAMA, 283* (15) : 2008-2012.

Sutton, A. J., Abrams, K. R., Jones, D. R., Sheldon, T. A., & Song, F. (2000). *Methods for meta-analysis in medical research*. New York: John Wiley and Sons.

08
CHAPTER

표본추출과 검정력 분석

08 표본추출과 검정력 분석
CHAPTER

표집(sampling)이란 연구에서 어떤 집단을 대표할 수 있는 단위를 뽑는 과정이다. 우리는 일상 속에서 표집 절차에 근거하여 지식을 모으고, 의사결정을 하고 예측한다. 예를 들어, 지역사회 주민은 일개 보건소의 서비스를 받으면서 해당 보건소에서 근무하는 보건직 공무원(표본)을 접하고, 그 경험을 기초로 전체 보건직 공무원의 자질에 대해 일반화 한다. 입원 환자들은 병원에 입원해 있는 동안 접한 병원의 음식이나 간호의 질로 병원 전반의 서비스 수준을 평가한다. 이렇듯, 많은 지식과 의사결정은 우리가 경험하는 표본에 기반을 둔다. 연구자 역시 표본으로부터 지식을 얻으며, 과학적이고 타당한 결론을 내리기 위해서는 체계적이고 대표성 있는 표집과정이 필수적이다. 이 장에서는 표집의 기본 개념과 표집 유형에 대해 소개하고, 2종 오류를 최소화하기 위해 수행하는 검정력 분석(power analysis)에 대한 기본 개념과 적절한 표본크기를 위해 고려해야 할 요소에 대해 소개할 것이다.

I. 표본추출

1. 표집의 개념

1) 모집단
모집단(population)이란 표집기준을 만족하는 개인 혹은 요소의 전체집단을 의미하며, 모집단의 개별단위를 요소라고 부른다. 모집단의 요소는 사람, 동물, 물건 또는 사건이 될 수 있다. 모집단의 예로는 2014년에 만성심부전으로 병원에 입원한 65세 이상의 모든 여성, A시의 천식을 앓고 있는 모든 어린이, 또는 B시에서 임상적으로 우울증 진단을 받은 모든 남성과 여성이 될 수 있다. 모집단은 광범위하게 정의되며 잠재적으로 수백만 명의 사람이 포함될 수 있고, 수백 명의 사람들이 포함되도록 구체화할 수도 있다. 모집단의 기준(population criteria)은 표적모집단(target population)을 규정하며 이는 연구자가 연구결과를 일반화하고자 하는 범위를 나타낸다. 표적모집단은 우리나라에서 유방암을 진단받은 모든 여성들을 포함할 수 있다. 그러나 시간, 비용, 인력의 문제 때문에 표적모집단 전체를 대상으로 연구를 추진하는 것은 보통 불가능하다. 따라서 근접모집단(accessible population)이 대신 사용되는데, 근접모집단은 표적모집단의 기준은 만족하면서 연구자가 접근 가능한 모집단을 의미한다. 예를 들어, 근접모집단은 C 지역에서 유방암을 진단받은 여성 모두가 될 수 있다. 연구대상을 결정할 때 실용적 접근가능성을 반드시 고려해야 한다.

표본은 접근가능한 모집단으로부터 얻어지고, 결과는 접근가능한 모집단으로 일반화되고, 그 다음에는 좀 더 추상적인, 표적모집단으로 일반화된다. 일반화란 연구결과를 단지 연구에 포함된 표본에게만 적용하는 것이 아니라 보다 더 넓게 적용하여 해석하는 것을 의미하며, 접근 가능한 모집단을 너무 좁게 개념화한 경우, 연구결과를 일반화할 수 있는 범위가 감소되므로 주의하여야 한다.

병원에서 채취한 환자의 혈액, 소변, 병원기록, 역사적 문헌, 또는 실험실 동물도 모집단이 될 수 있다. 예를 들어 A대학병원 심장클리닉에서 환자의 혈중지질검사기록, 또는 임신여성의 소변검사 기록 모두가 모집단의 요소가 될 수 있다. 모집단은 다양한 방법으로 정의될 수 있으며 연구결과의 일반화 정도와 관련되므로 모집단의 기본단위는 명확하게 정의되어야 한다.

2) 선정기준과 제외기준

연구보고서에는 표본(사람, 사물, 사건)을 선택할 때 사용한 표집기준이 명시되어야 하며, 대상자 선정/제외기준은 연구결과의 신뢰성과 관련되며, 모집단의 특징이 표본의 선정/제외기준의 기반이 된다. 선정/제외기준은 가능한 외생변수(extraneous variables)를 통제하고 동질한 표본을 구성하기 위해 설정되며, 표본의 대표성은 표본의 선정기준과 모집단의 특성과의 일치도에 의해 평가된다.

BOX 8-1   표본의 선정/제외 기준의 예

유방암 환자를 대상으로 보조적 화학요법 전부터 화학요법 종료 후 6개월까지 화학요법관련 인지기능장애의 발생률과 발생양상을 알아보는 연구(Park et al., 2015)에서, 대상자의 선정기준과 제외기준은 다음과 같이 기술하였다.

선정기준
- 유방암 진단을 받은 만 18~60세 여성
- 의사소통이 가능하고 질문지에 응답할 수 있는 자

제외기준
- 정신과적 문제가 있는 자
- 재발이나 타 기관에 전이가 있는 자
- 뇌졸중이나 치매와 같이 인지장애를 초래할 수 있는 건강 문제가 있는 자
- 중추신경계 관련 약물을 복용하는 자

출처: Park, J. H., Bae, S. H., Jung, Y. S., & Jung, Y. M. (2015). Prevalence and characteristics of chemotherapy-related cognitive impairment in patients with breast cancer. *Journal of Korean Academy of Nursing, 45*(1), 118-128.

연구 대상자의 선정기준과 제외기준은 근거의 강도를 제한할 수 있는 편차(bias)와 외생변수를 통제하기 위해 만들어지며, 연구목적에 부합하는 요소들이 포함되도록 기준을 정하며, 각각의 기준은 근거가 있어야 하며, 근거는 독립변수와 종속변수에 잠재적 관련성이 있다. 선정/제외기준에는 주로 연령, 성별, 질병상태, 과거력, 다양한 의학조건이 포함된다. Box 8-1은 선정/제외기준에 대한 예이다. 제시된 예에서 대상자 나이를 만 18세에서 60세까지로 정하였는데 어떤 점을 고려하여 나이범위를 정했는지 구체적인 기술이 필요하며, 넓은 나이범위로 인한 외생변수의 개입가능성이 고려되어야 할 것이다. 대상자의 병기에 대한 고려 역시 필요하며, Box 8-1에서는 '타 기관에 전이가 있는 자'로 제외기준에 포함되어 있으나, 포함기준에 '유방암 병기가 3기 이하인 자'로 명시하여, 유방암 4기에 해당되는 대상자를 제외할 수도 있으며, '병기 1~3기 이하인 자'만 포함하는 근거가 명시되어야 한다.

기준에 포함된 내용들을 어디에서 어떻게 확인할 것인지에 대해서도 구체적으로 명시하여야 한다. 예를 들어 '뇌졸중이나 치매와 같이 인지장애를 초래할 수 있는 건강 문제가 있는 자'라고 명시한 경우, 진단명에 뇌졸중이나 치매가 포함된 대상자 모두를 제외할 것인지, 의심되는 증상이 있는 자를 제외할 것인지, 어떤 기준으로 제외할 것인지 등에 대한 좀 더 구체적인 기술이 필요하다. 포함기준에, '인지기능검사(MMSE-K)에서 20점 이상인 자'라고 명시하면 더 명료할 수는 있으나, 이 경우에는 모든 가능한 잠재적 대상자에게 인지기능검사를 시행해야 하는 번거로움이 있다. 표본의 선정/제외 기준은 연구의 정확성과 근거의 강도를 증가시키며, 연구결과의 일반화에 영향을 미치므로 신중하게 만들어야 한다.

3) 표본과 표집

표집(sampling)은 모집단을 대표하는 특정 집단의 하위 집단이나 일부분을 뽑는 과정이다. 표본(sample)은 모집단을 구성하는 요소(element)들이 모인 것이다. 요소는 정보가 수집되는 가장 기본적인 단위이다. 보건의료계열 연구에서 가장 흔한 요소는 개인이지만 다른 요소(예: 장소, 물건)가 표본의 기본 단위가 될 수도 있다. 예를 들어, 연구자가 중소병원에서 수행되는 다양한 이직예방 중재의 효과를 비교하는 연구를 계획한다고 하자. 이 때 간호사들 자체 또는 각 중재보다는 각각 다른 이직예방 중재 프로토콜을 사용하는 중소병원이 표집단위가 된다.

표집의 목적은 연구의 효율성을 증가시키는 것이다. 모집단의 모든 요소를 조사하는 것은 불가능하므로, 표집이 적절하게 이루어지면 연구자는 모집단의 모든 요소를 조사하지 않아도 모집단에 대해 일반화하거나 추론할 수 있다. 표집과정에서 제시되는 표본선택의 구체적 기준은 관심 있는 모집단의 특징이 표본에 포함된 요소에서도 존재하도록 한다. 표본이 표적 모집단을 대표하도록 하는 연구자의 노력은 표본에서 얻어지는 근거를 강력하게 하며, 모집단 전체에 일반화할 수 있고, 실무에 적용할 수 있는 결론을 도출할 수 있게 한다. 선택된 표집방법과 일반화 정도와의 관련성은 그림 8-1에 도식화되었다.

표집과정에 따라 표본은 다양한 강점을 가질 수 있다. 표본을 평가하는 가장 중요한 기준은 표본의 대표성이다. 대표성을 가진 표본의 주요 특징은 모집단의 주요 특징과 거의 유사하다. 만약 자녀 양육에 대한 연구에서 모집단의 70%가 여성으로 구성되고, 40%가 전일제 직장인이라면 대표성이 있는 표본은 이러한 특징을 반영할 것이다.

표본통계와 모집단 모수와의 차이를 표집오차라고 하며, 표집오차가 큰 것은 표본이 모집단의 정확한 형태를 나타내지 못하는 것을 의미하며, 이러한 표본은 모집단을 대표하지 못한다. 표집오차에는 임의편차(random variation)와 계통편차(systematic variation)에 의해 발생한다. 임의편차란 표본 내 개인의 수치가 표본의 평균주위에서 임의적 차이를 보이는 것으로 표본크기가 커질수록 표본의 전반적인 편차는 감소하며, 표본 평균 또한 모집단의 평균과 비슷한 수치를 나타내게 된다. 계통편차란 모집단으로부터 어떤 특정한 면에서 표본이 다른 것으로 대상자들이 공통적으로 어떤 특징을 가지고 있어 표본 내 대상자들이 비슷한 경향을 나타내지만 전체 모집단의 값과는 특정 면에서 다르다. 이러한 값들은 모집단 평균주위에서 임의적으로 다양하게 나타나는 것이 아니라 평균으로부터의 대부분 같은 방향으로 편차가 나타나며 체계적이다. 예를 들어 IQ가 120보다 높은 대상자들만 표본에 포함하였거나, 임상실험에서 극도의 제한적인 표집기준을 적용하였을 때 발생할 수 있다. 계통편차에 의한 표집오차는 아무리 표본크기를 증가시켜도 감소하지 않는다.

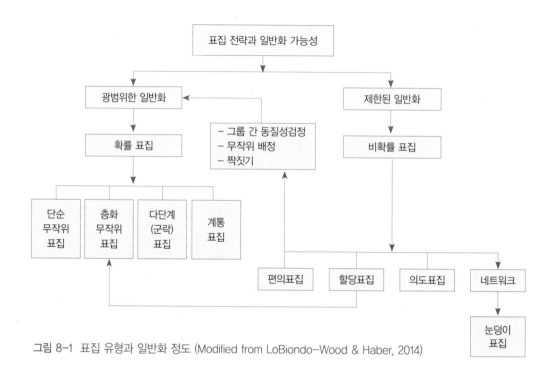

그림 8-1 표집 유형과 일반화 정도 (Modified from LoBiondo-Wood & Haber, 2014)

2. 표집의 유형

표집방법은 일반적으로 비확률 표집과 확률 표집으로 분류한다. 비확률 표집에서 비무작위 방법
으로 요소들을 선택하는 것으로 이 전략의 문제점은 모든 요소가 표본에 포함될 기회를 가진다고
확신할 수 없고, 특정 표본에 각 요소가 포함될 가능성을 추정할 방법이 없다는 것이다.

　확률 표집은 표본을 무작위로 선택하는 방법을 사용하며, 무작위 표집법은 모집단에 포함되어
있는 요소가 표본으로 선택될 기회가 0% 이상인 것을 의미하며, 이는 더 엄격한 유형의 표집전략
으로 표본은 더 나은 대표성을 가진다. 실험연구에서 대조군(control group)이란 용어는 제한적으
로 사용하여야 하며, 연구에 포함되는 대상자들을 무작위로 선택하고, 실험군과 대조군으로 무작
위로 배정한 경우에서만 대조군이란 용어를 사용하고, 만약 비무작위화 방법으로 대상자를 표집
한 경우에는 비교군(comparison group)이라고 하여야 한다. 이때 비교군은 실험군과 이미 존재
하는 차이나는 특성이 있을 수 있다.

1) 확률 표집

확률 표집(probability sampling)의 중요한 특징은 모집단에서 무작위로 요소를 뽑는다는 것이다. 무작위 추출에서 모집단의 각 요소가 표본에 포함될 기회는 동일하고 독립적이며, 과학적으로 강력한 표집방법이다. 확률 표집 방법은 표본이 편중되지 않고 대표성을 가지며 관심 모집단의 특성을 잘 나타낸다. 흔히 사용되는 확률 표집 방법 세 가지는 단순 무작위, 층화 무작위, 군락 표집법이며, 대상자를 무작위로 추출하는 것(randomization)과 대상자를 무작위로 할당(random assignment)하는 것을 혼동해서는 안 된다. 대상자를 무작위로 추출하는 것은 표집 틀(sampling frame)에서 대상자를 무작위로 선택(random selection)하는 것이고, 대상자를 무작위로 할당하는 것은 대상자를 실험군 또는 대조군에 무작위로 배정하는 것을 의미한다.

(1) 단순 무작위 표집

단순 무작위 표집(simple random sampling)은 연구자가 모집단을 정의하고 모집단의 모든 단위를 열거하여(표집 틀) 표본의 단위를 선택하는 과정이다. 예를 들어서 한국의 암 전문 병원이 표집 단위라고 하면 한국의 모든 암 전문병원의 목록이 표집 틀이다. 만약 상처장루 전담 간호사가 모집단위라면 한국에 등록된 모든 상처장루 전담 간호사 명부가 표집 틀이다. 표집 틀에서 무작위 표본을 추출하는 가장 좋은 방법은 대상자를 무작위로 추출하는 컴퓨터 프로그램을 사용하는 것이다.

단순 무작위 표집의 장점은 다음과 같다.
- 연구자의 의식적 편차에 영향을 받지 않는다.
- 모집단의 특성과 관련된 표본의 대표성이 극대화 된다.
- 표본과 모집단의 특성 차이는 우연에 의한 것이다.
- 표본의 크기가 커지면 표본의 대표성이 증가한다.

오류를 최소화하기 위해 통제된 표집절차를 신중하게 수행하였다 하더라고 표본의 대표성을 전적으로 보장할 수는 없다. 엄격한 무작위 표집절차를 따랐다고 하더라도 표본의 이질성(heterogeneity)과 대상자 탈락과 같은 요소는 표본의 대표성을 위협할 수 있다. 단순 무작위 표집의 가장 큰 단점은 시간이 많이 소요되고 비효율적이라는 것이다. 또한 모집단의 모든 요소를 포함하는 목록을 정확하고 완전하게 얻는 것이 불가능 할 수도 있다. 예를 들어, 2014년 A시에서 자살한 모든 사람의 명단을 얻으려고 한다고 하자. 자살이 사망의 원인이지만 기록상 사망원인으로 심장마비, 교통사고 등 다른 원인이 기록되어 있을 수도 있고, 기록상 오류가 있을 수도 있다. 따라서 표적 모집단 중 얼마나 많은 요소가 제외되었는지 아는 것은 쉽지 않으며, 어느 범위까지 표본으로 고려해야 할지 결정하는 것도 쉽지 않다. 연구자의 노력에도 불구하고 편차의 문제는 분명히 발생할 것이다. 표적 모집단을 완전하게 목록화 하는 것이 어렵거나 불가능하다면, 무작위로 표집하였다 하더라도 연구결과를 일반화하는 것은 주의를 기울여야 한다.

(2) 층화 무작위 표집

층화 무작위 표집(Stratified random sampling)은 그림 8-2에서처럼 모집단을 계층이나 하위그룹으로 나누고, 모집단의 비율에 따라 적절한 수의 요소가 각 하위그룹에 무작위로 배정된다. 이 표집전략의 목표는 대표성을 증가시키는 것이며 하부그룹으로 나뉜 모집단은 동질하다. 연령, 성별, 인종, 종교, 사회경제적 상태 또는 교육 수준과 같은 여러 특징에 따라 모집단을 계층화 할 수 있으며, 층화 무작위 표집은 p224에 언급된 할당표집 전략과 유사하나, 가장 큰 차이는 무작위 추출과정을 사용한다는 것이다. 층화표집 전략의 장점은 다음과 같다. ① 표본의 대표성이 증가한다. ② 중요한 변수에 대한 하위 그룹 비교가 가능하다. ③ 요소 수가 적은 계층이 불균형적으로 많이 표집(oversample)되는 것을 방지함으로써, 대표성이 떨어지는 것을 조정할 수 있고, 통계적 자료분석을 통해 타당한 비교가 가능하다.

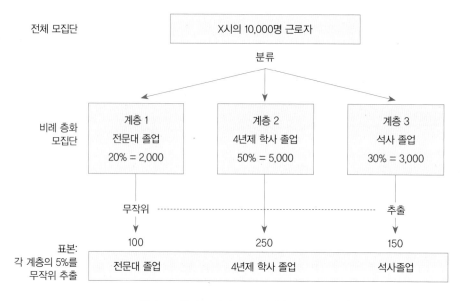

그림 8-2 층화 무작위 표집 전략을 사용한 대상자 선택

충화 무작위 표집 시 발생 가능한 장애요소는 다음과 같다. (1) 완벽하고 중요한 변수 정보를 포함하는 모집단 목록을 구하는 것이 어렵다. (2) 목록을 구하는 데 시간이 많이 걸린다. (3) 어떤 변수의 비율에 따라 계층을 만들지 결정하는 것이 어렵다. (4) 수행 시 시간과 자금이 많이 든다.

BOX 8-2　**충화무작위 표집의 예**

Shin 등(2014, p181)은 충화무작위 표집법을 활용하였으며 다음과 같이 기술하였다.

"담배회사의 담배광고 목격경험과 사회공헌활동에 대한 선호도가 청소년들의 현재 흡연과 미래 흡연의도에 미치는 영향력 정도를 분석하고자 한국 갤럽 표집 시스템을 활용하였다. 연구대상자 수는 사전에 700명으로 설정한 후 한국의 청소년 분포특성을 대표할 수 있도록 전국 7개 광역시와 전국 8도에 거주하는 청소년들의 성별, 연령을 고려하여 인구수 비례 무작위 추출을 시행하였다."

(3) 다단계(군락) 표집

다단계(군락) 표집(multistage (cluster) sampling)은 연속적으로 점점 작은 단위로 선정 기준을 만족하는 군락(cluster)을 무작위 표집 하는 것을 의미한다. 첫 번째 단계 표집단위는 큰 단위 또는 군락으로 구성된다. 두 번째 단계 표집단위는 좀 더 작은 단위나 군락으로 구성된다. 세 번째 단계 표집단위는 훨씬 작아진다. 예를 들어서, 응급실 간호사의 표본을 구하고자 한다면 첫 번째 표집단위는 우리나라 모든 병원목록에서 선정기준(즉, 규모와 유형)을 만족하는 병원을 무작위로 표집한 것이 될 것이고, 두 번째 표집단위는 첫 번째 단계에서 선택된 각 병원에 근무하는 응급실 간호사 목록(예: 각 병원 간호부장에게서 얻은 목록)으로 구성될 것이다. 응급실 간호사 목록의 선정기준은 다음과 같은 것이 될 수 있다.

- 응급실에서 3년 이상 근무경력이 있는 간호사
- 적어도 근무 중 75%의 시간을 직접 환자 간호에 참여하는 간호사
- 상근직 간호사

세 번째 표집단위는 각 병원에서 위 선정기준을 만족하는 10명의 응급실 간호사를 무작위로 추출하여 얻을 것이다.

국가 설문조사와 같이 큰 규모의 연구와 관련해서 다단계 표집이 사용될 때 첫 단계 표집단위로 시·도가 많이 사용된다. 다음으로 시·군·구와 같이 작은 단위가 두 번째 표집 단위가 되며 마지막 세 번째 표집단위는 한 가구가 될 것이다. 표집단위나 군락은 단순 무작위 또는 충화 무작위

표집방법으로 추출할 수 있다

　군락 표집의 주요 장점은 다른 확률 표집의 유형보다 시간과 비용측면에서 경제적이다. 두 가지 주요 단점은 (1) 단순 무작위 또는 층화 무작위 표집보다 표집오류가 더 크게 발생할 수 있고, (2) 군락 표본 통계 데이터를 적절하게 다루는 것은 매우 복잡하다는 것이다. 연구를 계획할 때, 비용문제뿐만 아니라 연구주제를 고려하여, 군락표집을 사용하는 것이 타당한지 고려해야 할 것이다.

BOX 8-3　다단계 표집의 예

　Kim (2015, p53)은 다단계 표집으로 대상자를 모집하였으며 다음과 같이 기술하였다.
　"청소년의 인터넷 사용과 건강행태실천 수준을 파악하고, 인터넷 사용과 건강행태실천의 관련성을 알아보기 위해 연구를 수행하였다. 표본크기는 중학교 400개교, 고등학교 400개교이며 비례배분법(proportional allocation)을 적용하여, 시·도, 도시규모, 그룹으로 구분하여, 중학교는 남/녀, 고등학교는 남/녀/일반계/전문계에 따라 표본 학교 수를 배분하였다. 표본추출은 2단계 집락추출법을 사용하였고, 1차 추출은 층화별로 모집단의 학교명부를 정렬한 후 추출간격을 산정하여 계통추출법으로 표본학교를 선정하였다. 2차 추출은 선정된 표본학교에서 학년별로 1개 학급을 무작위로 추출하였다."

---

(4) 계통표집

계통표집(Systematic Sampling)은 모집단의 모든 구성원이 순서대로 나열되어 있는 목록이 이용 가능 할 때 활용할 수 있다. 계통표집법이란 무작위로 선택된 시작점에서, 매 k번째 해당되는 구성원을 목록에서 선택하는 방법이다. 만약 첫 시작점이 무작위가 아니라면, 그 표본은 확률 표본이 아니다. 이 방법을 사용하기 위해서 연구자는 모집단의 요소의 수와 필요한 표본의 크기를 반드시 알고 있어야 한다. 모집단의 크기는 k를 제시하며 필요한 표본 크기에 의해 나눠지며 k는 목록에서 택한 요소들 간의 간격의 크기이다. 예를 들면, 만약 모집단의 크기 N=1200 이고 필요한 표본 크기 n=50이라면, k=24가 된다. 목록의 매 24번째에 해당되는 요소가 표본에 포함된다. 그러나 이 절차에 대해 각 요소가 표본에 포함될 기회가 동등하게 주어지지 않는다는 지적이 있다. 즉 무작위 추출법이긴 하지만 모든 대상자에게 연구에 포함될 수 있는 동등한 기회는 제공하지 않는다는 것이다. 본 표집법에서 주의할 점은 본래의 목록이 연구와 관련하여 의미가 있을 수 있는 어떤 순서에 의해 나열되어 있지 않아야 하는 것이다. 즉 명단의 순서가 연구되는 변수와 관련하여 무작위로 나열되어 있다는 가정이 충족되어야 한다. 만약 명단의 순서가 연구와 관련되어 있다면, 계통 편차가 생기고 이러한 경우 표집오차의 계산이 어려워진다.

| BOX 8-4 | 계통적 표집의 예 |

Lee 등(2000. p1518)은 계통적 표집으로 대상자를 모집하였으며 다음과 같이 기술하였다.

"라마즈 분만준비교실에 참여한 군과 참여하지 않은 군을 대상으로 산모 및 남편의 일반적 특성, 산과적 특성, 그리고 임신과 관련된 기타 특성을 비교하고 라마즈 분만준비교실 참여에 영향을 미치는 요인을 다변량 분석하고자 연구를 수행하였다. 1998년 1월부터 동년 12월까지 조사대상병원에서 분만을 한 산모는 총 6,119명이었다. 이 중에서 라마즈 분만준비교실에 242명(4.0%)이 참여하였으며 5,877명(96.0%)은 참여하지 않았다. 이 연구를 위하여 라마즈 분만준비교실 참여군은 전수 조사하였고, 비참여군은 참여군의 수만큼 월별 계통표본추출하였다."

---

2) 비확률 표집

무작위 추출이 아니기 때문에 연구결과를 일반화하기 어려우며 약한 대표성을 가진 표본을 구성하는 경향이 있으나 표본을 표집하기 쉬워서 다양한 학문분야에서 많이 사용되는 방법이다. 표적 모집단을 대표하기 위해 적절한 표본 크기와 신중한 선정/제외기준이 적용된 경우, 표본의 대표성과 연구결과의 외적 타당도는 어느 정도 보장할 수 있다. 비확률 표집의 주요 세 가지 유형은 편의, 할당, 의도 표집이다.

(1) 편의표집

편의표집(convenience sampling)은 사람이나 사물을 대상으로 가장 많이 사용되는 표집방법이다. 대상자는 연구참여를 지원한 자 일 수도 있고, 특정기간 X병원에 입원한 환자 혹은 응급실에 방문한 환자, Y 프로그램에 등록한 사람 등이 될 수 있다. 연구자 편의에 의해 대상자를 모집하므로 '편의표집'이라고 한다.

편의표집은 가장 쉬운 표집전략으로 대상자 모집이 비교적 쉬워 가장 흔하게 사용된다. 연구자는 기준을 만족하는 대상자를 충분히 모집하는 것만 고려하면 된다. 편의표집의 단점은 다른 유형의 표집방법보다 편차의 위험이 크다는 것이다. 편의표집은 자발적 참여에 의하므로 연구문제에 대해 강한 관심이 있고, 특정 결과를 선호하는 사람들이 모집될 가능성이 높다. 연구자는 어떤 사람이 연구에 참여하였고, 어떤 사람이 참여하지 않았는지, 이유는 무엇인지, 참여하지 않은 사람들이 연구에 참여한다면 어떤 자료가 얻어질 수 있었을지 등에 대한 질문을 함으로써 표집 요소에서 얻은 근거의 질과 강도를 평가할 수 있다.

　　연구자는 길거리에서 우연히 만난 사람에게 어떤 문제에 대한 의견을 묻거나, 신문에 광고를 내거나 교회, 지역사회 센터, 슈퍼 같은 곳에 연구참여 지원자가 필요하다는 포스터를 부착하여 대상자를 모집한다. 연구자는 표본이 추출되면 알려진 모집단과 비교하여 편의표본의 대표성을 확인하고, 편의표본이 무작위 표본에 가까운지, 어떤 방향으로 편중되었는지 사정한다. 대표성 있는 연구 대상자를 모집하기 위해 혁신적인 모집 전략을 수립할 필요가 있으며, 특정 질병 환우들의 채팅방, 블로그, 게시판 등 온라인 네트워크를 사용할 수도 있다. 비확률 표집은 비실험 양적 연구나 질적 연구에서 흔히 사용되며, 이는 Level IV에서 VI까지의 근거를 제시한다(그림 1-1 참고). 편의표집은 근거의 강도와 일반화 강도 측면에서 가장 약한 표집전략이므로, 편의표본이 사용되면 자료를 분석할 때 주의해야하며, 외적 타당도와 연구결과의 적용가능성에 대해 반드시 주의를 기울여야 한다.

BOX 8-5	편의표집의 예

Ha와 Choi (2015, p349)는 대상자를 편의표집하였으며 다음과 같이 기술하였다.
"자기결정성 이론을 기반으로 한 동기면담 기법을 적용한 금연 프로그램이 청소년 흡연자에게 미치는 효과를 규명하기 위해, D광역시에 소재한 12개 고등학교 학생 중 선정 기준에 부합하고 연구참여에 동의하고 학부모 동의서를 제출한 학생 164명을 편의표집 하였다."

(2) 할당표집

할당표집(quota sampling)은 비확률 표집의 형태로, 관심 모집단의 중요한 특성을 이미 알고 있는 경우 표본의 대표성을 증진시키기 위해 활용된다. 할당표집은 모집단의 계층을 확인하고 그 계층을 모집단과 비례하도록 표집에 적용한다. 그림 8-2의 자료를 보면 X 도시의 근로자 10,000명 중 20%가 전문학사, 50%가 4년제 학사, 30%가 석사 졸업생들이다. 모집단의 각 계층이 표본에서도 같은 비율로 나타나도록 하기 위해 연구자는 비례할당 표집전략을 사용하여 모집단 인구 10,000명 중 5%만 표집한다. 모집단에서 각 계층의 비율에 따라 전문학사 졸업 100명, 4년제 학사 졸업 250명, 석사 졸업 150명을 할당하여 각 계층의 할당량이 다 찰 때까지 대상자를 모집한다. 즉 연구자가 필요한 전문학사 졸업 100명, 4년제 학사 졸업 250명, 석사 졸업 150명이 모집되면 자료수집은 종료된다.

BOX 8-6   할당표집의 예

Shin 등(2010, p626)은 대상자를 할당표집하였으며 다음과 같이 기술하였다.

"전국 대학생들의 지역별 생식건강 실태를 파악하기 위해 비례할당 표집방법을 이용하였다. 모집단의 하위집단의 특성으로 지역, 성별, 그리고 대학종류(4년제, 전문대, 남녀공학, 여대)를 선정하고 교육과학 기술부가 보고한 한국의 전국 대학생 분포 비율에 따라 지역별 분포를 서울/경기/강원지역, 대전/충북/충남 지역, 부산/울산/경남 지역, 전북/전남/광주 지역, 그리고 제주 지역으로 선정한 후 지역별로 선정된 대학을 4년제 대학, 전문대, 남녀공학, 그리고 여대의 비율에 따라 선정하였다. 자료수집은 각 지역별 표본수가 충족되는 시점까지 실시하였다."

분류 상 모집단과 같은 비율로 표본이 구성되며, 할당표집은 무작위 추출은 아니지만, 표본의 대표성은 증가한다. 이 표집전략은 모집단과 다르게 특정 특성이 표본에서 지나치게 많이 나타나거나 적게 나타나는 문제를 해결한다. 계층은 연구자가 모집단에 대해 이미 알고 있는 지식이나 문헌 고찰을 통해 정해지며, 연구의 종속변수에 영향을 미칠 수 있는 변수로, 나이, 성별, 종교, 인종, 의학적 진단, 사회경제적 상태, 교육수준, 직업 등이 보건의료연구에서 자주 사용된다. 표본의 계층은 모집단을 적절히 나타내어야 하며, 엄격한 선정/제외기준과 적절한 표본크기는 계층 간 의미 있는 비교를 가능하게 하고 할당 표집전략의 엄격성을 증가시킨다.

(3) 의도표집

의도표집(purposive sampling)은 특정한 특성을 가진 대상자를 모집하기 위해 흔히 활용되며, 주로 질적 연구에서 사용된다. Lee (2015)는 대학생의 자살시도 경험에 대해 이해하고 어떤 상황과 맥락에서 자살시도를 하는지를 심층적으로 확인하기 위해, 대학 생활을 하면서 자살시도를 한 경험이 있는 대학생 8명을 의도표집하였다. 의도표집은 연구하고자 하는 모집단과 유사한 특성을 가진 대상자를 선택하므로 특정 모집단에 대한 대표성은 강화되며, 매우 드문 그룹을 연구할 때에 주로 사용된다. 예를 들어 헌팅턴 무도병과 같은 희귀 유전질환을 앓고 있는 대상자나, 전신홍반성 낭창, 인간 면역결핍 바이러스, 후천성 면역 결핍 증후군, 라임병 등을 앓고 있는 대상자들을 모집단으로 하는 경우이며, 연구자는 독자가 표본에 대해 정확하게 이해할 수 있도록 자세하게 표본의 특징을 기술해야 한다.

의도표집의 경우, 모집단의 특정한 특성이 표본에 지나치게 많이 포함되지 않도록 주의하여야 하며 연구자의 의식적 편차(예: 호의적인 대상자 포함, 연구자의 상황에 대한 가정과 유사한 경험을 가진 대상자 포함 등)가 대상자 선정에 영향을 미치지 않도록 주의하여야 한다. 그러나 자료의

BOX 8-7 　 의도표집의 예

Kang과 Hong (2015, p37)은 대상자를 의도표집하였고 다음과 같이 기술하였다.
"노인 요양시설에 거주하는 요실금을 경험하는 노인여성을 대상으로 골반 저 근육 운동을 포함한 신체기능강화
운동 프로그램이 요실금 정도와 배뇨행위를 위한 신체기능에 미치는 효과를 검증하기 위해, 요실금을 진단받았
거나 간호사를 통해 요실금 경험이 주 2회 이상 있는 것으로 확인된 70명을 의도표집 하였다."

BOX 8-8 　 의도표집 연구상황의 예

- 새롭게 개발된 도구의 예비조사를 위해 다양한 그룹의 사람을 모집할 때
- 표적 모집단에 대한 정보가 부족하고, 드물고 매우 특별한 모집단과 관련된 자료를 수집할 때
- 산후 우울, 아동 성적 학대의 극복과 같은 특정현상의 살아있는 경험을 기술하고자 할 때
- 연구의 초점이 특정 진단(예: 제1형 당뇨, 난소암), 건강상태(예: 맹인, 말기 질환), 인구학적 특징
  (예: 일란성 쌍둥이)과 관련이 있을 때

타당성을 증명할 수 있는 객관적인 방법은 없다. 따라서 의도표본을 사용한 연구의 결과는 주의
깊게 살펴봐야 하며, 어떠한 경우에서도, 비확률 표본으로 얻은 연구결과의 일반화는 제한이 따른
다. BOX 8-8은 의도표본을 사용하는 몇 가지 상황에 대한 예들이다.

3) 특수 표집 전략
몇 가지 특수 표집전략이 비확률 표집에서 사용된다. 짝짓기(matching)는 동일한 비교표본 그룹
을 만들기 위해 사용되는 전략이다. 나이, 성, 교육 수준, 의학적 진단이나 사회경제적 상태와 같
이 이미 정해진 변수와 관련하여 다른 표본그룹에 있는 각 대상자와 비슷한 대상자로 표본그룹을
구성한다. 이론상으로는 종속변수에 영향을 미칠 수 있는 변수뿐 만 아니라 모든 변수가 짝지어져
야 하지만 현실적으로 많은 변수가 짝지어질수록 적당한 표본크기를 얻는 것이 더 어려워진다.

BOX 8-9 | 짝짓기 표집의 예

Kang과 Song (2015, p31)은 짝짓기 표집법을 활용하였으며 다음과 같이 기술하였다.

"종합병원의 일반병동에 입원한 환자에 대한 Morse 낙상위험 사정도구와 Bobath Memorial 병원의 낙상위험 사정도구, Johns Hopkins 병원의 낙상위험 사정도구의 경계점수(cut-off score)를 확인하고, 각 도구의 민감도, 특이도, 양성예측도와 음성예측도를 비교·분석하고자 연구를 수행하였다. D시 소재 일개 종합병원의 전자의무 기록지를 이용하여 낙상여부를 구분하여 자료를 수집하였으며, 낙상군은 2010년 6월부터 2013년 12월까지 환자안전관리 시스템에 보고된 재원기간 동안 낙상을 경험한 환자 120명이 포함되었고, 대조군인 비낙상군에는 2013년 입원한 환자 중에서 연령, 성별, 진료과 및 병동을 낙상군과 동일조건으로 짝짓기 하여 선정한 120명이 포함되었다."

눈덩이 표집(snowballing)이라고도 불리는 네트워크 표집(networking sampling)은 다른 방법으로는 찾기가 어렵거나 불가능한 표본을 알아내기 위해 사용된다. 이 전략은 친구는 비슷한 특성을 가지는 경향이 있다는 사실과 사회적 네트워크를 이용한 자료수집 방법이다. 필요한 선정 기준을 만족하는 대상자 몇 명을 찾아 비슷한 조건을 만족하는 연구 참여자 주변사람들이 연구에 참여할 수 있도록 연구 참여자에게 도움을 요청한다. 의도표집이나 온라인 컴퓨터 네트워크를 통해 대상자를 찾기 어려울 때 네트워크 표집(눈덩이 표집)방법이 대상자 모집에 도움이 될 수 있다.

BOX 8-10 | 눈덩이 표집의 예

Yang (2014, p641)은 눈덩이 표집법을 통해 대상자를 모집하였으며 다음과 같이 기술하였다.

"한국의 한센병 환자가 질병과 더불어 어떻게 살아왔는지를 이해하고자 연구를 수행하였다. 연구 대상자 선정은 눈덩이식 표집방법을 사용하였는데 한 사람의 대상자를 구하고 그 사람에게 다른 대상자를 소개 받아서 진행했다. 즉 이 연구에서는 소록도병원 내 신생리에 거주하는 한센인 1인과 면담을 시작하여 연령, 성별, 발병 시기, 소록도 병원으로의 이주 시기 등을 고려하여 면담내용의 다양성과 밀도를 증가시킬 수 있는 대상자 중심으로 소개를 받아 면담을 진행하였다."

CHAPTER 08

II. 검정력 분석

1. 검정력

검정력(power)이란 모집단에 실제로 존재하는 차이나 관계성을 발견하는 연구의 능력이다. 다르게 표현하면 검정력은 귀무가설을 정확히 기각하는 능력이다. 연구에서 수용 가능한 최소의 검정력은 0.80이다. 검정력 분석(power analysis)은 다양한 연구설계에 대해 적절한 검정력을 가지는 표본 크기를 결정하기 위해 활용하는 통계적 분석과정이다(Cohen, 1988). 검정력 분석 없이 매우 작은 표본으로 수행된 연구는 아무리 높은 근거를 제시하는 연구설계라 하더라도(예를 들어서 Level II – 무작위 임상 시험 설계) 연구결과의 일반화 가능성은 약화되며, 연구결과에 대한 확신 또한 저하된다. 표본이 너무 작으면 귀무가설이 기각되어야 할 때 지지되는 type II 오류를 범할 수 있다. Type II 오류는 거짓인 귀무가설을 기각하지 않는 것으로 '거짓 부정(false negatives)'이라고 한다. 약물실험에서 약물이 효과가 있음에도 불구하고 효과가 없는 것으로 나타나는 것이다. Type II 오류는 beta로 나타내며 가설의 검증력(1-β)이나 민감성과 관련되며, 검증력은 거짓인 귀무가설을 기각하는 능력이다. Type II 오류를 피하는 방법은 표본크기를 크게 하는 것이다.

Type I 오류란 실제로는 참인 귀무가설을 기각하는 오류로 약물의 효과가 없음에도 불구하고 효과가 있는 것으로 나타나는 것으로 '거짓 긍정(false positive)'이라고 한다. Type I 오류는 조절될 수 있으며, 유의수준을 나타내는 alpha값은 type I 오류의 최대범위를 나타내며, 95%의 신뢰구간에 대해 alpha 값은 0.05이며 참인 귀무가설을 기각할 가능성이 5%이다. 길게 보았을 때 0.05수준의 alpha로 20개의 가설을 검정할 때 그 중 하나는 type I 오류를 나타낸다. Type I 오류를 줄이기 위해서는 낮은 유의성 수준(alpha)을 사용할 수 있다. 0.05보다는 0.01을 유의수준으로 정할 때 Type I 오류는 줄일 수 있다. 그러나 Type I 오류를 줄이면 Type II 오류는 증가되는 경향이 있다.

	귀무가설=참	귀무가설=거짓
귀무가설 기각	Type I 오류	옳은 결정(=검정력)
귀무가설 채택	옳은 결정	Type II 오류

검정력 분석으로 구한 필요한 수의 표본크기를 적절한 표집전략으로 표집하였을 때, 표본은 접근가능한 모집단(accessible population)을 대표하며 편중되지 않았다고 확신할 수 있으며, 연구 결과를 일반화할 수 있는 가능성이 커진다. 중재프로그램의 효과를 검정하려고 하는 연구자는 중재를 받은 그룹과 받지 않은 그룹 간 얼마나 큰 차이가 관찰되어야 할지(=효과크기) 추측해야 한다. 만약 두 그룹 간 평균 차이를 중간 정도로 기대한다면, 통상적으로 효과크기 d=.50으로 가정한다. 또한 연구 도중 대상자 탈락을 고려하여 15~25%정도 여분의 대상자를 더 모집한다. 기대되는 효과크기가 클 때 더 작은 표본이 필요하다.

2. 표본크기

표본크기를 정하는데 적용되는 유일한 규칙은 없으며 표본크기의 적절성을 평가하기 위해 다음의 질문을 할 수 있다. (1) 표본이 표적 모집단과 관련하여 얼마나 대표성을 가지는가? (2) 연구자는 연구의 결과를 어떤 대상자에게 일반화하려고 하는가? 표집의 궁극적 목표는 표본이 가능한 작은 표집오류를 나타내고 충분한 대표성을 가지는 것이다. 표본의 대표성이 보장되지 않으면, 모든 자료는 중요성을 잃게 된다. 표본크기를 예측할 때 다음과 같은 요소들을 고려하여야 한다.

- 연구설계 유형
- 표집절차 유형
- 최적의 표본크기를 예측하는데 사용된 공식
- 요구되는 정확도
- 조사 중인 특징의 이질성
- 관심현상이 모집단에서 발생하는 상대적 빈도(즉, 흔한 건강문제 vs 드문 건강문제)
- 표집전략에 대한 예상 비용

표본크기는 연구를 수행하기 전에 정해져야 하며 일반적 규칙은 가능한 큰 표본을 사용하는 것이다. 표본이 클수록 모집단을 대표할 가능성이 크고 작은 표본은 덜 정확한 결과를 만든다. 큰 표본크기는 임상 연구에서 얻기 어렵고, 긴 자료수집 기간이 필요하며, 비용이 많이 든다. 따라서 연구방법을 개발할 때, 연구자는 필요한 표본크기에 영향을 미치는 방법론적 요소를 평가해야 한다. 유의도가 엄격할수록, 양측검정보다 단측검정일 때, 효과크기가 작을수록, 더 큰 검정력이 요구될수록 더 큰 표본이 필요하다. 표본크기가 작을수록 연구의 검정력은 낮아진다.

　표본크기 결정 시 효과크기, 연구의 유형 외에도, 변수의 수, 측정 도구의 민감도, 그리고 자료분석 방법 등이 고려되어져야 한다. 연구에 사용되는 변수의 수가 증가할수록 필요한 표본의 수는 증가하며, 각 요인에 대해 5-10명(개)의 표본이 필요하다. 단지 서술을 위해 사용되는 변수들은 검정력이나 표본 수에 영향을 미치지 않으며, 종속변수와 상관성이 높은 변수는 효과크기를 높이고 필요한 표본 수를 줄인다. 그러므로 자료분석에 포함되는 변수들은 반드시 신중하게 선택되어야 하며, 연구문제에 필수적이고 선행연구에서 종속변수와의 강한 상관성이 증명된 변수들만이 주요 자료분석에 포함되어야 한다.

　잘 개발된 도구는 현상을 정확하게 측정하며 분산은 작아지는 경향이 있으므로 검정력을 높인다. 역으로, 도구가 측정하는 수치의 분산이 증가할수록 연구되는 현상을 정확하게 이해하는데 더 많은 수의 표본이 필요하다. 측정한 수치의 범위 역시 검정력에 영향을 미치며, 0에서 9까지 일정한 간격을 유지하는 10점 척도로 측정되는 변수에 대해 평균이 5라면, 효과크기는 극단값에서 더 크고 평균에 가까운 값에서 낮게 나타난다. 즉 0과 9와 같이 극단값을 나타내는 대상자들만 연구에 포함된 경우 효과크기는 커질 것이고 3에서 6의 범위 안에 있는 대상자들만 연구에 포함되었다면 효과크기는 작아질 것이고 훨씬 큰 표본이 필요하다. 따라서 측정 값의 범위가 넓을수록, 효과크기는 커진다.

　자료분석 방법에 따라 자료의 차이를 발견하는 능력은 다양하며, 자료에 적합한 가장 효과적인 통계적 검사방법이 선택되어야 한다. 또한 측정의 민감도와 자료분석 방법의 검정력 사이에는 상호작용이 있으며 분석방법의 검정력은 측정 정확성이 증가할수록 커진다. 계획된 통계분석의 검정력이 낮을 때는 반드시 더 큰 표본을 사용해야 한다. t-검정과 일원변량분석(ANOVA)은 동일한 집단크기를 가질 때 검정력이 증가하고 효과크기가 최대화되며, 집단크기가 다를수록 효과크기는 작아진다. 그러므로 크기가 같지 않은 집단에서는 총 표본크기가 더 커져야 한다. 카이제곱은 통계검정 중 결점이 가장 많은 검정방법으로 접근 가능한 검정력 수준이 되려면 매우 큰 표본크기가 필요하다. 범주의 수가 많아질수록 필요한 표본크기는 증가하며 각 범주마다 적절한 수 이상의 표본이 반드시 포함되어야 한다. 그러나 질적연구설계나 예비연구(pilot study)의 경우는 예외적으로 이 원칙이 적용되지 않는다. 질적연구설계는 주로 사전에 표본크기를 정하지 않으며, 분석되어야 할 구두자료가 방대하고, 대상자와 강하고 장기적인 관계를 강조하는 경향이 있기 때문에(Speziale & Carpenter, 2011), 표본크기는 작은 경향이 있다. 자료수집과정 동안에 새로운 자료가 더 이상 나오지 않고 자료가 충분히 포화(saturated)될 때까지 대상자를 표본에 추가하며, 대상자의 대표성보다 자료의 적합성(fittingness)이 더 중요한 관심사이다. 예비조사는 "parent study"라 불리는 대규모 연구의 준비로서 수행되는 작은 표본연구로 parent study와 유사한 연구방법론과 연구절차를 가진다. 예비조사는 대규모 연구수행의 실현가능 여부를 결정하는 예비자료를 만들어 더 광범위한 후속적 연구를 정당화하기 위해 충분한 과학적 근거가 존재한다는 것을 밝히기 위해 수행된다.

확률표본과 비확률 표본 모두에서 "표본이 클수록 좋다."라는 기본 원칙은 진실이다. 작은 표본에 근거한 결과는 불안정한 경향이 있어서 표본마다 값이 달라질 수 있으며 통계법을 의미 있게 사용하는 것이 어렵다. 작은 표본은 모집단을 대표할 가능성이 떨어지는 경향이 있고, 표본크기가 증가할수록 표본의 평균값은 모집단의 값과 유사하며 표집오차가 적다. 표본의 대표성에 대한 가상의 사례가 표 8-1에 소개되었다. 고관절 전치환술 환자가 수술 후 한 달간 섭취한 평균 진통제 량을 조사한 연구로, 모집단은 20명의 환자로 평균 진통제 섭취량은 한 달에 20.15개이다. 모집단 20명 중 표본 크기가 2, 4, 6, 10인 표본을 무작위로 뽑았다. 오른쪽 열에 있는 각 표본의 평균값이 모집단 평균의 추정치이다. 대부분의 경우 연구자는 모집단 평균값을 모르지만 지금은 모집단이 매우 작기 때문에 계산할 수 있다. 표 8-1의 자료를 보면 표본 크기가 2일 때 표본 1B에서 추정 값이 최대 8개까지 차이가 날 수 있다는 것을 알 수 있다. 표본 크기가 증가할수록 평균값은 모집단의 값과 가까워지며 표본 A와 B의 추정 값의 차이도 점점 작아진다. 큰 표본은 이상치가 있더라도 균형을 잡아주며, 무작위의 원리를 가능하게 하여 대표성을 증진시킨다.

표 8-1 진통제 섭취 연구에서 모집단과 표본의 평균값 비교

그룹 내 요소 수	그룹	진통제 섭취량(1개월)	평균
20	모집단	6, 8, 9, 10, 11, 12, 14, 16, 18, 20, 21, 22, 24, 26, 27, 28, 30, 32, 34, 35	20.15
2	표본 1A	11, 14	12.50
2	표본 1B	26, 30	28.00
4	표본 2A	6, 12, 20, 30	17.00
4	표본 2B	16, 18, 28, 34	24.00
6	표본 3A	8, 9, 16, 20, 26, 30	18.16
6	표본 3B	10, 14, 22, 24, 32, 35	22.80
10	표본 4A	8, 9, 12, 14, 16, 20, 22, 26, 34, 35	19.60
10	표본 4B	6, 10, 11, 16, 20, 22, 24, 28, 30, 34	20.01

BOX 8-11   효과크기에 대한 예

Choi와 Kim (2015, p27)은 효과크기에 대해 다음과 같이 기술하였다.
"심뇌혈관질환 발생위험이 높은 폐경 중년여성을 위한 심뇌혈관질환 예방교육프로그램을 개발하여 적용하고 심뇌혈관 지식, 자기효능감, 건강행위실천에 미치는 효과를 검증하고자 한다. 연구의 대상자는 G시에 소재한 2개의 구립문화원 음악프로그램에 등록되어 있는 폐경이 확인된 45세 이상 70세 미만인 중년여성이다. 표본크기를 정할 때 심뇌혈관질환 고위험 중년여성을 위한 통합적 생활 습관개선 프로그램의 효과에 대한 연구결과를 근거로, 유의수준 .05, 검정력 .80, 효과크기 .70으로 하여 검정력 분석을 한 결과, 집단 별 최소 26명이 필요한 것으로 계산되었고, 탈락률을 고려하여 실험군 34명, 대조군 34명, 총 68명을 목표로 자료수집을 진행하였다".

3. 비평

표 8-2는 연구표집과정을 비판적으로 평가하는 기준들이다. 다음의 두 가지 질문을 통해 연구의 표집과정을 평가할 수 있다.

1) 모집단, 표본, 표집전략, 표본크기에 대한 정보가 다른 연구자가 이 연구를 똑같이 반복수행할 수 있을 만큼 충분한가?
2) 내적 타당도와 외적 타당도를 위협하는 표집요소는 무엇인가?

위 질문에 대한 답은 연구결과의 타당성과 근거의 강도와 관련되며, 연구결과를 일반화할 수 있는 모집단의 범위와도 관련된다. 편의, 할당 또는 의도 표집전략이 사용된 연구는 개인이 연구에 참여할 것인지 안 할 것인지를 스스로 결정하므로 내적타당도를 위협할 수 있다. 표본의 인구학적 특징(예: 나이, 진단명, 인종, 종교, 교육수준, 사회경제적 상태, 결혼여부)을 표로 나타내거나 요약하여 서술하는 이유는 표본의 인구학적 특성과 모집단의 인구학적 특성을 비교함으로써 표본의 모집단과의 유사성을 검토하고 표본에서 얻은 자료의 일반화 가능성 정도를 평가하기 위함이다. 표본을 자세하게 서술하는 것은 연구 모집단과 표본에 대한 준거기준(frame of reference)을 제공하며 반복연구 가능성과 편차 가능성에 대한 정보를 제공한다. 대상자 탈락률(attrition)은 표집과 관련된 내적타당도를 위협하는 요소이다. 탈락군의 특성이 연구결과를 일반화하는 데 저해요소로 작용할 수도 있으며, 탈락군과 완료군이 인구학적, 임상적 변수에서 동일하다는 정보는 중요하다. 만약 연구에 남은 대상자가 탈락한 대상자와 다른 특성을 가졌다면 연구결과에 영향을 미칠 수 있고 다른 그룹보다 특정한 그룹에서 많은 대상자가 탈락하여도 결과에 영향을 미칠 수 있다. 표집의 타당성을 확인하기 위해 연구논문 공포 시, 대상자 스크리닝, 모집, 등록, 무작위 할당, 탈락과정과 결과를 도표로 나타낸 흐름도(flow chart)를 포함하여 연구결과를 보고할 것을 요청하는 경우가 흔하다. 시설거주 노인여성을 위한 근력강화 훈련이 요실금과 신체기능에 미치는 효과연구(Kang & Hong (Son), 2015)에서 제시한 흐름도는 BOX 8-12와 같다.

표 8-2   표집 비평기준

1. 표본의 특성이 완전하게 서술되었는가?
2. 표본에 대한 기술로 연구 모집단의 특성(parameters)의 추론이 가능한가?
3. 모집단을 대표하는 표본인가?
4. 표본의 선정기준과 제외기준이 명확하고, 경계가 명료한가?
5. 연구모집단을 똑같이 재현하는 것이 가능한가?
6. 표집방법이 명료히 기술되었고, 표집방법이 적절한가?
7. 표집방법에 의해 어떤 편차가 만들어졌는가?
8. 표본크기는 적절한가?
9. 대상자의 권리가 보장되었는가?
10. 연구자는 연구결과를 일반화할 때 제한점을 확인하였는가? 그 제한점은 적절한가?
11. 표집전략은 연구 설계와 근거의 수준에 적절한가?
12. 연구자는 연구의 반복수행의 필요성을 어떻게 나타내었는가?

표집과 관련된 외적 타당도는 모집단에 연구의 결과를 일반화할 수 있는 정도를 의미하며, 일반화 가능성은 연구에 실제로 누가 참여했는가에 달려있다. 접근한 모든 사람이 선정기준을 만족하지 않을 수도 있고, 연구참여에 동의하지 않을 수도 있고, 연구참여를 완료하지 않을 수도 있다. 표본의 대표성과 연구결과의 일반화 가능성에서 편차는 중요한 표집문제이며, 편차가 존재하는 경우, 연구결과에 의해 제시된 근거에 대한 확신이 떨어지고 적용가능성이 제한된다. 역사적으로, 성인 건강에 관한 연구에서 여성은 대상자에서 제외되었다. 표본은 대부분 남성이었고, 표본에서 여성의 대표성이 부족함에도 불구하고 연구의 결과는 모든 성인으로 일반화 되었다. 비슷한 맥락으로, 임상실험에서 대부분 유럽계 미국인들이 연구에 많이 참여하였고, 이러한 연구결과는 인종이 다른 그룹에서 발생할 수 있는 중재와 약물에 대한 다양한 반응을 간과히였다(Ward, 2003). 유럽계 미국인 자료에 기반한 연구결과를 아프리카계 미국인, 아시아인 등 다른 문화그룹에 일반화하기에는 제한점이 있을 수 있다.

확률 표집은 연구 모집단의 대표성을 보장하는 분명히 이상적인 표집절차이다. 무작위 표집절차(예: 단순 무작위, 군락 또는 계통 표집 전략)를 따르는 것은 의식적·무의식적 편차의 발생을 최소화하며, 표본으로부터 얻은 결과를 모집단에 일반화하는 것을 가능하게 한다. 따라서 연구자는 사용된 확률 표집의 유형을 밝혀야 하고 연구자가 특정 표집계획의 기준을 지켰는지 확인할 수 있도록 자료를 제시하여야 한다. 의도표집이 실험연구나 유사실험연구에서 사용될 때, 대상자가 그룹에 무작위로 할당되었는지, 만약 그러하다면 어떤 방법으로 할당되었는지에 대해 기술하여야 한다. 무작위 할당이 지켜지지 않았다면, 연구결과에 대한 근거의 강도를 주의 깊게 살펴보고 평가하여야 한다.

무작위 추출이 연구 대상자의 대표성을 확립하는 데에는 이상적이지만 현실적 장애(기관의 방침, 대상자에 대한 접근 불가능, 시간이나 비용 부족, 현재 그 분야에 대한 지식수준)로 인해 비확률적 표집 전략을 사용하게 될 수도 있다. 보건의료 분야에서 흥미로운 많은 연구질문은 실험설계와 확률 표집에서 제시하는 근거수준에 적합하지 않을 수 있으며 특히 질적연구설계에서 더 그러하다. 비확률 표집전략을 사용하였다 하더라도, 신중하게 설계된 통제된 연구는 정확하고 의미있는 근거를 제시하여 과학적 지식체에 중요한 공헌을 할 수 있다.

연구자는 비평가로서 다음과 같은 질문을 스스로에게 할 수 있다. "확률 표집을 사용하는 실험연구 또는 유사실험연구를 수행하는 것이 불가능하거나 부적절하다면 그 연구는 중단되어야 하는가?" 이에 대한 대답은, 방법론적 제한과 제시된 근거의 제한에 최대한 주의를 기울이면서 연구를 수행하는 것이 얻을 수 있는 지식을 잃는 것보다는 낫다는 것이다. 비실험연구에서 얻은 지식을 개선하기 위해 연구자는 더 엄격한 설계와 표집전략을 사용하여 더 강하고 일관성 있는 근거수준을 나타내는 후속 연구를 반복하여 수행할 수 있다. 비확률 표집에서 가장 어려운 점은 모집단의 모든 요소가 표본에 포함될 동일한 기회를 갖지 않는다는 것이다. 따라서 모집단의 일부분이 체계적으로 소외될 가능성이 있다. 표본이 모집단과 연령, 성별, 사회경제적 상태, 진단명과 같은 중요한 특징에서 동일하다면 체계적 편차는 그렇게 중요하지 않을 수 있다. 그러나 대부분의 경우 연구자가 관심을 가지고 있는 특징은 표집편차를 무시할 만큼 모집단과 동질하지 않을 수 있으므로 주의깊은 평가가 필요하다.

BOX 8-12 CONSORT flow diagram의 예

C와 G시에 위치한 2개의 노인요양시설에 거주하는 노인여성을 유한 모집단으로 하여 효과크기 .80, 유의수준 .05, 검정력 .80으로 표본크기를 산출한 결과 요구되는 대상자의 수는 각 군당 26명이었다. 고령 및 상대적으로 허약한 요양시설거주 노인의 특성과 우리나라 정서상 질 내 수축기압의 반복측정에 대한 거부감으로 인한 중도탈락을 고려해 연구의 선정기준에 포함되고 연구에 서면 동의한 70명 모두를 최종 연구 대상자로 등록하였고 SPSS 18.0 for Window의 상단의 데이터 메뉴 내에 위치한 케이스 선택메뉴를 이용, 전체 대상자 70명을 50%씩 두 개 집단으로 무작위 분류하도록 하여 35명을 실험군으로, 나머지 35명을 대조군으로 각각 배정하였다 (Figure 1).

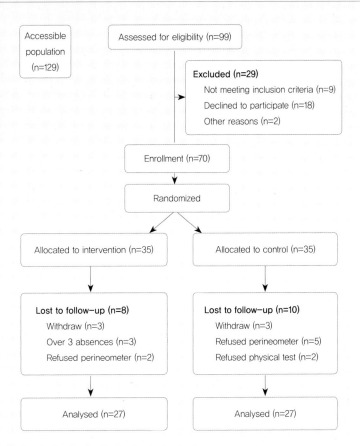

CONSORT=Consolidated standards of reporting trials.

Figure 1. CONSORT flow diagram.

출처: Kang, H. K., & Hong (Son), G. R. (2015). Effect of muscle strength training on urinary incontinence and physical function – A randomized controlled trial in long-term care facilities –. *Journal of Korean Academy of Nursing, 45*(1), 35–45.

08
CHAPTER

참고문헌

Choi, S. K., & Kim, I. S. (2015). Effects of a cardiocerebrovascular disease prevention education program for postmenopausal middle-aged women. *Journal of Korean Academy of Nursing, 45*(1), 25-34.

Cohen, J. (1988). *Statistical power analysis for the behavioral sciences* (2nd ed.). New York, NY: Academic Press.

Ha, Y. S., & Choi, Y. H. (2015). Effectiveness of the self-determination theory based a motivational interviewing YOU-TURN Program for smoking cessation among adolescents. *Journal of Korean Academy of Nursing, 45*(3), 347-356.

Kang, H. K., & Hong (Son), G. R. (2015). Effect of muscle strength training on urinary incontinence and physical function - A randomized controlled trial in long-term care facilities -. *Journal of Korean Academy of Nursing, 45*(1), 35-45.

Kang, Y. O., & Song, R. Y. (2015). Validation of fall risk assessment scales among hospitalized patients in South Korea using retrospective data analysis. *Journal of Korean Academic Society of Adult Nursing, 27*(1), 29-38.

Kim, E. G. (2015). The relationship between internet use and health behaviors among adolescents. *Journal of Korean Academy of Community Health Nursing, 26*(1), 52-60.

Lee, C. N., Kim, Y. M., Shin, I. S., Cho, W. Y., & Kim, J. H. (2000). Selection tendencies of the lamaze class : A prepared childbirth program. *Obstetrics & Gynecology Science, 43*(9), 1517-1524.

Lee, Y. M. (2015). Experience of college students on suicide attempts. *Journal of Korean Academy of Nursing, 45*(3), 397-411.

LoBiondo-Wood, G., & Haber, J. (2014). Nursing research: Methods and critical appraisal for evidence-based practice. St. Louis, Missouri: Elsevier Inc.

Park, J. H., Bae, S. H., Jung, Y. S., & Jung, Y. M. (2015). Prevalence and characteristics of chemotherapy-related cognitive impairment in patients with breast cancer. *Journal of Korean Academy of Nursing, 45*(1), 118-128.

Shin, K. R., Park, H. J., Bae, K. E., & Cha, C. Y. (2010). Sexual behavior, health risk behaviors related to reproductive health, and sexual experiences among Korean college students. *Journal of Korean Academic Society of Adult Nursing, 22*(6), 624-633.

Shin, S. R., Shin, S. H., Lee, B. K., & Yang, J. H. (2014). Influence of experiences of witnessing tobacco advertising and preferences of tobacco companies social responsibility on current and future smoking intentions in adolescents. *Journal of Korean Academy of Community Health Nursing, 25*(1), 33–43.

Speziale, S., & Carpenter, D. R. (2011). *Qualitative research in nursing* (4th ed.). Philadelphia, PA: Lippincott.

Ward, L. S. (2003). Race as a variable in cross-cultural research. *Nursing Outlook, 51*(3), 120–125.

Yang, Y. K. (2014). Life experiences of Korean patients with Hansen's disease in Sorok island hospital. *Journal of Korean Academy of Nursing, 44*(6), 639–648.

09
CHAPTER

연구윤리

09
CHAPTER

연구윤리

본 장에서는 인간을 대상으로 하는 연구에서 윤리적으로 고려되어야 할 점들이 무엇인지에 대해 알아볼 것이다. 먼저 연구윤리 규정이 만들어지게 된 역사적 배경을 고찰하고, 인권보호, 연구동의서 및 연구윤리위원회에 대해 다룰 것이다. 이외에도 현재 심각한 문제로 대두되고 있는 허위적 과학에 대해 알아볼 것이다.

I. 연구윤리 개념

1. 역사적 배경

1933년에서 1945년 사이 히틀러가 독일을 통치하던 시대에 나치스는 유럽에서 인간을 대상으로 잔인하고 비윤리적인 실험을 실시하였다. 세계 제2차 대전이 끝난 후, 나치스에 의한 비윤리적 실험들이 세상에 알려지게 되었다. 이를 계기로 인간을 대상으로 연구를 실시하는데 있어 인간 보호의 중요성이 주요 관심의 대상으로 부각되어 '뉘른베르그 강령(Nuremburg Code, 1949)'이 만들어지게 되어(http://www.hhs.gov/ohrp/references/nurcode.htm에서 확인할 수 있음) 최초로 국제적으로 받아들여지게 되었다(학술진흥재단과 교육인적자원부, 2006). 이 강령의 주요 요지는 다음과 같다:

- 자의적인 연구 참여에 대한 동의가 필요함
- 연구결과는 사회적으로 유익한 것이어야 함
- 인간에게 실시하기 이전에 동물을 대상으로 실시해야 함

- 불필요한 고통이나 손상 회피, 대상자의 죽음이나 불구를 야기할 수 있는 연구를 행하지 말아야 함
- 위험과 이익의 비율을 고려해야 함, 가능한 위험으로부터 연구대상자를 보호해야 함
- 연구는 충분한 자격을 갖춘 연구자에 의해 실시되어야 함
- 연구대상자는 어느 때이든지 연구 참여를 취소할 수 있음
- 연구 참여자가 손상, 불구 또는 사망하게 되면 즉시 연구를 중단해야 함

뉘른베르그 강령은 세계 여러 의학전문가의 지지를 받게 되었고, 1964년 핀란드 헬싱키에서 있었던 세계의학협회(World Medical Assembly) 회의에서 연구와 관련된 인권보호를 위해 헬싱키 선언이 이루어졌다(Declaration of Helsinki, 1986). 인권보호를 위한 헬싱키 선언에서는 치료적 연구(therapeutic research)와 비치료적 연구(non-therapeutic research)를 구분하였다. 치료적 연구는 환자에게 유익한 결과를 줄 수 있는 실험적 치료를 받을 기회를 제공하는 것이고, 비치료적 연구는 학문의 새로운 지식을 생성하기 위해 수행되지만 연구에 참여한 환자가 연구결과에 의한 직접적인 이익을 받지는 않고 미래의 환자에게 유익할 수 있는 연구를 의미한다고 하였다. 그리고 비실험적 연구에서 연구대상자를 위험으로부터 보호하는데 많은 주의를 기울여야 하며, 단지 새로운 과학적 지식을 얻기 위해 연구에 자의적으로 참여한 건강한 사람을 위험의 요인이 있는 상황에 노출시키기 위해서는 정당한 이유가 필요하고, 연구자는 반드시 연구대상자의 생명과 건강을 보호해야 함을 강조하였다.

미국에서는 1970년대부터 인간을 대상으로 실시되는 연구의 윤리적 지침을 만들기 시작하였다. 1973년 건강교육복지국(Department of Health, Education and Welfare: DHEW)에서 처음으로 인권보호 규칙이 발표되었는데, 이 중 가장 중요한 요점은 연구윤리위원회(Institutional Review Board: IRB)는 모든 연구논문을 검토하고 승인하는 과정을 밟아야 한다는 것이었다. 그 후 National Research Act에서 National Commission for the Protection of Human Subjects of Biomedical and Behavioral Research (1978)를 설립하여 인간을 대상으로 실시되는 연구를 위한 세 가지 윤리적 기본원칙을 확인하였다(표 9-1). Department of Health and Human Services (DHHS, 1983)는 이 위원회의 권고에 부응하여 동의서 요구, 동의서의 문서화, 윤리위원회의 검토 및 특수한 연구에 대한 심사면제와 신속심의(expedite review) 등에 대한 윤리위원회 규정을 만들었다. 그리고 2005년 8월 보건복지부에서는 연구부정행위방지법(42 CFR Part 93)을 제정하였다.

국내에서는 1995년 10월 의약품임상시험관리기준(KGCP)을 시행한 이래 대학병원을 포함한 임상시험을 수행하는 의료기관에서 연구윤리위원회를 설치하기 시작하였다. 그러나 연구윤리위원회

구성원으로서의 전문성과 경험을 가진 전문 인력이 적고 위원회에 대한 인식이 선진국에 비해 매우 낮은 상태이므로 2002년 3월 대한의학회 산하에 창립된 대한 임상연구 심의기구 협의회에서 연구 윤리위원회 설치 및 운영지침을 만들게 되었다. 이 지침은 헬싱키에서 선언된 윤리규정 및 기타 국제적 지침과 국내의 지침 및 규정을 바탕으로 이루어졌고, 기본 원칙은 '인간 존엄성의 존중'에 두고 있다. 즉, 연구의 목적도 중요하지만 연구참여자의 존엄, 건강, 복지, 인권을 유린하는 행위를 허용해서는 안 된다는 것이다. 연구대상자의 권리, 안전, 복지는 우선 심의 대상으로 과학과 사회의 이익보다 중요하며, 임상연구는 예측되는 위험과 불편 사항에 대한 충분한 고려를 통해 피험자 개인과 사회가 얻을 수 있는 이익이 그 위험성을 상회 또는 정당화할 수 있다고 판단되는 경우에 한하여 실시하여야 한다는 기본원칙을 정하였다(대한임상연구심의기구협의회, 2003).

2. 인권보호

연구자는 연구에 참여하는 사람의 인권을 보호해야 할 윤리적 책임이 있다. 이런 책임을 다하기 위해 다음과 같은 인간의 권리를 고려해야 한다: 자율성(self-determination)의 권리, 사생활보호의 권리, 익명/비밀보장의 권리, 공정한 대우를 받을 권리, 불편이나 해로운 것으로부터 보호받을 권리.

1) 자율성의 권리

자율성의 권리는 인간을 대상으로 실시하는 세 가지 윤리적 기본원칙(표 9-1) 중 인간존중의 원리에 해당된다. 다시 말해, 연구대상자인 인간은 연구에 참여하거나 참여하지 않을 의사결정을 스스로 내릴 권리를 가지고 있으며, 또한 어떠한 불이익을 받지 않고 언제든지 연구 참여를 그만둘 수 있는 권리를 가지고 있다. 이러한 자율성의 권리는 흔히 강압(coercion), 자료수집에 대한 은닉(covert), 속임(deception)에 의해 침해된다.

표 9-1 윤리적 기본원칙

기본 원칙	정의
인간 존중(respect for person)	인간은 연구에 참여하거나 참여하지 않을 의사를 자신이 결정할 수 있는 권리 및 자유를 가지고 있다.
선행(beneficence)	연구자는 대상자에게 해로운 것을 하지 말고 유익한 것을 최대한 증가시켜야 할 의무를 가지고 있다.
정의(justice)	연구대상자는 공정하게 대우받아야 한다.

(1) 강압

강압은 개인이 타인에게 특정행위를 하도록 하기위해 의도적으로 위협이나 과도한 보상을 할 때 발생하게 된다. 임상에서 일어날 수 있는 가장 흔한 사례는 담당 의사나 간호사가 환자에게 자신의 연구에 참여할 것을 부탁할 때 일어날 수 있다. 환자는 연구에 참여하고 싶지 않은데 연구 참여를 거부 한다면, 혹시 담당 의사나 간호사가 자신에게 의료적 불이익을 주지 않을까 걱정되고 불편하게 느끼게 된다. 따라서 할 수 없이 연구 참여를 승낙하는 경우가 많다. 이와는 반대로 연구대상자가 연구 참여에 대해 과도한 금전적 보상을 받거나 의료적 특전을 받는 경우에도 이러한 혜택 때문에 연구 참여를 거절할 수 없게 된다.

(2) 자료수집에 대한 은닉

자료수집에 대한 은닉은 개인이 자신도 모르게 연구대상자가 된 것을 의미한다. 예를 들어 연구자가 어떤 새로운 치료 효과를 측정하기 위해 마치 그 치료가 일반화된 정상 치료과정인 것처럼 자연스럽게 환자에게 설명한 경우, 환자 자신은 자신이 연구의 자료수집 대상이 되었는지를 인식하지 못하게 된다. 이는 자료수집 은닉에 의한 인권존중이 침해된 경우이다. 하지만 예를 들어, 대상자의 행위를 관찰해야 하는 연구에서는 연구대상자임을 미리 밝히는 것이 대상자의 행위변화를 유발하므로 연구대상자임을 미리 못 밝히는 불가피한 경우가 있다. 이런 경우는 연구 마지막 단계에서 대상자에게 연구 활동 및 결과에 대한 정보를 반드시 제공해야 한다.

(3) 속임

속임은 연구대상자에게 연구 목적에 대해 잘못된 정보를 제공하는 것을 말한다. 대표적인 예로는 Milgram의 연구가 이에 해당된다. 이 연구에서 연구참여자로 하여금 다른 사람에게 전기쇼크를 주도록 하였는데, 실제로는 전기쇼크를 받은 사람은 전문 연기자로 쇼크를 받은 척 연기를 하였다. 하지만 이런 사실을 전혀 몰랐던 연구참여자들은 연구 참여 후 극심한 정신적 긴장감으로 고생을 하였다. 만약 연구를 수행하는데 있어 속임이 필요하다면, 연구자는 자료수집을 위한 유일한 방법일 뿐 아니라 대상자에 대한 해가 전혀 없음을 명시해야 한다.

2) 사생활보호의 권리

사생활보호의 권리는 인간존중의 원리에 바탕을 둔 것으로, 개인이 개인적 정보를 다른 사람과 공유하거나 거부하는 것에 대한 결정권이 있고, 정보를 공유한 시간, 장소 및 일반적 환경을 결정할 자유를 가지고 있음을 의미한다. 사생활보호 권리는 연구 대상자에게 연구에 대한 설명이 주어지고, 연구 참여에 동의를 받고, 자발적으로 자신의 정보를 연구자와 공유할 때 이루어진다.

3) 익명/비밀보장의 권리

연구대상자는 익명의 권리와 수집된 자료의 비밀보장에 대한 권리를 가지고 있다. 익명의 의미는 연구 대상자의 신원과 응답내용이 서로 연결될 수 없는 것을 의미한다. 연구자조차도 이를 알 수 없다. 예를 들면, 간호사가 인지하는 연구결과 이용의 장애요인에 대한 연구(Lee & Kim, 2000)에서 질문지 300부를 반송용 서류봉투에 넣어 무작위로 배부하고 간호사가 원하는 시간에 질문에 무기명으로 답하도록 요청하였으며 질문지를 서류봉투 안에 넣어 봉한 후, 간호부 사무실 복도에 놓인 수거용 상자에 넣도록 의뢰하였다. 이 연구의 자료수집 과정을 보면, 질문지는 무기명이었고 연구자도 누가 어떻게 답하였는지를 알 수 없었기 때문에 연구대상자의 익명의 권리가 보장되었다고 볼 수 있다.

많은 연구에서 연구자는 연구 대상자의 신분과 응답내용을 동시에 알게 된다. 이런 경우에 연구자는 대상자의 신원이 노출되지 않도록 비밀보장을 해야 한다. 비밀보장이 위반되는 흔한 경우는, 연구자가 자료를 볼 권한이 없는 사람에게 자료를 보게 하는 경우 또는 연구결과를 보고할 때 연구대상자의 신원이 노출되는 경우이다. 연구대상자의 비밀을 보장하기 위해서 연구자는 각각의 연구대상자에게 코드(code) 번호를 주고 이름 대신 코드번호를 사용하여야 한다. 그리고 이름 목록표와 코드번호 목록표는 따로 분리시켜 다른 곳에 보관해야 한다. 예를 들어, 항암 화학요법을 받는 유방암 환자를 대상으로 한 연구(Lee et al., 2003)에서 연구자는 연구대상자인 유방암 환자들의 비밀보장을 위해 코드시스템을 사용하였다. 대상자가 연구참여 동의서에 서명을 하면, 연구대상자 각각에게 코드번호가 부여되었고, 대상자가 작성한 질문지는 단지 코드에 의해 확인되도록 하였다. 그리고 대상자가 응답한 질문지는 대학교 사무실의 잠금장치가 있는 캐비닛에 보관하여 아무도 접근할 수 없게 하였다. 또한 대상자의 이름 목록표, 코드 목록표 및 연구 동의서는 각각 다른 장소에 보관함으로써 신분에 대한 비밀을 보장하였다.

4) 공정한 대우를 받을 권리

공정한 대우를 받을 권리는 연구를 위한 윤리적 기본 원칙의 정의에 입각한 것으로 각각의 개인은 공평하게 대우되어야 하고 마땅히 받아야 할 대우를 받을 권리를 가지고 있음을 의미한다. 이러한 권리를 연구에 적용하면, 연구에서 대상자 선정은 차별 없이 공정해야 하고, 선정된 연구대상자는 인종, 나이, 사회적 지위에 상관없이 공평한 대우를 받아야 한다(Whitney, 2001).

5) 불편함이나 해로운 것으로부터 보호받을 권리

연구를 위한 윤리적 기본 원칙의 선행에 속하는 것으로 개개인의 안녕이 고려되어야 함을 의미한다. 연구는 연구 대상자에게 어떤 명목 하에서도 해를 주어서는 안 되고 이익을 주어야 한다. 하지만 연구 대상자에 대한 직접적인 이익이 명확하게 드러나지 않는 연구계획서들이 흔히 있다. 예를 들어, 연구 대상자가 연구 참여를 통해 받는 직접적인 이득은 없지만, 연구에 참여하게 됨으로서 새로운 지식을 도출하는데 영향을 미쳐서 그 지식이 다른 사람에게 도움이 될 수 있는 간접적인 이득을 주는 연구들이 그 예이다. 따라서 모든 연구는 연구 대상자에게 미치는 잠재적인 위험과 이득에 대한 비율이 사정되어야 하고(그림 9-1), 연구 대상자에게 최대한의 이득과 최소한의 위험이 미치도록 하여야 한다. 만약 잠재적인 위험요인이 이득을 초과한다면, 그 연구계획서는 반드시 수정되어야 한다(Wang & Huch, 2000).

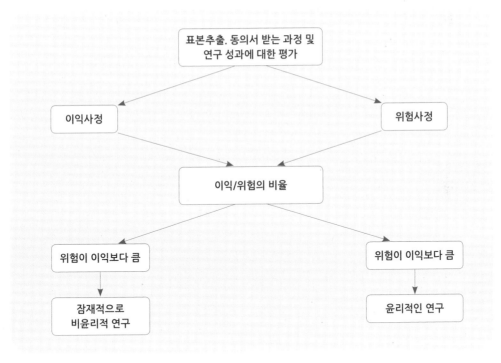

그림 9-1 연구의 위험/이익의 평가

II. 연구동의

1. 연구동의

연구 참여에 대한 동의는 인간의 자율성과 인간존중의 윤리적 원칙을 유지하기 위해 매우 중요하다. 본 장에서는 연구동의서 작성 시 필수적으로 포함해야 할 정보, 이해정도, 자격 및 자발성에 관한 것(DHHS, 1991)과 연구 동의서의 가이드라인 및 사례에 대해 알아보겠다. 연구에서 피험자 동의는 법적으로 유의한 동의자에게 동의를 받아야 한다. 즉, 만 19세 이상은 서면동의; 만 13이상~18세는 서면동의자(친권자) 동의서와 미성년자의 서면동의서 승락; 만 6세 이상~12세는 서면동의자(친권자) 동의서와 미성년자의 승낙서; 만 5세 이하는 서면동의자(친권자) 동의서를 받아야 한다.

1) 필수적 정보
● **연구에 대한 소개**

연구가 무엇에 대한 것인지 소개하고 잠재적 연구대상자에게 연구에 참여해 줄 것을 의뢰한다.

● **연구목적**

연구목적에 대한 설명과 연구 대상자가 연구 참여를 한다면 대략적으로 소요되는 시간에 대한 진술을 포함해야 한다.

● **연구과정**

측정될 연구 변수, 자료수집과정, 측정 방법, 측정 회수, 조작(실험)방법, 자료수집 장소 등에 대해 서술한다.

● **위험요인**

예측되는 신체적, 정서적, 사회적 및 경제적 위험요인에 대한 정보를 주고, 어떻게 잠재적 위험요인을 최소화 시킬 것인가에 대해 서술한다.

● **이익요인**

연구를 통해 연구 참여자 또는 다른 사람에게 기대되는 이익에 대해 기술한다. 만약, 연구 참여에 대한 경제적 이익이나 보상이 있다면 이에 관한 것도 기술한다.

● **대안**

필요하면 본 연구에서 제시하는 중재 이외에 연구 대상자에게 유익한 다른 대안적 과정이나 치료과정이 있는지를 밝힌다.

- **무기명이나 비밀보장**

   연구에 대한 연구대상자의 자료는 무기명/비밀보장이 되고, 연구결과 발표 시 코드화한 집단 자료로 처리되므로 연구 대상자의 신원을 확인할 수 없음을 확실히 설명한다.

- **보상**

   연구 참여를 통해 최소한의 위험보다 더 가중한 위험부담을 갖는 연구에서는 어떤 보상이나 상해를 입었을 때 이에 대한 치료방법이 있는지에 대한 정보를 주어야 한다.

- **연락처에 대한 정보**

   연구대상자가 연구에 관련된 질문이 있거나 상해를 입었을 때 누구에게 질문해야 하는 지에 관한 정보를 제공해야 한다.

- **비강압적 거절**

   연구 참여는 자발적인 것이고, 연구 참여에 거절을 한다 할지라도 벌칙이 없으며 어떤 불이익도 받지 않는다는 사실에 대해 기술한다.

- **연구 참여의 취소**

   연구 대상자는 언제라도 본인이 원하면, 벌칙이나 어떤 불이익도 받지 않고 연구 참여를 취소할 수 있음을 서술한다.

- **불완전한 정보제공에 대한 동의**

   일부 연구계획서는 연구목적을 알려주면 연구 대상자의 행위 변화를 초래하기 때문에 연구목적에 대한 설명을 못해주는 경우가 있다. 이런 경우에 연구자는 예기되는 위험요인에 대해 확실한 정보를 주어야 하고, 언제 어떻게 연구목적에 대한 정보를 제공할 것인지에 대해 설명을 해야 한다.

2) 이해정도

연구 동의서에 어떤 내용이 포함되는가 하는 것만큼 연구 대상자가 얼마나 이해 할 수 있는가 하는 것 역시 중요하다. 따라서 연구 동의서에 포함되는 내용에는 전문용어를 사용하는 것을 삼가하고 일반 용어를 사용하는 것이 좋다. 일반적으로 성인을 대상으로 연구동의서를 만들 때는 중학교 1, 2학년 수준의 학력을 가진 사람이 이해 할 수 있는 용어를 사용하는 것이 바람직하다.

3) 능력

연구자는 법적으로 자율권을 가지고 있는 연구대상자가 연구에 대한 설명을 이해하는지 확인하고,

연구에 대한 이익과 위험의 가중치를 결정할 수 있는 능력을 가지고 있는지를 판단한 후 연구동의를 받아야 한다. 특히 주의를 기울여야 할 취약군에는 태아, 여성, 아동 및 미성년자, 인지 장애자, 구금자(죄수), 혼수환자, 말기 질환자, 노인, 소수민족, 학생 등이 포함된다.

4) 자발적 연구동의

자발적 연구 동의는 연구 대상자가 어떤 강압이나 과도한 영향을 받지 않고 자신의 의지에 의해 연구에 참여하도록 하는 것을 의미한다. 강압은 위협을 의미하고, 과도한 영향은 지나치거나 부적절한 보상이나 제안을 뜻한다. 따라서 연구자는 예비 연구 참여자에게 연구에 참여할 것을 무리하게 요청하지 말아야 하며, 지나친 보상을 하지 않아야 한다.

5) 연구동의서에 대한 지침 및 사례

아래의 표 9-2는 연구동의서를 작성하는 지침 및 동의서 각 문장에 대한 주요 요점을 표시한 것이다.

표 9-2 연구동의서 작성을 위한 지침

연구 참여에 대한 동의서	주요 요점
귀하는 (연구목적) 참여에 초청되었습니다. 이 연구는 (기관)의 (부서)에 있는 (책임 연구자)에 의해 수행되는 것입니다.	누가 무엇을 왜하는가?
(박사/석사학위논문)의 일부로 수행되는 것입니다. 학생의 연구지도교수는 (지도교수 이름)로 연락처는 (대학, 과, 전화번호)입니다.	학생연구인 경우
이 연구는 연구비 지원을 (기관, 회사)에서 받았습니다.	연구비 지원을 받은 경우
만약 귀하께서 연구 참여에 동의를 하신다면, 아래의 것들이 요청될 것입니다. 귀하의 일반사항에 대한 질문 (나이, 성별, 교육정도) 설문지와 치료과정에 대한 설명을 위한 면접	무엇이 요청되는가?
이 연구과정은 다음과 같은 점에서 표준 치료방법과 다릅니다. (새로운 약/기구/과정)	임상연구인 경우
귀하는 표준 치료방법 대신 다른 방법을 선택할 수 있습니다.	대안적 치료방법

(계속)

연구 참여에 대한 동의서	주요 요점
본 연구에 참여하는데 소요되는 시간은 (전체 걸리는 시간/부분적으로 걸리는 시간)이 될 것입니다.	얼마의 시간이 소요되는가? (전체시간, 부분적 시간)
(연구 참여에 의한 위험요인은 없다) 또는 (예를 들어, 혈액검사를 위해 혈액을 채취할 때 약간의 불편감이 있을 수 있습니다)	예상되는 위험요인
(약/기구/치료과정은 실험적인 것으로 표준 약/기구/치료과정이 사용되지 않을 수 있습니다)	임상연구의 경우
연구 참여에 대해 귀하는 (　원)을 받게 될 것입니다. 연구가 종결되기 전에 연구 참여를 그만 둔다면 일부만을 받게 될 것입니다.	연구참여에 대한 보상
비록 귀하는 연구 참여로 인해 직접적인 이익을 받지는 못할 지라도 연구를 통해 얻어지는 지식은 앞으로 귀하와 같은 사람을 위해 사용될 것입니다.	연구참여에 대한 (잠재적)이익
정부 규정에 의하면 연구 참여로 인해 신체적 상해를 입은 경우에는 이에 대한 치료와 보상을 받을 수 있습니다. 하지만 이러한 치료와 보상은 윤리위원회가 소속된 (대학 또는 병원)에서 책임을 지지는 않습니다.	응급상황과 보상
만약 연구와 관련된 질문이 있을 경우 연구자 (연구자의 전화번호, 이메일 주소, 대학 또는 병원 주소)에게 연락하여 질문할 수 있습니다.	질문에 대한 답
연구 참여에 대한 결정은 자발적인 것이며, 언제든지 귀하가 원하는 때에 어떤 벌칙 없이 그만둘 수 있습니다.	자발적 참여 연구참여의 탈퇴
(...방법을 사용하여) 연구 자료에 대한 귀하의 비밀을 보장할 것입니다.	비밀보장
귀하의 면접은 비디오 촬영될 것이며, 귀하는 비디오 테이프를 보고 부분 또는 전체 삭제에 대해 요청할 권리를 가지고 있습니다.	녹음이나 비디오 촬영의 경우
귀하에게 연구동의서의 복사본 1부가 주어질 것입니다.	연구동의서 복사본
연구 동의에 대한 서명: 이름 _____ 날짜 _____ 연구자 _____	연구동의 서명

2. 연구윤리위원회

1974년 DHEW에서 인간을 대상으로 실시되는 모든 연구는 연구윤리위원회의 심의를 거쳐야 한다는 규정을 결정하였고, 이 규정을 DHHS가 심의/수정하여 윤리위원회의 위원, 기능, 작용 등에 대한 가이드라인을 제시하였다. 연구윤리위원회의 목적은 연구자들이 인간을 대상으로 실시하는 연구를 윤리적으로 시행하는지를 심의하는 것이다. 연구윤리위원회의 구성은 최소한 5명 이상으로 문화, 경제, 교육, 인종 등의 다양한 배경을 가진 위원들로 구성이 되며, 연구를 심의하는데 전문가로 구성된다. 또한 윤리학 전공자, 법률가, 종교인 등의 비과학적 배경을 가진 사람도 반드시 포함이 되어야 하며, 최소한 한 명 이상은 그 기관의 직원이 아닌 외부 인사이어야 한다. 병원 연구윤리위원회는 보통 의사, 법률가, 과학자, 간호사, 성직자, 일반인으로 구성 된다(Chamorro & Appelbaum, 1988). 연방정부규정에 준해 연구윤리위원회는 아래와 같은 것을 결정하게 된다.

- 연구대상자에 대한 위험요인이 최소화 되었는가?
- 연구대상자에게 예상되는 이익에 비해 위험요인이 합당한가?
- 대상자 선정이 평등한가?
- 연구동의서를 연구대상자 또는 법적 대리인으로부터 개별적으로 받는가?
- 연구동의서 내용은 적절한가?
- 연구계획이 수집된 자료를 모니터하기에 적합한가?
- 연구계획이 연구대상자의 사생활 보호와 비밀보장에 적합한가?
- 연구대상자가 강압이나 과도한 영향을 받을 수 있는 취약군일 때 이로부터 보호할 수 있는 어떤 장치가 포함되어 있는가?

국내에서는 2003년 대한임상연구심의기구협의회에서 연구에 참여하는 사람들의 존엄성, 권리, 안전 및 복지를 증진시키고 과학적 연구의 신뢰성을 높이기 위해 각 의료기관 및 생명의학연구 기관에서 연구의 윤리성 심의를 하는 연구윤리위원회의 설치와 운영에 관한 지침을 제공하기 위한 규정을 제정하였다. 이 규정에 따르면, 연구윤리위원회는 그 기관에서 많이 수행되는 연구 활동을 적정하게 심의할 수 있도록 다양한 배경을 가진 최소한 5인 이상의 위원으로 구성하고 심의 요소는 다음과 같다.

1) 연구의 과학적 설계와 실행
(1) 연구 목적에 합당한 연구설계, 통계적 방법 및 최소한의 연구대상자들로부터 타당한 결론을

도출할 수 있는 가능성

(2) 연구대상자와 관련 지역사회의 예상이익, 예상위험 및 불편사항에 대한 정당성

(3) 대조군 사용에 대한 타당성

(4) 연구대상자의 조기탈락에 대한 기준

(5) 연구의 중지나 종결에 대한 기준

(6) 연구 진행을 모니터링하고 점검하기 위한 계획의 충실성

(7) 연구시설의 적절성(응급상황에 대한 대처방안)

(8) 연구결과 보고와 발표 방법

2) 연구대상자 모집

(1) 연구에 참여하게 될 연구대상자들의 일반적 특성(성별, 연령, 교육정도, 문화, 경제적 지위, 인종 등)에 대한 설명

(2) 초기접촉과 모집방법

(3) 잠정적 연구대상자들에게 정보를 전달하는 방법

(4) 연구대상자 선정기준

(5) 연구대상자 제외기준

3) 연구대상자에 대한 주의와 보호

(1) 연구계획서를 신청한 연구자들의 자질과 경험의 적합성

(2) 연구목적을 위해 표준치료를 선택하지 않은 경우, 그 이유의 적합성

(3) 연구과정 중 또는 연구종료 후 연구대상자에게 제공하는 의료

(4) 연구대상자를 위한 적절한 의학적 관리와 정신적 및 사회적 의료

(5) 연구과정 중 자의로 연구에서 탈퇴하는 연구대상자가 생길 경우에 취할 조치

(6) 연구에 사용된 의약품 등의 확대적용, 비상시 이용 또는 자선사업으로 사용하는 경우에 대한 기준

(7) 담당 주치의가 있는 경우 해당주치의에게 연구관련 정보제공 대책

(8) 연구대상자들에 대한 보상(현금, 의료서비스, 선물 등)

(9) 연구대상자들에게 제공되는 유상 및 무상 의료서비스에 관한 설명

(10) 연구대상자가 연구에 참가함으로써 생긴 부상, 장애, 사망의 경우 보상 또는 치료에 대한 조항

(11) 보험과 배상에 관한 방침

4) 연구대상자의 비밀보호

   (1) 의무기록 및 생물학적 표본을 포함하여 연구에 참여하는 연구대상자의 개인적 정보에 접근할 수 있는 자에 대한 설명

   (2) 연구대상자의 개인적 정보의 비밀과 보안을 유지하는 방법

5) 동의취득과정

   (1) 동의 받는 연구자의 신원을 포함하여 설명 후 동의를 구하는 절차에 대한 전체적인 설명

   (2) 연구대상자 또는 대리인에게 제공되는 문서 혹은 구술된 정보의 적절성, 완전성 및 이해가능성

   (3) 동의불능자를 연구에 포함시키는 경우 정당성 및 대리인의 동의를 구하기 위한 방침

   (4) 연구대상자들이 연구 기간동안 자신의 존엄, 권리, 안전, 복지에 관한 충분한 정보를 받을 수 있다는 보장

   (5) 연구 수행 중 연구대상자 및 그 대리인으로부터 질문과 불편사항을 해결하는 방안

   연구윤리위원회의 심의는 크게 정규심의, 신속심의, 및 심의면제로 구분되며(황은성 등, 2014), 심의결과는 승인, 시정 승인, 보완 후 신속심의, 보완 후 정기심의 및 부결이 있다(그림 9-2).

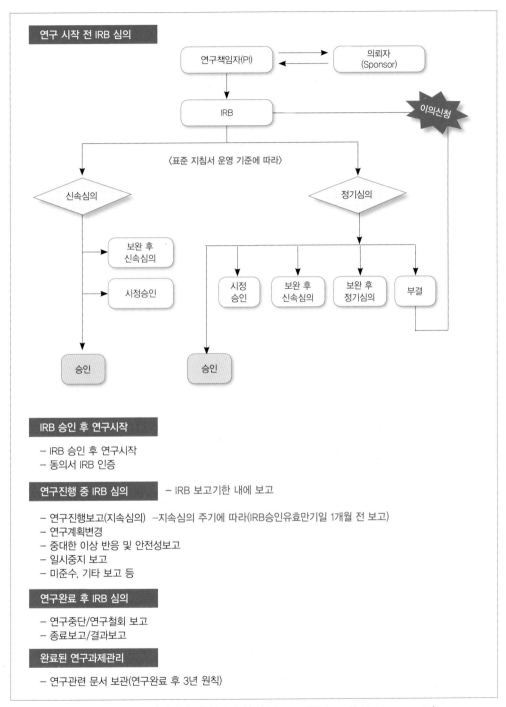

그림 9-2   IRB 심의과정 및 심의결과(아주대 IRB자료: http://eirb.ajoumc.or.kr)

3. 허위적 과학

National Institute of Health (NIH)는 허위적 과학(scientific fraud or misconduct)을 "위조, 변조, 표절 및 연구를 계획, 수행, 보고하는데 있어 연구자로서 행해야 하는 것들로부터 이탈된 어떤 것들을 의미하나, 모르고 한 실수 또는 자료에 대한 판단이나 해석의 오류 등은 이에 속하지 않는 다"고 정의하였다. 1980년대 이후 허위적 과학은 심각한 문제로 대두되고 있다. 미국에서 상위 50위에 속하는 연구기관의 절반가량은 허위적 연구논문을 발표한 경험이 있고(Holthaus, 1988), 5만 명의 과학자 중 15-20개의 의심되는 허위적 연구결과가 보고되고 있다(Windom, 1988). 그 사례를 보면 다음과 같다.

- Pittsburgh 대학의 심리학자인 Stephen Breuning은 정부연구기금으로 실시한 정신박약 어린 이들의 흥분제 사용 효과에 대한 연구에서 연구대상자를 변조한 죄로 유죄선고를 받았다 (Anderson, 1988).
- Harvard 대학의 심장전문의사이며 연구원인 Jone Darsee는 수년 동안 연구자료를 위조하였 다. 그의 연구결과 중 2개는 New England Journal of Medicine에 게재되었지만 위조 자료 였음이 밝혀진 후 나중에 취소되었다(Relman, 1983).
- California-San Diego의 심장전문의인 Robert Slutsky는 7년 동안 137개의 연구를 수행하 였다. 이 대학의 위원회에서 그의 연구 중 77개는 타당성이 있었으나 48개는 의심이 되고, 12 개는 허위적 연구임을 밝혔다(Engler et al., 1987).
- Harvard 대학의 유명한 정신과의사는 교수위원회에 의해 자신의 연구논문 중 4개가 이미 게 재된 논문의 표절임이 밝혀지자 자진 사직하였다(McDonald, 1988).

위와 같은 사례들은 연구자가 모르고 저지른 실수 또는 자료의 결과를 잘못 해석한 결과가 아니라 연구자의 의도 하에 실시된 심각한 비윤리적 행위이다. 이와 같은 허위적 연구의 게재는 의학에서는 이미 심각한 문제가 되었고, 간호학에서도 차츰 주요 문제로 떠오르고 있다.

이외에도 최근에 국내 연구에서 지양해야 할 문제로 떠오르는 윤리적 이슈들이 있다(한국학술진흥재단과 교육인적자원부, 2006). 첫째는 '명예저자 관행'이다. 연구에 직접적인 관여를 하지 않은 사람을 논문 저자로 이름을 올리는 것을 말한다. 즉, 연구가 시행된 부서나 프로그램의 주임교수, 연구지원금 제공자, 그 분야의 선도적 연구자, 시약제공자, 또는 저자의 멘토라는 이유만으로 논문의 저자로 등재시키는 것이다. 이런 경우는 저자라기보다 연구 기여에 대한 감사 란에 이름을 올리는 것이 적합하다고 볼 수 있다. 둘째는 살라미 논문(salami publication) 또는 볼로냐(bologna)

논문이다. 이는 단순히 연구 편수를 늘리기 위해 큰 연구를 여러 갈래로 쪼개어 작은 여러 개의 논문으로 만드는 것을 말한다. 마지막은 중복논문이다. 중복논문은 같은 정보를 여러 번 발표하는 것을 말한다. 이러한 행위는 연구기록을 왜곡시킬 우려가 있다. 예를 들어, 연구자들은 어떤 어려운 문제에 대해 결정을 하고자 할 때 메타분석을 하게 되는데, 메타분석에서는 논문 하나하나가 연구 개체가 된다. 따라서 같은 논문을 두 번 이상 발표하게 되면 메타분석의 결과는 중복논문에 대해 너무 많은 비중을 주게 되므로 메타분석 결과를 왜곡시킬 수 있다.

참고문헌

대한임상연구심의기구협의회. (2003). *연구윤리심의위원회(IRB) 설치 및 운영지침*. 서울: 대한임상연구심의기구협의회.

한국학술진흥재단, 교육인적자원부. (2006). *연구윤리소개*. 서울: 한국학술진흥재단, 교육인적자원부.

황은성, 조은희, 김영복, 박기범, 손화철, 윤태웅, 임정묵. (2014). *이공계 연구윤리 및 출판윤리 매뉴얼*. 서울: 한국과학술지편집인협의회.

Anderson, A. (1989). Peer review: Does it work efficiently? *Nature, 339*, 164.

Chamorro, T. & Appelbaum, J. (1988). Informed consent: Nursing issues and ethical dilemmas. *Oncology Nursing Forum, 15*(6), 803–808.

Declaration of Healsinki. (1986). In R. J. Levine (Ed.), *Ethics and regulations of clinical research* (2nd ed., pp.427–429). Baltimore, Munich: Urban and Schwarzenberg.

Department of Health and Human Services. (1983). Department of Health and Human Services rules and regulations, 45CF46, Title 45, Pt 46, Federal Regulation, March 8.

Department of Health and Human Services. (1991). Protection of human subjects. Code of Federal Regulations, Title 45 Public Welfare, Part 46.

Engler, R. L., Covell, J. W., Friedman, P. J., Kitcher, P. S., & Peters, R. M. (1987). Misrepresentation and responsibility in medical research. *New England Journal of Medicine, 317*, 1383–1389.

Holthaus, D. (1988). Research fraud often goes undetected. *Hospitals, 62*, 87.

Lee, E-H., Chung B. Y., Park, H. B., & Chun, K. H. (2003). Factors to symptom experience in Korean women receiving chemotherapy for breast cancer. *Journal of Pain and Symptom Management, 27*(5), 425–433.

McDonald, K. A. (1988). Noted Harvard psychiatrist resigns posts after faculty group finds he plagiarized. *Chronicle of Higher Education, 35*, 1.

National Commission for the Protection of Human Subjects of Biomedical and Behavioral Research. (1978). *Belmont report: Ethical principles and guidelines for research involving human subjects.* Washington, DC: U.S. Government Printing Office. DHEW Publication No. (05) 78–0012.

Nuremberg Code, 1949. (1986). In R. J. Levine (Ed.), *Ethics and regulation of clinical research* (2nd ed.; pp. 425–426). Baltimore, Munich: Urban and Schwarzenberg.

Relman, A. S. (1983). Lessons from the Darsee Affaire, *New England Journal of Medicine, 308*, 1415–1417.

Wang, C. H. & Huch, M. H. (2000). Protecting human research subjects: An international perspective. *Nursing Science Quarterly, 13*(4), 293–298.

Whitney, J. D. (2001). Protecting human subjects: Informed consent revisited. *JWOCN. 28*, 230–232.

Windom, R. E. (1988). *Statement before the house energy and commerce subcommittee on oversight and investigations, House of Representatives*, April 12, 1988. U.S. Department of Health and Human Services.

10
CHAPTER

측정도구의 유형

10 CHAPTER 측정도구의 유형

연구과정에서 흔히 발생하는 문제 중 하나는 현상에서 확인되는 변수를 측정할 수 있는 도구가 충분히 개발되어있지 않다는 것이다. 초기 간호연구에서는 타당도나 신뢰도가 확인되지 않은 도구를 사용하기도 하였으나, 1980년대 초부터 간호학 현상의 측정을 위하여 신뢰도와 타당도가 검증된 도구들이 개발되기 시작하였다. 연구논문의 적절성 평가에는 연구의 초점이 되는 변수를 측정하기 위한 측정의 원리와 도구개발에 대한 지식이 요구된다. 본 장에서는 간호연구에서 일반적으로 사용되는 다양한 측정방법을 소개하고, 도구 평가이론 등에 대해 논의하고자 한다.

1. 생리적 변수의 측정

건강의 생리적 측면은 간호연구에서 중요하게 측정되는 개념으로, 특히 건강을 반영하는 생리적 변수와 사회심리적 변수를 연결하려는 노력이 집중되어왔다. 1990년대 이후 간호학 연구에서 생리적 변수를 포함하는 경향이 증가되고 있으며 과학적이고 신뢰도 높은 측정방법을 통해 현상을 설명하려는 노력이 지속되어왔다. 생리적 변수의 측정은 두 가지로 분류되는데 생리적 측정과 생화학적 측정이다. 생리적 측정은 혈압계와 청진기를 이용하여 혈압을 측정하는 것 등이 포함되며, 생화학적 측정에는 혈액검사를 통해 콜레스테롤 수치를 측정하는 것이 포함된다. 생리적 측정은 다음과 같은 여러 방법을 통해 수행된다.

1) 자가보고

자가보고(self-report) 또는 설문지를 이용한 측정이 생리적 정보를 수집하는데 이용될 수 있다. 이 방법은 연구 대상자에게 집중 모니터링이 가능하지 않는 상황에서 적용된다. 대변횟수와 양상을 측정하기 위해 자가보고 방법을 활용하기도 하며, 이외에도 수면양상, 일상활동 유형, 식습관, 관절의 뻣뻣한 형태, 움직임의 변화수준 등과 같은 변수들이 자가보고를 통해 수집된다. 일부 변수들은 관찰되거나 측정될 수 없으므로 자가보고가 유일한 측정수단이 된다. 통증, 오심, 어지러움, 소화불량, 배고픔이나 목마름의 형태, 인지의 변화, 가려움과 피로 등과 같은 주관적 변수들이 여기에 포함된다. 자가보고에 의한 측정은 간호연구자들이 측정할 수 없는 변수라고 생각하였던 현상에 대해 측정이 가능하게 함으로써 간호중재의 효과를 높이고 간호학 지식발전에 기여한다.

BOX 10-1

1) 중환자실에서 모니터와 환경적 소음에 대한 개인의 반응을 측정하고자 한다. 입원 환자의 소음에 대한 스트레스 반응을 설문을 이용하여 자가보고 방법으로 측정하였다.
2) 걷기와 근력운동프로그램에 참여한 대상자들이 지각하는 호흡곤란과 다리의 피로감을 측정하기 위해 자가보고를 이용하였다.

---

2) 관찰

생리적 현상에 대한 측정자료는 때로 관찰을 통해 수집되어 척도나 인덱스에 기록된다. 척도에서 명시하는 기준을 통해 관찰된 생리적 기능수준이 수량화된다. 임상자료뿐 아니라 이 측정 방법에는 간호제공자들이 관찰을 통해 자료를 수집하는 방법도 포함되는데 지역사회에 거주하는 알츠하이머 환자 또는 암환자들에 대한 연구, 호스피스와 가정간호에 대한 연구에서도 환자의 생리적 상태를 기록하기 위해 관찰에 의한 측정방법이 이용되었다.

BOX 10-2

Stevens 등(1999)의 연구에서는 저체중 신생아에게 제공되는 여러 시술에 대해 환아가 느끼는 통증을 측정하기 위해 신생아 표정 코딩체계(NFCS)를 근거로 행동지수(3문항), 생리적 지수(2문항)와 기타지수(2문항)으로 구성된 관찰척도를 이용하였다.

출처: Stevens, B., Johnston, C., Franck, L., Petryshen, P., Jack, A., & Foster, G. (1999). The efficacy of developmentally sensitive interventions and sucrose for relieving procedural pain in very low birth weight neonates. *Nursing Research, 48*(1), 35–43.

---

3) 직접 또는 간접 측정

생리적 변수는 직접, 간접으로 측정될 수 있는데 직접 측정이 정확도와 타당도가 더 높다. 그러나 직접 측정이 불가능한 경우가 많아 간접 측정이 사용되기도 한다. 간접 측정은 생리적 변수의 초기 사정을 위해서 사용되기도 하며, 직접 측정과 병용되기도 한다.

1) 고혈압 환자를 대상으로 혈압 측정을 위해 동맥 카테터를 삽입하여 파형을 측정(직접 측정)함과 동시에 혈압
   계를 이용하여 측정(간접 측정)하였다.

2) 지역사회 노인의 신체활동 정도를 측정하고자 한다. 신체활동 체크리스트를 이용하여 각 활동을 주당 어느
   정도 수행하는지 표시하도록(간접 측정)하여 운동량에 대한 에너지소비량(kcal)을 계산하였다. 동시에 대상
   자들에게 신체활동 측정이 가능한 팔찌 형태의 기구를 24시간 손목에 차고 일상생활을 수행하도록 한 후 실
   제 움직임에 대한 에너지소비량(kcal)을 측정(직접 측정)하였다.

4) 실험실 검사

혈액응고검사 등의 생화학적 측정은 반드시 침습적 방법인 혈액검사를 통해 이루어진다. 때로 이러한 생화학적 검사결과는 환자 치료의 일부이므로 환자의 의무기록지에서 얻을 수도 있다. 혈당수치와 같은 일부 검사들은 병동에서 검사되기도 하지만 대부분의 생화학적 검사결과는 실험실 분석이 요구된다. 검사내용이 환자 치료와 상관이 없이 연구목적으로만 사용되는 경우에는 환자의 권리에 대한 세심한 배려가 필요하며 연구수행 전에 해당 기관의 승인과 환자로부터 동의서를 받아야 한다.

5) 전자기구를 통한 모니터링

임상에서 최근 급증하는 모니터링 기구의 사용은 간호연구에서 생리적 측정의 가능성을 높여주었다. 전자 모니터링 과정에 대한 이해는 관련된 생리적 변수의 측정을 용이하게 하고 타 연구에서 기술된 변수측정 결과를 이해하는데도 도움이 된다. 전자 모니터링을 이용하기 위해서는 감지기(sensor)가 대상자의 피부나 몸 안에 위치하여야 하는데, Keefe 등(1996)은 이러한 전자 감지기를 이용하여 전기적 에너지 등 신체기능의 변화를 측정하였다. 외부로부터의 자극이 주어지면 감지기에 의한 측정이 이루어진다. 측정과정에서 전기적 신호는 변환기에 의해 전환되고, 증폭기는 방해전파는 줄이면서 원하는 신호를 증폭시킨다. 이때 전기적 신호는 숫자 또는 수치로 전환되며 자기 테이프에 기록되면서, 즉시 모니터에 나타나게 된다. 일부 모니터는 컴퓨터에 연결되어 모든 자료를 컴퓨터 상에서 저장, 분석할 수 있다.

감지기를 통한 측정의 한 가지 단점은 측정을 위한 변환기가 환자의 몸 안에 위치하게 되므로 변환기의 존재자체가 측정수치를 변화시킬 수 있는 위험성이다. 예를 들어 혈관 내에 위치한 혈류측정을 위한 변환기의 경우 변환기의 존재 자체가 혈관을 부분적으로 막아 혈류를 변화시키고 혈류의 수준도 달라지게 할 수 있다는 점이다.

6) 생리적 측정방법의 개발

일부 연구에서는 임상에서 관찰되고 있지만 측정한 적이 없는 현상을 측정하기 위해 새로운 방법을 도입하기도 한다. 기본 가정으로 간호사에 의해 관찰될 수 있는 현상은 측정도 가능하다고 믿는다. 이 가정을 바탕으로 다양한 측정방법이 고려될 수 있다. 일부 생리적 현상은 매우 복잡하여 평가에 적합한 자료를 얻기 위해 여러 측정방법을 복합적으로 사용해야 한다.

BOX 10-4   생리적 측정방법의 예

1) 타박상의 정도를 측정하기 위해 타박상을 입은 멍 자국을 비닐 랩 위에 볼펜으로 그려 그래프에 옮긴 후 면적을 수치로 계산하였다.

2) 모유수유를 시작한 첫 주 동안에 손상된 유두의 정도를 측정하기 위해 시간별로 유두 주변의 사진을 찍은 후 확대하여 비교하였다.

3) 영양상태를 측정하기 위해 영양관련 과거력, 신체사정, 체중 및 신장 등 신체계측, 단백질 저장 및 면역기능을 위한 생화학적 지수 등 복합적 자료를 이용하였다.

---

7) 시간에 따른 생리적 측정

조사연구에서는 대부분 생리적 측정이 일회성으로 이루어지나, 시간에 따라 정상적으로 변화하는 생리적 변수의 측정에는 때로 반복측정이 필요하다. 일부 생리적 변수는 일주기 또는 월주기 유형과 관련된 순환적 변화를 보이기도 한다. 생리적 변수가 변화하는 것으로 관찰된다면 변화의 수준이 정상범위 내에 있는지 환자 상태의 병리적 변화를 반영하는 것인지 확인하기 위하여 변수 변화의 패턴에 대한 연구가 수행되어야 한다.

BOX 10-5   시간에 따른 생리적 측정의 예

중환자실 입원환자에게 나타난 발열이 혈역학적 지수(맥박, 동맥산소 포화도, 수축기와 이완기 혈압 등)에 미치는 영향을 파악하고자 입원시, 발열 전, 발열 중에 혈역학적 지수를 반복 측정하였다.

---

8) 생리적 측정도구의 선택기준

사회 심리적 도구의 측정기준은 비교적 잘 표준화되어 있지만, 그에 비해 생리적 측정도구의 선택을 위한 지침에 대한 정보는 부족하다. 연구에서 생리적 측정도구를 선택하기 위해서는 다음의 몇 가지 요소들을 고려하여야 한다.

⑴ 연구 현상과 관련된 생리적 변수를 확인한다. 해당 변수가 지속적으로 측정되어야 하는지, 또는

특정 시간에 맞추어 측정되어야 하는지 확인한다. 반복측정이 필요한지 여부를 고려한다. 연구 대상자의 특성을 고려하여 어떤 측정방법이 적절한지를 판단한다.

(2) 기존연구에서 해당 변수의 측정이 어떤 방법으로 이루어졌는지 확인한다. 사회 심리적 도구에 비해 생리적 측정도구에 대한 정보를 찾기가 더 어려운데, 그 이유는 생리적 측정도구들을 비교해 놓은 책이 거의 없으므로 해당 생리적 변수측정을 수행한 기존 연구를 참조해야하기 때문이다. 문헌고찰이나 메타분석에 의해 관련된 연구목록을 찾을 수 있다. 현재 수행하려는 연구주제와는 다른 주제에서도 해당 생리적 변수를 측정하였을 가능성을 고려하여 폭 넓게 문헌고찰을 하도록 한다.

(3) 생리적 측정은 연구의 개념틀과 개념적으로 연결되어 선택되어야 한다. 개념을 조작화 하는데 적용된 논리가 합당한 지 신중히 고려하여야 한다. 하나의 개념에 대한 다양한 생리적 측정을 조합하는 것도 측정에 영향을 미치는 외생변수의 효과를 줄이는데 도움이 된다. 연구보고서에서도 개념의 조작적 정의와 생리적 측정과의 관계가 명확히 서술되어야 한다.

(4) 생리적 측정도구의 신뢰도와 타당도에 대한 평가도 요구된다. 최근까지 연구자들은 생리적 측정도구의 생산회사에서 제공한 설명서를 근거로 도구의 정확성을 기술해왔다. 그러나 앞장에서 설명된 것처럼 생리적 측정도구도 사회 심리적 개념 척도와 같이 신뢰도와 타당도를 평가하여야 하며 이를 근거로 각 연구에서는 해당개념을 측정하는데 좀 더 정확한 결과를 제공할 수 있는 도구를 선택하여야 한다.

(5) 개념에 대한 다양한 생리적 측정도구를 사용함에 있어서 또 하나의 고려사항은 도구의 민감성이다. 측정도구가 제2형 오류를 피할 수 있을 만큼 미세한 차이를 감지할 수 있는가 하는 것이다. 생리적 측정도구는 일반적으로 표준수치를 근거로 비교하게 된다. 연구자들은 측정치를 비교하는 근거가 되는 표준수치가 연구의 대상자들에게 적합한지를 판단하여야 한다. 예를 들어, 건강성인을 기준으로 만들어진 도구가 만성질환자들에게 적합할 것인지를 파악하여야 한다. 더구나 신체조건이 유사한 경우라도 어떤 변수는 개인의 주기별로 달라지기도 한다. 시간차가 있는 측정, 주기별 변화, 자세, 식이 섭취, 감정변화, 활동의 변화 등이 측정치를 어떻게 달라지게 하는지에 대한 고려가 요구된다.

(6) 대부분 연구에서는 생리적 측정을 위해 특수 기구가 요구된다. 환자의 일반적 치료와 관련된 측정기구는 병동에 구비되어있는 경우도 있지만, 많은 경우 연구를 위해 특별히 사용될 수도 있다. 이러한 상황에서는 연구자가 기구의 사용에 익숙하도록 준비되거나 도움을 받아야 한다. 기구가 최적의 상황에서 작동되도록 세심한 배려가 요구된다. 어떤 기구는 일정한 간격으로 영점화(스케일 설정; calibration)가 요구되는데 지침서에는 영점화가 필요한 시점에 대해 다음과 같

이 규정하고 있다.

- 제조회사의 지침에 따를 것
- 최소한 매 6개월 실시할 것
- 주요부분의 교체 또는 유지보수 후
- 수치의 정확도를 위해 영점화가 필요하다고 판단될 때

생리적 측정에 대한 결과를 보고할 때에는 반드시 측정 기술에 대한 상세한 설명을 제공하여 연구에 대한 적절한 평가가 이루어질 수 있도록 한다. 측정설명에는 반드시 측정절차의 단계와 사용된 구체적 기구에 대한 설명도 포함한다.

2. 관찰에 의한 측정

관찰은 감각을 통해 체계적 방법으로 자료를 수집하는 과정이다. 관찰에 의한 측정은 주로 질적 연구에서 흔히 사용되는 방법이나 거의 모든 유형의 연구에서도 활용될 수 있다. 관찰은 표현이 어려운 성인이나 아동을 대상으로 한 연구에서 특히 중요한 측정방법이다. 관찰에 의한 측정은 상당히 까다로운 절차를 요구한다. 연구자는 먼저 관찰대상을 정한 후, 모든 변수들이 매번 관찰에서 유사한 방식으로 관찰되는지를 확인하여야 한다. 관찰은 다른 유형의 측정에 비해 주관적으로 흐르기가 쉽기 때문에 신뢰도가 떨어진다는 평가를 받는다. 그러나 간호현상에서는 많은 경우 관찰이 중요한 자료를 얻을 수 있는 유일한 측정방법이 된다. 모든 측정에서와 같이 일관성이 가장 중요한 항목이다. 따라서 자료 수집원들의 훈련에 세심한 주의가 요구되며, 복잡한 측정기술이 요구되는 경우 반드시 지침서가 제공되어야 한다. 파일럿 연구를 통해 연구자간 신뢰도를 평가한다.

1) 비구조적 관찰

비구조적 관찰이란 최소한의 사전계획으로 자연스럽게 관찰이 이루어지고 관찰한 대로 기록하는 방법이다. 비구조적 관찰은 관찰자에게 자유롭게 관찰할 수 있도록 한다는 장점이 있지만 측정이 객관적이지 않거나 관찰자가 구체적인 것까지 기억을 못할 위험도 있다. 가능하면 관찰하는 동안 기록을 한다. 기록이 가능하지 않은 경우에는 매 관찰 후 가능한 즉시 기록하도록 한다. 일부 연구에서는 관찰하는 것을 후에 집중 분석하기 위해 녹화하기도 한다.

비구조적 관찰의 유형 중 하나로 연대기(chrono-log)가 있다. 연대기는 자연적 환경에서 대상자의 행동을 구체적으로 기술하는 것이다. 연대기에서 사용되는 관찰기법은 대상자가 자신의 행동이 관찰되

고 있다는 것 때문에 받을 수 있는 영향을 가능한 최소화하도록 설계한다. 관찰 동안에는 집중하여야 하므로 한 명의 관찰자에게 주어진 관찰시간은 최대 30분 이내로 한다. 장기간의 관찰이 필요한 상황에서는 관찰자 팀을 구성하여 서로 번갈아가면서 관찰한다.

2) 구조적 관찰

(1) 범주(category) 체계

관찰을 위한 범주체계는 반드시 상호 배타적이어야 한다. 범주들끼리 중복되는 경우 관찰자는 측정된 개별 행동을 어느 범주에 포함시킬 것인지에 대해 매번 판단을 내려야 하며 수집된 자료는 일관성이 없게 된다. 일부 범주 체계에서는 관심의 대상이 되는 행위만이 기록된다. 대부분의 범주체계에서는 관찰된 사건을 범주에 대입하기 위해 어느 정도 관찰자가 유추하도록 요구한다. 요구하는 유추의 수준이 클수록 범주체계의 이용이 더 어려워진다. 범주의 숫자는 연구에 따라 다양하나 사용하기 쉽고 효과적인 관찰을 위해서는 15개에서 20개의 범주가 가장 적절하다.

(2) 대조표(checklists)

대조표란 행위가 나타났는지 여부를 확인하기 위한 방법이다. 일반적으로 자료 수집지에는 각 행위의 기술 옆에 발생여부에 따라 꺾자(v) 표시를 하도록 칸이 주어진다. 자료수집지에 포함되지 않은 행위는 무시된다. 특정 사건에 대한 관찰이 이루어지는 경우에는 다양한 범주에 복수 꺾자 표시가 만들어지기도 한다. 대조표는 자가보고 도구에서도 사용될 수 있다. 예를 들어, 치매환자의 행동변화를 측정하기 위해 대조표를 이용할 수 있다.

(3) 순위척도(rating scale)

순위척도란 관찰자가 행동이나 사건의 발생 정도에 따라 순위를 매겨 표시하는 것을 말하며, 이러한 방법은 단순히 사건의 발생 여부만을 표시할 수 있는 이산형 척도에 비해 더 많은 정보를 얻을 수 있다.

3) 면담(interviews)

면담이란 연구자와 대상자 간의 언어적 의사소통에 의한 자료수집이다. 질적연구와 서술연구에서 가장 흔히 사용되는 방법이며 다른 유형의 연구에도 적용될 수 있다. 면담을 위해 다양한 방법이 이용되는데 완전히 비구조적 면담으로 대상자가 주제를 이끌어가는 방법에서부터 연구자에 의해 주의 깊게 선택되도록 구성된 질문지를 이용하는 면담도 있다. 대면 방식이 주로 이용되지만 전화를 이용한 면담방법도 점차 늘고 있다. 면담방법은 대상자의 교육수준, 이해도 등 개인적 특성에 따라 적용되는 것이 효과적이다.

(1) 비구조적 면담

서술연구와 질적 연구에서 주로 사용되는 방식으로 대상자가 특정 영역에서 가지고 있는 생각과 태도를 이해하기 위해 이용된다. 때로 비구조적 면담법은 특정영역에서 좀 더 정확한 측정도구를 개발하기 위한 기초조사로 이용되기도 한다. 면담의 시작은 특정 주제에 대한 대상자의 경험을 서술해보도록 하는 질문으로 시작되며, 면담이 진행되면서 연구자는 고개를 끄덕이거나 관심을 보이는 적절한 응답을 하면서 대상자가 서술을 이어가도록 격려한다. 필요시 대상자에게 주제의 특정영역에 대하여 좀 더 상세히 말하도록 한다.

(2) 구조적 면담

면담의 내용에 대한 연구자의 통제가 증가되는 방식으로, 연구자는 자료수집 전 미리 면담동안 이루어지는 질문과 질문의 순서를 결정한다. 상황에 따라 면담을 이끄는 사람이 질문을 좀 더 자세히 설명하거나 쉽게 풀어서 설명해 줌으로써 대상자가 문제를 이해하도록 도울 수 있다. 좀 더 철저한 구조적 면담에서는 면담자가 설문에 적혀있는 그대로 질문하도록 요구하기도 한다. 이 경우 대상자가 질문을 이해하지 못하면 면담자는 반복해서 질문을 그대로 읽어줄 수 있다. 구조적 설문지에서 나타나는 문제점은 대상자의 응답이 연구자에 의해 미리 설정된 범위에 제한된다는 것이다. 응답 항목이 복잡하거나 긴 문장으로 구성될 경우 응답문항을 카드에 인쇄하여 대상자에게 주고 질문에 맞추어 사용하도록 할 수 있다.

- **면담용 설문 항목의 설계:** 면담용 설문의 내용과 순서를 개발하는 과정은 설문지 개발과정과 유사하다. 질문의 내용은 일반적인 것에서 구체적인 것으로 진행한다. 질문은 주제에 따라 묶어서 주어지며, 비교적 덜 민감한 주제부터 시작하여 면담의 후기에 민감한 주제들을 다루도록 한다. 연령, 교육수준, 수입 등의 인구학적 정보는 가장 마지막에 수집하며, 환자의 의무기록지와 같이 다른 곳에서 인구학적 정보를 수집할 수 있는 상황에서는 대상자에게 물어보지 않도록 한다. 면담 질문에 포함된 단어의 수준은 대상자의 교육수준에 맞추어 사용한다. 대상자에 따라 같은 단어가 서로 다르게 해석될 수 있으므로 면담자는 이런 경우에 대한 가능성을 예상하고 있어야 한다. 면담 절차가

개발된 후에는 면담기법 전문가와 내용 전문가로부터 점검을 받도록 한다.

- **면담구성의 예비조사:** 면담절차가 성공적으로 개발되면 본 연구에 적용되기 전에 이와 유사한 특성을 가진 대상자를 선정하여 예비조사를 함으로써 면담질문의 구성이나 순서, 응답 절차 등에서 나타날 수 있는 문제점을 확인한다. 이러한 예비조사과정을 통해 면담 도구의 신뢰도와 타당도를 평가할 수도 있다.

- **면담자 훈련:** 면담기술의 개발은 훈련이 필요하다. 면담자는 면담내용에 대하여 익숙하여야 한다. 면담도중 발생할 수 있는 상황을 예상하고 대처하는 방법을 익혀야 한다. 면담기술을 개발하는데 가장 효과적인 방법은 역할극(role-playing)이다. 대상자의 역할을 해봄으로써면담자는 대상자가 되는 경험을 통해 특정 면담상황에서 효율적인 응답을 이끌 수 있다. 대상자가 민감한 주제에 대해서 편안히 응답할 수 있는 분위기를 만드는 것도 중요한 전략이다. 따라서 면담자는 편중되지 않은 언어적 비언어적 태도를 유지하는 방법을 익혀야 한다. 질문에 사용하는 언어의 선택, 목소리의 높낮이, 눈짓이나 얼굴표정의 모든 것이 질문에 대한 대상자의 응답에 긍정적이거나 부정적인 반응으로 비칠 수 있다. 긍정적이거나 부정적인 면담자의 태도는 자료에 영향을 주게 된다.

- **면담을 위한 준비:** 시간이 걸리는 면담은 미리 약속을 해야 한다. 면담자는 면담상황에 맞도록 적절히 복장을 갖추고 면담 약속시간에 늦지 않도록 한다. 면담장소는 조용하고 공개되지 않은 곳으로 쾌적한 공간이 좋다. 대상자에게 주는 면담내용에 대한 소개는 면담 전 미리 준비하여, 면담 시작 시 대상자에게 질문할 내용의 간략한 소개, 대상자의 응답요령, 응답을 기록할지 여부 등에 대한 설명을 하도록 한다.

- **탐색:** 면담에서 특정 영역에 대하여 좀 더 구체적인 정보를 얻을 때 사용하는 방법이다. 때로 질문을 그대로 반복해서 다시 주기도 하며, 대상자가 '모른다'라는 대답을 하게 되면 어떤 대답이라도 하도록 강요할 수 있다. 어떤 상황에서는 면담자가 질문에 대해 다른 각도로 풀어서 설명한 후 대상자에게 응답하도록 요구한다. 좀 더 상세한 응답이 요구되는 상황에서는 대상자가 응답한 내용에서 실마리를 찾아 그것에 대해 좀 더 자세히 설명하도록 한다. 탐색은 대상자의 반응을 편중시키지 않기 위해 중립적으로 수행되어야 하며, 대상자가 심문 받는다는 느낌이 들지 않도록 합리적인 지침 안에서 이루어져야 한다.

- **면담자료의 기록:** 면담에서 수집된 자료는 면담도중이나 직후에 수기 또는 녹음기를 이용하여 기록한다. 면담자가 손으로 기록하는 경우 면담의 핵심내용을 파악하고 정확하게 기록할 수 있는 능력이 요구된다. 때로 기록하는 것을 대상자가 의식하게 되면 불편해하기도 하므로 면담이 종료된 후 기록하기도 한다. 녹음기를 사용하는 경우에는 대상자에게 허락을 받아야하며 면담이 완료된 후 분석을 위해 녹음내용을 받아 적는다. 비구조적 면담에 의한 자료는 분석이 어려우며, 자료의 의미를 파악하기 위해 내용분석을 한다.

(3) 면담의 장단점

면담은 연구자가 원하는 정보를 더 깊이 상세히 수집할 수 있는 유연성 있는 자료수집 기법이다. 대인적 기술을 적용함으로써 대상자의 협조를 통해 정보를 좀 더 쉽게 얻을 수 있다. 면담에 의한 반응률은 설문지에 비해 높으므로 면담을 통해 더 대표성 있는 표본을 확보할 수 있다. 면담은 만성질환자, 노인, 문맹인 등과 같이 설문지를 스스로 작성할 수 없는 대상자들로부터도 자료 수집을 할 수 있다.

면담은 자가보고 형태이며 연구자는 수집된 정보가 정확하다는 것을 가정해야 한다. 면담은 설문지에 비해 시간적 소모가 많고 비경제적이므로 표본수가 제한적이다. 대상자의 편중과 대상자에 따라 자료수집 절차가 다를 수 있다는 점이 연구결과의 타당도에 대한 위협요인이다.

표 10-1 구조적 질문의 유형별 예시

구조적 수준단계	질문의 예
최대	예) 다음은 임상에서 수행하는 간호행위의 목록이다. 당신의 업무상 각 행위를 수행하는 비율이 총 근무시간의 몇%인지를 서술하시오. [간호행위목록: 행정업무, 연구업무, 직원 개발업무]
중등도	예) 당신의 업무능력을 평가하기 위한 질문입니다. 일반적으로 당신은 스스로 업무를 어느 정도 잘 하고 있다고 느끼십니까? 당신의 업무수행을 평가함에 있어서 어떤 기준을 사용하십니까? 임상간호사의 업무수행능력을 평가하기 위해 어떤 기준이 필요하다고 생각하십니까?
최소	예) 임상간호사로 처음 업무를 시작하는 간호사에게 해주고 싶은 말은 무엇입니까?

출처: Knafl, K. A., Pettengill, M. M., Bevis, M. E., & Kirchhoff, K. T. (1988). Blending qualitative and quantitative approaches to instrument development and data collection. *Journal of Professional Nursing*, 4(1), 30–37.

4) 초점집단(focus groups)

초점집단은 간호연구에서는 1980년대 말부터 시도되었다. 초점집단은 자연스럽고 강요되지 않은 환경에서 초점이 되는 영역에 대해 참여자들이 어떻게 인지하고 있는지를 알아보기 위한 방법이다. 초점집단은 다음과 같은 가정을 기반으로 적용된다.

- 동질적 집단을 구성하여 참여자들이 자유롭게 생각과 느낌을 표현하고 자연스럽게 행동하도록 할 수 있다.
- 개인은 정보의 중요한 자원이다.
- 사람들은 자유롭게 자신들의 생각과 느낌을 글이나 말로 표현할 수 있다.
- 집단의 역동성은 솔직한 정보를 만들어낼 수 있다.
- 집단 면담은 개별 면담보다 우월한 자료수집 방법이다.
- 면담자는 집중면담동안 참여자들이 잊었던 정보를 되살리도록 도울 수 있다.

초점집단의 적용에서 중요한 한 가지 가정은 개별 면담에서는 표현하지 못했던 정보를 집단에서는 '숫자가 주는 안정감'으로 인하여 참여자들이 자신의 관점을 좀더 쉽게 표현한다는 것이다. 초점집단에서는 논쟁이나 농담하기, 손짓, 몸짓 등의 비언어적 접근 방법 동원하기 등 다양한 의사소통기술이 요구된다. 일반적으로 개인을 통해 얻어지는 제한된 반응에 비해 초점 집단을 적용하는 경우 일상적 자료수집방법으로는 얻을 수 없는 부분까지 정보를 얻을 수 있다.

각 초점집단에 참여하는 적절한 대상자를 모으는 것이 가장 중요하며, 대상자 수집과정의 오류는 초점집단 연구가 실패하는 주된 이유이다. 초점집단마다 6명에서 10명의 참여자가 포함되는데 이보다 적은 수의 참여자로 구성된 초점집단에서는 부적절한 대화가 이루어질 수 있다. 대부분의 초점집단에서 참여자들은 서로 모르는 관계로 구성되지만, 간호행정가, 간호교육자 등의 전문가 집단을 대상으로 하는 경우 이것이 불가능하기도 하다. 때로 각 분야의 전문가들로 구성되는 목적 표출법을 쓰기도 하며, 참여자를 방송이나 포스터, 광고를 통해 모집하기도 한다. 대상자를 성공적으로 모으기 위해서는 한 번의 접촉으로는 불충분하며 반복적인 전화, 편지를 이용하여 집단참여를 상기시킬 필요가 있다. 초기 접촉 시 추후 연락에 대한 동의를 받고 집단에 참석하는 참여자들에게 커피 컵, 티셔츠, 보상금 등으로 참여율을 높이기도 한다. 일반적으로 필요한 참여인원보다 2배 정도의 인원을 모집하는 것이 요구된다.

분할(segmentation)은 특성에 따라 초점집단으로 참여자들을 배정하는 과정이다. 참여자들은 연령, 성별, 사회적 지위, 인종, 문화, 생활습관이나 건강상태 등의 특징에 따라 분류된다. 관점이나 특징이 유사한 참여자들을 동일 초점집단에 모으는 것이 집단 내 대화를 촉진하는 방법이다. 다수의 초점집단을 포함시키고 특징이 다른 참여자들을 서로 다른 초점집단에 배정하는 것이 연구의 타당도를 높이게 된다. 초점연구들에서는 6개에서 50개의 초점집단을 포함한다. 사회적 지위나 교육수준이 다양한 참여자들이 같은 집단에 포함될 경우 치우친 정보만 제공되고 소수집단이나 소외집단으로부터의 정보가 과소평가되는 위험을 고려하여야 한다.

집단을 이끄는 효율적 중재자를 선택하는 것도 중요한 일이다. 중재자는 집단 구성원들이 주제에 대한 대화에 참여하도록 성공적으로 이끌어야 한다. 때로 중재자와 중재보조자가 함께 집단을 이끌기도 한다. 중재자는 참여자들이 서로 대화하면서 관점을 형성하고 새로운 인지적 구조를 이끌도록 격려하여야 한다. 중재자는 반드시 중립을 유지하고 무비판적인 태도를 취한다. 민감한 주제의 경우 중재자는 자신을 참여자들과 비슷한 상황으로 표현함으로써 참여자들이 편하게 느끼도록 유도한다. 중재자의 지나치게 적극적이거나 수동적 자세는 문제를 불러일으킬 수 있다.

초점집단이 수행되는 환경은 넉넉한 공간에 편안하고 느긋하게 앉아서 서로 마주 볼 수 있도록 한다. 방의 음향은 적절하여 참여자들의 대화를 녹음하는데 지장이 없어야 하지만, 대상자의 목소리가 낮거나 여러 명이 동시에 말하는 경우 중재자가 대화내용을 적는 것이 필요하다. 한 세션은 보통 1-2시간 정도 소요되나 더 길어질 수도 있다.

연구자는 사전에 중재자와 참여자들에게 초점집단의 목적을 명확히 할 필요가 있다. 초점집단의 수행 중 주어지는 질문 내용은 신중히 계획되어 사전조사를 거치게 된다. 때로 참여자들에게 집단에 오기 전 질문내용을 미리 주어 사전에 응답내용을 생각해 볼 시간을 줄 수 있다. 초점집단에서 흔히 발생되는 문제는 집단 구성원들의 흥미와 관심정도를 고려하지 않고 주제에 대한 대화로 곧바로 넘어가는 것이다. 초점집단의 초기에는 먼저 대상자들에게 주제에 대한 자신의 관점을 표현하도록 기회를 준다. 그 이후 질문을 던지는 것이 좋다. 대화가 너무 주제에서 벗어나면 중재자는 탐색기법을 사용할 수 있다. 참여자들에게 서로의 느낌이나 의견, 경험을 표현하도록 격려한다. 세션의 후반부에는 중재자가 주제와 상관없이 참여자들에게 지금까지 토의된 내용의 불일치점 등에 대한 토론을 하도록 격려 할 수도 있다. 구성원들 간의 의견차는 서로의 의견을 좀 더 명확하게 하고 의견에 대한 근거를 제시하도록 하는데 이용된다.

자료의 분석은 질적 연구방법을 따른다. 그러나 초점집단에서의 자료 분석은 개별수준의 분석과 개인 간의 상호작용을 고려한 집단수준의 분석이 요구되므로 좀 더 복잡하다. 집단의 대화로부터 표현된 주제에 대해 동의와 관심의 정도를 파악하는 것이 중요하다. 소수의 의견이나 치우친 견해에 대한 분석도 요구된다. 집단 단위의 분석뿐 아니라 구성원간의 상호작용과 그것이 개인의 의견에 미치는 영향도 고려해야 하므로 집단 역동의 특성 −열띤 토론, 의견을 주도한 구성원, 동의 수준−등에 대한 적절한 서술이 필요하다.

5) 설문지

설문지(questionnaires)란 대상자로부터 서면응답을 통해 정보를 얻도록 설계된 일련의 질문으로 구성되어있는 인쇄형식의 도구이다. 면담과는 달리 설문지는 자가 기입식이다. 언어적 의사소통을 동반하지 않으므로 설문지는 우편으로 보내거나 대상자에게 단순히 전달해줄 수 있어 면담에 비해 덜 인간적인 측정도구이다. 면담은 구조적 수준이 달라질 수 있으나, 설문지는 문항의 내용과 순서가 정해져 있다는 점에서 늘 구조적이다. 구조적이기는 하지만 설문지는 용도가 다양하다. 폐쇄형 및 개방형 질문이 포함될 수 있으며, 대조표를 비롯하여 어의구별척도, Likert 척도, Guttman 척도, 사회계측 측정도구 등의 다양한 유형의 척도가 사용될 수 있다.

설문지는 면담과 마찬가지로 직접적인 방법으로 정보를 수집한다. 설문지를 통해 사실적 정도, 태도, 신념, 의견, 의도 및 규범과 지식수준을 파악할 수 있다. 자가 보고형식이며 대인 접촉이 필요 없다는 점 때문에 설문지는 대단위 조사나 민감하고 논쟁의 여지가 있는 주제에 대해 무기명으로 정보 수집을 할 때 주로 사용된다. 그러나 한편 덜 인간적인 측정법이라는 점으로 인해 복합적인 의견에 대한 조사나 대상자가 잘 기억하지 못하는 복잡한 사건에 대한 정보를 수집하는 경우 유용성이 떨어진다. 또한 읽거나 쓰지 못하는 대상자에게는 적용할 수 없다.

구조적이라는 점에서 설문지는 서술이나 비교를 위해 고도의 일관성이 요구되는 상황에서 매우 유용하다. 인쇄형식이므로 동일간격으로 이루어진 척도나 시각적으로 표현된 척도(예, 시각상사척도), 복잡하거나 여러 개의 응답을 순위를 매기거나 복수선택 하도록 하는 경우에는 언어적 측정방법에 비해 매우 적합하다.

(1) 설문지의 개발과정

설문지의 개발과정은 앞에서 소개된 면담의 개발과정과 유사하나, 다양한 유형의 문항과 설문지 개발측면에 초점을 두어 이루어진다.

- 수집을 원하는 정보내용의 결정: 목표를 설정하고 구체적인 내용에 대한 청사진을 마련한다. 각 내용 영역의 중요도에 따라 문항수와 각 문항이 반영하는 영역을 정한다.
- 문항 개발: 설문지에 포함되는 문항개발을 위해서는 의미의 명료성, 사용 언어의 이해도, 대상자가 질문을 이해하고 응답할 수 있는 능력을 고려하여야 한다. 면담과는 달리 설문지에서는 대상자가 이해 못하는 질문을 다시 설명해주는 면담자가 없으므로 각 문항의 명료성과 이해도 측면을

더욱 세심히 고려하여야 한다. 문항의 서술은 애매하거나 대상자에게 익숙하지 않은 전문적 용어를 배제하고, 문장은 짧게 끊어 서술하며, 응답요령에 대한 분명한 지침도 함께 주어야 한다. 질문이 내용상 한쪽으로 편중되지 않도록 주의하고, 부정적인 느낌을 주는 단어의 사용은 피한다.

폐쇄적 질문의 경우 응답의 선택항목을 제시해 준다. 각 응답 선택의 내용은 충분히 기술되어야 하며 항목들 간은 상호배타적이고 제시된 응답항목의 순서는 합리적으로 결정된다(예, 가장 낮은 것 – 가장 높은 것). 설문지에서는 면담에서보다 응답항목이 길어질 수 있지만 간결한 것이 바람직하다. 각 질문의 앞에 선택할 수 있는 응답항목의 수(예, 한개만 표시 또는 해당항목 모두 표시 등)가 제시되어야 하며 표시하는 형식(번호에 동그라미, 꺽자 표시, 답지의 해당번호에 칠하기 등)도 설명한다.

개방적 질문의 경우 제시된 주제목록이나 부가적 질문을 포함시키는 것이 대상자가 응답하는데 도움이 된다. 일반적으로 면담과는 달리 복잡하고 세부적이며 긴 응답을 요하는 질문들은 대상자들이 응답하기 어려우므로 설문지에서는 잘 이용되지 않는다. 그러한 복합적인 내용을 설문지를 통해 성공적으로 수집하는 한 가지 방법은 질문을 좀 더 구체적인 여러 개의 문항으로 나누어 질문함으로써 응답할 수 있도록 하는 것이다. 주제가 매우 중요하고 응답자들이 강하게 동기부여가 되어있지 않다면 설문지를 통해 깊이 있는 서술적 정보를 얻어내기가 매우 어렵다. 설문지에 포함된 질문들은 그 자체로서 명확하고 읽기 쉽게 만들어져야 한다. 몇 가지 방법들이 사용될 수 있는데 대화체로 서술하거나, 나 또는 너로 주어를 설정하고, 강조가 필요한 부분은 이탤릭체나 밑줄을 이용하는 것 등이다. 이해를 돕기 위해 항상 서론에서 질문의 내용과 응답 형식에 대한 설명을 포함시킨다.

그럼에도 질문의 형식이나 순서로 인해 비의도적으로 대상자들의 오해를 가져올 수 있다. 설문지를 응답하면서 대상자들은 몇 가지 일상적 오류를 범하는데, 상세한 사전계획으로 이러한 오류를 현저히 줄일 수 있다. 첫 번째 오류의 원인은 피로하거나 동기가 저하되어 나타나는 부주의에 의한 것이다. 이러한 오류를 줄이기 위해서는 질문의 문항수를 최소한으로 하고, 질문내용을 흥미롭게 꾸미며, 흥미가 덜한 문항을 맨 뒤에 배치하고, 다양한 척도를 번갈아 사용하는 방법이 유용하다. 사회적 수용성(social desirability)을 유지하고 싶은 마음도 오류를 만드는 원인 중 하나로, 대상자들은 자신의 실제 느낌이나 태도와 상관없이 사회적으로 받아들여지는 답변을 찾는 경향이 있다. 이 문제의 해결책은 사회적 수용성을 측정하는 문항을 몇 개 포함시켜 다른 항목들과의 상관성을 파악하는 것이다. 두 변수간의 유의한 상관성이 나타나면 대상자들이 사회적 수용성으로 인해 자신의 응답내용을 편중시켰다고 판단하게 된다. 또 다른 해결책으로는 전반적으로 질문의 답이 정답이나 오답이 없다는 것을 서론에서 명백히 밝히고 본 설문지는 무기명으로 분석된다는 것을 강조하는 것이다. 세 번째 문제점은 동의적 성향, 즉 긍정적으로 서술된 문항에 동의하는 경향에 의한 오류이다. 이 문제의 해결점은 긍정적 또는 부정적으로 기술된 문항을 섞어서 배치하는 것이다.

이외에도 질문 자체의 특성이 적절한 응답을 방해하기도 한다. 설문지의 질문은 일반적으로 제시문과 응답문으로 구성되어있다. 제시문들은 명료성을 위해 신중하게 설정되어야 함에도 몇 가지 오류가 나타나기도 한다. 첫째 오류는 제시문에 원하는 응답을 암시하는 것으로 질문내용에 가치관을 제시하는 단어가 포함되는 경우이다. 예를 들어 "병원에서 근무하는 임상간호사가 힘든 직업이라고 생각하십니까?" 등과 같이 질문내용에 연구자의 생각이나 가치관이 반영되는 경우이다. 두 번째 오류는 질문이 기존의 행위가 발생하였다는 것을 전제로 주어지는 경우이다. 예를 들어 "약물복용을 중단한지 얼마나 되었습니까?"라는 질문은 대상자가 어떻게 대답하던지 과거에 약물복용을 하였다는 것을 전제로 이루어지는 것이다. 이와 유사하게 "남자친구와 성관계를 할 때 콘돔을 사용하십니까?"라는 질문에서도 콘돔사용여부와 상관없이 남자친구와의 성관계를 인정하는 상황이 벌어지게 된다. 세 번째 오류는 이중질문유형이다. "중환자실에서 근무하며 다른 의료인과 협동하여 일하는 것을 좋아하십니까?"라는 질문이 주어진다면 중환자실에서 일하는 것은 좋아하지만 다른 의료인과의 관계가 좋지 않은 응답자라면 어떻게 대답해야할지 막연해 질 수가 있다. 또 다른 오류는 이중부정 문항이다. 예를 들어 "당신은 간호사가 의사의 처방에 의심을 해서는 안 된다고 생각하지 않습니까?"라고 질문하였다면 예와 아니오의 대답을 결정하기 어렵게 된다.

응답지의 유형도 다양한 방법으로 설정될 수 있다. 일반적 원리에 의하면 모든 발생가능한 상황이 응답지에 포함되어 있어야 한다는 것이다. 의견을 묻는 경우라면 "잘 모르겠다"의 란이 포함되어야 하며, 사실을 묻는다면 "기타"가 응답의 한 가지로 들어가게 된다. 그러나 이 경우 기타에 응답한 내용은 사실상 자료를 잃게 된다는 것을 깨달아야 한다. '기타사항을 구체적으로 설명하시오'라고 표시하여도 분석에서 사실상 대부분의 기타에 대한 자료는 제외되기 때문이다. 가장 단순한 응답유형은 이산형으로 예, 아니오로 답하게 되는 것이다.

예 _____ 등과 같이 세로형으로 나열하는 것이

아니오 _____

[예_____, 아니오_____]의 형식과 같이 같은 줄에 나열하는 것보다 오류를 줄일 수 있다.

• **질문 문항의 순서 결정:** 면담의 질문순서 결정단계와 유사하다. 문항이 개발된 후 순서 결정의 일반적 원칙은 일반적 질문이 먼저 주어지고 점차 구체적인 문항으로 배정한다. 또한 좀 더 중요한 내용을 먼저 배치하고 나중에 덜 중요한 문항이 주어진다. 민감한 내용으로 응답자에게 위협감을

느끼게 하는 문항일수록 설문지의 가장 마지막에 배치한다. 때로 한 문항에 대한 응답이 다른 문항에 대한 응답에 영향을 주기도 하는데, 그런 경우 문항의 순서를 신중히 고려하여 분리 배치한다. 개방형 질문은 주로 마지막에 주어지는데 응답하는데 시간이 필요하기 때문이다. 응답자의 인구학적 특성은 보통 설문지의 마지막에 위치한다.

- **질문 문항의 점검:** 전문가 집단에게 내용에 대한 점검을 함과 더불어 설문내용에 익숙하지 않은 사람에게 읽어보게 하여 질문이 명료하고 완전한지, 응답지는 적절한지를 평가하도록 한다.

- **질문 문항의 초안과 소개편지(cover letter):** 대상자에게 제공하려는 형태로 설문지의 초안을 구성한다. 우편으로 보내기 위한 설문지는 반드시 소개편지를 작성하여야 한다. 소개편지에는 설문지의 목적과 의도에 대한 설명을 하고, 연구자의 이름, 응답에 따른 이익과 위험, 정보신뢰에 대한 보장, 설문에 걸리는 소요시간 등과, 연구를 지원하는 기관, 반송주소까지 명확하게 쓴다. 반송주소를 적고 우표를 붙인 반송봉투를 동봉하는 것이 응답율을 높일 수 있다. 설문지를 직접 배포할 것인지 우편으로 보낼 것인지에 대한 결정은 대상자의 특성을 고려하여 이루어진다. 대상자가 직접 만나기 쉬운 집단이라면 우편보다 면대면 배포가 선호된다. 대단위 조사로 지역적으로 널리 퍼져있는 경우에 우편 설문조사를 이용할 수 있다. 민감한 주제로 무기명 조사가 이루어지는 경우에는 우편으로 배분하거나 직접 배포한 후 우편으로 반송하도록 하는 방법이 선호된다. 단, 개인적 주제를 다루고 있는 경우 면대면 배포를 통해 응답자와 연구자가 공감대를 형성할 기회를 갖게 되는 것이 응답율을 높이며 자료수집이 완료된 후 경과보고시간을 가질 수도 있다.

- **설문지의 사전조사:** 본 연구조사의 대상자들과 유사한 특징을 가진 소규모의 대상자들에게 설문지를 주고 사전조사를 한다. 사전조사는 우편으로 수행되기도 하나, 면대면 배포를 통해 대상자들에게 설문작성을 하도록 하여 끝난 후 문항에 대한 질문내용을 바탕으로 질문이 명료한지 오해의 소지가 있는지를 확인하여 항목을 수정하는 것이 더 바람직하다. 이 경우 설문의 소요시간에 대한 정보도 얻을 수 있다.

- **설문지의 적용 및 점수부여:** 설문지의 최종판이 개발되고 나면 적용방법에 대하여 계획을 세운다. 설문지의 주요 특성 중 하나는 표준성으로 이로 인해 설문지로부터 수집된 정보를 응답자간에 비교할 수 있다. 따라서 모든 응답자가 설문지를 받고 응답하는 방식이 일관성 있게 진행되어야 한다. 병원에 근무하는 간호사를 대상으로 하는 연구에서 한 병원에서는 간호행정가가 각 간호사들에게 설문지를 나누어주고 회수하는 한편 다른 병원의 간호사들은 우편으로 설문지를 받았다면 설문지 배분에 대한 불일치가 응답에 영향을 줄 수 있다. 또한 한 병원의 간호사들에게는 직원회의에서 설문지를 작성하도록 한 반면 다른 병원에서는 각자 나누어주고 집에서 작성한 후 반송하도록 하였다면 설문지 작성 환경의 차이가 응답의 차이를 초래할 수 있는 것이다.

우편발송용 설문지도 일관성 있는 설문지의 적용을 가능한 보장하기 위해 동일한 방법으로 포장되어 유사한 방식(예, 집 주소 또는 근무지 주소)으로 배분되어야 한다. 우편발송의 경우 연구자는 설문지를 완성하고 회수할 때까지 발생한 사건에 대해 아무런 통제도 할 수 없음을 인지하여야 한다. 설문지를 받고 어떤 환경에서 어떤 방해요인이 존재하면서 응답하기까지 수많은 변수들이 존재할 수 있다. 이러한 문제점들을 고려하여 우편 발송한 설문지들이 회수되기 시작하면 나중에 무응답자의 편중을 파악하기 위해 회수된 설문지의 날짜, 번호 등에 대하여 기록해 놓아야한다.

편리한 조사방법임에도 우편발송에 의한 설문조사는 응답률이 낮다는 점이 가장 큰 문제점이다. 설문조사에서 30% 정도의 응답률을 흔하게 볼 수 있다. 낮은 응답률에 대한 문제는 표본수가 줄어드는 것 이외에도 무 응답자가 무작위로 발생한 것이 아니라 어떤 특성을 반영한 것이라면(예, 동기수준이 낮은 사람, 소극적 성격, 야간 근무자 등) 응답한 대상자들의 응답 결과도 한쪽으로 편중된 것일 수 있다. 응답율을 높이기 위한 몇 가지 전략으로는 (1) 우표를 붙이고 주소를 쓴 반송봉투를 동봉하고, (2) 우편 발송 후 한 두 번의 확인메일과 전화 확인을 하고 두 번째 확인메일에는 다시 설문지를 넣어주기도 하며, (3) 설문지 반송에 따른 상금이나 상품을 제시하는 것들이 포함된다. 설문지를 가능한 읽기 쉽고 보기 쉽게 만드는 것도 응답율을 높일 수 있는 중요한 전략이다.

폐쇄형 질문에 대한 코딩과 점수화 과정은 일괄처리 될 수 있으나 무응답이나 잘못된 응답(예, 두 개 이상 표시된 응답, 범위를 벗어나는 응답 등)에 대한 처리를 어떻게 할 것인지는 미리 정해놓아야 한다. 일단 자료가 수집되고 컴퓨터에 입력되면 설문지에 대한 신뢰도와 타당도를 평가하도록 한다.

(2) 설문지의 장점과 단점

측정도구로서 설문지가 갖는 가장 큰 장점은 비용효율성과 편리성으로, 특히 시간과 경제적 지원이 제한되어있고 연구대상자가 지역적으로 널리 분포되어있을 때 유용하게 사용된다. 설문지는 면담에 비해 연구자의 시간을 절약할 수 있으며, 동시에 응답자도 설문을 작성할 시간, 장소와 환경을 스스로 정할 수 있다는 점에서 편리하다. 설문지가 특히 폐쇄형 질문으로 구성되어있고 대단위 조사 후 컴퓨터 스캐닝을 통해 점수화가 된다면 시간과 경제성 면에서 가장 큰 도움이 될 수 있다. 다른 장점은 설문조사가 대면 접촉이 없고 표준화 형태로 이루어지므로 모든 응답자에게 일률적인 질문이 주어질 수 있다는 점이다. 이러한 특징은 설문조사의 신뢰도를 높이고 응답자 간의 비교를 가능하게 하며, 면담자로 인한 편견 위험성이 줄어들어 타당도도 높아진다. 설문조사는 완벽한 '무기명' 조사를 가능하게 하여 특히 민감한 주제나 사적인 질문에 대한 응답의 타당도를 높일 수 있다.

단점으로는 낮은 응답율, 빠진 자료가 많은 점, 응답자가 질문을 잘못 이해하는 것을 보충해줄 수 있는 방법이 없다는 점, 응답자의 교육수준이나 특성에 맞추어 질문내용을 수정해줄 수 없는 점, 우편발송조사의 경우 설문 응답과정의 환경을 통제할 수 없다는 점 등이 있다. 질문 내용이 충분히 명료한지 여부는 자료 수집이 끝난 후에야 확인할 수 있다. 그러나 이러한 단점들은 치밀하게 계획된 사전조사를 통해 해결할 수 있다. 설문지를 이용한 측정은 글을 이해하고 쓸 수 있는 대상자만을 포함한다는 점에서 소외층 대상자들을 포함하는 간호연구에서는 사용이 제한된다.

표 10-2 설문지의 예

다음은 당신의 일반적 특성을 알아보기 위한 것입니다. 해당란에 표시하세요.

1. 골관절염을 진단받을 당시 당신의 연령은?
      1) 21-30세   2) 31-40세   3) 41-50세   4) 51-60세   5) 61세이상

2. 최근 1년간 입원 경험
      1) 예 (구체적으로 _____회)
      2) 아니오

3. 수술경험
      1) 예 (구체적으로 _____회)
      2) 아니오

4. 의료보험 형태
      1) 공무원   2) 직장보험   3) 지역보험
      4) 의료보호   5) 무

5. 결혼상태
      1) 미혼   2) 결혼   3) 별거
      4) 이혼   5) 사별   6) 기타 (구체적으로_____)

6. 교육정도
      1) 무학(정규교육 받지 않음)   2) 초등학교 중퇴 또는 졸업
      3) 중학교 중퇴 또는 졸업   4) 고등학교 중퇴 또는 졸업
      5) 대학교 이상

7. 경제상태
      1) 상   2) 중   3) 하

6) 척도

자가보고 형태인 척도는 설문지보다 현상을 측정하는 좀 더 정확한 도구이다. 대부분의 척도는 사회 심리적 변수를 측정하기 위해 개발되었으나, 통증, 오심, 기능수준 등의 생리적 변수도 자가 보고

에 의해 측정될 수 있다. 척도는 수학적 이론에 근거하고 있으며, 척도이론에 의하면 단일 척도에 의한 측정에는 심각한 측정오류와 체계적 오류가 발생할 수 있다. 따라서 대부분의 척도는 여러 항목들로 구성되어 합계 점수로 측정하려는 변수를 반영하는데 이러한 척도를 총합 척도(summated scale)라 한다. 한 척도에서 여러 항목들을 통해 동일 개념을 측정하는 것은 여러 가지 도구를 사용하여 한 개념을 측정하는 것과 유사한 방법이다. 동일 척도내의 여러 항목들이 개념의 다각적 측면을 반영하여 측정하게 된다. 다음에 제시되는 척도들이 이러한 유형의 척도에 포함된다.

(1) 순위척도

척도를 이용한 측정 중 가장 초기 형태이다. 순위척도(rating scale)에서는 연속적으로 분포되었다고 가정하는 변수의 분류를 순서대로 나열하고 각 분류에 숫자를 배정한다. 흔히 1부터 10까지의 척도 중 해당 항목은 몇 위에 속한다 등으로 서술된다. 분류의 범위와 분류간의 간격은 척도에 따라 달라질 수 있다. 순위척도는 개발하기 쉽지만 아무도 선택하지 않을 정도의 극한 값은 피하도록 한다. 연구에서 순위척도는 환자의 협조수준, 간호사-환자의 상호작용에 대한 응답자의 가치수준 등을 측정하기 위해 사용되며, 서열척도나 Likert 척도로 측정되기도 한다. 또한 관찰을 이용한 측정에서 자료수집의 보조수단으로도 이용된다. 아래의 예는 간호사-환자의 의사소통 특성을 측정하기 위한 연구에서 사용된 순위척도의 일부이다(Burns 1974).

표 10-3 순위척도의 예

1. 간호사가 당신의 방에 들르는 횟수는 어느 정도입니까? 　1) 거의 오지 않는다. 　2) 가끔 온다. 　3) 내가 부를 때마다 온다. 　4) 말을 걸거나 확인하기 위해 자주 온다.
2. 당신은 간호사가 당신의 방에 얼마나 자주 오기를 원하십니까? 　1) 거의 오지 않기를 바란다. 　2) 가끔 오기를 바란다. 　3) 부를 때마다 오기를 바란다. 　4) 말을 걸거나 확인하기 위해 자주 오기를 바란다.

(2) Likert 척도

Likert 척도는 대상자의 의견이나 태도를 파악하기 위해 설계된 것으로 각 문장마다 여러 개의 서술문을 포함한다. 척도에 의한 측정에서 가장 흔한 유형이다. 원래 형태는 5개의 응답 분류로 구성되어 가장 부정적인 분류를 1, 가장 긍정적인 분류는 5가 배정되었다(Nunnally, 1978). Likert 척도의 응답 유형은 일반적으로 동의정도, 평가 또는 횟수를 서술한다. 동의 정도를 표시하는 예는 '적극 동의한다', '동의한다', '확실하지 않다', '동의하지 않는다', '절대 동의하지 않는다' 등의 5가지 서술문이 포함될 수 있다. 평가와 관련된 응답은 대상자들에게 긍정적 및 부정적 측면에 대한 평가순위를 묻는 것으로, 긍정적에서 부정적, 또는 완벽함에서 형편없음 등으로 표현하도록 한다. 횟수는 일반적으로 '전혀', '드물게', '가끔', '자주', '늘' 등의 단계로 서술된다. 사용되는 용어는 다양하며 각 질문유형에 적절한 형태를 선택하면 된다. 때로 4가지 또는 7가지의 응답가지도 이용된다.

'잘 모른다' 등의 중립항목을 포함하는 문제는 응답자들이 긍정적 또는 부정적에 대한 평가를 피할 수 있도록 한다는 점에서 논쟁의 여지가 있다. 따라서 중립적 응답가지를 배제하여 4개나 7개의 응답분류를 구성하기도 한다. 이러한 척도유형을 '강제형'이라고 하는데, 이때 응답자들은 응답하기 힘들어하며 설문 참여를 거절하기도 한다. 강제형 척도를 사용할 때 무응답 처리된 문항을 '잘 모르겠다'로 해석하기도 한다. 그러나 '잘 모르겠다'라는 응답은 해석하기 어려우므로 많은 수의 대상자가 무응답 또는 '잘 모르겠다'로 응답한 문항은 정보의 가치가 떨어진다.

응답가지의 서술은 응답자가 답하도록 요구되는 판단의 형태에 따라 달라진다. 예를 들어 동의형 문항은 "환자의 통증관리는 간호사의 책임이다." 등과 같은 서술문이다. 횟수형 문항은 "건강과 관련된 정보를 찾는다." 등과 같이 응답자가 얼마나 자주 발생하는지 표시할 수 있는 행위, 사건, 상황 등을 포함한다. 평가형 문항의 예는 "화학요법 후 오심에 대한 약물 A의 효과" 등이다. 문항들은 명료하고 간결하며 구체적이어야 한다.

Likert 척도를 이용한 도구는 일반적으로 10에서 20문항으로 구성되며 각 문항은 측정하려는 개념의 측면을 반영한다. 응답의 오류를 막기 위해 약 절반 정도의 문항은 긍정적으로 나머지 반은 부정적으로 서술한다. 부정 서술문항은 측정 후 분석을 위해 역부호화(reverse coding)한다. 각 문항의 값은 서열식 자료이지만 총합 값은 주로 등간형 자료로 취급되어 좀 더 복잡한 통계가 가능하다.

표 10-4 Likert 척도의 예

문항	전혀 동의 하지 않음	동의 하지 않음	확실 하지 않음	동의함	전적으로 동의함
1. 암에 걸리면 반드시 죽는다.					
2. 화학요법은 암의 치료에 효과적이다.					
3. 암은 곧 정복될 것이다.					

(3) 어의구별 척도

태도나 신념을 측정하기 위하여 Osgood (1964)에 의해 개발된 척도이며, 최근에는 개념의 다양한 관점을 측정하는데 사용된다. 어의구별 척도(semantic differentials)는 서로 상반되는 두 개의 형용사와 7점 척도로 구성되어있다. 응답자는 해당 개념에 대한 자신의 관점을 가장 잘 나타내는 척도위의 지점에 표시하면 된다. 이 척도의 개념에 대해 대상자가 가지는 내포적 의미를 측정하기 위한 것이다. 선택된 형용사는 개념과 관련 없어 보이기도 하나 대상자가 느끼는 개념에 대한 긍정적 또는 부정적 태도를 파악할 수 있는 기법이다. 일부 개발된 어의구별 척도는 형용사 대신 서술문을 사용하여 암에 대한 신념을 측정하였다(Burns & Grove, 2001).

어의구별 척도의 값은 1부터 7까지로 1이 가장 부정적인 응답이면 7은 가장 긍정적인 응답이 된다. 좌측의 극한값을 부정적으로 할 것인지 긍정적으로 할 것인지에 대한 결정은 반드시 무작위로 이루어져 총체적 응답 오류(대상자가 각 문항의 동일한 쪽에 일괄적으로 표시하는 것)를 피하도록 한다. 각 항목의 값은 합해져 총합 점수로 취급된다. 요인분석을 이용하여 요인 구조를 결정하는데 원칙적으로 3요인 구조로 '평가', '능력'과 '행위'의 3가지 측면을 반영하게 된다. 연구자는 척도의 특정 항목이 하나의 구조로 통합된 이유를 이론적으로 설명하여야 한다. 요인분석은 척도의 타당도 평가에도 사용된다.

표 10-5 어의구별 척도의 예

어의구별 척도의 형용사 예		
뜨거운	1 2 3 4 5 6 7	차가운
약한	1 2 3 4 5 6 7	강한
아름다운	1 2 3 4 5 6 7	흉한
암과 관련된 수정된 어의구별 척도의 서술 예		
확실한 죽음	1 2 3 4 5 6 7	완치 가능
죄에 대한 벌	1 2 3 4 5 6 7	처벌 없음
통증 없음	1 2 3 4 5 6 7	심하고 지속적인 통증

(4) Q 방법

개인의 주관적 관점을 그대로 상대적 순위로 나타내는 기법이다(McKeown & Thomas, 1988). 다양한 단어와 문장이 쓰여있는 일련의 카드를 이용하여 서로 간의 상대적 중요도에 따라 분류한다. 각 문장이 각각의 카드에 서술된다. 카드의 수는 40개에서 100개 정도가 적당하다(Tet-ting, 1988). 대상자는 카드를 정해진 수만큼 분류하도록 하는데, 일반적으로 7개에서 10개 카드더미로 분류한다. 그러나 각 분류더미에 속할 수 있는 카드의 수는 제한되어있다. 예를 들어 대상자가 59개의 카드를 분류하여야 한다면 분류 1(가장 중요함)에는 카드 2개만 허용되고, 분류 2에는 5개 카드, 분류 3에는 10개 카드, 분류 4에는 25개, 분류 5에는 10개, 분류 6에는 5개, 그리고 마지막 분류 7(가장 중요하지 않음)에는 다시 카드 2개까지 허용되어 전체적으로 정규분포 하도록 요구한다. 대상자는 일반적으로 처음 가장 극한의 분류 1이나 7에 카드를 분류하고 점차 중간으로 카드를 분류하도록 한다.

Q-분류방법은 항목의 우선순위를 결정하거나 척도 개발과정에서 가장 중요한 항목을 포함하려 할 때에도 이용된다. 앞의 분류 예에서 분류 5, 6, 7에 속한 카드를 17항목 척도로 구성할 수 있다. 상관도 또는 요인분석으로 자료를 분석한다. Simpson (1989)은 문화적 비교연구에서 Q-분류방법을 사용할 때 단어대신에 그림을 이용한 카드를 사용하도록 제안하기도 하였다. Luniewski 등 (1999)은 Q-분류방법을 사용하여 심부전 환자들의 효과적인 교육 요구도에 대한 연구를 하였다. 한국에서는 환자들이 표현하는 희망의 본질을 분석하기 위한 목적으로 Q-방법론이 사용되었다(김달숙, 1992).

(5) 시각상사 척도

척도에 의한 측정에서 가장 큰 문제점은 가치에 대한 미세한 차이를 측정하기 어렵다는 것이다. 이러한 문제를 해결하려는 것이 바로 시각상사 척도(visual analogue scales)이다. 이 기법은 마치 등간형 자료를 제공하는 것으로 고려되며, 일부 연구자들은 비율척도로도 취급한다. 이 척도는 기분, 불안, 민첩성, 수면의 질, 환경조건에 대한 태도, 기능, 임상적 증상 등을 측정하는데 이용된다.

측정항목은 대상자가 이해 가능하도록 명료하게 서술되어야 하며 각 척도에 한 가지 측정내용만 배정된다. 척도는 100mm 길이의 선으로 각 끝은 막혀져 있다. 선의 중간이나 위에 서술문이 주어져서는 안 되며, 양 끝에 전체 선의 길이를 포괄하는 서술, 예를 들어 '전혀 없음'과 '최대로 있음' 등이 포함된다. 양 끝의 서술문은 아동에게 이용되는 경우 그림으로 대치될 수 있다. 대상자들은 선위에 측정대상에 대해 자신이 느끼는 대로 강도를 반영하는 곳에 표시하도록 한다. 이 척도는 대상자들이 앉아있는 상태에서 적용되지만, 누워있을 때 시각의 차이로 결과에 영향을 줄 수 있는 지여부는 아직 확인되지 않았다.

표 10-6 시각상사 척도의 예

시각상사 척도

통증이 전혀 없음 ├─────────────────────┤ 최대한의 통증
　　　　　　　0　　　　　　　　　　　　　　10

7) Delphi 기법

이 기법은 전문가 집단을 대상으로 의사결정을 내리거나, 우선순위를 평가하고, 미래를 예측하기 위해 사용된다. 이 측정방법은 다양한 전문가들을 직접 만나지 않아도 그들의 의견을 수집하고 피드백을 제공할 수 있다. Delphi 기법을 이용하면 전문가 집단을 직접 만나 의견을 수집할 때 집단의 의견을 주도하는 몇 사람에 의해 다른 구성원의 의견이 영향을 받을 수 있는 위험을 피할 수 있다. Delphi 기법에는 전통적, 정책형 및 결정형 등 3가지 유형이 있다. 전통적 Delphi 기법의 초점은 동의를 얻는데 있다. 정책형 Delphi 기법의 목적은 동의에 이르기보다는 다양한 관점을 확인하고 이해하기 위한 것이다. 결정형 Delphi 기법은 의사결정을 할 수 있는 개인들로 집단을 구성하여 결정을 내리는 것이 목적이다. Mitchell (1998)은 간호교육 계획에 적용된 Delphi 기법에 대한 타당도를 평가한 결과 예측된 사건의 98.1%가 이미 발생하였거나 발생할 것으로 보인다고 보고하였다.

이 기법을 적용하기 위해서는 전문가 집단이 구성되어야 하지만, 어떤 기준으로 전문가를 선정할 것인지에 대해서는 불명확하다. 집단의 구성원은 무기명으로 서로에게도 알려지지 않은 상태이어야 한다. 주제에 대한 질문지가 개발되는데, 대부분 폐쇄형 응답을 요구하지만, 전문가들로부터의 개방형 응답도 가능하도록 구성된다. 연구자의 역할은 중립적이어야 한다. 분석 결과는 두 번째 설문지와 함께 전문가 집단에게 다시 보내진다. 이 과정은 자료가 전문가들 간의 동의에 이르렀다고 판단될 때까지 반복된다. 동의를 얻는 것이 목적인 경우 2-3번의 과정으로는 불충분할 수 있다. 일부 연구에서는 절대 동의를 추구하는 반면 다른 연구에서는 대다수의 의견을 따르기도 한다.

Goodman (1987)은 Delphi 기법의 적용상 나타날 수 있는 문제점으로 '전문가'집단으로부터 얻는 응답과 무작위로 선정된 대상자로부터 수집된 자료 간에 차이가 있는지에 대한 의문을 제시하였다. 전문가집단은 무기명 집단이므로 자신이 답한 응답내용에 대하여 아무런 책임이 없다. 응답자들은 자신에게 부정적인 피드백이 돌아오지 않을 것이라고 알고 있으므로 성급하게 성의 없는 응답을 할 수도 있다. 집단의 동의된 의견에 대한 피드백은 중심의견을 중심으로 주어지므로 상반된 의견이 가려질 수 있으므로, 동의과정을 통해 의견의 방향이 달라질 수 있다.

Lindeman (1975)은 Delphi 기법을 이용하여 간호학 임상연구의 연구 우선순위를 결정하고자 하였다. 간호사와 비 간호사를 포함하여 다양한 관심을 보이는 433명의 전문가 팀이 구성되었다. 150 문항의 설문지가 4번 반복되면서 간호학 임상연구의 주제가 결정되었으며, 그 결과는 Nursing research에 발표되어 이 후 간호학의 연구방향에 막대한 영향을 주었다.

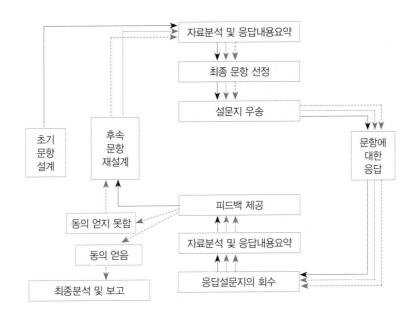

그림 10-1 Delphi 기법의 적용 과정 모형(Burns & Grove 4판, p. 438, 그림 16-8)

8) 투사 기법

투사 기법(projective technique)은 비구조적이고 애매모호한 상황에 대한 응답자들의 반응이 그들의 태도, 요구, 개인적 특성, 동기 등을 반영한다는 가정에서 이루어진다. 투사 기법의 용어로 다양한 측정도구, 기구 및 전략을 포함한다. 심리학에서 주로 이용되는데, 구체적인 예로 Rorschach Inkblot Test, Machover's Draw-A-Person Test, 단어상관, 문장 완성하기, 역할극 등이 여기에 포함된다. 이 기법은 직접적으로는 수집하기 힘든 자료를 간접적으로 얻는 측정방법이다. 이 기법에서 사람들은 자신들의 내면적 부분을 자신들의 인지와 해석에 투사한다고 가정하므로, 자료의 분석은 의미에 대한 추론이 필요하고 따라서 주관적이다. 덜 구조적이고 더 불확실한 상황일수록 개인이 자신의 해석에 스스로를 투사한다고 믿기 때문에, 얻어진 자료는 개인적 성향을 반영하게 된다.

Kerlinger (1973)는 투사 기법의 대표적 4가지 유형을 연관(association), 구성(construction), 완성(completion) 및 표현(expressive)으로 소개하였다. 모든 투사 기법은 몇 가지 공통된 특성을 갖는다. 첫째, 대상자에게 설문지나 면담에 비해 훨씬 비구조적이고 애매모호한 자극을 제공한다. 이 방법은 대상자들이 더욱 유연하게 반응하도록 하여 그들의 독특한 성격이 개인의 해석에 드러나도록 한다. 둘째, 투사 기법에서는 대상자들에게 정보를 제공하도록 직접 물어보지 않고, 자극에 대한 응답을 추론을 통해 분석하므로 측정의 특성이 간접적이다. 따라서 다른 측정법과는 달리 대상자들의 정보제공에 대한 동기부여, 솔직함 등에 영향 받지 않으며, 대상자들이 자신의 성격을 드러내는 것에 대해 위협감을 덜 느끼게 된다. 이 방법은 개인 성격의 내면 또는 무의식적 측면을 밝히는데 효과적이다. 세 번째 특성은 대상자들에게 자유롭게 응답하도록 한다는 점이다. 정답과 오답이 없으며, 미리 주어진 응답가나 제한도 없다. 이러한 특성으로 대상자들은 자신의 느낌에 집중할 수 있다. 그러나 자유 형식이므로 응답이 측정 목적에 상관없거나 응답 간 일관성이 낮을 수 있다. 응답의 내용이나 형식이 다양하므로 자료의 분석에 시간 소모가 많고 측정자간 신뢰도도 문제가 될 수 있다. 마지막 특성은 이 기법은 자료의 결과해석에 연구자, 관찰자 또는 분석가들의 주관적 과정에 지나치게 의존한다는 것이다(Nunnally, 1978). 응답 자체의 내용을 그대로 받아들이기 보다는 '과거의 어떤 경험을 기준으로 해석하는' 것이다. 이러한 특성으로 투사 기법의 객관성이 문제시되는데 같은 내용의 응답을 두고 두 연구자가 다른 해석을 내릴 수 있기 때문이다. 또한 문화 간 비교연구에서는 한 문화를 기준으로 한 응답의 해석이 다른 문화에서 동일해 질 수 없으므로 주관적 해석이 더욱 문제시된다. 투사 기법을 이용한 test들은 대부분 집중적인 훈련이 요구되므로 보건학 연구에서는 잘 사용되지 않았으나, 다학제간 연구가 늘어나면서 보건학연구에서도 이용되기 시작하였다.

9) 일기

장기간에 걸쳐 정보를 수집하기 위한 최신 기법 중 하나는 대상자에게 사건의 기록이나 일기(diaries)를 쓰도록 하는 것이다. 이후 대상자가 쓴 일기를 모아 자료를 분석하게 된다. 사건 직후 기록할 수 있는 일기 형태의 기록이 면담 장소에서 그동안의 일에 대해 대상자에게 기억하도록 하는 것보다 더 정확하며, 사건의 기록수준도 높고, 대상자의 상황에 대한 인식도 파악할 수 있다. 예를 들어 의료비 지출항목, 자가간호 활동(횟수 및 소요시간), 증상의 발현, 식습관, 운동습관, 가정에서 가족으로부터 제공된 간호행위 등에 대한 정보가 일기를 이용하여 수집된다. 때로 만성질환자들을 대상으로 하루 일과에 대한 일기를 쓰도록 하여 그들에게 필요한 간호요구도 조사를 할 수 있다.

두 가지 유형의 건강일기가 사용되었는데, 증상의 발생 등과 같이 서로 다른 유형의 사건을 기록하는 기록대장(ledger) 형태와 관련있는 구체적 내용을 매일 기록하는 일지(journal) 형태가 있다. 일기를 이용한 측정에 대한 타당도와 신뢰도는 면담에 의해 수집된 자료와 비교한 결과 받아들여질 만한 것으로 평가되었다. 건강일기의 사용에서 참여율은 매우 높았으며 탈락률도 저조한 것으로 나타났다. 일기 기록의 완성을 위해 적절한 지도가 요구되며 기록내용을 수거하기 위한 시간 배정 등도 중요한 고려사항이다.

Burman (1995)은 일기의 적용과 관련된 지침을 다음과 같이 제안하였다.

(1) 일기를 통해 적절히 수집될 수 있는 개념인지 사전에 철저히 평가하여야 한다. 일반적으로 중요하지만 드물게 나타나는 사건이나 사소하게 보이는 사건들에 대해서는 기록에서 빠지기 쉽다. 일기에 의한 측정은 반드시 면담이나 우편설문 등과 같은 다른 측정법과 병행하여 사용함으로써 서로 정보를 보완하는 것이 관심있는 현상에 대한 자료의 질을 높일 수 있다.

(2) 기록대장의 형태와 일지 형태 중 어떤 형태의 일기가 더 적합한지 결정한다. 대상자의 부담이 적은 기록대장 형태는 반면에 결측자료의 분석이 복잡하다.

(3) 폐쇄형 또는 개방형 문항을 사용할 것인지 결정한다. 폐쇄형 문항의 사용은 대상자의 부담을 줄여주는 이점이 있지만 사건을 과다기록하게 할 수 있다.

(4) 새로 정의된 개념의 측정에서는 일기를 적용하기 전 이 방법을 통해 적절히 측정될 수 있는지 알아보기 위해 예비 조사를 수행한다.

(5) 일기에 기록하는 시점을 결정한다. 사건의 발생을 충분히 측정할 수 있는 시점으로 일반적으로 2주-4주정도의 기간동안 적용한다.

(6) 자료의 질을 높이기 위해 일기 기록에 대한 지침을 사전에 대상자에게 제공한다. 대상자들은 기록지를 어떻게 사용하는지, 어떤 종류의 사건을 기록하게 되는지, 질문이 있을 때 연구자에게 어떻게 연락하는지에 대한 정보가 필요하다.

(7) 일기 기록의 완성율을 높이기 위해 진행되는 동안 대상자를 추가 접촉한다. 전화연락이 완성도를 높일 수 있다. 일기는 우편 또는 직접 수거할 수 있는데, 우편으로 받는 경우 완성률이 낮을 수 있다.

(8) 일기를 개발하고 수정하는 과정에서 자료분석에 대한 계획을 미리 점검한다.

일기를 이용한 기록은 다른 설문지, 면담 등의 조사에 비해 저렴하다. 대상자의 탈락은 첫 한달 내 대부분 이루어지고 이후에는 1-2% 미만의 낮은 탈락률을 보인다. 일기의 자료 완성비율은 80-88%정도로 설문조사보다 높다. 그러나 일기의 단점은 대상자의 일상적인 행위나 연구의 초점이 되는 사건의 발생에 영향을 줄 수 있다는 것이다. 예를 들어 환자에게 제공하는 간호행위에 대한 기록을 하고 있는데 행위가 기록되고 있다는 것을 알고 있으므로 간호행위 자체가 달라질 수 있는 것이다. 장기간 동안 지속될 경우 대상자가 점차 기록에 대해 관심이 덜해져 미비한 기록을 할 수도 있다.

3. 도구선택의 원리

연구에서 측정도구를 선택하는 것은 매우 중요한 부분이다. 측정방법은 반드시 측정하려는 개념적 정의와 잘 맞아야 한다. 문헌 탐색에 의해 기존에 개발된 도구를 찾는 과정이 요구되나, 대부분의 경우 연구에서 원하는 모든 영역의 도구를 찾기보다는 일부 또는 비슷하지만 다른 개념의 도구를 찾게 된다. 더구나 도구의 신뢰도나 타당도에 대한 기록이 없는 경우도 많다. 지금까지 가장 단순한 해결책은 연구자 스스로 도구를 개발하는 것이었다. 그러나 도구를 개발하는 것은 다른 모든 방법이 실패한 후 가장 마지막에 선택하여야 한다. 도구 개발과정은 오랜 시간이 걸리며 매우 복잡하다. 새로 개발된 도구를 신뢰도와 타당도 평가 없이 연구에 적용하는 것은 가치 있는 연구과정으로 인정할 수 없다.

1) 기존 도구의 탐색

개념의 측정을 위해 기존의 도구를 찾는 일은 컴퓨터의 도움으로 훨씬 쉬워지고 있다. 보건 심리도구 사이트(Health and Psychological Instrument Online: HPIO)에는 특정 개념을 측정할 수 있는 도구 리스트와 특정 도구에 대한 정보를 제공한다. 학위논문에는 그동안 게재되지 않았던 도구들이 많이 수록되어있으므로 학위논문 목록을 찾아보는 것도 도움이 된다. 학위논문 초록은 현재 웹 사이트에 수록되어있다. 학회에 참가하여 최신 연구결과보고를 듣는 것도 새로운 도구에 대한 정보와 도구를 개발한 연구자들과의 정보교환에 효율적인 방법이다. 연구자들의 경우 일반적으로 개발된 도구를 사용하도록 허락하는 대신 도구의 신뢰도와 타당도를 평가하기 위해 자료를 공유하기를 원한다.

2) 기존 도구의 평가

연구에서 필요한 적절한 도구를 선택하기 위해서는 다양한 도구를 평가해 보아야 한다. 도구를 평가하기 위해서는 다음의 항목을 고려한다.

(1) 도구가 원하는 개념을 측정하는가?
(2) 도구가 변수의 개념적 정의를 반영하는가?
(3) 도구가 잘 구성되었는가?

(4) 도구가 적용되었던 대상자의 특성이 현재의 연구 대상자와 유사한가?

(5) 도구의 신뢰도 수준이 현재 연구의 대상자에게 적합한가?

(6) 도구가 측정하려는 현상의 작은 차이를 감지할 수 있을 정도로 민감한가? (즉, 효과크기는 어떠한가?)

(7) 도구를 찾아 적용하고 점수화하기 위해 어떤 과정이 필요한가?

(8) 도구를 적용하기 위해 어떤 기술이 요구되는가?

(9) 점수는 어떻게 해석되는가?

(10) 도구를 적용하는데 걸리는 시간은?

(11) 도구의 신뢰도와 타당도와 관련하여 어떤 근거가 제시되었는가?

도구의 평가를 위해 특정 대상자 집단이 요구되기도 한다. Burnside 등(1998)은 노인 대상자에게 도구를 적용하기 위한 선택과정에서 피로, 불안, 문화적 배경과 교육수준 등의 4가지 요소를 반드시 고려해야 한다고 하였다.

3) 도구의 이해도 평가

이해도(readability)는 도구가 어느 정도 이해할만한 수준으로 구성되었는지에 대한 것으로 도구 적용평가에서 중요한 항목이다. 신뢰도와 타당도가 높은 수준의 도구라 할지라도 대상자가 이해할 수 없는 수준으로 구성되었다면 해당 연구에서는 적용할 수 없다. 이해가능성(readability)은 컴퓨터의 문법과 용어 체크프로그램에서 쉽게 확인할 수 있다.

4. 이론에 근거한 도구 개발 단계

1) 고전적 검증이론

(1) 개념의 정의: 개념이 명확하게 정의되어야 도구가 개발될 수 있다. 개념의 정의가 명확할수록 측정하기 위한 문항개발도 용이해진다. 개념정의는 개념분석과정을 통해 이루어진다.

(2) 척도의 설계: 문항 항목의 설정은 개념의 모든 측면을 반영하여야 한다. 구성단계는 척도가 순위척도인지 Likert 척도인지, 어의구별 척도인지 등에 따라 달라진다. 기존 도구에서 포함되었던 문항 중 해당 개념을 잘 반영한다고 판단되면 그대로 포함시킨다. 청사진을 이용하여 모든 측면이 포함되었는지 살펴본다. 각 문항은 명료하고 간결하게 한 가지 아이디어를 표현하도록 한다. 문항 수

는 전체 도구의 예정 문항 수에 비해 더 많이 개발하는데, 항목분석단계에서 적절하지 않은 항목들은 제외되기 때문이다. Nunnally (1978)는 개발당시의 문항수를 예상문항수의 최소한 2배로 할 것을 제안하였다.

(3) 문항 점검: 문항이 개발되면서 전문가에게 점검을 요청한다. 점검 내용은 정확성, 적절성, 측정하려는 특성과의 연관성, 문항구성상의 기술적 오류, 문법, 위협적인 표현여부, 이해용이성 등에 대한 것이다.

(4) 문항의 예비검증: 문항의 초안이 개발되면 연구의 대상자들과 유사한 특성을 가진 소수(15-30)의 대상자에게 적용하여본다. 적용하는 동안에 대상자들이 망설이는 모습, 응답을 바꾸거나, 혼동하는 모습을 보이는지 관찰하고 해당 문항을 체크한다. 검증과정 후 대상자들과 함께 점검시간을 갖고 문항에 대한 수정제안을 받도록 한다. 서술통계를 이용하여 응답의 분포, 무응답 문항, 정상범위에서 떨어진 값 등을 파악한다. 분석결과와 응답자들로부터의 제안을 토대로 문항을 수정한다.

(5) 현장검증의 수행: 문항의 최종본을 연구 대상자와 유사한 특성을 가진 대단위 표본에 적용한다. 표본 수는 약 100에서 200명 정도로 한다(Spector, 1992). 그러나 표본 수는 문항의 수에 비례하는데 각 문항 당 10명의 대상자가 요구되므로 40문항의 척도를 검증하기 위해서는 400명의 표본이 필요하다.

(6) 문항분석: 문항분석의 목적은 내용상 척도와 일관성이 있는 문항을 확인하여 기준에 맞지 않는 문항은 제외시키기 위함이다. 모든 문항의 내적 일관성이 측정된다. 분석을 수행하기 전 부정적으로 서술된 문항들은 역부호화 시킨다. 문항분석에서는 문항간의 상관도 수준도 분석한다. 통계프로그램을 이용하면 문항 간 상관도와 문항과 전체 문항 간 상관도를 얻을 수 있다. 마지막으로 개별 문항을 평가하면서 해당 문항을 제외했을 때 잔여 항목 간 상관지수가 보고되는데 이것이 문항의 제거여부를 결정짓는 가장 중요한 지표이다.

(7) 문항의 최종 선택: 가장 좋은 상관계수를 보인 문항들을 이용하여 최종 척도를 구성한다. 일반적으로 계수의 준거 값을 정하여(예, 0.40), 그 이상의 계수를 보이는 경우 척도에 포함한다. 포함된 문항수가 많을수록 잔여 항목들에 대한 계수는 줄어들며, 선택된 도구는 여전히 좋은 내적 타당도가 유지된다. 이 과정이 끝나면 신뢰도 계수 Cronbach's alpha가 계산되는데, 이 값은 문항의 수와

문항 간 상관도 크기로부터 계산된 값이다. 따라서 상관계수 값을 올리기 위해서는 문항의 수를 늘리던지 상관도가 높은 문항을 포함시켜 전체적인 문항 간 상관도를 높혀야 한다. 상관계수는 0에서 1까지 분포하는데 alpha 값이 적어도 0.7 이상이 되어야 도구로서 받아들일만한(acceptable) 내적 타당도를 가졌다고 평가한다(Nunnally, 1978). 각 문항을 제외한 후의 상관계수를 확인하고 최종 alpha 값이 충분히 올라갈 때까지 문항을 빼고 넣는 과정을 되풀이한다. 문항 간 상관도가 낮은 문항을 제외시키는 것은 alpha 계수를 높이는 효과가 있지만 한편 문항수를 줄이게 되면 alpha 계수가 낮아지게 되므로 최적값을 찾는 과정이 요구된다. 척도 개발을 위한 첫 시도에서 최적의 문항을 포함시키는 일은 거의 없으며, 자료 수집 후 문항을 추가시키면 다시 자료 수집이 필요하게 되므로, 처음부터 충분한 문항을 개발하여 분석하여야 한다.

(8) 타당도 검증: 문항 개발과정이 어느 정도 만족한 수준에 이르면 타당도가 평가된다. 타당도 평가과정을 위해 대단위 대상자로부터 추가자료수집이 필요하다. 이 과정에서 해당 개념을 반영하는 문항점수들은 개념적으로 연관되어있는 다른 변수들의 점수와 상관성을 보여야 한다. 미리 가설이 설정된다. 탐색적 요인분석, 이후 확정적 요인분석이 도구의 타당도 평가에 이용된다. 다양한 유형의 타당도 평가가 이루어져야 한다.

(9) 신뢰도 검증: 도구의 신뢰도 검증을 위해서도 다양한 평가과정이 적용되는데, 신뢰도에 대한 평가를 위한 자료는 일반적으로 타당도 평가를 위한 대단위 자료와 함께 수집된다.

(10) 척도에 대한 표준치 설정: 도구가 적용되었던 집단을 반영하는 대단위 표본에 개발된 도구를 적용하여 척도에 대한 표준치를 설정하여야 한다. 표준치는 반드시 가능한 다양한 집단을 통해 얻어진다. 타당도와 신뢰도를 위해 수집된 자료도 이 목적으로 이용될 수 있다. 다양한 대단위 표본으로부터 자료를 얻기 위해 척도를 개발하는 연구자들은 자신들의 척도를 다른 연구자들이 사용할 수 있도록 허가하면서 수집된 자료를 표준치 설정을 위한 목적으로 공유할 것을 요구하기도 한다.

(11) 도구개발 결과의 출간: 도구는 개발된 후 타당도 검증에 시간이 걸리므로 출간되기까지 오랜 시간이 요구된다. 일부의 경우 도구 개발논문이 전혀 출간되지 않은 채 도구가 사용되기도 한다. 도구 개발에 대한 정보는 반드시 도구를 사용한 연구논문 내용에 포함되어야 하며, 도구 개발에 대한 논문도 출간되도록 격려하여야 한다.

2) 문항반응이론

문항반응이론(item response theory)을 이용한 도구의 구성도 초기에는 전통적 검증이론과정과 유사하다. 개념의 명료한 정의가 뒷받침되어야 하며, 초기 문항을 구성하고 현장검증을 거치는 과정을 반복한다. 그러나 문항분석에 이르면 전통적 검증이론보다 좀 더 복잡한 분석과정이 요구된다. 현장검증으로부터 수집된 자료를 가지고 logistic regression model을 이용하여 문항특성 커브를 계산한다. 분석으로부터 얻어진 정보를 기반으로 적절한 모델을 선택한 후 문항 모수(item parameters)가 계산된다. 이런 모수들은 도구에서 문항을 선택하는데 기준이 된다.

전통적 검증이론에서 개발된 도구는 평균에 가까운 대상자들의 특성을 측정하는데 효과적이다. 사용된 통계적 분석방법은 척도 점수가 선형이라고 가정하고 있으며, 점수 값이 정규분포 한다고 가정하므로 평균에서 떨어진 극한 값들은 제외시킨다. 따라서 이러한 방법으로 개발된 도구는 때로 척도 상 매우 높거나 낮은 점수를 기록한 대상자들에 대한 정보를 제공하지 못하게 된다.

문항반응이론의 한 가지 목적은 측정하려는 개념의 각 수준에서 특성을 정확하게 추정하는 방법으로 문항을 선택하는 것이다. 따라서 최대우도값(maximal likelihood estimates)을 사용하며, 도구의 측정값이 곡선형분포를 하고 있다고 가정한다. 잔여문항 계수를 근거로 문항을 선택하는 대신, 연구자는 검증을 위한 정보선을 지정한다. 도구는 원하는 측정의 정확도를 구하기 위해 수정된다. 고전적 검증이론과 문항반응이론으로부터 개발된 도구를 비교해보면 선택된 문항의 내용에 차이가 있다. 문항반응이론에 의하여 개발된 도구는 문항 간 상관도가 낮은 한편, 유사한 특성을 가진 두 집단의 구성원들이 문항에 대해 다르게 응답할 때 발생하는 응답 편향(bias)도 낮다.

3) 다면적 척도이론

다면적 척도(multidimensional scaling)는 조작화된 개념이 실제 여러 측면에 의해 더 정확히 측정될 수 있는 추상적 구성개념(construct)일 때 사용된다. 이 척도 기술은 연구자가 구성개념의 숨겨진 구조들을 밝힐 수 있도록 한다. 이 방법은 대상자들을 구분하기보다는 다양한 자극의 차이를 검사하기 위한 것이다. 예를 들어 빛에 대한 인지와 통증에 대한 인지를 비교할 수 있다. 이 기법에 의해 개발된 척도는 문항 사이의 패턴을 밝히는데 유용하다. 이 방법은 순위척도와 어의구별 척도를 개발하는데 사용된다.

4) 전개 이론

전개 이론(unfolding theory) 과정을 통해 척도를 구성하는 동안 대상자들은 각 문항에 대해 순위척도로 답변하도록 요구된다. 이 후 각 문항에 대해 선택된 응답가지와 관련하여 다양한 응답 의견에 대해 순위를 매기도록 한다. 이런 과정을 통해 각 문항의 기본을 이루는 연속선이 나타난다. 예를 들어, 내가 가장 좋아하는 아이스크림의 향은 무엇인가라는 질문에 대해

    1) 초콜렛

    2) 바닐라

    3) 딸기

    4) 버터 피칸

이라는 응답가지를 주었으며, 대상자들은 자신이 좋아하는 순서에 따라 답을 선택하고 순서를 매기도록 한다. 각 대상자들마다 순서가 달라질 수 있으나 결과는 개념의 기본을 구성하는 연속선에 대한 패턴을 보여주게 된다. 척도에서 문항의 선택은 이렇게 대상자들의 응답을 통해 나타난 패턴을 근거로 이루어진다. Degner (1998)는 전개이론을 이용하여 치료에 대한 의사결정에 참여하고자 하는 환자들의 선호도를 측정하는 '통제선호척도'에 대한 응답 결과를 분석하였다.

5. 번역척도의 적용

하나의 언어로 개발된 도구를 다른 언어로 번역하여 대상자들에게 적용하는 데는 매우 복잡한 과정이 요구된다. 도구 번역의 목적은 서로 다른 문화에 있는 대상자 사이에서 동일한 개념을 비교하기 위한 것이다. 이러한 비교가 가능하기 위해서는 두 문화로부터 개발된 척도가 반영하는 개념적 의미가 동일하다는 근거가 제시되어야 한다. 이 과정은 추론적인 성격이 강하므로 척도의 의미가 유사하다는 결론은 확정이 아닌 가설로서 고려되어야 한다(Hulin 등, 1983).

    번역의 유형은 실용적 번역, 심미적–시적 번역, 민족지적 번역과 언어적 번역으로 분류된다. 실용적 번역의 목적은 원 언어의 내용을 대상언어로 정확히 의사소통하기 위한 것이다. 따라서 정보를 전달하는 것이 주요 관심내용이 된다. 이러한 번역유형의 예로서 컴퓨터 사용설명서 등을 들 수 있다. 반면에, 심미적–시적 번역의 목적은 원 언어에서 묘사하였던 정서와 느낌, 감정을 대상 언어에서도 그대로 불러일으키기 위한 것이다. 민족지적 번역에서는 문화적 내용과 의미를 유지하는 것이 주요 목적이 된다. 이런 경우 번역가는 반드시 양국 언어와 문화에 익숙한 사람이어야 한다. 언어적 번역에서는 동일한 의미를 가진 문법적 형태를 제시하려고 한다. 일반적으로 척도의 번역은 민족지적 번역형태로 이루어진다(Hulin 등, 1983).

도구를 번역하기 위한 한 가지 전략은 원 언어로부터 대상 언어로 번역한 후 새로운 번역자에 의해 대상언어로부터 원 언어로 역번역 하도록 하는 것이다. 원 도구와 역번역된 도구의 문장사이에 차이점이 확인되면 문제가 해결될 때까지 재번역-역번역 과정을 반복하도록 한다. 이 과정 후 원 언어와 대상 언어로 구성된 두 형태의 도구를 두 나라말을 하는 대상자를 선택하여 적용한 후 점수화한다. 결과자료를 통해 두 형태의 도구가 동일 대상자로부터 유사한 정보를 수집하였는지를 결정한다. 이러한 과정은 대상자가 두 언어에 동일한 수준으로 익숙하다는 전제하에서 이루어진다. 이 과정의 한 가지 문제점은 두 나라말을 하는 양국언어 사용자의 경우 각 나라의 언어만 구사하는 단일언어 사용자들에 비해 단어의 해석을 달리할 수 있다는 점이다. 대부분 문화적 차이를 보기 위한 연구의 대상자들은 단일 언어 사용자들이므로 이러한 단어해석의 차이는 심각한 문제를 초래할 수 있다. Hulin 등(1983)은 문항반응이론을 적용하여 번역의 이러한 문제점들을 대처하였다. 문항반응 이론에 따른 절차에서는 두 언어로 표현된 문항의 의미에 대한 직접적인 근거를 제시할 수 있다. 두 언어에서 표현된 문항 특성 커브와 척도점수를 서로 비교할 수 있으므로 비교조사를 위해 양국언어를 하는 대상자를 선정할 필요가 없으며 두 집단이 측정변수에 대해 동질의 분포를 보일 필요도 없게 된다. 도구의 번역과정에 대한 구체적 단계는 11장에서 살펴보도록 한다.

참고문헌

Asgar P. H., & Yavuz, M. (2014). Effects of fever on hemodynamic parameters in neurosurgical intensive care unit patients. Intensive Critical Care Nursing, 30(6), 325-332.

Burman, M. E. (1995). Health diaries in nursing research and practice. *Journal of Nursing Scholarship*, 27(2), 147-152.

Burns, N & Grove, S. K. (2001). *The Practice of nursing research: Conduct, critique, & utilization* (4th ed). Philadelphia: W.B. Saunders.

Degner, L. F., Davison, B. J., Sloan, J. A., & Mueller, B. (1998). Development of a scale to measure information needs in cancer care. *Journal of Nursing Measurement*, 6(2), 137-153.

Kerlinger, F. N. (1973). Foundations of behavioral research. *American Educational Research Journal*, 11(3), 292-294.

Knafl, K. A., Pettengill, M. M., Bevis, M. E., & Kirchhoff, K. T. (1988). Blending qualitative and quantitative approaches to instrument development and data collection. *Journal of Professional Nursing, 4*(1), 30-37.

Nunnally, J. C. (1978). *Psychometric theory* (2nd ed.) New York: McGraw-Hill.

Osgood, C. E. (1964). Semantic differential technique in the comparative study of cultures. *American Anthropologist, 66*(3), 171-200.

Stevens, B., Johnston, C., Franck, L., Petryshen, P., Jack, A., & Foster, G. (1999). The efficacy of developmentally sensitive interventions and sucrose for relieving procedural pain in very low birth weight neonates. *Nursing Research, 48*(1), 35-43.

Waltz, C. F., Strickland, O. L., Lenz, E. R. (1991). *Measurement in nursing research* (2nd ed). Philadelphia: F.A. Davis.

11

CHAPTER

도구개발과 검증

11

CHAPTER

도구개발과 검증

I. 측정에 대한 기본 개념

1. 측정의 정의

측정은 '규칙에 따라 사물이나 현상, 사건에 숫자를 부여하는 것'이다(Stevens, 1951). 측정에는 직접적으로 측정가능 한 것과 간접적으로 측정할 수밖에 없는 것이 있다. 무게, 길이 및 이윤 등은 직접적인 측정이 가능한 것이다. 하지만 인간행동과 관련된 학문 즉, 사회학, 심리학, 교육학, 간호학, 보건학 등의 연구에서 다루는 현상이나 사건은 주로 추상적인 경우가 많다(예를 들어, 자기효능감, 삶의 질, 희망, 대처 등). 따라서 후자인 경우에는 측정 개념이 가지고 있는 특성 및 속성들을 실증적 지표(empirical indicator: 관찰 가능한 응답)로 만들어서 간접적으로 측정할 수밖에 없다.

2. 측정오차

모든 측정에는 오차의 가능성이 내재되어있다. 측정오차(measurement error)란 측정대상의 참값과 실제로 측정된 값의 차이를 말한다. 실제 몸무게가 65kg인데, 집에 있는 저울로 측정하니 63kg으로 나왔다. 이때 2kg의 차이는 측정오차에 해당된다. 측정오차는 직접측정뿐 아니라 간접측정에서도 나타난다. 예를 들어, 자기효능감이라는 개념을 측정할 때 그 개념이 가지고 있는 속성의 일부만을 측정하거나 자기효능감이라는 개념에 속하지 않는 다른 속성들이 끼어있다면, 이런 것들이 간접측정 시 나타나게 되는 측정오차에 해당된다. 측정오차는 임의적 및 체계적 오차로 분류한다.

1) 임의적 오차

측정점수는 3가지 요소로 구성된다. 참 점수(T)와 관찰된 점수(O), 그리고 오차 점수(E)다. 참 점수는 측정오류가 전혀 없는 상태에서 얻어진 점수를 말한다. 관찰 점수란 측정에 의해 얻어진 점수이며, 오차 점수는 측정과정에서 발생하는 임의적 오류에 의한 점수를 의미한다. 이론적 공식은 다음과 같다:

O (관찰 점수) = T (참 점수) + E (오차 점수)

위의 공식은 계산을 위한 것이 아니라 임의적 오류를 개념화하기 위한 것이다. 우리는 참 점수를 알 수 없으므로 임의적 오차(random error) 점수 또한 알 수가 없다. 다만 이론적으로 오차 점수를 줄일수록 관찰 점수가 참 점수를 반영하게 된다는 것을 강조하기 위한 공식이다.

측정과정에서 다양한 요소들이 임의적 오차를 초래하는데, (1) 일시적인 개인적 특성(예, 배고픔, 피로, 집중력저하, 건강문제, 기분, 정신상태 및 동기부여 등), (2) 상황적 요소(예, 덥고 답답한 방, 주의 산만함, 가족이나 친구의 동반, 연구자와의 관계, 자유롭거나 심각한 상황여부 등), (3) 측정방법의 변화(예, 서로 다른 질문순서로 면담을 하거나, 질문을 덧붙이거나 삭제하는 것, 달라진 답지 순서에 따라 반응이 달라지는 것), 그리고 (4) 자료 처리과정에서의 실수(예, 코딩 오류, 자료계산의 실수 등)가 여기에 속한다.

임의적 오차는 개인별 관찰 점수가 참 점수 주변에 무작위로 위치하도록 한다. 즉, 임의적 오차가 있을 때, 관찰 점수는 참 점수보다 높을 수도 있고, 낮을 수도 있다. 측정이론에 의하면 임의적 오차의 총합은 0이 되며, 임의적 오차 점수는 참 점수와 상관관계가 없으므로 임의적 오차는 평균의 방향에 영향을 미치지 않는다. 따라서 임의적 오차 점수가 클 때, 참 점수의 추정치는 부정확하게 된다.

2) 체계적 오차

측정오차 중 임의적으로 나타나지 않은 부분을 체계적 오차(systematic error)라고 한다. 예를 들어, 늘 1 kg 씩 더 나가는 체중계를 사용하였다면 체계적 오차를 초래하게 된다. 모든 체중은 참 점수보다 1 kg 씩 더 높을 것이며, 그 결과 관찰 점수 평균은 참 점수 평균보다 그 만큼 높아진다. 체계적 오차는 어떤 상황이 늘 참 점수에 일정하게 가해져서 측정되기 때문에 발생한다. 따라서 오차 점수가 참 점수의 평균방향에 영향을 미치게 된다. 모든 측정에는 어느 정도의 체계적 오차가 내재되어있다. 그러나 이론적 개념에 가깝게 도구를 개발하면 체계적 오차를 최소화할 수 있다. 이것이 연구자가 실제 연구수행에 앞서 도구개발에 관심을 집중하는 이유이다.

3. 측정수준

측정수준은 측정대상에 숫자를 배정하는 규칙을 제안한 Stevens (1951)에 의해 개발되어 지금까지 사용되고 있다. 측정수준은 다음과 같이 4 단계로 분류한다.

1) 측정수준의 형태와 유형

(1) 명목척도

명목척도(nominal scale)는 측정 분류 중 가장 하위 단계로서 자료가 순서 없이 분류될 때 이용된다. 따라서 분류된 자료가 다른 분류수준보다 높거나 낮다고 볼 수 없다. 명목척도를 기술할 때는 다음 세 가지 규칙이 적용 된다: ⓐ 분류는 순서를 정할 수 없다, ⓑ 하나의 변수가 한 분류에만 속하도록(상호 배타적) 구성 되어야 한다, 그리고 ⓒ 반드시 모든 변수가 포함되도록(포괄적) 분류를 구성한다. 명목척도의 예로는 성별, 인종, 결혼상태, 진단명 등을 들 수 있다. 성별의 경우, 각 분류를 위해 1=남성, 2=여성 등으로 숫자가 라벨의 의미로만 배정이 될 뿐 수학적 계산의 용도로 사용될 수 없다.

(2) 서열척도

측정된 자료가 순서의 의미를 갖도록 분류되는 것이다. 서열척도(ordinal scale)의 분류에서도 명목척도와 같이 상호배타적임과 동시에 포괄적이어야 한다는 규칙이 적용된다. 서열척도에서는 각 속성이 수량적 의미를 나타내지만, 각 순위 간의 간격이 동일하지 않다. '운동수준'을 예로 들면, '0=전혀 하지 않음', '1=땀이 나지 않은 수준으로 약간 운동함', '2=땀이 날 정도로 운동함', '3=하루 30분 이상 땀이 날 정도로 운동함', '4=하루 1시간 이상 땀이 날 정도로 운동함'과 같이 서열을 정하게 되며 각 점수는 운동 수준의 강약을 비교할 수 있으나 1점과 2점의 간격이 3점과 4점의 간격과 동일하지는 않다.

(3) 등간척도

등간척도(interval scale)에서는 각 분류 간의 간격이 동일하며, 앞에서 언급한 분류의 세 가지 속성, 즉 각 분류가 상호배타적이며, 포괄적이며, 서열이 있다는 규칙도 그대로 적용된다. 등간척도는 연속변수로 인정되므로 분류의 속성이 좀 더 정확하게 정의될 수 있다. 그러나 등간척도 상에서는 '0점' 값이 존재하지 않으므로 속성의 절대값을 제공할 수 없다. 대표적인 예로서 온도를 들 수 있는데 30도와 40도 간의 차이는 60도와 70도 간의 차이와 동일한 10도이지만, 0도는 온도가 없는 상태가 아니라 물이 어는 온도이므로 절대 0값을 제시할 수 없다.

(4) 비율척도

비율척도(ratio scale)는 측정의 가장 상위 척도이며 앞에서 언급한 하위척도의 속성이 모두 적용되므로, 비율척도의 분류는 특성상 상호배타성, 포괄성, 서열의 존재, 등간성, 연속성을 갖는다. 더불어 비율척도는 속성이 없음을 나타내는 절대 0값을 갖는다. 예를 들어, 무게가 0mg 이라면 무게가 없음을 의미하고, A의 무게가 B의 무게보다 2배, 또는 3배 등으로 비율을 표시할 수 있다.

2) 측정수준에 대한 논의

측정수준의 분류에 대한 논쟁은 원칙주의와 실용주의 관점의 대립에서 비롯된다. 실용주의자들은 측정이 이산분포가 아닌 연속선상에서 이루어진다고 간주하는 반면, 원칙주의자들은 분류체계의 속성을 엄격히 준수한다. 따라서 동일 자료가 등간척도 수준인지 서열척도 수준인지를 평가하는데 두 관점의 입장이 다르다. 원칙주의 관점에서 볼 때 통계적 분석이 가능한 자료 수준은 등간척도 이상이어야 하지만, 실용주의자들은 Stevens (1951)의 규칙에 따른다면 사회학 연구에서 기준에 맞는 측정 자료는 거의 없을 것이라고 반박한다. 따라서 실용주의적 관점에서는 서열척도 자료를 흔히 등간척도로 취급하여 전통적으로 등간척도 이상일 때 적용할 수 있는 t-검정이나 분산분석 등의 통계분석을 적용한다. 반면에 원칙주의 관점에서는 서열척도자료를 비모수 통계로 처리해야 한다고 주장한다. 예를 들어 Likert형 척도에서 1=절대 동의하지 않음, 2=동의하지 않음, 3=잘 모르겠음, 4=동의함, 5=매우 동의함으로 점수를 배정하였을 때, 1과 2의 간격이 3과 4의 간격과 동일하다는 것을 증명할 방법은 없다. 따라서 원칙주의에서는 각 점수간의 간격이 등간이 아니므로 모수통계를 이용할 수 없다고 주장한다. 그러나 실용주의적 입장에 의하면 서열척도에서 얻은 대부분의 점수들은 총합점수를 이용하는 경우 등간이나 비율에서 요구하는 연속선(continuum)에 점수가 분포하므로 모수통계를 적용할 수 있다. 실제 많은 학문에서는 실용주의적 관점을 따라 서열척도를 이용한 설문지 연구에서 모수통계를 적용한다. 그러나 연속변수로 취급할 수 없는 이산분포를 보이는 자료는 하위 측정수준으로 분류하여야 하며, 이러한 경우는 반드시 비모수 통계를 적용하여야 한다.

II. 측정도구 개발

측정도구 개발은 어느 한가한 일요일 외식 하듯이 갑자기 이루어지는 것이 아니다. 많은 시간과 노력이 필요하고, 때로는 반복적인 수행이 필요하기도 하다. 측정도구 개발과정은 크게 아래와 같이 구분할 수 있다.

1. 측정 구성개념에 대한 정의

측정도구 개발의 첫 단계는 '무엇을 측정하는 도구인가?' 하는 것을 결정하는 것이다. 그러기 위해서 측정될 개념 또는 구성개념(concept or construct)을 명확하게 정의해야 한다. 개념을 정의하고자 할 때 사용되는 방법에는 여러 가지가 있다: 이론에 진술된 개념적 정의를 이용하는 방법, 문헌고찰을 통해 잠재적 이론적 정의를 내리는 방법, 그리고 개념분석이나 질적연구를 통해 개념형성을 하는 방법이 있다. 이는 도구개발의 가장 기초적인 단계임에도 불구하고 많은 연구자들이 이 과정을 간과하고 지나치는 경우들이 있다. 측정도구 개발 및 평가에 대한 연구들을 보면, 심리계량적 속성에 대한 결과들은 잘 제시하였지만 그 도구가 과연 어떤 구성개념을 측정하는 도구인지 모호한 경우가 종종 있다.

개념적 정의와 더불어, 개발하고자 하는 측정도구를 사용할 대상 모집단을 확실히 규명하여야 한다. 이는 때로 모집단 마다 다른 측정도구가 필요한 경우가 있기 때문이다. 예를 들어, 건강한 일반인을 위한 건강관련 삶의 질 측정은 일반형 삶의 질 측정도구를 사용하고, 특정한 질병을 가진 환자의 건강관련 삶의 질은 질병 특이형으로 측정해야 하는 경우가 있기 때문이다(Lee, 2005).

BOX 11-1	심혈관질환 삶의 질에 대한 개념적 정의(Lee et al., 2007)의 예

"삶의 질, 건강관련 삶의 질 및 건강에 관한 개념은 서로 혼동되어 사용되고 있다. 하지만 이런 개념들의 범위를 살펴보면, 건강관련 삶의 질은 환경, 자유 및 정부정책 영역 등을 포함한 광의 삶의 질 보다 적은 개념이고, 건강보다는 큰 의미를 지니고 있다. 또한 건강관련 삶의 질은 다차원적 구조로 이루어져 있으며, 인간이 지각한 것으로서 주관적 속성을 가지고 있다. 따라서 본 연구에서 의미하는 심혈관질환자 삶의 질이란 건강관련 삶의 질로서 심혈관질환 및 치료가 환자의 다양한 삶의 영역(신체적 기능, 심리상태, 사회적 상호작용 및 증상)에 미치는 영향에 대한 주관적 평가를 의미한다."

2. 문항내용 도출

개념적 정의가 이루어졌으면, 그 다음은 문항에 포함되어야 할 내용(개념이 가지고 있는 속성)을 도출해야 한다. 문항내용을 도출하는 방법은 아래와 같다.

- 문헌고찰을 통해 개념과 관련해 계속적으로 반복되는 속성을 찾아낸다.
- 측정 개념과 관련된 전문가나 측정도구를 사용할 대상자를 면접해 관련 속성을 찾아낸다.
- 이미 개발된 측정도구로부터 문항을 도출하는 방법이 있다. 하지만 이때 주의해야 할 사항은 이미 개발된 측정도구의 개념적 정의와 개발하려는 측정도구의 개념적 정의가 비슷해야 한다.
- 측정도구를 사용하고자 하는 대상 모집단과 같은 사람을 대상으로 질적연구를 통해 문항내용을 도출한다.

BOX 11-2 **문항내용 도출의 예**

Lee (2007)는 한국형 암 특이형 삶의 질 측정도구인 cancer-specific quality of life (C-QOL)를 개발할 때, "질적연구를 통해 한국사회의 문화적 테두리 안에서 살고 있는 암 환자가 경험하는 삶의 질 고유의 속성을 도출하였다. 이와 더불어 문헌고찰을 통해 측정하려는 개념의 범위, 구성 그리고 정의와 관련된 내용을 도출하였다."

---

3. 문항의 문장구성

문항에 포함될 속성을 도출하였으면, 그 다음으로는 도출된 속성을 이용해 각 문항의 문장을 구성해야 한다. 이때 다음과 같은 사항을 유의해야 한다(Lee, 2005).

- 읽기 수준을 고려해야 한다. 보통은 초등학교 6학년~중학교 1학년 수준으로 작성한다.
- 문항의 질문이 모호하면, 응답자의 반응 또한 명확하지 않으므로 문항의 모호성에 유의해야 한다.
- 한 문항에 둘 이상의 내용을 질문하는 것을 피한다. 예를 들어, "메스껍고 구토가 있었다." 라는 문항에 '예' 또는 '아니오' 로 응답해야 할 경우, 메스껍기만 한 응답자 또는 구토만 있는 응답자들은 어떻게 응답해야 할지 망설이게 된다.
- 전문용어나 외국어의 사용을 피해야 한다. 실례로 암환자 삶의 질 측정도구인 EORTC QLQ C-30의 한글 번역판 초기 측정도구에는 'TV'라는 단어가 영어 그대로 사용되었다. 실제로 이

도구를 사용했던 연구에서, 나이가 많고 교육수준이 낮은 암환자들은 이 문항을 읽고 이해하는데 문제가 있었던 것으로 나타났다(Lee et al., 2005).

• 응답자에게 혼란을 줄 수 있는 이중부정 문장을 사용하지 않는다.

4. 예비조사

예비조사(pilot test)는 보통 15~30명을 대상으로 실시된다. 이때 대상자는 측정도구를 사용하고자 하는 바로 그 모집단이어야 한다. 예비조사의 주요 목적은 대상자들이 문항들을 이해할 수 있는지를 알아보기 위함이다. 따라서 대상자의 문항에 대한 응답이 끝난 후, 이해하기 어려운 문항이 있었는지 또는 응답하는 것이 어려웠던 문장이 있었는지에 대해 물어 보아 문항 수정에 반영한다.

III. 측정도구의 심리계량적 속성 평가

1. 신뢰도

신뢰도(reliability)는 측정도구가 측정오차로부터 얼마나 자유로운가 하는 것이다(Mokkink et al, 2010). 내적일관성(internal consistency)과 반복측정 신뢰도(test-retest reliability) 이 두 종류의 신뢰도가 가장 많이 사용된다.

1) 내적일관성 신뢰도

내적일관성 신뢰도는 문항들 간에 상호관련성이 어느 정도인가 하는 것이다. 내적일관성 신뢰도 지표로 가장 많이 사용되는 것은 Cronbach's alpha다. 내적일관성에 대한 기본원리는 척도의 문항들을 반으로 분리하고, 이렇게 분리된 두 척도 점수들의 상관관계를 보는 것이다. 하지만 척도의 문항들을 반으로 분리하는 데는 수많은 조합들이 있다. Cronbach's alpha는 이 반으로 분리된 상관관계를 모두 계산해서 일종의 평균을 구한 것이라고 할 수 있다. Cronbach's alpha 계수는 0에서 1까지 나타나는데 새로 개발된 도구인 경우 0.70이상 일 때, 이미 사용되고 있는 도구라면 0.80 이상이면 내적일관성 신뢰도가 수립된 도구라고 할 수 있다. Cronbach's alpha는 문항 수에 의해 영향을 받는데, 문항 수가 많으면 Cronbach's alpha 수준도 증가하는 경향이 있다. 어떤 측정도구를 보면, 문항들 간에 상관관계가 낮은데도 불구하고, Cronbach's alpha는 높게 나타난 경우를 볼 수 있다. 이는 높은 Cronbach's alpha 수치가 문항들의 관련성보다는 문항의 수에 의해 나타난 결과라고 할 수 있다. 따라서 문항 수가 적으면서 Cronbach's alpha가 수립된 도구가 바람직하다. 만약 문항에 대한 응답이 이분형인 측정도구인 경우는 일반적으로 Cronbach's alpha 대신 K-R 20 (Kuder-Richardson 20)을 사용한다. 하지만 이분형 응답을 더미(dummy)처리한 경우에는 Cronbach's alpha를 사용할 수 있다.

2) 반복측정 신뢰도
반복측정 신뢰도는 측정도구의 안전성(stability)을 보기 위한 것이다. 즉, 동일한 도구를 어떤 특성의 측정에 반복해서 적용하였을 때 얻어지는 결과가 일관된 것인지에 대한 평가이다. 안정성을 평가하기 위해서는 측정하고자 하는 특성이 각 측정시점 간에 변화하지 않고 일정하게 유지됨을 전제로 한다. 따라서 측정하고자 하는 개념이 지속성을 지닌 특성이라면 반복측정 검사를 수행하는 것이 유용하지만, 측정하고자 하는 개념이 시시각각 변하는 상태라면 반복측정 신뢰도검사를 하지 않는 편이 좋다.

자료가 연속형이라면, 반복측정 신뢰도 지표로는 급내상관관계(Intraclass correlation coefficient: ICC)를 사용한다. ICC가 0.70이상이면, 측정도구의 반복측정 신뢰도가 있다고 할 수 있다. 과거에 자료가 연속형인 경우, 반복측정 신뢰도 지표로 Pearson's correlation (r)을 많이 사용하였다. 하지만 r은 엄밀히 말해서 관계의 크기(measure of association)를 나타내는 지표이지 일치성을 나타내는 지표가 아니다. 만약 대상자의 반복 측정된 점수가 정확히 5점씩 높게 나타났다고 하자. 이때 일치성의 강도(strength of agreement)는 0이 되지만, 상관관계는 정확히 1이 될 것이다. 따라서 자료가 연속형인 경우, 반복측정 신뢰도 검증을 위해 ICC를 사용하는 편이 바람직하다(Box 11-3).

2. 타당도
타당도(validity)란 측정도구가 측정하고자 하는 추상적인 구성개념을 실제로 어느 정도로 반영하고 있는지에 대한 것이다. 도구의 타당도는 크게 내용타당도(content validity), 구성타당도(construct validity), 준거타당도(criterion validity)의 세 가지 유형으로 나눌 수 있다.

1) 내용타당도
내용타당도란 측정도구가 측정하려는 구성개념에 포함되어야 할 문항들이 어느 정도로 포함되어 있는지에 대한 것이다. 실제로 내용타당도의 평가는 전문가들이 측정도구의 내용이 측정하려는 구성개념에 얼마나 관련이 있는지를 판단하는 것이다. 내용타당도 평가지표로 흔하게 사용되는 것은 문항의 내용타당도 지표(content validity index for items: I-CVI)와 척도의 내용타당도 지표(content validity index for scales: S-CVI/Ave)가 있다(Lynn, 1986).

BOX 11-3   급내상관관계의 예

Perceived Stress Scale (PSS)은 스트레스를 측정하는 대표적인 측정도구 중 하나다. 이 측정도구는 초기에 14문항으로 개발되었고, 이후 10문항 그리고 4문항으로 축약되어 3개의 측정도구가 있다(PSS-14, PSS-10 및 PSS-4).

Lee et al. (2015)은 이 도구의 내적일관성 신뢰도를 검증하기 위해 Cronbach's alpha를 사용하였고, 반복측정 신뢰도를 검증하기 위해 ICC를 사용하였다. 그 결과 PSS-14, PSS-10, PSS-4의 Cronbach's alpha는 각각 0.75, 0.74 및 0.55로 나타나 가장 짧은 PSS-4는 내적일관성 신뢰도를 만족하지 못한 것으로 나타났다. ICC 결과는 아래 표와 같이 세 종류의 PSS에서 모두 반복측정 신뢰도가 만족한 것으로 나타났다.

Table 6 Test-retest reliability: ICC values for the KPSS-14, -10, and -4

	Test Mean ± SD	Retest Mean ± SD	ICC
KPSS-14 (Total)	25.61 ± 5.09	26.31 ± 5.71	0.80
Negative subscale	12.90 ± 4.48	12.32 ± 5.05	0.85
Positive subscale	12.70 ± 3.78	13.99 ± 3.79	0.75
KPSS-10 (Total)	18.11 ± 4.27	18.24 ± 5.06	0.81
Negative subscale	10.77 ± 3.78	10.26 ± 4.28	0.84
Positive subscale	7.34 ± 2.35	7.97 ± 2.51	0.73
KPSS-4 (Total)	6.56 ± 2.14	6.94 ± 2.43	0.77
Negative subscale	2.99 ± 1.51	2.90 ± 1.67	0.77
Positive subscale	3.58 ± 1.40	4.04 ± 1.51	0.72

ICC, intraclass correlation coefficient; KPPS-14, Korean version of the Perceived Stress Scale-14; KPPS-10, Korean version of the Perceived Stress Scale-10; KPPS-4, Korean version of the Perceived Stress Scale-4.

출처: Lee, E-H., Chung, B. Y., Suh, C. H., & Jung, J. Y. (2015). Korean versions of the Perceived Stress Scale (PSS-14, 10 and 4): psychometric evaluation in patients with chronic disease. *Scandinavian Journal of Caring Sciences*, 29(1), 183-192.

---

(1) 문항의 내용타당도 지표

먼저 3~10명 규모의 전문가 집단을 구성한다. 그리고 각 문항들이 측정하고자 하는 구성개념과 얼마나 관련 있는지를 4점 척도(1=관련 없음, 2=다소 관련 있음, 3=꽤 관련 있음, 4=많이 관련 있음)에 응답하도록 요청한다. 그리고 각 문항에 대해 1과 2에 대답된 문항을 '관련 없음'으로, 3과 4에 대답된 문항을 '관련 있음'으로 분류한다. 그리고 그 문항에 '관련 있음'으로 분류한 전문가의 수를 총 전문가의 수로 나눈다. 이 지표를 I-CVI라고 한다. 일반적으로 전문가의 수가 5이하일 경우 I-CVI는 1.00, 6인 이상인 경우는 0.78 이상인 경우 문항의 내용타당도가 수립되었다고 본다(Lynn, 1986) (Box 11-4).

(2) 척도의 내용타당도 지표

척도의 내용타당도 지표(S-CVI/Ave)는 각 문항의 I-CVI를 평균한 것을 의미한다. S-CVI/Ave의 기준은 0.90 이상을 추천한다(Lynn, 1986) (Box 11-4).

BOX 11-4	내용타당도 지표에 대한 예

A라는 설문지는 문항이 5개로 이루어져 있다고 하자. 이 설문지를 전문가 5명한테 주고 내용타당도를 의뢰한 결과, 3(꽤 관련 있음)과 4(많이 관련 있음)에 동의한 전문가는 아래와 같다. 이 결과 각 문항에 대한 I-CVI는 0.80~1.00으로 나타났으며, S-CVI/Ave는 0.920이다.

문항	전문가1	전문가2	전문가3	전문가4	전문가5	동의한 전문가의수	I-CVI
1		v	v	v	v	4	0.80
2	v		v	v	v	4	0.80
3	v	v	v		v	5	1.00
4	v	v	v	v	v	5	1.00
5	v	v	v	v	v	5	1.00

v : '꽤 관련 있음'이나 '많이 관련 있음'에 응답한 전문가.

2) 구성타당도

구성타당도는 척도가 이론적 구성개념이나 특성을 측정하는 정도를 말한다. 구성타당도의 평가를 통해 척도가 근거하는 이론이나 가설적 관계를 검증하는 것이 목적이다. 경험적 검증과정을 통해 개념간의 가설적 관계는 지지되거나 지지되지 않으므로, 결과에 따라 개념의 측정도구에 대한 구성타당도를 평가할 수 있다. 구성타당도를 평가하는 다음 3가지 접근방법들을 차례로 설명하겠다.

(1) 요인구성타당도

요인구성타당도(factorial construct validity)는 측정도구가 측정하고자 하는 구성개념의 차원성(dimensionality)을 적절히 반영하는가 하는 것이다. 이는 상관관계 매트릭스를 이용하여 문항들 중 상관관계가 높은 문항들의 군집을 확인하는 통계기법을 활용한다. 만약 측정도구를 구성하는

11
CHAPTER

BOX 11-5   요인구성타당도에 대한 예

Lee와 공동연구자들은(2012) 당뇨병 환자 특이형 삶의 질 측정도구(D-QOL)에 대해 요인구성타당도를 검증하기 위해 교차타당도 방법을 사용하였다. 요인구성타당도 검증에 필요한 2배수의 당뇨병 환자(N=402)를 대상으로 자료를 수집하였다. 이 자료를 무작위로 subsample 1 (n=200)과 2 (n=202)로 나누었다. subsample 1로 EFA를 실시해 4개의 하부척도와 관련 문항을 탐색하고, 이 결과를 subsample 2의 자료를 가지고 CFA로 측정도구의 구성을 재확인하였다.

Exploratory factor analysis; factor loadings, communalities, and missing values.

Item (abbreviation)	Factor1	Factor2	Factor3	Factor4	h²	Missing f(%)
Depression	0.85	0.23	0.20	0.15	0.85	1(0.5)
Frustration	0.81	0.34	0.27	0.14	0.86	0(0.0)
Loneliness	0.75	0.45	0.18	0.21	0.85	1(0.5)
Powerlessness	0.72	0.25	0.34	0.14	0.72	0(0.0)
Family harmony	0.27	0.80	0.06	0.09	0.72	0(0.0)
Relationships with others	0.37	0.76	0.11	0.21	0.77	1(0.5)
Pleasurable activities	0.15	0.74	0.21	0.22	0.67	1(0.5)
Work/household tasks	0.26	0.67	0.35	0.23	0.69	0(0.0)
Exercise	0.10	0.11	0.76	0.17	0.63	1(0.5)
Medication	0.25	0.16	0.75	0.23	0.70	4(2.1)
Limited diet	0.12	0.28	0.74	0.02	0.64	0(0.0)
Self-monitoring	0.30	0.01	0.63	0.26	0.57	0(0.0)
Thirsty/dry mouth	0.14	0.10	0.14	0.80	0.69	1(0.5)
Urination	0.11	0.27	0.22	0.74	0.68	0(0.0)
Hunger	0.15	0.29	0.37	0.64	0.65	1(0.5)
Dizziness	0.53	0.09	0.02	0.55	0.60	2(1.1)
Eigenvalue	3.28	2.96	2.73	2.31		
Percentage of variance	20.50	18.47	17.04	14.46		

KMO measure=0.90; Bartlett's test of sphericity = 171259, p < 0.001.
h² = communality of the measured variables.
The values in boldface are coefficients of factors with loading values of ≥ 0.50

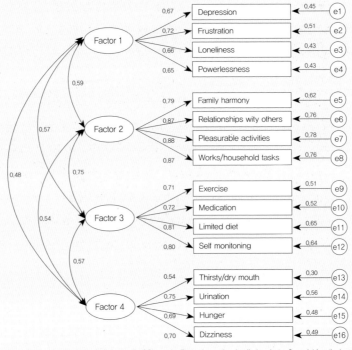

Fig.1-Confirmatory factor analysis for the D-QOL, scale, Factor 1, emotional suffering; factor 2, social functioning; factor 3, adherence to the treatment regimen; factor 4, diabetic-specific symptoms.

출처: Lee, E-H., Lee, Y. W., Lee, K. W., Kim, D. J., & Kim, S. K. (2012). Development and psychometric evaluation of a diabetes-specific quality-of-life (D-QOL) scale, *Diabetes Research and Clinical Practice, 95*(1), 76-84.

하부척도에 대한 명확한 근거가 없으면 탐색적 요인분석(exploratory factor analysis: EFA)을 사용한다. 하지만 이론적 근거나 선행 연구결과에 의해 구성개념에 대한 하부척도에 대한 근거가 있다면, 확인적 요인분석(confirmatory factor analysis: CFA)을 사용한다. 측정도구 개발 시, 요인구성타당도 검증을 위한 더 바람직한 방법은 교차타당도(cross-validation)를 실시하는 것이다. 먼저 한 표본에서 EFA를 실시하고, 이 결과가 모집단은 같지만 다른 표본에서도 같게 나타나는지 CFA로 확인하는 것이다(Box 11-5).

(2) 가설검증 구성타당도

최근에는 수렴타당도(convergent validity), 판별타당도(discriminant validity) 및 집합타당도(known-groups validity)를 모두 통합해 가설검정(hypothesis testing) 구성타당도라고 명명하기도 한다. 이는 연구자가 검증하려는 측정도구와 이 검증을 위해 사용하려는 다른 측정도구와의 관련성이나 차이에 대한 크기나 방향에 대해 미리 가설을 설정해 놓고, 그 결과를 근거로 구성타당도를 검증한다.

* 수렴타당도는 관련된 구성개념을 측정하는 다른 도구를 도입하는 것을 의미한다. 즉, 검증하고자 하는 측정도구의 구성개념과 유사한 다른 측정도구를 동일 대상자한테 응답하게 한 후, 미리 설정한 가설에서 기대했던 것과 같이 나타나면 수렴타당도가 수립되었다고 할 수 있다. 두 측정도구의 변수가 모두 연속형인 경우, 보통 단순상관계수로 계산한다. 이때 대부분의 연구자들이 상관계수가 통계적으로 유의하면 수렴타당도가 수립된 것으로 오인하는 경우가 있다. 여기서 유의해야 할 것은 통계적으로 유의하면서 동시에 그 크기가 $r>0.70$ 이상이어야 수렴타당도를 만족했다고 할 수 있다(Terwee et al., 2007).
* 판별타당도는 해당 구성개념과 반대되는 개념의 척도를 이용하여 서로 다른 두 개념을 구별하는 방법이다. 연구자가 검증하고자 하는 측정도구의 구성개념이 통증이 아니라 신체적 기능이라고 할 때, 신체적 기능은 통증과 관련이 없거나 아주 약한 상관관계가 있을 것이라고 가설을 세울 수 있다. 이 가설의 결과가 판별타당도에 해당된다.
* 수렴타당도와 판별타당도를 동시에 사정하는 구체적인 방법으로 다속성-다방법 접근법(multi-trait-multimethod approach)이 있다. Campbell과 Fiske (1959)에 의해 제안된 이 방법은 동일한 개념을 측정하는 두 척도와 상이한 개념을 측정하는 두 척도의 관계를 이용하여 타당도를 평가하는 방법이다. 다속성-다방법 접근법을 적용하기 위한 조건은 다음과 같다(Waltz, Strickland & Lenz, 1991). ⓐ 두 개 이상의 개념을 측정한다. ⓑ 각 개념의 측정을 위해 두 개 이상의 서로 다른

측정 방법을 적용한다, ⓒ 모든 도구를 동시에 적용한다, ⓓ 개인에게 적용되는 도구들은 서로 응답에 영향을 주지 않고 독립적으로 기능한다. 위의 조건이 충족된다면 도구의 타당도 검증을 위한 여러 방법 중에서 다속성–다방법 접근법은 특히 효율적으로 다방면의 타당도 검증이 가능하므로 선호되는 방법이다. 다속성–다방법 접근법을 기초하는 두 가지 전제는 ⓐ 동일 개념을 측정하는 서로 다른 도구는 반드시 높은 상관을 보여야 한다(수렴타당도의 원리)와 ⓑ 서로 다른 개념을 측정하는 도구들은 반드시 낮은 상관을 보여야 한다(판별타당도의 원리)이다. 속성변이(trait variance)는 각 개념의 특성에 대해 응답하는 대상자의 개인차로부터 발생한다. 방법변이(method variance)는 동일개념이지만 서로 다른 측정방법에 대해 응답하는 대상자의 개인차로 부터 발생한다. 적용된 도구들 간의 상관도는 이러한 특성변이와 방법변이 간의 함수로 부터 계산되는 것이다.

예를 들어 한 연구자가 두 개념, 즉 불안(anxiety)과 서비스 만족도(satisfaction)를 측정하기 위해 4개의 도구를 구상하였는데 ⓐ 불안 평정척도(rating scale), ⓑ 불안 관찰표(check list), ⓒ 만족도 평정척도(rating scale), ⓓ 만족도 관찰표(check list)이다. 다속성–다방면 접근법을 위한 표가 11-1에 나타나 있다. 가장 첫 번째 수행할 것은 각각 도구의 신뢰도를 측정하는 것이며, 신뢰도가 충분히 높지 않으면(reliability coefficients > 0.8) 타당도를 검사하는 의미가 없다(표 11-1 참조).

표 11-1 타당도 검증을 위한 다속성–다방법 접근법 기술표 및 도구간 신뢰도

		방법 1 : 평정척도		방법 2 : 관찰표	
		불안	만족도	불안	만족도
방법 1 (평정척도)	불안	0.85			
	만족도		0.88		
방법 2 (관찰표)	불안			0.81	
	만족도				0.91

표 11-2 다속성–다방법 접근법 기술표와 수렴타당도 검증

		방법 1 : 평정척도		방법 2 : 관찰표	
		불안	만족도	불안	만족도
방법 1 (평정척도)	불안				
	만족도				
방법 2 (관찰표)	불안	0.75			
	만족도		0.70		

두 번째 단계에서는 수렴타당도의 검증을 위해 동일 개념에 대한 두 가지 측정방법의 상관도를 측정하여 좌측 하단의 표에 입력한다(표 11-2). 동일개념인 불안을 다른 방법으로 측정한 평정척도와 관찰표 간의 상관도는 0.75, 만족도를 측정하는 두 도구의 상관도는 0.70으로 수렴타당도의 증거를 제공할 만하다.

세 번째 단계에서는 평정척도를 적용하여 불안과 만족도를 측정한 값의 상관도와 관찰표를 적용하여 불안과 만족도를 측정한 값의 상관도(상이속성-동일방법 상관도)를 표시한다(표 11-3). 서로 다른 개념을 측정하기 위해 동일 측정방법을 적용하였을 때의 상관도가 0.40과 0.35로 낮으므로 구성타당도가 성립된다.

표 11-3 상이속성-동일방법 상관도를 통한 구성타당도 검증

		방법 1 : 평정척도		방법 2 : 관찰표	
		불안	만족도	불안	만족도
방법 1 (평정척도)	불안				
	만족도	0.40			
방법 2 (관찰표)	불안				
	만족도			0.35	

마지막 단계에서는 서로 다른 개념을 측정하기 위해 상이한 측정방법을 적용하였을 때의 상관도를 이용하여 판별타당도(discriminant validity)를 검증하기 위한 방법이다(표 11-4). 상이속성-상이방법 상관도는 표 11-3에서 제시된 상이속성-동일방법 상관도보다도 낮은 0.15와 0.18을 나타내고 있어 판별타당도가 성립된다.

표 11-4 상이속성-상이방법 상관도를 통한 판별타당도 검증

		방법 1 : 평정척도		방법 2 : 관찰표	
		불안	만족도	불안	만족도
방법 1 (평정척도)	불안				
	만족도				
방법 2 (관찰표)	불안		0.18		
	만족도	0.15			

다속성-다방법 접근법은 이와 같이 여러 도구를 동시에 대상자에게 적용해야하는 단점이 있지만, 한번의 측정으로 여러 측면의 타당도를 평가하는 장점이 있다. 이처럼 개념을 다각도로 측정하

는 것은 체계적 오류를 감소시키는 효과가 있다. 다양한 자료수집 방법(자가보고, 관찰, 면담, 생리적 측정자료 등) 또한 체계적 오류를 감소시킬 수 있다.

• 집합타당도는 판별타당도의 일종이라고 할 수 있다(때로는 임상타당도라고 불리기도 함). 검증하고자하는 측정도구의 점수가 어떤 하위집단들(subgroups) 사이에 차이가 있을 것이라고 가설로 설정하고 이를 확인하는 것이다.

BOX 11-6 | 집합타당도에 대한 예

Lee et al.(2014)은 당뇨병 증상 측정도구인 Diabetes Symptom Checklist-Revised (DSC-R)의 집합타당도를 검증하기 위해 기존 연구결과를 근거로 다음과 같은 가설을 수립하였다: (a) 우울한 그룹일수록 당뇨병 증상 점수가 높을 것이다. (b) 혈당조절이 안된 그룹 환자의 증상 점수가 높을 것이다. 분석은 ANOVA와 t-test를 사용하였다. 그 결과는 아래 표와 같았다. 우울한 그룹의 환자일수록 그리고 혈당이 조절되지 않은 환자의 증상 점수가 유의하게 높았다. 따라서 DSC-R의 집합타당도가 수립되었다.

Known-groups validity: mean differences in K-DSC-R scores according to depression classification and HbA1c control status

	n	Mean(SD)	F or t(p)	Post-hoc test
Depression classification				
None[a]	189	1.50 (1.85)		
Mild[b]	124	2.29 (2.29)	36.79[e]	a, b < c < d
Moderate[c]	79	4.00 (2.96)	($p < 0.001$)	(Dunnett's T3)[f]
Severe[d]	37	8.31 (4.96)		
HbA1c status				
Controlled (HbA1c <7.0%)	145	2.32(2.74)	−2.13	
Uncontrolled (HbA1c ≥7.0%)	287	3.03(3.46)	($p = 0.03$)	

[a]No depression.
[b]Mild depression.
[c]Moderate depression.
[d]Severe depression.
[e]Welch's test was computed due to the heterogeneous variance for ANOVA.
[f]Dunnett's T3 comparision was conducted due to the nonequal variances for post-hoc testing.

출처: Lee, E. H., Lee, K. W., Song, R., Snoek, F. J., & Moon, S. H. (2014). Psychometric evaluation of the Korean version of the Diabetes Symptom Checklist-Revised (DSC-R) for patients with type 2 diabetes. *Health and Quality of Life Outcomes, 12*(1), 77.

• 기타: 문항의 수렴 및 판별타당도

문항의 수렴타당도는 각 문항과 그 문항이 속한 하부척도와의 상관관계를 의미한다(이때 상관관계는 해당 문항을 통제한 상태이어야 한다). 이렇게 계산된 상관관계가 최소한 0.40 이상일 때 그 문항의 수렴타당도가 수립되었다고 한다. 문항의 판별타당도는 문항이 속한 하부척도와의 상관관계의 크기가 다른 하부척도와의 상관관계의 크기보다 2배의 표준오차보다 크면, 문항의 판별타당도 가 수립되었다고 본다. 이와 같은 방법을 multi-trait scaling analysis (correlation matric corrected for overlap)라고 한다(Ware et al., 1993) (Box 11-7).

BOX 11-7	문항의 수렴 및 판별타당도에 대한 예

Lee et al. (2010)은 암환자의 요구측정도(NS-C) 개발연구에서 문항의 수렴 및 판별타당도를 아래와 같이 검증 하였다. 그 결과 각 문항과 문항이 속한 하부척도의 관계는 모두 0.40 이상으로 나타나 문항타당도의 수렴타당도 성공률(scaling success rate)은 100%였다. 또한 문항의 판별타당도 각 문항이 속한 하부척도와의 상관관계 크 기가 다른 하부척도와의 상관관계의 크기보다 모두 표준오차 2배 이상으로 나타나 성공률 100%로 나타났다.

Multitrait/Multi-Item Matrix (Correlation Matrix Corrected for Overlap) for Item Convergent and Item Discriminant

No.	Abbreviated item	PS	DE	S	RHP	TP	KMC
30	Fatigue	.69	.41	.45	.48	.42	.59
31	Digestion	.77	.43	.36	.48	.43	.57
32	Appetite	.77	.38	.35	.43	.36	.50
33	Nausea	.74	.33	.29	.35	.32	.46
34	Bowel movement	.69	.26	.25	.31	.30	.44
35	Sleep	.69	.31	.30	.38	.36	.48
1	Information; type of foods	.36	.80	.31	.50	.54	.35
2	Information; amount of food	.38	.80	.35	.51	.54	.34
3	Vitamins/dietary supplements	.35	.74	.29	.50	.53	.38
4	Type of exercise	.41	.73	.39	.56	.63	.43
17	Marital intimacy	.33	.31	.71	.43	.32	.34
18	Psychological support of family	.36	.36	.87	.49	.32	.35
19	Physical support of family	.37	.34	.82	.45	.28	.29
20	Psychological support of friends	.37	.35	.70	.44	.34	.36
13	Easy explanation	.46	.57	.40	.80	.60	.46
14	Counseling with health professionals	.45	.56	.42	.84	.55	.44
15	Comforting health professionals	.42	.49	.50	.81	.42	.39
16	Reliable health professionals	.43	.52	.51	.81	.51	.50
7	Treatment	.41	.64	.35	.57	.75	.51
8	Symptoms/signs	.45	.65	.37	.58	.77	.50
9	Recurrence	.37	.49	.25	.46	.84	.54
10	Metastasis	.34	.47	.24	.42	.81	.53
25	Self-confidence	.54	.40	.35	.46	.57	.85
26	Comfortable mind	.56	.41	.35	.47	.55	.98
29	Energy	.62	.39	.32	.45	.52	.76

PS = physical symptoms; DE = diet and exercise; S = support; RHP = relationship with health professionals; TP = treatment and prognosis; KMC = keeping mind under control.

출처: Lee, E-H., Moon, S., Cho, S-Y., Oh, Y. T., Chun, M., Kim, S. H., Kim, J-S., & Kim, H. K. (2010). Psychometric evaluation of a need scale for cancer patients undergoing follow-up care. *Journal of Korean Academy of Nursing, 40*, 551-560.

국내에서 이와 같은 방법을 사용한 연구는 소수에 지나지 않는다. 하지만 이 소수의 연구들 대부분에 공통적인 문제가 있다. 첫째는 문항의 수렴타당도 분석에서 해당 문항을 통제한 상관관계를 계산하지 않는 오류를 범하는 것이다. 둘째는 문항의 판별타당도에서 문항이 속한 하부척도와의 상관관계의 크기가 다른 하부척도와의 상관관계의 크기보다 크기만 하면 문항의 판별타당도가 수립되었다고 해석한 논문들이 대부분이다.

3) 준거타당도

준거타당도(criterion validity)란 개발된 측정도구가 표준화된 지표(gold standard)를 얼마나 반영하는가 이다. 따라서 준거타당도는 표준화된 지표(준거)가 있을 경우에만 수행할 수 있다. 준거타당도의 형태로는 동시타당도(concurrent validity)와 예측타당도(predictive validity)가 있다. 동시타당도란 동일 개념에 대해서 두 가지 측정을 동시에 적용하여 그 상관도를 분석하는 것을 말한다. 예측타당도란 개념에 대한 현재 측정점수와 동일 개념에 대한 미래의 측정 간의 상관도이다. 시간차가 있기 때문에 상관도는 예측타당도가 동시타당도보다 다소 낮은 경향을 보인다. 준거타당도 검증은 아래와 같은 방법으로 분석해서 상관이 높으면(보통 $r>0.70$) 준거타당도가 인정할 만 함을 의미한다.

표 11-5 측정수준에 따른 준거타당도 분석방법

측정도구 측정수준	준거지표 측정수준	통계방법
이분형	이분형	Sensitivity and specificity
서열 및 연속	이분형	ROC (receiver operating characteristics)
서열 및 연속	서열	Weighted kappa Spearman's correlation ROC
연속	연속	Pearson's correlation Intraclass correlation coefficient Bland and Altman limits of agreement

국내연구를 보면, 사용된 준거가 과연 적합한 준거인지에 대한 설명이 부족한 경우가 대부분이며 심한 경우에는 신뢰도와 타당도가 수립되지 않은 준거를 사용하기도 한다. 그리고 많은 연구에서, 검증하려는 측정도구와 준거와의 관계가 통계적으로 관련이 있었지만 그 크기가 매우 미약한 경우에도 준거타당도가 수립되었다고 결론을 내리는 경우가 있다. 또한 특

이한 점은, 준거지표가 연속형임에도 불구하고 어떤 이론이나 개념적 근거 없이 연구자가 임의로 평균이나 중앙값을 이용해 이분형으로 만들어 ROC를 사용하는 경우가 종종 있다. 앞으로는 측정수준에 맞는 준거타당도 검증을 해야 하겠다(표 11-5).

IV. 측정도구 번역과정

국외에서 개발된 측정도구를 한국인을 대상으로 사용하기 위해서는 먼저 외국어를 한국어로 번역하고, 이 번역된 측정도구가 한국인을 대상으로 적용되었을 때도 위에서 언급된 신뢰도와 타당도 검증을 실시해야 한다. 여기서는 번역과정에 대해 알아보고자 한다.

- 도구사용에 대한 허가를 얻는다. 측정도구의 저작권을 가지고 있는 사람 및 기관으로부터 번역과 사용에 대한 허락을 받은 후 사용한다.
- 전진 번역(forward translation)을 실시한다. 이중 언어를 구사할 수 있는 사람 2명(한국어가 모국어인 사람) 이상이 독립적으로 외국어를 한국어로 번역한다.
- 전진 번역된 위의 두 번역본을 통합해 하나로 도출한다.
- 통합된 한국어 질문지를 다시 원래의 외국어로 역번역(back-translation)한다. 이때 이중 언어를 구사할 수 있는 사람 2명(외국어가 모국어인 사람) 이상이 독립적으로 한국어를 외국어로 역번역 한다.
- 번역과정에 참여한 사람들 및 전문가(방법론연구 전문가, 언어학자, 건강전문가 등)로 이루어진 소위원회를 구성한다. 이들이 모여 의미의 차이점이나 표현의 차이점 등에 대해 토의를 거쳐 한글로 된 예비질문지를 확정한다.
- 위 예비질문지를 가지고 연구대상자 15~30명을 대상으로 사전조사를 실시해 보완할 사항이 있는지 확인하고 한글로 번역된 질문지를 확정한다.

참고문헌

Campbell, D. T., & Fiske, D. W. (1959). Convergent and discriminant validation by the multi-trait-multimethod matrix. *Psychological Bulletin, 56*(2), 81.

Lee, E-H. (2005). A method for the development and validation of an instrument. *Journal of Nursing Query, 14*, 73-87.

Lee, E-H. (2007). Development and psychometric evaluation of a Quality of Life Scale for Korean patients with cancer (C-QOL). *Journal of Korean Academy of Nursing, 37*(3), 324-333.

Lee, E-H., Chun, M., Wang, H. J., Lim, H. Y., & Choi, J. H. (2005). Multidimensional constructs of the EORTC Quality of Life Questionnaire (QLQ-C30) in Korean cancer patients with heterogeneous diagnoses. *Cancer Research and Treatment, 37*(3), 148-156.

Lee, E-H., Chung, B. Y., Suh, C. H., & Jung, J. Y. (2015). Korean versions of the Perceived Stress Scale (PSS-14, 10 and 4): psychometric evaluation in patients with chronic disease. *Scandinavian Journal of Caring Sciences, 29*(1), 183-192.

Lee, E. H., Lee, K. W., Song, R., Snoek, F. J., & Moon, S. H. (2014). Psychometric evaluation of the Korean version of the Diabetes Symptom Checklist-Revised (DSC-R) for patients with type 2 diabetes. *Health and Quality of Life Outcomes, 12*(1), 77.

Lee, E-H., Lee, Y. W., Lee, K. W., Kim, D. J., & Kim, S. K. (2012). Development and psychometric evaluation of a diabetes-specific quality-of-life (D-QOL) scale. *Diabetes Research and Clinical Practice, 95*(1), 76-84.

Lee, E-H., Tahk, S. J., Shin, J. H., Lee, Y. W., & Song, R. (2007). Development and a psychometric evaluation of cardiovascular disease-specific quality of life scale for Koreans. *Journal of Korean Academy of Nursing, 37*(3), 313-323.

Lynn, M. R. (1986). Determination and quantification of content validity. *Nursing Research, 35*, 382-385.

Mokkink, L. B., Terwee, C. B., Patrick, D. L., Alonso, J., Stratford, P. W., Knol, D. L., et al. (2010). The COSMIN study reached international consensus on taxonomy, terminology, and definitions of measurement properties for health-related patient-reported outcomes. *Journal of Clinical Epidemiology, 63*(7), 737-745.

Stevens, S. S. (1951). *Handbook of experimental psychology.* New York: John Wiley & Sons.

Terwee, C. B., Bot, S. D. M., de Boer, M. R., van der Windt, D. A. W. M., Knol, D. L., Dekker, J., et al. (2007). Quality criteria were proposed for measurement properties of health status questionnaires. *Journal of Clinical Epidemiology, 60,* 34-42.

Waltz, C. F., Strickland, O. L., & Lenz, E. R. (1991). *Measurement in Nursing Research, 2nd Ed* (pp.176-180). Philadelphia: F.A. Davis.

12

CHAPTER

자료수집 절차

12 CHAPTER 자료수집 절차

자료수집은 연구자가 설정한 연구목적을 달성하기 위해 객관적이고 체계적으로 증거 자료를 수집하는 과정으로, 연구자의 편견, 신념, 태도에 영향을 받지 않고, 표준화된 도구로 일관된 수집 방법으로 이루어져야 한다. 즉 연구자는 개념을 측정할 수 있는 변수를 선정하고 객관적이고 체계적인 자료수집방법을 통해 자료를 모아야 하며, 자료수집과정에는 자료수집을 계획하는 단계와 수행 및 평가를 하는 단계가 포함된다. 이 장에서는 자료수집 과정을 자료수집 계획과 수행으로 나누어 설명한다.

Ⅰ. 자료수집 계획

1. 일관성 유지

연구자가 자료수집 계획을 세울 때 일관성은 매우 중요한 과제이다. 연구자는 자료수집기간 동안 자료를 어떻게 수집할 것인지, 누가 자료를 수집할 것인지에 대한 일관성을 유지하여야 한다. 자료수집과정 중에 변경사항이 여러 번 발생하면 이미 수집한 자료의 내용이 바뀔 수 있다. 연구자는 자료수집을 수행하기 전에 일어날 수 있는 가능한 상황들을 예견해야 한다. 고유한 자료수집양식을 만드는 것은 일관된 자료수집을 유지하는데 도움이 된다.

연구자는 먼저 자료를 누가 어떻게 수집할 것인지 결정한다. 연구자가 자료를 수집할 것인지, 또는 자료수집 목적으로 고용된 자료수집자가 자료수집을 할 것인지 결정한다. 만일 자료수집자를 활용한다면, 이들은 연구과제에 대해 충분한 지식과 기술을 가져야 하며, 연구원칙을 잘 지키며 자신감을 보이고 유연성을 가져야 한다. 자료수집자가 이 연구가 가치있는 것이라 인정하면 그들의 태도가 더 긍정적이 되어 연구에 참여 가능한 대상자에게 잘 접근하고, 그들을 설득하여 연구 참여를 독려할 수 있다. 또한 대상자를 면접할 때 연구에 필요한 더 많은 정보를 얻기 위해서 연구 상황을 정확히 알고 이해하는 것도 아주 중요하다. 따라서 이러한 기준에 적합한 자료수집자를 고용하거나 선정하는 것이 필요하다.

2. 자료수집자 훈련

연구자는 또한 자료수집자가 연구도구를 일관성 있게 적용할 수 있도록 훈련시켜야 한다. 자료수집 과정에서 면담 뿐 아니라 생리적 측정과 같은 자료를 수집할 때에도 자료수집자 간 동일한 자료수집 양상을 가지는 일관성 유지는 매우 중요하다. 한 명 이상의 자료수집자가 참여한다면, 자료수집자 간 일관성(측정자 간 신뢰도, interrater reliability) 유지가 필요하다. 자료수집자들은 자료수집 동안 자료수집자 간의 일관성을 확인하고 유지하기 위해 반드시 평가를 받아야 한다.

새로운 자료수집자는 기존의 자료수집자의 훈련 때와 같이 일정 시간 동안 동등한 내용과 수준의 훈련을 받아야 한다. 훈련과정에는 연구의 목적, 연구방법, 자료수집방법에 대한 내용적 이해와 더불어 대상자 모집이나 면접 시 도구적용에 대해, 또는 생리적 측정법 수행을 위한 연습이 필요하다. 연구에 사용할 측정도구가 무엇인지, 도구를 진행하는 순서는 어떠한지, 도구를 어떻게 적용하는지, 자료수집과정의 시간 틀은 어떠한지 등을 제시하는 지침서에 근거한 훈련을 실시한다. 자료수집자는 이 지침서를 훈련 과정과 실제 과정에서 활용할 수 있도록 소지한다. 새로운 자료수집자인 경우 자료수집에 들어가기 전에 측정자 간 신뢰도를 확립할 필요가 있다. 연구도구를 적용하는 과정을 찍은 동영상이나 음성자료를 신뢰도 측정에 사용할 수 있다. 훈련과정 중 나타나는 문제점과 질문에 대한 기록은 추후 자료수집과정 평가에 도움이 된다.

면담자는 질문지 구성 디자인에 따라 면담술을 통해 대상자가 질문에 알맞은 답변을 할 수 있도록 방향을 유도하고, 답변을 정확히 기록하고, 면담 상황에서 나타나는 문제를 해결한다. 면담자는 대상자에게 무엇을 생각하고 기억하여야 하는지 핵심 질문을 제공하고, 대상자가 해당 정보를 말로 표현하도록 격려한다. 또한 긍정적인 피드백을 통해 대상자가 수행한 내용이 적절함을 전달하고, 만일 면담에서 제공한 내용을 수용할 수 없으면 대상자에게 기대하는 역할이 무엇인지 상기시켜주기 위해 중립적 기술을 사용해야 한다. 대상자가 좀 더 명확하고 구체적인 질문을 요구한다면 모든 대상자에게 비슷한 형태로 질문을 하고 있음을 확인시켜 준다. 면담자는 스스로 연구원칙을 준수하는데 엄격해야 하며 연구일정의 변경이 불가피할 때 상황을 잘 해결하는 유연성을 가져야 한다.

면담자 훈련내용에는 면담자에게 연구에 대한 정보를 제공하고 면담술에 대해 피드백을 제공하는 실습시간이 필요하다. 훈련 전에, 모든 면담자는 연구계획서를 읽고 면담자 안내서를 받는다. 안내서에는 연구에 대한 일반적인 정보(연구목표, 목적, 단계), 면담 훈련과정에 대한 자료, 질문지 흐름에 따른 연구 절차, 비밀보장, 연구대상자의 참여가능성 결정, 완성된 설문지의 코딩 등이 주로 들어있다. 면담자가 보건의료인인 경우 임상에서 대상자와 면담을 하는 임상 면담가로서의 역할과 혼돈될 수 있으므로 둘 사이의 차이점을 명료히 할 필요가 있다(표 12-1).

표 12-1 임상에서의 면접과 연구에서의 면접의 차이

영역	임상 면담	연구 면담
목적	사정/중재	정보수집
질문	개별적, 일정하지 않다	일정하다
신뢰감 형성	공감적 청취와 반영에 의해 확립된다	대상자의 수행을 인정하는 역할모범을 강화함으로 확립된다
정교화	개방형 질문에 의해 격려된다.	방해요소에 대해 통제된 선택과 특수한 탐구법이 사용된다.
해석	임상가에 의해 해석되고 요약된 자료	대상자의 특정반응은 기록되며, 추론이 사용되지 않는다.

이 후에는 면담술을 교육하고 연구도구를 하나씩 검토하고 이를 실습하는 것이다. 면담술 훈련에는 일반적인 면담기술을 적용하기 위한 지침이 통용되며 주 내용은 면담자 업무, 면담 규칙, 탐구기술, 명확화 및 피드백 제공 등이 있다. 훈련과정 중에 면담자는 먼저 동료끼리 면담술을 실습하고, 면담내용을 녹음하여 들어보고 서로의 면담수행 내용을 검토한다. 면담자의 업무수행을 체계적으로 검토하는 방법으로 면담자 평가도구를 활용할 수 있다. 이 평가도구를 사용하여 녹음된 면담내용을 검토, 비평하여 피드백을 제공한다. 또한 실제 대상자와의 면담내용을 녹음하여 면담술의 일관성을 향상시키기 위해 평가를 받는다.

3. 시간과 비용의 고려

연구를 계획할 때 자료수집에 필요한 시간을 제대로 예측하기 어렵다. 실제 현장에서 자료수집은 보통 예상한 것보다 2-3배의 시간이 요구된다. 이에 따라 자료수집 기간을 좀 더 길게 계획하여 연구를 진행할 필요가 있다. 자료수집 시 대상자에게 연구참여의 동의를 받는 시간, 도구 적용시간, 관찰시간, 면담시간, 이동시간 등을 기록하는 시간표를 활용하여 합리적인 시간 틀을 짜 보는 것도 유용하다. 예비조사는 자료수집과정을 정밀화하기 위해 그리고 대상자에서 자료를 수집하는데 필요한 시간을 결정하기 위해 수행한다.

비용은 연구계획을 세울 때 직접비용과 간접비용 모두를 고려해야 한다. 예산은 아주 중요하며, 비용 역시 예측이 어렵다. 직접경비에는 생리적 변수 측정에 사용되는 측정도구 임대비 또는 구입비, 설문지나 검사도구 주문비와 더불어 자료분석비가 포함된다. 자료수집양식은 문서로 출력해야 하므로 복사비가 추가되고, 표본크기가 클수록 자료인쇄 비용이 증가한다. 또한 자료분석을 위해 연구개발 초기와 자료분석 동안 통계전문인 의뢰 및 상담료, 자료입력자 및 분석자의 인건비, 그리고 관련 통계 프로그램 구입 및 사용권 유지비 등 많은 비용이 소요된다. 이런 직접비용에 추가하여 간접비용에는 연구자의 시간, 연구지를 오가는 교통비, 연구를 진행하면서 필요한 경비 등이다. 예산을 연구계획과정 초기에 수립하고, 계획을 수정하면서 예산도 같이 변경해야 한다.

4. 측정도구의 선정

연구자는 다양한 형태의 측정도구 중 자신이 측정하고자 하는 연구변수에 알맞는 측정도구를 선택한다. 보통 한 도구는 한 변수를 측정한다. 연구에서 사용하는 측정 방법에는 관찰, 생리적 도구, 질문지, 척도, 면접 등이 있다. 자료수집을 계획할 때 어떤 측정방법으로 자료를 수집할 것인지 반드시 고려해야 한다. 연구자는 관심있는 개념에 대해 개발되어 사용 중인 도구가 있는지 확인해야 한다. 도구를 선정하는 과정에는 어디에서 그 도구를 찾을 것인지, 비용은 얼마나 되는지, 저작권을 소유하고 있는지 또는 일반인 사용이 허용되는지, 도구사용에 대한 허락을 받고 신뢰도 및 타당도 확인을 거치면 되는지 등이 포함된다. 원하는 도구가 없는 경우에는 연구자는 도구를 개발해야 할 수도 있으며, 이런 도구는 연구에서 사용되기 전에 개발된 도구에 대한 신뢰도와 타당도를 점검해야 한다. 대부분 연구자들은 예비조사를 통해 연구변수를 측정할 도구를 검증하게 된다. 예비조사의 장점으로는 신뢰도와 타당도 문제를 찾아낼 수 있고, 도구사용의 기술적 부분인 도구적용에 소요되는 시간, 도구적용을 위한 최적의 시간 등을 점검하고, 자료수집 기술을 정교화 할 수 있다.

5. 자료수집 양식의 개발

자료수집을 시작하기 전에 연구자는 자료를 제대로 수집하기 위해 자료수집 양식을 개발할 필요가 있다. 연구자는 모든 자료를 다 수집할 수 없기 때문에 어떤 자료를 수집할 것인지 결정해야 한다. 연구자는 연구관련 변수에 더하여 인구학적 자료와 외생변수 및 혼동변수와 관련된 자료를 수집하길 원한다. 흔히 연구에서 사용되는 인구학적 변수는 연령, 성별, 인종, 학력, 수입 또는 사회경제적 상태, 결혼 상태, 그 외 과거 병력 및 질병명 등이다. 외적인 혼돈을 일으킬 수 있는 다른 자료도 수집되는데, 이는 대상자의 질병단계, 질병기간 또는 입원기간, 합병증, 그리고 자료수집 기간 중 발생하는 예견치 못한 사건들이다. 경우에 따라서는 개별 대상자에서 소요된 자료수집 시간이 혼동변수가 될 수 있으므로 오전, 오후 또는 소요시간을 기록한다. 만일 장기연구에서와 같이 대상자를 다시 접촉해야 한다면 대상자의 허락하에, 이들의 주소와 전화번호를 반드시 확보해야 한다. 대상자가 이사를 하거나 접촉이 어려울 경우에 대비하여 적어도 가족구성원 중 한 명 이상의 이름과 전화번호를 알아놓는 것이 추후 대상자를 추적하는데 유용하다. 하지만 자료수집에 사용하는 자료집에는 대상자가 제공한 정보의 비밀보장을 위해 대상자를 식별할 수 있는 대상자의 이름, 전화번호 또는 주소를 기재하지 않는다. 대상자에게 고유번호를 부여하여 대상자를 식별할 수 있어야 하고, 대상자의 개인정보와 해당 고유번호 목록은 연구자에 의해 따로 보관하여야 한다.

자료수집양식〈data collection form〉

인구학적 자료

___ 대상자 고유번호

___ 연령

___ 성별 1. 남성 2. 여성

___ 체중(Kg)

___ 키 (Cm)

_________________ 수술방법

____/____/____ 수술일

_______:_______ 수술소요 시간

수술 후 투여된 진통제 이름 ____________________ 총용량 ______________________

____ 치료군 1. 음악군 2. 이완군 3. 음악+이완군

____ 대조군

통증척도 사용방법

/ / : 측정일시와 시간

_____ 점 수술 후 1일째 pain sensation (0–10)

_____ 점 수술 후 1일째 pain distress (0–10)

그림 12–1 자료수집양식의 예

자료수집양식은 수집한 자료를 기록하기 쉽게 그리고 자료를 컴퓨터에 입력하기 쉽게 구성한다. 먼저 원래 있는 정보를 그대로 수집할 것인지, 또는 자료수집 당시 코딩을 할 것인지에 대한 의사결정을 내린다. 코딩이란 자료를 컴퓨터 프로그램에 입력할 수 있게 숫자적 형태로 전환하는 과정을 말하며, 이는 자료를 입력하고 분석하는 데 소요되는 시간을 줄여준다. 인구학적 변수인 성별, 인종, 또는 진단명 같은 변수들은 몇 가지 범주로 구분되며 개별 범주는 임의로 지정된 숫자적 명명을 갖게 되어 자료로 이용된다. 예를 들면, 성별은 여성과 남성이란 두 개의 범주로 나누어지고, 여성은 1로, 남성은 2로 명명될 수 있다. 때로는 나이나 교육연수를 직접 기입하게 하여 연속변수로 수집한다. 또한 코딩값은 서로 중복되어서는 안 된다. 즉 특정변수의 값은 한 개의 범주에만 해당되어야 하며 각 관찰치는 해당 범주 안에 속해야 한다. 예를 들어 월급범위가 만일 (1) 100만원 미만 (2) 100-200만원 (3) 200-299만원 (4) 300-399만원 (5) 400-499만원 (6) 500만원 이상으로 범주를 나뉘었다면, 이 경우 (2)와 (3)의 경우 특정 값이 범주 사이에 겹치게 제시되었기에 코딩 값이 서로 배타적이지 않다. 예로, 200만원의 월급을 받는 사람은 2번과 3번을 동시에 택하게 되기 때문이다. 따라서 위 범주의 경우 특정 값이 중복되지 않도록 (2) 100-199만원으로 변경해야 한다. 항목에서 기타로 지정된 변수는 결혼 상태나 인종구분에서처럼 일반적으로 예상하지 못한 답변이 있을 경우 기타 항목을 선택하여 특정 답변을 적을 수 있는 칸을 제시하는 것이 좋다.

6. 자료분석 계획

자료분석을 계획할 때 연구자는 어떤 통계법을 사용하여, 자료를 어떻게 분석할 것인지, 결과를 어떻게 발표하는 것이 효과적인지, 결과가 이전 연구와 일치하는지 등을 고려해야 한다. 만일 공동연구자가 있다면 자료분석 및 해석과 관련하여 개인의 역할에 맞게 일을 분담하거나 토론할 수 있을 것이다. 만일 통계전문인이 자료분석을 하게 된다면 이들이 연구계획 단계부터 자료수집 종료까지 전 과정에 참여할 것을 독려한다.

7. 계획의 평가

전반적인 자료수집 계획이 연구설계의 타당성을 위협하는지 다시 확인해야 한다. 만일 문제가 제기되면 자료수집계획을 수정하기 위한 전략을 개발한다. 자료수집계획은 자료수집 수행을 위한 기초 작업이다.

II. 자료수집 수행

자료수집은 대상자를 선정하고, 이들 대상자로부터 자료를 모으는 과정이다. 자료를 수집하는 실제 단계는 각 연구마다 특수하며, 연구디자인과 측정방법에 따라 다르다. 자료는 관찰, 검사, 측정, 질문, 기록, 또는 이런 방법의 혼용을 통해 수집할 수 있다. 연구자는 자료를 수집하거나 자료수집자를 감독하면서 자료수집과정에 활발히 참여하게 된다. 자료수집 작업이 수행되면서, 연구계획의 결함을 보완하고, 지원체계가 사용되어지는 동안 효과적인 인력관리 및 문제해결 기술이 지속적으로 활용되어야 한다.

연구자는 자료수집 과정에서 다음과 같이 5가지 업무를 수행한다. 이 업무들은 서로 연결되며 동시에 또는 순차적으로 시행될 수 있다: 대상자 모집, 일관된 방법으로 자료 수집, 연구에 필요한 통제 상황을 계속 유지, 연구의 타당도 확보, 연구결과에 위협을 주는 문제 해결

1. 대상자 모집과 선정과정

대상자는 연구를 시작할 때 한번 모집하거나, 자료수집 기간 동안 계속 모집할 수 있다. 연구설계에 따라 대상자 모집원칙에 따라 원하는 표본 수를 확보할 때까지 대상자 모집과정을 계속 진행한다.

연구초기 단계에서 대상자 수를 계획할 때 검정력 분석에 따라 검정력 80%, 유의수준 0.05, 그리고 기존연구에서의 평균 차이(t 검정을 통한 평균 차이는 d, F 검정으로 나타난 평균 차이는 f), 상관성 정도(r), 설명력 정도(f^2)에 따라 계산한 효과크기에 근거하여 표본 수를 추정하는 것이 바람직하다. 표본의 수는 연구자의 질문이 유의미한 결과를 얻기 위해, 즉 검정력 80%를 확보할 수 있을만큼 충분히 커야 한다. 왜냐하면 추후 자료분석 및 결과해석을 할 때 표본 수가 적어 원하는 분석을 못하거나, 검정력이 낮아 결과해석에 제한점을 가질 수 있기 때문이다. 표본 수는 또한 연구 질문에 따른 효과크기의 정도에 따라 영향을 받는데, 사전 연구에서 해당 변수 간 효과크기가 클수록 요구하는 표본의 수는 줄어들게 된다.

예를 들면 기존 연구에서 두 변수 간 관련성이 r= .3으로 나타났다면, 두 변수 간 효과크기는 r= .3이다. 만일 연구자가 새로운 인구집단에서 유사 개념간 관련성 연구를 계획한다면, 연구자는 기존 연구에서 확인한 효과크기 r= .3, 유의수준 0.05(양측검정 기준), 검정력 0.8에 근거하여 표본크기를 계산하면 필요한 표본크기는 n=84명이다. 만일 새로운 개념 간 관련성을 연구한다면 기존 연구에서 해당 변수 간 효과크기를 찾기 어렵기 때문에, 이 때에는 두 변수 간 관련성이 작을 것이라 기대하고 예상하는 효과크기를 r= .1로 전제한다. 이를 표본크기 계산 공식에 의해 r= .1,

유의수준 0.05(양측 검정), 검정력 0.8로 계산 시 최소 표본크기는 n=800이 필요하다.

한 가지 더 유의할 점은, 연구대상자 수를 서술할 때에는 검정력 분석에 따라 변수 간 차이, 관련성 및 설명력과 같은 연구자의 분석 목적에 따른 효과크기를 구분하여 제시하고, 이러한 효과크기에 근거하여 해당 연구에 필요한 표본크기를 제시하여야 한다. 차이검정에서 효과크기 단위는 두 집단의 평균 차이일 때 d, 두 집단 이상에서 평균 차이일 때에는 f를 사용하고, 변수 간 관련성 검정에서는 r, 설명력 검정에서는 f^2을 사용한다. 그러나 일부 연구에서는 효과크기에 대한 근거로써 기존 연구문헌을 제시하지 않고, Cohen의 검정력 분석(1988)에서 제시한 일반적인 효과크기 값을 단위 없이 제시하기도 한다. 그러나 효과크기는 연구자가 관심을 갖는 최종 연구목적의 분석 방법에 초점을 두고 효과크기의 지표를 제시하여야 한다. 예를 들면, 실험군과 대조군의 평균 차이에 관심을 갖는다면, 효과크기는 d값을 제시하고, 변수의 설명력에 관심을 갖고 있다면 f^2 값의 효과크기를 제시하여야 한다. Cohen의 검정력 분석에 따르면 각 효과크기 지표에 따라 효과크기 값을 작은, 중간, 큰 효과크기 별로 지정하였다. 예를 들면, 두 집단의 평균 차이검정을 한다면 효과크기는 d=0.2(small), d=0.5(medium), d=0.8(large)로 구분할 수 있다. 두 집단 이상의 차이 검정시 효과크기는 f=.10(small), f=.25(medium), f=.4(large)로 분류한다. 변수 간 상관 검정에 필요한 효과크기는 r= .1(small), r=.3(medium), r=.5(large)로 구분한다. 변수들의 설명력을 검정한다면, 효과크기는 f^2 =.02(small, 이는 R^2=0.0196, 2%와 동일하다), f^2 =.15(medium, R^2=.13과 동일), f^2 =.35(large, R^2=.26과 동일)로 구분한다.

표본크기의 근거가 다음과 같이 서술되었다고 가정해 보자. 유의수준 .05, 검정력 80%, 중간정도 효과크기 0.5(Cohen, 1988)를 적용하여 계산하였을 때 128명이 필요하다. 이 경우 효과크기의 단위가 제시되어 있지 않아, 어떤 자료분석법을 기준으로 128명의 표본크기가 나왔는지 알 수 없다. 바람직하게는 효과크기의 단위가 무엇인가 표기하고 그 효과크기를 구하게 된 연구논문을 참고문헌으로 제시하여야 한다.

2. 일관된 방법으로 자료수집

연구를 계획할 때 자료수집방법을 구체적으로 계획하고, 연구를 수행할 때에는 자료수집마다 일관된 방법을 적용하고 유지할 필요가 있다. 연구계획을 잘 수립하면 연구의 일관성을 촉진하고 타당도를 유지할 수 있다. 연구자는 사소한 일이라도 연구단계에서 발생하는 어떠한 사건이라도 기록을 하고, 이 사건이 연구결과에 어떤 영향을 미치는가 주의깊게 관찰하고 평가해야 한다. 논문을 작성할 때 자료수집 계획과 과정을 구체적으로 기록하고, 혹 자료수집과정 동안 발생한 사소한 사건이 연구결과에 영향을 미쳤는가를 명시한다.

1) 관찰 방법

관찰법은 사람들이 특정 상황에서 어떻게 행동하는지를 직접 관찰하여 자료를 수집하는 것이다. 관찰은 자연스런 환경(집, 지역, 또는 간호 단위) 또는 실험적인 환경에서 일어나며 가끔 의사소통(언어적, 비언어적), 행동 및 환경적 조건에 대한 자료를 수집하기도 한다. 관찰은 문화 또는 맥락과 관련된 함축적 의미를 가지고 있는 자료수집에 또한 유용하다. 예를 들어 연구자가 미국 이민자의 비만 특성을 이해하기를 원한다면 특정 이민자 그룹 간의 식사준비와 운동패턴, 쇼핑 사항 등을 관찰하는 것이 유용할 것이다.

과학적인 관찰은 객관적이고 체계적인 본성을 관찰하는데 초점을 둔다. 이를 위해 관찰은 다음 네 가지 조건을 충족하여야 한다.

- 관찰은 연구의 목적과 목표에 일치하여야 한다.
- 관찰 및 자료기록을 위한 표준화되고 체계적인 계획이 있어야 한다.
- 모든 관찰은 확인되고 통제되어야 한다.
- 관찰은 과학적 개념 및 이론과 관련이 있어야 한다.

관찰법은 구조적이거나 비구조적인 관찰법으로 구분한다. 비구조적 관찰법은 전체 구조의 부재로 인해 특징화되지 않지만, 일반적으로 관심 있는 주제에 대한 서술적 정보를 수집한다. 참여관찰에서 관찰자는 활동에 대한 자신의 이해뿐만 아니라 활동 기록을 위한 현장 메모를 계속한다. 현장 메모는 자료수집 기간 동안 관찰한 것을 간략하게 요약하는 것이다. 현장 메모는 일반적으로 행동이나 태도뿐 아니라 더 일반적인 의미에서 사회적 상황을 그려내는 노트가 될 수 있다. 비구조적 관찰의 또 다른 유형은 일화(anecdote)의 사용이다. 일화는 일반적으로 관심 있는 행동에 초점을 두고 종종 특정 지점을 설명함으로써 연구보고서에 풍성함을 더하는 특정 관찰의 요약이다. 현장 연구 자료는 참여관찰, 개인적 면담 및 두 가지 중점 그룹으로 만들어진다.

구조적 관찰법은 어떤 행동이나 사건을 관찰할 것인지 사전에 결정하고 진행하는 것이다. 일반적으로 표준화된 양식을 사용하여 기록하고, 분류 체계, 점검 및 평가 척도를 포함한다. 구조적 관찰은 관찰자의 정식 교육과 표준화에 따라 달라진다.

관찰 방법은 관찰자의 역할에 따라 구분할 수 있다. 관찰자의 역할은 관찰자와 관찰된 것과의 상호작용의 양에 따라 결정된다. 은폐는 연구대상들이 자신들이 관찰되고 있는 것에 대해 알고 있는지와 관련이 있으며, 개입은 관찰자가 관찰되는 사람에게서 행동을 유발할지 여부를 다룬다.

과학적 관찰은 자료수집 방법으로써 몇 가지 이점이 있으며, 주요 이점은 관심 변수를 연구하는 연구자들에게 유일한 방법이라는 점이다. 예를 들면, 사람들이 종종 할 수 있다고 말하는 것은 실제로 할 수 있는 것이 아니다. 그러므로 인간 행동에 대한 실질적인 결과를 확보하기 위해 연구를 계획한다면, 관찰법은 결과물의 타당성을 보장하는 유일한 방법이 될 것이다. 게다가 다른 자료수집 방법은 관찰법을 사용할 때 수집할 수 있는 정보의 깊이와 다양성을 만족시키지 못한다. 또한 관찰법은 실험 및 비실험 설계, 실험실이나 현장연구 모두에서 사용될 수 있다는 점에서 매우 유연하다.

관찰법의 단점으로는 관찰 방법에 따라 얻어진 자료가 관찰자의 편견에 취약하다는 것이다. 감정, 편견 및 가치는 행동과 사건이 관찰되고 기록되는 것에 영향을 미친다. 일반적으로, 관찰자가 관찰대상에 대하여 영향과 편견을 가지면 가질수록 왜곡이 발생하기 쉽다. 따라서 관찰방법의 타당성을 판단할 때, 관찰 형식이 어떻게 구성되었으며, 관찰자가 어떻게 훈련되고 평가되었는지에 대하여 고려하는 것이 중요하다.

관찰이 수집 자료로 사용될 때 윤리적 사건 또한 발생한다. 이것은 연구대상이 자신들이 관찰되고 있다는 것을 완전히 인식하고 있지 않을 때 종종 발생한다. 대부분의 경우 연구대상에게 연구의 목적과 그들이 관찰된다는 사실을 충분히 설명하는 것이 최선이다. 그러나 특정 상황에서는 연구대상에게 설명하는 것이 행동을 변화시킬 수도 있다. 예를 들면, 간호 연구자가 병동에서 간호사가 손을 얼마나 자주 씻는지에 대하여 연구하려 할 때, 간호사들에게 그들의 손 씻기 빈도를 관찰할 것이라고 말하면 그들의 손 씻기 빈도가 증가되기 쉽고 그 결과 연구의 결과는 타당성이 감소될 것이다. 따라서 연구자는 모든 연구 절차의 전체 공개와 관찰방법을 사용하여 유효한 자료를 얻을 수 있는 기능 사이에서 매우 신중하게 균형을 맞추어야 한다.

BOX 12-1

관찰법을 자료수집방법으로 사용한 연구(Ahn & Kim, 2005)에서는, 신생아중환자실에서 일주일 동안의 어머니의 아기방문으로 발생한 모든 모아상호 노출, 즉 어머니의 면회 방문 횟수, 촉각적 노출 횟수, 청각적 노출 횟수를 관찰법을 통해 기록하였다. 이때 일회 면회 시 각각의 노출이 없었을 경우는 무(0)로 하고, 종류 별로 노출이 있었을 경우는 각각 1회의 유(1)로 간주하여 총 7일 동안의 발생한 모든 노출을 정량적으로 측정하였다.

2) 자가보고법

자가보고식 자료수집방법은 연구대상자가 면담이나 그들의 경험, 행동, 감정 및 태도에 관련되어 구성된 설문지에 응답하는 것이다. 자가보고법은 연구에서 주로 쓰이며, 생리학적 도구에 의해 관찰되거나 측정될 수 없는 변수에 관한 자료를 수집할 때 매우 유용하다. 예를 들면 여가 연구에서 삶의 질, 여가활동에 대한 만족도, 사회적 지지, 통증, 불확실성 및 기능 상태를 포함한 여러 개념들을 자가보고법을 통해 측정한다.

설문지는 개인의 지식, 태도, 신념 및 감정에 관한 자료를 얻기 위해 설계된 지필평가이다. 설문지는 면담과 마찬가지로 개방형 또는 폐쇄형이 있다. 설문지는 질문이 한정되었을 때 더 유용하다. 설문지에서 질문의 취지 및 답변을 응답자에게 명확하게 하기 위해서 개별 항목은 질문이 명확하게 표현되어야 한다. 설문지는 다른 변수나 개념(예를 들어 연령, 인종 및 학력) 및 척도를 측정하기 위한 개별 항목으로 구성된다. 조사 연구는 자료 수집을 위한 설문지에 전적으로 의존한다.

설문지는 척도 및 도구로 불려진다. 다양한 항목이 삶의 질이나 걱정거리와 같은 개념을 측정하기 위해 개별 항목들에 대한 점수를 합하여 수학적으로 합산되는 경우, 설문지 및 측정 도구는 '척도'라고 부른다. 연구자는 리커트(Likert) 척도, 폐쇄형 및 개방형 질문의 결합을 사용한다. 설문지와 관련된 자료 수집 시 대상자의 연령과 학력수준을 고려하여 다음 사항을 고려해야 한다.

- 독해 수준: 초등학교 6학년 수준으로
- 설문지 글씨 크기: 12~14포인트
- 읽어주고 일부 연구대상을 도와줘야 할 필요성
- 설문지를 완성하는 데 걸리는 시간

면담법과 비교 시 설문지법은 몇 가지 이점이 있다. 면담은 면담자를 고용하고 철저한 훈련을 시켜야 하기 때문에 설문지가 면담보다 관리하는 것이 훨씬 더 저렴하다. 따라서 연구자가 시간과 돈이 제한된 상태라면, 더 많고 다양한 사례를 수집하기 위해 설문지법을 적용할 수 있다. 설문지는 기밀 및 익명으로도 가능하므로 만약 연구가 민감한 주제를 다룬다면 이것은 매우 중요할 것이다. 마지막으로 면담자가 없다는 점은 연구자와 독자에게 면담자의 편견이 없을 것이라는 것을 보장한다.

자가보고 방법으로 평가할 때 몇 가지 조건이 있다.

- 사회적으로 바람직한 방향: 연구대상자가 진실을 말하는지에 관하여 확실히 알 수 있는 방법은 없다. 사람들은 호감을 가질 수 있는 방향으로 질문에 응답하는 것으로 알려져 있다. 예를 들면, 만약 연구자가 환자에게 병동에서 받은 간호활동의 긍정적, 부정적 면을 설명하라고 하면, 환자는 연구자가 기뻐하길 원하여 모두 긍정적으로 답한다. 그래서 자료수집 과정에 편견이 유입되는 것이다. 응답자가 진실을 말하는지 아니면 사회적으로 바람직한 방향으로 말하는지에 대하여 알 수 있는 방법은 없다. 그래서 자기보고 방법의 정확도는 항상 철저한 검토가 필요하다.
- 응답자 부담: 이는 자가보고법을 사용하는 연구자에게 또 다른 걱정거리가 된다. 응답자 부담은

대상자의 연령, 건강 상태 및 정신 상태를 고려할 때, 설문지의 길이나 면담이 너무 길거나 질문이 응답자에게 대답하기 너무 어려울 때 발생한다. 응답자 부담은 불완전하고 부정확한 결과를 초래할 수 있을 뿐만 아니라, 자료가 누락되어 연구 결과물의 타당성을 위태롭게 할 수 있다.

BOX 12-2

일 연구(Ahn & Cho, 2014)에서 사용한 자가보고법 기술에 따르면, 설문지를 이용하여 개인위생 관리 행위와 관련 요인을 응답하게 하였다. 여성의 비뇨생식기 청결과 월경 관련 개인위생 관리 행위는 Czerwinski가 개발한 31개 문항, 5점 척도로 구성된 여성 및 개인위생 관리행위 조사지를 번역한 도구로 조사하였다. 대상자가 연구 참여에 동의하는 경우 배포하는 질문지에 서명하고 질문지를 작성하여 제출할 것을 요청하였다.

인터넷 기반 자가보고법을 이용하여 자료를 수집하는 것은 적은 비용으로 짧은 시간안에 자료를 수집할 수 있는 효과적인 방법이다. 온라인 형식을 사용하는 것은 경제적이며 이동이나 발송 경비 없이 다른 지역에 있는 연구대상자를 모집할 수 있다. 개방형 질문에 대해서는 직접 답변을 입력할 수 있는 칸을 제공하고, 폐쇄형 질문에 대해서는 해당 답변을 통계 분석 프로그램으로 직접 가져올 수 있기 때문에 자료 입력의 과정을 생략하면서 입력 시 발생하는 실수를 줄일 수 있다. 인터넷 기반 자료수집 절차에 있어 우려사항은 연구참여 동의서의 박스를 체크하는 것은 연구참여동의서에 대상자가 직접 서명을 하는 것이 아니기 때문에, 대상자가 직접 기입을 한 것인지 제3자가 대신 기입을 한 것인지 알 수 없다는 점이다. 즉 본인이 직접 서명을 한 것과 동일하다고 보장하기 어렵고, 모든 인터넷 기반 장소에서 연구대상의 익명성을 보장하는 것이 어렵다는 것이다. 게다가 특정 연령대의 인구집단에서 연구대상의 컴퓨터 접근이 제한될 수 있다. 그러나 증가된 효율성과 정확도로 인터넷 기반 자료 수집은 보건연구에서 점점 늘어나고 있는 추세이다.

3) 면담 및 설문지

면담은 자료수집자가 연구대상에게 개방형 질문 또는 폐쇄형 질문에 답하도록 할 때 쓰는 자료수집 방법이다. 면담은 양적이거나 질적인 연구 모두에서 사용된다. 면담은 연구자가 응답자에게 자세하고 구체적인 경험이나 답변을 기술하고 추가적인 정보를 습득하는데 가장 좋은 방법이다.

개방형 질문은 더 다양한 정보를 수집할 수 있고 응답을 분석하기 위해 질적 또는 내용분석 방법이 필요하다. 내용분석은 질문에 대한 이야기나 단어 응답을 분석하고 비슷한 응답의 건수를 세거나 주제나 범주로 응답을 그룹화하는 방법이다(질적 연구에서도 쓰임). 면담은 주로 대면하거나 전화 및 웹사이트를 통한 온라인으로 이루어진다.

BOX 12-3

일 연구(Choi, 2009)에서 사용한 면담법 보고에 따르면, 중년여성의 분노표현 유형과 정신건강을 이해하기 위해 대상자에게 면담법을 적용하여 자료를 수집하였다. 면담질문은 대상자들이 자유롭게 이야기할 수 있도록 하되 자료가 누락되는 것을 막기 위해 비구조화된 질문을 사용하였다. 연구자는 면담에 들어가기 전 대상자들이 겪었을 경험에 대한 기본적인 질문을 형성하기는 하였지만 면담의 진행방향은 대상자들이 이끌어 가는 쪽으로 자유롭게 흘러가도록 하였고, 연구자가 필요하다고 생각되는 내용이 있을 때는 질문을 통해 자료를 수집하였다. 주요 질문 내용은 "요즘 건강은 이전에 비하면 어떤가요?", "살면서 기억나는 힘들고 화난 경험은 무엇입니까?", "화가 날 때 화를 어떻게 표현하고 다루어 왔습니까?", "화를 표현하는 방법 또는 다루는 방법이 자신의 건강과 어떠한 관계가 있다고 생각합니까?"이었다.

면담은 설문지와 비교할 때 몇 가지 이점을 제공한다. 응답률은 면담에서 더 높고 자료 누락이 거의 없어서 편향을 줄이는데 일조한다. 면담의 또 다른 이점은 어린이나 맹인 및 지식수준이 낮은 사람들은 설문지를 작성할 수 없으나 면담에는 참여할 수 있다. 면담에서는 자료 수집자가 연구대상자와 직접 만나기 때문에 자료 출처가 분명하다. 예를 들어, 설문지가 발송되었을 때 가정 구성원 중 누군가 답을 할 수 있다. 면담은 또한 면담 상황에서 오해할만한 질문을 명확하게 해주고, 응답자의 이해 수준을 관찰하며 이러한 관찰을 일관되게 기록한다. 연구자는 또한 질문의 순서를 엄격하게 통제할 수 있다. 결국 면담은 보다 풍부하고 복잡한 자료를 수집할 수 있게 한다. 이것은 특히 개방성 응답을 했을 경우 그러하다. 폐쇄형 응답 항목을 사용할 경우에도 면담을 통해 응답자가 특정한 대답을 하게 된 이유에 대한 이해자료를 제공할 수 있다. 반면 면담법에서는 면담자 편향을 우려할 수 있는데, 이는 면담자가 특정한 방식으로 응답자의 반응을 무의식적으로 이끌 때 발생한다. 이러한 문제는 특히 개방형 질문을 사용한 연구에서 확연하게 나타난다. 예를 들어 미묘한 고개 *끄덕임*은 응답자가 대답을 연구자가 듣기 원하는 것과 일치하게 바꾸도록 유도한다.

4) 생리학적 측정법
생리학적 자료 수집은 연구대상들의 생리학적, 생물학적인 상태를 알아내기 위한 전문화된 기구를 사용하는 것을 의미한다. 이러한 측정은 체중이나 체온 같은 물리적, 혈당수치 같은 화학적, 배양과 같은 미생물학적 또는 방사선 검사와 같은 해부학적으로 될 수 있다.

생리학적 또는 생물학적 측정은 보건문제에 대한 성과를 평가하는 연구에서 특히 적합하다. 예를 들면 환자의 체온이나 혈압 측정, 혈당 수치를 수집하는 것은 확실한 건강 모니터링 절차의 근거자료가 되거나 건강중재의 효과성을 알아내는데 중요한 정보이기 때문이다. 그러나 자료수집 방법을 모든 연구대상자에게 동일하게 적용하는 것이 중요하다. 예를 들어 간호사는 혈압 측정하는 것이 매우 익숙하다. 그러나 혈압 측정이 포함된 연구를 위해서 측정과정은 반드시 표준화되어야 한다. 연구대상은 특정한 시간에 같은 자세(눕거나 앉기)로 있어야 하고, 동일한 혈압 측정기가 사용되어야 한다.

생리학적 자료수집방법의 이점은 이 방법과 관련된 객관성, 정밀성 및 민감성이다. 두 명의 다른 간호사가 동시에 같은 기계를 사용하여 측정하였을 때, 기계적인 고장이 없는 이상 두 값은 동일한 결과로 나타날 것이기 때문에 이러한 방법은 일반적으로 매우 객관적이다. 이런 기계들은 연구 중인 변수를 측정하도록 설계되어 있기 때문에, 그들은 관심변수의 미묘한 변화를 알아낼 정도로 정밀하고 민감하다는 이점이 있다. 연구 대상은 의도적으로 생리학적 정보를 왜곡하기 어렵다.

생리학적 측정이 내재한 단점이 없는 것은 아니다. 고려해야 할 단점은 다음과 같다.

- 일부 기구는 구매해야 하고, 빌려서 사용하기에 매우 비싸다.
- 생리학적 기구는 정확하게 사용하기 위해 종종 전문적 지식과 훈련을 요구한다.
- 또 다른 문제는 단순히 기구를 사용하는 것만으로 관심변수가 변한다. 예를 들면 개인의 혈압은 건강관리 전문가가 방으로 들어올 때 증가한다(화이트코트 증후군).
- 일부 연구자들은 이런 기구들을 비침습적인 것으로 생각하지만, 장비의 존재 자체가 측정을 변경시킬 수 있다. 예를 들면 심박동수 측정 장비의 존재는 몇몇 환자들을 불안하게 만들고 그들의 심박동수를 상승시킨다.
- 추가로 거의 모든 측정 장치는 환경에 어떤 방식으로든 영향을 받고 있다. 심지어 간단한 체온계도 연구대상이 체온을 재기 전에 뜨거운 것을 마시거나 흡연을 하는 것에도 즉시 영향을 받는다. 따라서 연구에서 연구자가 이런 환경적인 변수를 조정할지 여부를 고려하는 것이 중요하다.

BOX 12-4

일 연구(Choi & Kim, 2013)의 생리학적 측정법의 기술을 살펴보면, 스트레스에 대한 생리학적 지표로 코티졸을 측정하기 위해서 대상자의 24시간 소변을 채집한 후 요중 코티졸 검사를 의뢰하였다.

5) 기존 자료의 활용

지금까지 소개된 자료수집방법은 연구자가 관심이 있는 현상을 연구하기 위해 새로운 자료를 수집하는 방법들이다. 그러나 모든 연구가 연구자에게 새로운 자료수집을 요구하는 것은 아니다. 가끔 기존 자료는 문제를 연구하는 새로운 방법으로 간주될 수 있으며, 기록(의학기록, 간호계획, 병원기록, 사망 확인서)과 기존의 데이터베이스가 임상 문제에 대한 연구 질문에 답하는 데 종종 사용된다. 일반적으로 이런 연구설계 유형을 이차 분석이라 부른다.

사용 가능한 1차 자료의 사용에는 몇몇 이점이 있다. 첫째, 자료는 이미 연구대상의 부담과 일련의 문제를 제거하고 수집되어 있다. 둘째, 대부분의 자료는 많은 인구를 포함한다. 그 결과 표본 크기는 거의 문제가 되지 않으며 무작위추출법이 가능하다. 큰 표본일수록 연구자는 더 정교하고 분석적으로 접근할 수 있으며, 무작위추출법이 결과의 일반화 가능성을 증가시킨다. 일부 기록 및 데이터베이스는 획일적인 방법으로 표준화된 자료가 수집되어 있고, 연구자에게 시간의 경과에 따른 추세변화에 대한 정보를 제공하기도 한다. 마지막으로, 사용 가능한 기록의 사용은 상당한 시간과 비용을 절약할 수 있는 잠재력을 갖고 있다.

반면에 기관은 연구자가 그들의 기록에 접근하는 것을 꺼려할 수 있다. 만약 기록이 개인이 식별될 수 없도록 비밀 유지가 되는 경우 일반적으로 문제가 되지 않는다. 그러나 개인정보보호법에 따르면 기록에서 식별될 수 있는 개인의 권리를 보호하고 있다. 건강기록 전산화에 대한 관심은 연구를 위한 이러한 기록에 대한 접근이 바람직한지에 대해 다양한 관점을 제시한다.

사용 가능한 자료의 품질에 영향을 미치는 다른 문제는 연구자만이 존재하는 기록에 접근할 수 있다는 것이다. 만약 사용 가능한 자료가 필요한 기록을 모두 나타내지 않는 경우, 연구자료는 편견에 문제가 있을 수 있다. 종종 편향된 방식으로 저장된 기록인지 여부에 대해서 알 방법이 없으며, 연구자는 그들의 정확성에 대해 지능적 추측을 해야 한다. 예를 들면 연구자는 자살률과 관련된 사회경제적인 요인을 연구하려고 한다고 하자. 이런 자료는 자살에 대한 오명 때문에 가끔 과소평가되고 기록은 편향된다. 모든 자료수집방법의 비판적 검토는 자료수집 방법의 타당성, 객관성 및 일관성을 평가하는 것을 포함한다.

BOX 12-5

기존 자료를 이용한 자료수집 방법에는 대형자료분석, 문헌고찰, 의료기록지 고찰 등이 있다. 의료기록지 고찰을 한 연구(Lee & Kim, 2015)에서는 PACU 도착 시, 10분, 20분, 30분 후의 통증, 오심, 자가통증 조절기 버튼 누름 횟수, 추가 진통제 투여 횟수와 추가 진통제 투여 횟수를 연구보조자인 PACU 간호사가 기록하였다.

대형자료를 이용하여 자료를 수집한 연구(Chun & Chae, 2015)에서는 국민건강영양조사 홈페이지에서 제5기 1차년도(2010) 원시자료 중 기본 DB (건강설문, 검진, 영양) 및 HN10_DXA (골밀도 및 체지방 검사)를 다운로드 받아서 사용하였다.

3. 연구과정의 통제 유지

연구자는 대상자를 선정하고 자료를 수집하는 동안 일관성과 통제를 유지하여 연구의 통합성 또는 타당성을 확보해야 한다. 연구자는 연구계획 당시 연구결과에 미치는 외생변수의 영향력을 최소화하기 위해서 연구상황의 통제조건을 수립한다. 이런 통제를 유지하는 것은 아주 중요하다. 통제는 현장에서 자연스럽게 일어나는 것이 아니며 인지하지 못한 채 지나가는 경우도 많다. 따라서 연구계획단계에서 외생변수의 가능성을 확인하기 위한 통제방법을 계획해야 하고, 연구에서 규명된 통제유지와 더불어 연구자는 수집된 자료에 영향을 줄 수 있는 이전에 규명되지 않은 외생변수를 계속해서 잘 관찰해야 한다. 이런 변수는 자료수집 중 명확하게 나타나곤 한다. 자료수집 동안 규명된 외생변수는 자료분석 및 해석 시 결과에 어떤 영향을 미치는지 평가해야 하며 또한 추후 연구자들이 이들을 어떻게 통제할 수 있는가 연구보고서에 기술한다.

자료수집자는 또한 자료수집과정에 영향을 주는 환경적 변화가 있는지 혹은 어떤 문제가 있는지를 확인하고 기록해야 한다. 일관성을 방해할 수 있는 상황들을 확인하고 일관성을 최대화할 계획을 수립하여야 한다. 자료수집을 수행한 특정 날짜와 시간이 수집된 자료의 일관성에 영향을 줄 수 있다. 예를 들면 아침시간에 수집된 대상자의 에너지 수준과 마음 상태에 대한 자료는 저녁시간에 수집된 대상자의 자료와 다를 수 있다. 낮 시간에 방문객이 더 많기 때문에 자료수집을 방해하거나 대상자의 대답에 영향을 미칠 수 있을 것이다.

4. 연구의 타당도 확보

대상자 모집과 자료수집과정에서 일관성과 통제 유지는 연구의 타당도를 확보하게 한다. 연구의 진실성은 광범위한 의미로 고려되는데 이를 위해서 연구자는 자료수집과정 중에 발생하는 사건 하나하나에 초점을 맞추기 보다는 자료수집과정을 전체적으로 볼 수 있어야 한다. 연구자는 자료수집과정 동안 연구의 진실성을 확보하기 위해 어떤 노력을 하였는가와 문제가 발생하였을 때 어떻게 해결하였는가에 대해 기록해야 한다.

5. 문제 해결

자료수집 기간에 문제가 발생했다는 사실보다 문제를 성공적으로 해결하였는가가 더 중요하다. 연구논문에는 대부분 자료수집이 잘 진행된 것으로 나타나기 때문에, 연구자가 당면한 문제와 해결방법에 대한 기록은 많지 않다. 그 이유는 일반적으로 학회지에는 당면한 문제를 서술할 충분한 지면이 배정되지 않기 때문이며, 자료수집 과정에 대해 연구자와 개인적인 토론을 통해서 문제해결

경험이나 방법에 대한 조언을 얻을 수 있다.

　연구자는 자료수집과정을 가능한 일관성 있게 진행해야 한다. 그러나 간혹 예상치 못한 문제가 발생할 수 있으며, 문제를 해결하는데 유연해야 한다. 연구의 통합성을 유지하기 위해 문제해결 방법을 찾아내는 기술은 아주 중요하다. 자료수집을 준비함에 있어, 가능한 문제들이 예견되어야 하며, 가능한 해결법을 찾아봐야 한다. 연구에서 일반적으로 발생할 수 있는 문제들을 연구대상자 문제와 연구자 문제로 묶어 설명한다.

1) 연구대상자 문제

연구자는 자료수집에 참여하는 대상자 외에 대상자의 가족, 의료인, 기관 직원, 그 외 주위 사람들이 연구상황 속에서 상호 작용함을 알아야 한다. 연구자는 이런 상호작용이 연구에 미칠 영향에 대해 자세히 관찰하고 평가하여야 한다.

(1) 대상자 선정 문제

자료수집을 시작하는 첫 단계인 대상자 선정이 연구대상자 문제의 시작이라 하겠다. 연구자는 표본기준에 맞는 사람이 극히 적거나, 접근했던 대부분의 대상자가 타당한 이유를 들어 연구참여를 거부하는 것을 볼 수 있다. 이전 달에 충분했던 접근가능 대상자가 이번 달에는 안 보일 수도 있다. 기관에서의 절차가 바뀌기도 하여 가능한 대상자가 연구참여에 부적절하게 되기도 한다. 이런 상황이 되면 표본기준을 재평가할 필요가 있고, 가능한 대상자를 찾기 위해 추가자원을 찾아나서야 한다.

(2) 대상자 탈락

대상자 탈락은 대상자가 연구에 등록한 후 연구를 마치지 못한 경우를 말한다. 탈락은 연구의 내적 타당도를 위협한다. 대상자를 선정한 후 특정 문제가 대상자 탈락을 초래할 수 있다. 예로, 몇 대상자는 연구 참여에는 동의했으나 추후 과정에는 참여하지 않았다. 어떤 사람은 요구된 양식과 질문지를 완성하지 않았거나, 부정확한 답을 주기도 한다. 어떤 대상자는 2차 면접에 나타나지 않거나, 건강상태의 변화로 참석을 할 수 없기도 하다. 이런 경우 자료의 결측이 발생하기 때문에 자료분석에서 제외한다.

　대상자 탈락은 모든 연구에서 어느 정도 나타난다. 이런 문제를 다루는 방법 중 하나는 탈락률을 예상하고, 최종적으로 연구에 참여하기를 기대하는 대상자 수를 파악하고 이들을 확보하기 위해 연구초기에 계획된 표본 수를 더 크게 하는 것이다. 만일 대상자 탈락률이 기대한 것보다 높다면 연구자는 적절한 표본크기를 갖기 위해 장시간 자료수집을 계속해야 할 것이다. 또는 기대된 표본크기보다 적은 수로 연구를 마칠 수도 있다. 이 때 적은 표본크기가 가설을 검증하기에 충분하지 않기 때문에 계획된 통계분석의 power에 미칠 부정적인 영향도 고려해야 한다.

특히 종단적 연구설계를 계획할 경우 탈락을 예방할 수 있는 방법론적 전략을 수립해야 한다. 또한 대상자 탈락이 많은 경우 자료분석을 시작하기 전에 통계적인 방법을 이용하여 주요변수에 대해 잔류 표본이 전체 대상자들과 다른지를 확인하여, 무응답자와 응답자 간에 유의한 차이가 없다는 가정을 꼭 검정하여야 한다.

(3) 대상자 반응에 영향을 주는 외적 요소
대상자 또는 연구자와 상호작용하는 사람들이 또는 양쪽 모두가 자료수집과정에 중요한 영향을 미칠 수 있다. 가족구성원이 대상자의 연구참여에 동의하지 않을 수도 있고, 연구과정을 이해하지 못할 수도 있다. 이런 사람들은 대상자가 연구와 관련된 의사결정을 내리는데 많은 영향을 줄 것이다. 연구자는 대상자 및 가족구성원에게 연구에 대해 설명하고 그들의 협조를 구하기 위해 시간을 투자해야 한다. 대상자가 심하게 아프거나 동의 의사를 밝힐 수 없을 때 가족의 협조는 특히 중요하다. 대상자에게 설문조사를 하거나 질문을 할 때 가족구성원 또는 다른 환자들이 응답자의 반응에 영향을 줄 수 있다. 또한 주위사람들이 기대하는 답을 할 수도 있고, 답을 가족구성원, 친구, 또는 다른 환자에게 물어볼 수도 있다. 때로 환자에게 질문할 때 그 곳에 있던 가족구성원이 대신 답하기도 한다. 만일 질문들에 대한 답변이 그 방에 있는 누군가와 이야기를 한 후 나왔다면 그 답변에 대한 신뢰성 문제가 제기된다. 따라서 질문지법이나 면담법에서 대상자의 응답은 그 당시 상황에 영향을 받는다고 할 수 있겠다. 가장 이상적인 상황은 주위산만에서 벗어날 수 있는 개인적인 장소 확보이다. 만일 이런 상황이 불가능하다면 질문지가 완성되는 시간에 연구자가 대상자와 같이 있다면 타인의 영향은 줄어들 것이다. 만일 질문지를 추후에 또는 집에 가져가서 작성한 후 돌려준다면, 타인에 의해 영향을 받을 확률은 높아지고, 질문지 반환율 역시 낮아질 것이다.

2) 연구자 문제
몇 가지 문제들은 연구자와 연구 상황과의 상호작용에서, 자료수집 기술에 대한 숙련도 부족의 결과로, 또는 연구자의 역할갈등으로 인해 발생한다. 이러한 문제는 종종 규명하기 어려우나 그 효과는 매우 심각할 수 있다.

(1) 연구자와 대상자간 상호작용

연구자가 대상자와의 상호작용에 깊이 관여하게 되면 자료수집과정을 완성할 수 없다. 연구자 상호작용은 면담상황에서 자료수집과정을 방해할 수 있다. 연구자가 자료수집 동안 친밀한 사람들과 함께 있게 되면 연구상황에 충분히 집중하지 못하므로 귀중한 연구자료의 손실을 초래하게 된다.

(2) 자료수집 기술의 숙련도 부족

자료수집 기술을 사용할 때 연구자의 숙련도는 수집된 자료의 질에 영향을 미칠 수 있다. 자료수집 초기과정에서 비숙련된 연구자는 경험있는 연구자와 함께 자료수집 기술을 훈련받고 실제 자료수집에 들어가기 전에 자료수집 기술을 연습할 충분한 시간을 가져야 한다. 만일 자료수집자의 숙련도가 연구과정 동안 개발되어진다면 숙련도가 높아질수록 수집되는 자료도 변화되어 연구결과를 혼돈시키고 연구의 타당성을 위협하게 된다. 한 명 이상의 자료수집자가 참여한다면 한 명이 자료수집을 전담하는 것에 비해 개인별 숙련도의 차이가 더 많이 나타날 수 있다. 연구과정 동안 자료수집자의 숙련도가 수집된 자료에 어떤 영향을 미치는지 평가하여야 한다.

(3) 연구자의 역할 갈등

임상연구에 참여하는 전문직 간호사들은 자료수집 동안 종종 연구자로서와 임상가로서의 역할갈등을 경험한다. 연구자의 역할은 특정 사건을 관찰하고 기록하는 것이다. 때론, 특정사건 속에서 연구자가 신체간호 또는 정서간호를 제공함으로 인해 그 사건을 변화시킬 수 있고 결과를 다르게 유도하기도 한다. 이런 경우 연구자가 행하는 지지반응은 연구결과를 변형시키게 된다. 왜냐면 이런 반응들은 실험군에서 제공되어져야 하는 특별처치의 일부이기 때문에 이런 연구자−대상자 상호작용은 두 군의 차이를 줄이게 되고, 따라서 지지중재에 대한 유의한 차이를 보일 가능성을 감소시키게 된다.

　환자간호를 방해하는 비윤리적 행동을 목격하거나 대상자의 비윤리적 비합법적 행동을 목격하는 경우에서도 연구자는 역할갈등을 경험할 수 있다. 이런 어려움들은 자료수집 전에 항상 예견되어져야 한다. 연구원들과 또는 윤리위원들과 이러한 비윤리적, 비합법적 행동에 대해 토론하기를 권장한다. 이 문제가 해결된 후 이런 상황이 연구결과에 미치는 효과를 재점검하는 것이 현명하며, 다시 이런 상황이 발생했을 때를 위해 대안을 마련하는 것도 필요하다.

(4) 관점 유지

연구자는 연구 과정동안 객관성과 일관성을 유지하고, 문제가 발생한다면 적극적으로 대처하여야 한다. 해당 문제가 발생한 경위와 상황을 확인하고 발견된 문제를 합리적으로 해결하는 문제 해결자로서 역할을 담당해야 한다.

6. 비평

대부분의 조사연구 논문은 연구대상자를 누가 언제 어디에서 어떻게 모집하였는가를 구체적으로 서술한다. 그러나 연구 대상자 선정과정에 대한 서술은 상대적으로 적은 편이다. 연구대상자의 동질성 확보와 더불어 연구결과에 영향을 미칠 수 있는 대상자의 특성을 통제하기 위해서는 충분한 문헌고찰을 통해 대상자의 포함기준과 제외기준을 명확하게 제시하여야 한다. 하지만 이런 기준을 제시하지 못할 경우, 대상자의 특성이 매우 다양하여 연구결과에 편향적인 영향을 미칠 수 있으며, 연구결과에 대한 신뢰성이 떨어질 수 있다. 이에 대부분의 연구에서는 사후 통계적인 통제를 이용하여 대상자의 특성이 결과변수에 미치는 영향을 통제한다. 따라서 연구계획을 할 때 미리 통제변수를 대상자 포함 및 제외기준에 포함시키거나, 연구진행 단계에서도 연구결과에 영향을 미칠 수 있는 변수의 확인 및 예기치 않은 사건의 감독을 통해 연구결과에 영향을 미칠 수 있는 변수의 확인과 통제는 연구의 신뢰도와 타당도를 높이기 위해 매우 중요한 과정이다.

자료수집과정에서 일관성 유지는 정확한 자료를 수집하기 위해 반드시 필요하다. 대부분의 연구에서 자료수집자가 두 명 이상인 경우 자료수집과정에 대한 훈련과정과 측정자 간 일치도를 보고한다. 그러나 자료수집방법에서 특히 대상자의 특성에 따라 일관성 없는 자료수집이 보고되는 경우가 있다. 예를 들면 노인 대상자에게 질문지법을 이용하여 자료를 수집할 때 글을 읽고 쓰기가 가능한 노인에게는 질문지를 주고 대상자 스스로 답변하게 하는 반면, 눈이 안보여 글을 읽고 답하기 어렵다고 할 경우에는 자료수집자가 대상자에게 질문지 내용을 읽어주고 답변을 대신 기록하여 자료를 수집하는 경우가 있다. 이는 자료수집 방법이 다르기 때문에, 자료수집의 일관성을 갖고 있다고 할 수 없다. 왜냐하면 누군가 질문지를 읽어주는 경우, 자료수집자의 목소리의 크기와 억양과 톤에 따라 응답자는 긍정적 또는 부정적인 답변을 달리 할 수 있고, 또한 응답자는 질문에 응답하는 동안 자료수집자와의 언어적 비언어적 의사소통 형태에 따라 질문자가 원하는 답변 방향으로 영향을 받을 수 있기 때문이다. 따라서 질문지법을 적용할 경우 모든 대상자가 자가보고법을 이용하던지, 면담을 이용하던지 한 가지 일관된 방법을 사용한다. 자료수집자가 대상자를 대할 때 통일된 양식을 이용하고 접근 방법과 태도와 시간이 가능한 동일하여야 자료수집의 일관성이 유지된다고 할 수 있다. 만일 자료수집자가 여러 명일 때에는 연구자가 자료수집자 간 일치도를 높이기 위한 자료수집 훈련과 함께, 예비조사를 통해 자료수집자 간 일치도를 평가하여 90%의 일치도를 보일 때까지 반복적으로 훈련과 피드백을 제공할 필요가 있다.

자료수집 과정에 대한 평가항목은 다음과 같다.

1. 대상자 모집과 선정과정은 분명하고 정확하게 기술되어 있는가?
2. 자료수집은 일관된 방법으로 수행되었는가?
3. 연구설계에 명시한대로 통제가 제대로 유지되었는가?

   연구설계에 중재에 대한 일관된 접근법에 대해 명시되어 있는가?
4. 연구의 진실성은 확보되었는가? 어떤 문제가 발생하여 잘 해결되었는가?

참고문헌

Ahn, S., & Cho, K. (2014). Personal hygiene practices related to genito-urinary Tract and menstrual hygiene management in female adolescents. *Korean Journal of Women Health Nursing, 20*(3), 215-224.

Ahn, Y. M., & Kim, M. R. (2005). The relationship between early neo-maternal exposure, and maternal attachment, maternal self-esteem and postpartum depression in the mothers of NICU Infants. *Journal of Korean Academy of Nursing, 35*(5), 798-809.

Choi, I-R. (2009). Anger expression type and mental health in middle aged women. *Journal of Korean Academy of Nursing, 39*(4), 602-612.

Choi, M. R., & Kim, H. K. (2013). Effects of a paternal participation program during cesarean section on paternal infant attachment. *Korean Journal of Women Health Nursing, 19*(2), 75-87.

Chun, N., & Chae, H. (2015). Problems with bone health and the influencing factors of bone mineral density in women across the life cycle. *Korean Journal of Women Health Nursing, 21*(1), 43-54.

Lee, B. G., & Lee, Y. W. (2014). Effects of provision of concrete information about patient-controlled analgesia in hysterectomy patients. *Korean Journal of Women Health Nursing, 20*(3), 204-214.

Lee, I. S, & Kim, Y. M. (2015). Comparison of postoperative pain and nausea and vomiting between Desflurane and Desflurane-remifentanil anesthesia for gynecologic laparoscopic surgery. *Korean Journal of Women Health Nursing, 21*(1), 1-10.

13

CHAPTER

자료분석과 통계의 이해

13 자료분석과 통계의 이해

근거기반 실무가 강조되면서, 연구 자료를 분석하고 그 결과를 읽고 보고하는 기술을 획득하는 능력은 매우 중요하다. 이 장에서는 양적 연구에서의 자료 분석과 통계에 대한 이해를 도모하기 위해 다음 주제를 다루고자 한다: a) 자료 분석의 절차, b) 연구의 가설, 질문 또는 목적에 적합한 통계법 선택, c) 연구변수의 기술, 차이, 관계 및 설명에 흔히 사용하는 통계적 분석방법과 결과표 작성 및 평가

Ⅰ. 자료분석 절차

자료분석에서는 통계를 이용하여 양적 연구자료를 확인하고 평가한다. 양적 자료에 대한 자료분석 과정은 a) 분석할 자료 준비, b) 표본 기술, c) 측정도구의 신뢰도 검증, d) 자료탐색(빈도, 기술통계를 통한 중심성, 산포도, 대칭성 평가), e) 결측자료 정리 및 f) 연구목적에 답하기 위한 자료분석 시행으로 구성된다.

1. 분석할 자료 준비

연구자가 컴퓨터 통계프로그램을 이용하여 자료를 입력할 때, 자료 입력시 오류를 줄이기 위해 체계적인 점검이 필요하다. 예를 들면, 모든 대상자의 연구 자료가 완전하게 수집되었는가? 질문지를 확인하고, 연구 자료가 통계분석에 사용할 수 있도록 수량화 되어 있는가 확인한다. 다중 응답인 경우 자료를 어떻게 입력할 것인가, 특정 변수에 대한 무응답이 발생할 경우 결측값을 어떻게 입력

할 것인지 구체적인 지침을 마련한다. 만약 연구자료에 대한 무응답 항목이 많거나 특정 연구변수에 대한 자료가 충분치 않다면 그 대상자를 자료분석에 포함할지 여부를 결정한다. 만일 결측자료를 포함한 대상자를 제외한다면, 표본 수 대비 최종 분석에 포함한 연구대상자 수가 적어질 것이다.

2. 표본의 기술

연구자는 연구대상자와 관련된 변수에 대해 자료를 분석한다. 연구대상자의 연령, 성별, 교육기간과 같은 인구학적 특성, 특정질환의 유병기간, 치료 유형과 같은 질병관련 특성, 운동, 음주, 흡연과 같은 건강생활 습관 등이 대표적인 예이다. 변수 값에 대한 빈도(비율)와 더불어 변수의 중심경향성(예: 평균)과 산포도(예: 표준편차) 및 대칭(예: 정규분포)을 평가하여 연구변수의 특성을 이해한다. 실험연구와 같이 집단이 두 개 이상이라면 집단별 대상자의 특성을 비교하여 집단 간 대상자 특성이 동질한가 분석하여 집단의 동질성을 평가할 수 있다. 만약 집단 간 차이가 있는 변수가 있다면, 주요 연구가설을 분석할 때 이 변수를 어떻게 통계적으로 통제할 것인가 계획을 수립한다.

> 연구대상자 특성 보고에서 평가할 내용
> – 연구대상자 특성은 어떤 변수로 기술하였는가?
> – 이를 위해 어떤 통계법을 사용하였는가?
> – 연구대상자는 모집단을 대표하였는가?
> – 만일 두 집단으로 연구결과를 비교한다면, 집단의 사전 동질성은 확보되었는가?

3. 측정도구의 신뢰도 분석

연구자는 측정도구의 신뢰도를 분석한다. 관찰법이나 생리적 측정법을 이용한 경우 자료수집 현장에서 관찰자 간 신뢰도 또는 측정 기계에 대한 민감도, 특이도, 정확도를 평가한다. 측정도구가 척도를 사용한 설문지라면 신뢰도 분석을 통해 신뢰도 계수 Cronbach's alpha 값을 산출한다. 신뢰도 계수 0.7을 기준으로 측정한 연구변수를, 자료를 분석하기 적합한 자료인가 아닌가를 결정한다. 반복측정을 한 도구하면, 검사–재검사 신뢰도를 구할 수 있다.

> 신뢰도 보고에서 평가할 내용
> – 어떻게 측정도구에 대한 신뢰도를 보고하였는가?
> – 신뢰도 보고를 위해 어떤 통계방법을 사용하였는가?

4. 자료탐색

자료탐색은 모든 연구자료를 기술적 수준으로 검정하는 것이다. 자료의 특성을 확인하는 과정에는 변수 값에 대한 빈도분석(비율)과 더불어 변수의 중심경향성(예: 평균)과 산포도(예: 표준편차) 및 대칭성(예: 정규분포) 평가가 있다. 빈도분석에서는 변수의 변수값 별 빈도와 비율을 평가한다. 예를 들면, 대상자의 성별 변수에서 남자는 47명(47%), 여자는 53명(53%)인가 확인한다. 연속변수의 경우 기술통계를 통해 평균과 표준편차를 구하고, 해당 변수의 특성을 탐색한다.

중심경향성은 자료의 중간값 또는 평균을 의미한다. 중심경향성은 평균, 중앙값, 최빈값으로 평가하는데 이중 평균이 중심경향성을 나타내기 위해 가장 일반적으로 사용하는 값이다. 만일 자료가 정규분포를 한다면 이 세 개의 값은 동일하거나 매우 근접한 값에 위치하게 된다. 따라서 자료의 중심경향성을 평가하기 위해 세 가지 지표를 비교 분석할 필요가 있다.

산포도는 중심경향성 지표인 평균을 중심으로 자료가 얼마나 흩어져있는가를 평가하는 것이다. 연구자는 흔히 중심경향성의 값에만 관심을 갖고 자료의 산포도에는 관심이 없는 경우가 많다. 평균이 같더라도 산포도의 크기에 따라 분산의 크기가 적게 나타나면, 이는 표본이 상대적으로 동질함을 의미하며, 이질적인 표본이라면 점수가 다양하기 때문에 분산이 크게 나타날 것이다. 산포도의 측정값은 분산(표준편차의 제곱), 범위(최대값−최소값) 및 백분위 수이다. 만일 분포가 정규분포를 한다면, 평균을 중심으로 값의 68%는 평균의 1 표준편차(SD) 안에, 값의 95%는 평균의 2 SD 안에, 자료의 99% 이상은 평균의 3 SD 내에 위치한다.

대칭성은 변수의 점수 분포가 평균을 중심으로 왼쪽과 오른쪽의 분포가 동일한 모양으로 나타나는 것을 말한다. 한 변수의 분포가 비대칭적이면 한 쪽으로 기울게 되는데, 이 때에는 평균이 중앙값과 일치하지 않는다. 대칭성은 왜도와 첨도로 평가한다. 왜도는 왼쪽 또는 오른쪽 중 어느 한쪽으로 치우쳤는가를 평가하는 것이고, 첨도는 분포의 종 모양이 너무 납작한 지 아니면 너무 높은지를 측정하는 것으로 적절한 종 모양을 벗어나는가 여부를 평가한다. 만일 계산값이 (−)이면 음의 왜도/첨도가, (+)이면 양의 왜도/첨도가 있다고 해석한다. 양의 왜도인 경우 대상자가 왼쪽으로 많이 몰려있고, 음의 왜도인 경우 대상자가 오른쪽으로 많이 몰려있다. 왜도계수는 Fisher 왜도값이 있는데, 이는 (왜도/왜도의 표준오차)로 계산한다. 대칭분포라면 Fisher 왜도값 역시 0이 된다. Fisher 왜도값이 ±1.96 이내이면 대칭성이 인정되나, 만일 ±1.96 이상이면 $p=.05$ 수준에서 대칭성을 위반한 것으로 해석한다. 반면 첨도값은 Fisher 첨도값으로 구하는데 이는 (첨도/첨도의 표준오차)로 계산한다. Fisher 첨도값이 ±1.96 이내이면 그 분포가 정상이라 할 수 있다.

또한 연속변수의 정규분포는 추론통계를 수행할 때 통계적 가정을 확인하는데 필수 항목이기 때문에, 연구자는 통계 분석을 시작하기 전에 변수의 정규성을 반드시 평가한다. 정규성은 Kolmogorov-Smirnov test 또는 Shapiro-Wilk test를 이용하여 유의성을 검정하거나 그래프를 통한 자료의 분포(히스토그램이나 상자 도표)를 통해 평가한다. 정규분포를 위배할 경우 해당 변수의 특성을 자세히 탐색하고 변수의 전환(예, 제곱근, 로그, 역수 등) 과정을 통해 정규분포를 유도할 수 있다.

이때 자료탐색 과정을 통해 이상값이 있는가 확인해야 한다. 이상값은 변수에서 기대하는 정상 범위를 넘어서는 극단값으로, 이는 변수의 평균, 표준편차 및 정규성에 영향을 미치기 때문에 이상값과 그 정도를 확인할 필요가 있다. 만일 이상값이 있다면 이를 유지하거나 제거하는 결정을 내려야 한다. 만일 표본크기가 큰 경우에는 이상값 여부와 상관없이 결과가 거의 영향을 받지 않기 때문에 이상값의 존재를 무시할 수 있다. 하지만 이상값에 따라 결과가 달라진다면 이상값을 찾아내어 이를 처리한 후 통계분석을 수행해야 한다.

보건 통계책(Lee, Chung, Kim, Song & Hwang, 2008)에 소개된 이상값 처리 방법은 다음과 같다.

1) 이상값이 포함된 분포의 양쪽 극단값의 5%씩을 제외하고 계산된 절사평균(trimmed mean)을 사용한다. 표본 크기가 100이라면, 5% 절사평균은 전체 자료의 90% 자료에 대한 평균값을 의미한다.

2) 다른 대안으로 윈저화 평균(winsorized mean)을 사용하는 것이다. 이는 가장 크고 작은 극단값을 그 다음 순서에 위치한 크고 작은 값으로 각각 대치하는 방법이다(Winer, 1971). 또는 극단값을 두 번째 위치한 극단값보다 한 단위 크거나 작은 값을 부여하는 방법도 있다(Tabachnick & Fidell, 2001). 이러한 방법은 극단값의 다음 단계로 값을 조정하여 분포의 중심을 향하도록 끌어 모을 수 있는 장점과 더불어 극단값이 포함된 모든 자료를 그대로 사용할 수 있다는 장점이 있다.

자료탐색에서 평가할 내용
– 변수의 빈도(비율), 평균, 표준편차를 통해 변수의 특성을 평가하였는가?
– 변수의 중심경향성, 산포도, 대칭성 및 정규분포를 평가하였는가?
– 이상값은 연구결과에 어떻게 영향을 미칠 수 있겠는가? 만일 이상값이 있었다면, 어떻게 처리하였는가?

5. 결측자료 처리하기

자료분석에서 흔히 접하는 문제가 결측자료 관리이다. 대부분의 연구는 어떤 몇 변수에 대해 결측 정보를 갖는데, 대상자 수준에서 종단적 연구와 같은 측정시점이 여러 개일 때 한 번이라도 참여를 안 한 경우 발생한다. 또는 설문조사에서 한 페이지를 실수로 넘겨 그 페이지의 모든 항목에 대한 답변이 없거나, 한 두 개의 변수에 응답을 안 할 때 발생한다. 결측치(missing values)는 편의를 발생시키는 잠재적인 원인이 되기 때문에 결측자료의 양상과 양을 밝히고, 결측이 발생한 이유가 무엇인가, 그리고 결측자료를 어떻게 처리할 것인가 결정을 해야 한다.

결측자료는 우연히 만들어진 무작위 양상의 결측이 있고, 반면 조직적이고 비확률적으로 생긴 체계적 결측으로 구분한다. 대형자료라면 매우 적은 수의 무작위 양상의 결측값을 무시하여도 괜찮으나, 만일 체계적인 결측자료의 경우에는 단지 몇 사례에서도 결측치가 결과에 미치는 영향이 커 연구결과의 일반화를 왜곡할 수 있기 때문에 이를 신중하게 처리하여야 한다. 또한 결측치의 발생 이유가 어떤 체계적인 사건이나 응답자의 행동에 의한 것인가 자료를 자세히 살펴야 한다.

보건 통계책(Lee et al., 2008)에 소개된 결측자료의 처리 방법은 다음과 같다. 결측치의 처리방법에는 완전한 사례(목록별 결측치 삭제)만 이용, 사용가능한 사례(대응별 삭제)만 이용, 사례 또는 변수의 삭제, 가중법, 대체를 통한 결측치 추정 등이 있다. 가장 흔히 사용하는 방법은 결측치를 가진 사례는 모두 삭제하고 완전한 사례만 자료분석에 사용하는 것이다. 반면, 변수 간 상관분석을 할 때에는 결측치가 있는 변수의 사례는 제외하고 유효한 사례들 간 관련성을 계산하기 때문에 이는 이용가능한 사례만 이용한 경우이다. 사례 또는 변수의 삭제는 연구자가 결측치의 범위를 결정하여, 예를 들면 결측치가 전체 자료의 5~10% 일 때 삭제한다는 기준을 갖고, 이에 속하는 사례나 변수를 삭제하는 것이다.

대체법(imputation)은 표본의 다른 변수나 사례의 타당한 값에 근거하여 결측치를 추정하는 과정이다. 대체법의 목적은 결측치의 추정을 위해 표본의 타당한 값에서 밝혀낼 수 있는 알려진 관계를 사용하는 것이다. 결측치 추정에 사용하는 방법에는 사전 지식이나 경험에서 나온 추측에 근거한 값으로 결측치를 대체하는 사전 지식이용이 있고, 가장 흔히 사용하는 방법은 결측치가 있는 변수의 평균 또는 중앙값을 구하여 결측치에 이 값을 대체하여 사용하는 평균 대체이다. 이는 쉽게 수행할 수 있는 장점이 있고 이를 통해 완전한 자료를 갖춘 사례가 보장된다. 그러나 전체 평균을 사용하는 것 보다 효율적인 평균 대체방법은 연구대상자의 특성을 고려하여 평균을 대체하는 방법으로, 예를 들면 심장질환을 가진 사람들에서 삶의 질 점수에 결측치가 있다면 그 집단의 평균을 구해 결측치를 대체하고, 당뇨병을 가진 사람이라면, 그들 집단의 평균을 계산하여 대체하는 것이 전체 대상자의 평균을 사용하는 것보다 더 타당할 수 있다.

회귀의 사용은 결측치를 가진 종속변수에 대한 회귀방정식을 만들기 위해 자료내의 다른 독립변수들을 이용하는 방법이다. 완전한 자료를 가진 사례로 회귀방정식을 만들고, 이 방적식은 불완전한 사례들에 대한 결측치를 예측하는데 사용한다. 다중대체는 기존의 단일대체와는 달리 각각의 결측치를 여러 개의 값으로(3-5개) 대체하는 방법이다. 이를 위해 먼저 결측치가 대체된 3-5개의 완전한 자료를 생성하고 이 자료셋을 이용하여 3-5개의 다중회귀분석을 실시하여 얻은 3-5개의 예측치를 종합하여 한 개의 값을 생성한 후 이 값을 결측치로 대체하는 것이다.

연구자는 결측치 처리방법을 달리함에 따라 분석결과가 어떻게 달라지는가를 검토하여 가장 좋은 방법을 선택한다.

6. Intention to treat (ITT) 분석을 위한 결측자료의 처리

실험연구 집단에 배정된 대상자들이 연구 중간에 프로토콜을 준수하지 못하였거나 순응이 안되거나 중간탈락을 하였다 하더라도 그 대상자에 대한 평가는 계속 이루어져서 처음 처치가 배정된 대로(intention-to-treat) 모든 대상자를 분석 대상군으로 정의하는 것이 ITT 분석이다. 이를 통해 두 집단의 동질성을 유지하면서도 탈락으로 인한 연구결과의 편향을 방지할 수 있다. 우선은 결측자료가 발생하지 않도록 자료의 수집과 관리에 모든 노력을 기울여야 한다. 그러나 실제 자료를 수집할 때 결측자료가 자주 발생하기 때문에 결측자료 처리방법에 대해 미리 기술하고, 다양한 결측자료 보정방법들을 수행하여 상황에 맞는 적절한 방법을 선택한다.

7. 자료분석

연구목적에 적합한 자료분석 방법을 선택하고 SPSS 또는 SAS 통계프로그램을 통해 자료를 분석한다.

13
CHAPTER

II. 연구의 가설, 질문 또는 목적에 적합한 통계법

확률분포란 동일 집단 또는 현상의 반복측정 결과가 나타내는 집합적 양상을 의미한다. 확률분포를 이용하여 표본자료의 통계분석을 시행한다. 확률분포는 관측결과가 명목변수인 경우 이산분포를 따르고, 연속변수인 경우 정규분포를 따른다. 모집단이 정규분포를 따르지 않더라도 모집단에서 무작위로 반복하여 추출된 표본의 평균은 표본의 크기가 어느 정도 크면 중심극한 정리에 의하여 정규분포를 따른다고 본다. 모수란 궁극적으로 알고 싶은 모집단의 특성이며, 추정치는 표본으로부터 산출된 값이다. 표본으로부터 얻어진 추정치를 이용하여 추정과 검정을 시행한다.

통계에 사용하는 변수는 성별, 종교, 경제수준과 같이 특정한 범주로 관찰한 범주변수(명목 척도와 서열 척도)와 혈압, 체질량지수, 삶의 질, 발생률과 같은 연속된 숫자로 관찰한 연속변수(등간 척도와 비율 척도)가 있다. 연구자는 자신이 설정한 연구 목적 또는 가설에 적합한 통계법을 선택하게 되는데, 크게 차이 검정을 위한 통계분석과 관련성 평가를 위한 통계분석으로 나눌 수 있다. 또한 자료의 특성에 따라 모수적 통계 검정과 비모수적 통계 검정을 선택할 수 있다.

모수적 통계의 전제조건은 표본의 모집단이 정규분포를 이루고, 집단 내 분산이 동일하고, 변수는 등간 척도와 비율 척도로 측정해야 한다. 또한 대상자 수가 충분히 커야 한다. 만일 대상자 수가 크거나 결과변수가 정규분포를 충족한다면 모수 검정을 선택하여 t 분포, z 분포, F 분포를 통해 분석한다. 통계에서는 대부분 변수의 평균을 비교하게 되는데 정규분포를 한다면 평균은 자료를 대표하는 값이 되기 때문이다. 먼저 차이를 검정할 때 검정하고자 하는 변수의 특성, 검정하고자 하는 가설, 두 개 이상의 변수를 대상으로 하는 경우에는 독립성 여부, 단변량분석 또는 다변량분석을 시행 여부 등 여러 요인에 따라 통계분석 방법은 달라진다. 일정 간격을 가진 연속변수에서는 두 집단간 평균 차이는 t-test를, 짝 표본에서 평균 차이는 paired t-test, 집단이 두 집단 이상인 경우 분산분석을 수행한다.

관련성을 검정할 경우, 명목변수 간 관계는 chi-square test를, 서열변수 간 관계는 Spearman's rank order correlation coefficients 또는 Kendall's tau로 검정한다. 또한 연속변수 간 관계는 상관계수(Pearson's product moment correlation coefficients)로 검정하고, 상관관계에 기초하여 변수를 설명하고 예측하기 위해서는 다중회귀분석 또는 로지스틱회귀분석으로 검정한다.

그러나 대상자 수가 적거나 모집단이 정규분포를 한다고 가정할 수 없는 경우에, 또는 변수가 명목변수나 서열척도로 측정하는 경우에는 비모수적 통계검정을 이용한다. 만일 변수의 특성이 명목변수이고 두 변수 간 빈도를 비교하는 경우에는 카이제곱 검정을, 동일한 변수의 사전 사후값에 대한 차이는 짝비교 검정인 McNemar 검정을 수행한다. 서열변수인 경우 집단에 따른 차이는 Rank sum 검정을, 짝 표본에서 점수 차이는 Signed rank 검정을 수행한다. 또한 연속변수일지라도 정규분포를 가정할 수 없거나 연구대상자 수가 적을 때에는 비모수적 검정을 사용하여 통계적 검정력을 높일 수 있다. 독립적인 두 집단의 평균을 비교할 때에는 윌콕슨 순위합 검정(Wilcoxon rank sum test)이나, 맨-휘트니 U 검정(Mann-Whitney U test), 짝지은 관측치를 비교할 때에는 윌콕슨 부호화순위검정(Wilcoxon signed-Rank test), 둘이상의 집단 간 평균을 비교할 때에는 크루스컬 윌리스(Kruskal Wallis) 일원분산분석을 시행한다.

III. 실험연구 자료를 이용한 분석방법과 결과표 작성

1. t 검정(t-test)

실험연구에서 실험군과 대조군 두 집단이 있을 때, 집단 간 변수의 차이 검정을 위해 t-test를 수행한다. t-test의 통계적 가정에는 1) 독립변수(집단변수)는 명목변수이고 상호배타적이다, 2) 종속변수는 연속변수이며 정규분포를 한다, 3) 두 집단의 분산은 동질하다. 가정을 충족하면 t-test를 수행하여 분산의 동질성을 평가하여 분산의 동질성을 충족한 경우 등분산이 가정된 t-test 결과를 읽고, 분산의 동질성이 나타나지 않은 경우 이분산이 가정된 t-test 결과를 읽는다. 자료분석을 기술할 때 자료가 통계적 가정을 충족하였는가 기술한다.

예를 들면 Cho 등(2012)의 실험연구 논문에서 실험군과 대조군 집단 간 사전측정변수에 대한 동질성을 검정하기 위해 t-test를 수행하였다. 실험군과 대조군 간은 명목변수이며 상호배타적이고, 종속변수인 산모연령, 임신기간, 신생아 키와 체중은 연속변수이며 정규분포의 가정에 적합하다. 분산의 동질성 여부는 연구자가 자료분석 후 등분산 가정이 되었는가 확인한 후 등분산 가정에 의한 t-test 결과를 읽거나, 이분산 가정에 근거한 t-test 결과를 읽어야 한다. 차이검정 결과 실험군의 연령은 평균 29.9(SD=3.26)세, 대조군의 연령은 평균 31.4(SD=4.10)세로 나타났고, 검정결과 $t=1.408(p=.166)$로 나타나 통계적인 유의성은 없는 것으로 나타났다. 즉 실험군과 대조군의 연령은 차이가 나지 않음을 의미한다(BOX 13-1).

| BOX 13-1 | t 검정을 이용한 사전 측정변수에 대한 집단 간 차이검정 |

Characteristics of Study Subjects between the Experimental and the Control Groups (N=47)

| Variables | All | Group | | t | p |
	Mean (SD)	Experimental Mean (SD)	Control Mean (SD)		
Maternal age, years	30.7(3.68)	29.9(3.26)	31.4(4.10)	1.408	.166
Gestational period, days	297.2(18.52)	299.9(17.25)	294.5(19.79)	0.984	.330
Birth weight of neonate, kg		3.3(0.39)	3.4(0.48)	0.643	.523
Birth height of neonate, cm		51.8(2.55)	52.3(2.42)	0.648	.521

출처: Cho, J., Ahn, H. Y., Ahn, S., Lee, M. S., & Hur, M. H. (2012). Effects of Oketani breast massage on breast pain, the breast milk pH of mothers, and the sucking speed of neonates. *Korean Journal of Women Health Nursing, 18(2),* 149–158.

실험연구의 목적으로 실험효과를 검정하기 위해서 흔히 사용하는 통계법은 집단 수가 둘 일 경우 t 검정을 수행한다. 사전 조사에서 집단 간 결과변수의 동질성이 확보되었다면, 사후 결과변수에 대한 차이검정을 수행할 수 있다. 또는 결과변수의 사후 점수에서 사전점수를 뺀 값을 구한 후 집단 간 변화값에 대한 차이를 검정할 수 있다.

Lee와 Lee (2014)의 연구논문에서는 구체적인 정보를 제공받은 실험군과 일반적인 정보를 제공받은 대조군의 수술 후 4시간째 통증 점수를 비교한 결과 실험군에서는 평균 5.67(SD=1.09), 대조군에서는 평균 7.40(SD=1.33)으로 나타나 집단 간에 유의한 차이(t=5.52, $p<.001$)가 있었다고 보고하였다. 즉 실험군은 대조군에 비해 간호중재를 받은 후, 수술 후 통증 점수가 유의하게 낮게 나타났다. 하지만 시간별로 통증점수의 차이를 검정하기 위해 t-test를 반복하면 1종 오류가 커지기 때문에 이런 경우에는 반복측정분산분석을 통해 집단과 시간과의 교호작용 효과를 검정하는 것이 바람직하다. 또 하나의 결과 변수인 통증자가조절기 사용 만족도는 구체적인 정보를 들은 실험군 평균이 4.53(SD=0.51)점, 대조군에서는 3.03(SD=0.85)점으로 나타나 실험군의 만족도가 유의하게 높았다(t=-8.30, $p<.001$) (BOX 13-2).

| BOX 13-2 | *t* 검정을 이용한 사후 측정변수에 대한 집단 간 차이검정 |

Post-operative Pain Score and Satisfaction Level of Using PCA (N=60)

Variables	Category	Group		*t*	*p*
		Experimental	Control		
		Mean (SD)	Mean (SD)		
Post-operative pain score	At 4 hours	7.40 (1.33)	5.67 (1.09)	5.52	<.001
	At 8 hours	5.47 (1.28)	2.73 (1.31)	8.17	<.001
	At 24 hours	2.77 (1.07)	1.43 (1.14)	4.68	<.001
Satisfaction level of using PCA		3.03 (0.85)	4.53 (0.51)	−8.30	<.001

Note. SD=standard deviation, PCA=patient controlled analgesia.

출처: Lee, B. G., & Lee, Y. H. (2014). Effects of provision of concrete information about patient-controlled analgesia in hysterectomy patients. *Korean Journal of Women Health Nursing, 20*(3), 204-214.

또 다른 예를 들어보면 Cho 등(2012)의 연구논문에서 결과변수인 유방통(breast pain)에 대한 사전-사후 차이값을 구한 후 집단 간 차이값에 대한 차이검정을 수행한 결과, *t*=8.384(*p*<.001)로 나타나 유의한 차이를 나타내었다. 즉 실험군에서는 유방통증이 5.14점 줄어든 반면, 대조군은 0.92점만 줄어들어 간호중재를 받은 실험군에서 유방통증의 감소 폭이 유의하게 큰 것으로 나타났다(BOX 13-3).

| BOX 13-3 | *t* 검정을 이용한 사전-사후 차이값에 대한 집단 간 차이검정 |

Variables	Pretest	Posttest	Difference
	Mean (SD)	Mean (SD)	
Breast pain			
Experimental group	7.10 (1.92)	1.95 (1.29)	−5.14 (2.06)
Control group	7.16 (1.58)	6.24 (1.80)	−0.92 (1.33)
t (p)	0.126 (.901)	9.119 (<.001)	8.384 (<.001)

Note. SD=standard deviation

출처: Cho, J., Ahn, H. Y., Ahn, S., Lee, M. S., & Hur, M. H. (2012). Effects of Oketani breast massage on breast pain, the breast milk pH of mothers, and the sucking speed of neonates. *Korean Journal of Women Health Nursing, 18*(2), 149-158.

그러나 위 결과 표에서는 사전-사후 차이값에 대한 차이검정 결과를 보고하면서, 사전 및 사후 조사값에 대한 집단 간 차이검정을 수행하여 그 결과를 동시에 보고하였다. 사전 조사값에 대한 집단간 차이검정은 두 집단의 결과변수에 대한 사전 동질성 검정을 보고한 것이기 때문에 적절하다. 그러나 사후 조사값에 대한 집단 간 차이검정은 연구가설에 없는 불필요한 자료 분석을 수행한 것이기 때문에. 이런 결과는 삭제하여야 한다. 즉 연구자는 자신이 검정하고자 하는 연구가설이 무엇인가 확인한 후에 가설검정에 필요한 자료분석을 수행하고, 그 결과만을 보고하도록 한다.

2. 일원분산분석(ANOVA) 또는 공분산분석(ANCOVA)

실험연구에서 기존 간호군, 새로운 간호군, 대조군과 같이 집단 수가 세 개일 경우 평균차이를 검정하기 위해 일원분산분석을 수행한다. 분산분석의 기본 조건은 독립변수는 2개 이상의 집단을 갖고 있고, 종속변수는 연속변수이자 정규분포를 하고, 집단간 종속변수의 분산은 동일해야 한다는 것이다. 자료가 세 가지 가정에 충족한다면 일원분산분석 검정을 통해 세 집단 간 평균 차이가 유의한지를 보고하고, 사후 검정을 통해 어떤 집단 간 비교에서 유의한 평균차이를 나타내었는가 보고한다. 만일 사전 동질성 검정에서 집단 간 차이를 보인 종속변수가 있다면, 사전 조사값을 통제한 상태에서 사후 측정값에 대해 공분산분석을 수행한다.

Kim과 Sung (2014)의 논문에서는 실험 1군(일반오일 손 마사지군), 실험 2군(향 요법 손 마사지군) 및 대조군에서 불안 정도와 혈압의 차이를 검정한 후 아래와 같이 결과표를 제시하였다. 사전 동질성 검정에서 세 집단 간 차이가 없었던 상태불안 점수에 대해서는 집단 간 사후 측정값에 대해 일원분산분석을 시행한 반면, 혈압 수치는 사전 조사에서 집단 간에 차이가 있어 공분산분석을 통해 사전 조사값을 통제한 후 집단 간 혈압과 맥박에 대한 차이를 검정하였다. 사후 상태불안점수는 일반오일 손 마사지군의 경우 평균 45.65(SD=9.37)점, 향 요법 손 마사지군은 평균 45.55(SD=8.81)점, 대조군은 평균 48.30(SD=15.31)점으로 나타났고, 검정 결과 세 집단 간에 불안 점수는 통계적으로 차이가 없었다(F=0.36, p=.696) (BOX 13-4). 반면, 혈압 변수에 대한 공분산분석 결과, 세 집단의 사후 수축기압은 일반오일 손 마사지군은 평균 121.45(SD=7.76)mmHg, 향 요법 손 마사지군은 평균 118.05(SD=7.97)mmHg, 대조군은 평균 125.10(SD=7.93)mmHg로 나타났고, 사전 수축기압 값을 통제한 상태에서 세 군간의 사후 수축기압은 통계적으로 유의한 차이가 있었다(F=24.95, p<.001) (BOX 13-5).

BOX 13-4　　ANOVA를 이용한 집단 간 사후 점수의 차이검정

Comparison of Anxiety Variables among Three Groups (N=60)

Variable	Categories	Exp. I Mean (SD)	Exp. II Mean (SD)	Cont. Mean (SD)	F	p
State anxiety	Pretest	52.40 (10.04)	54.80 (11.94)	54.20 (9.90)	0.36	.696
	Posttest	45.65 (9.37)	45.55 (8.81)	48.30 (15.31)		

Note. Exp. I=hand massage group; Exp. II=aroma hand massage group; Cont.=control group.

출처: Kim, Y. A., & Sung, M. H. (2014). Effect of aroma hand massage on anxiety and immune function in patients with gynecology surgery under local anesthesia. *Korean Journal of Women Health Nursng*, 20(2), 126-136.

BOX 13-5	ANCOVA를 이용한 공변수 처리 후 집단간 차이검정

Comparison of Anxiety Variables among Three Groups (N=60)

Variable		Categories	Exp. I	Exp. II	Cont.	F	p
			Mean (SD)	Mean (SD)	Mean (SD)		
Blood pressure (mmHg)	Systolic BP	Pretest	129.75 (7.39)	129.50 (6.23)	116.10 (10.03)	24.95†	<.001
		Posttest	121.45 (7.76)	118.05 (7.97)	125.10 (7.93)		
	Diastolic BP	Pretest	78.60 (6.41)	73.85 (8.34)	71.05 (7.49)	28.22†	<.001
		Posttest	71.25 (5.67)	65.85 (7.28)	77.40 (7.86)		

Note. Exp. I=hand massage group; Exp. II=aroma hand massage group; Cont.=control group.
†ANCOVA

출처: Kim, Y. A., & Sung, M. H. (2014). Effect of aroma hand massage on anxiety and immune function in patients with gynecology surgery under local anesthesia. *Korean Journal of Women Health Nursng, 20*(2), 126-136.

일부 연구자는 사전조사 점수가 통계적으로 유의한 차이를 보이지 않는 경우에도 사전 점수를 통제한 상태에서 공분산분석을 통해 사후 측정변수에 대한 차이를 검정하기도 한다. 그러나 ANCOVA를 사용한다면 자유도를 하나 상실하기 때문에 검정력이 약해져 유의성을 얻기 어려울 수 있으므로 ANCOVA를 사용하지 않는 것이 바람직하다.

3. 반복측정 분산분석

집단의 수와 무관하게 실험효과를 여러 번 반복측정한 경우 반복측정 분산분석(repeated measures of ANOVA)을 수행한다. 예를 들면, BOX 13-6과 같이 실험군과 대조군에게 사전 조사를 한 후, 중재를 제공한 후 측정을 5회 반복할 경우, 집단 간 효과와 시점 간 효과를 동시에 평가할 수 있는 반복측정 분산분석을 시행한다. 일부 연구에서는 측정시점 별로 실험군과 대조군 간 평균 차이를 검정하는 t 검정과 시점 별 평균차이를 검정하는 짝비교 t 검정을 반복해서 수행하기도 하는데, 이는 제1종 오류를 높이기 때문에 올바른 접근이 아니다. 따라서 이보다 검정력이 강력한 반복측정 분산분석을 선택하여야 한다.

반복측정 분산분석의 가정은 t 검정과 ANOVA의 기본가정이 필요하다. 즉 독립변수는 명목변수, 종속변수는 연속변수이자 정규분포를 하며 분산의 동질성을 확보해야 한다. 반복측정에서는 종속변수가 측정 시점에 따라 2개 이상 나타나기 때문에 종속변수들의 다변량 공분산 행렬의 동질성을 먼저 검정하고, 단변량 통계에서도 개별 종속변수의 분산의 동질성을 검정한다. 반복측정 분산분석에서는 같은 대상자를 여러 번 측정하므로 측정치 간 관련성이 있기 때문에 복합대칭의 가정을 충족하는지 추가로 평가해야 한다. 첫째 측정값 간 관련성은 동일하다는 것, 둘째 측정값 간 등분산에 대한 가정이 충족되어야 한다. 첫째 가정을 확인하는 방법은 측정시점 간 상관이 동일한지

구형성 검정을 시행하고 검정결과 유의성이 나타나지 않는다면 측정시점 간 상관은 동일하다고 평가한다. 만일 복합대칭의 가정이 위반되었다면, 단변량 결과가 아닌 다변량 결과를 읽어야 한다. 또 다른 방법은 제1종 오류 가능성을 줄이기 위해 epsilon (엡실론) 교정에 의해 계산된 검정결과를 읽는 것이다.

연구문제는 집단 간 효과, 시점 간 효과, 집단과 시점 간 교호작용 효과에 대한 3가지 연구가설을 세워 이를 평가한다. 분석결과는 집단 간 효과(측정시점에 관계없이 실험군과 대조군 간 평균 차이 검정), 시점 간 효과(집단에 관계없이 측정시점 간 평균 차이 검정), 집단과 시점 간 교호작용 효과(집단과 시점을 모두 고려한 차이 검정)의 유의성을 F값과 p값으로 보고하는데, 실험연구에서는 집단과 시점 간 교호작용 효과가 유의하여야 실험의 효과가 있음을 증명할 수 있다. 시점 간 점수의 변화, 집단 간 점수의 변화를 동시에 제시하는 그래프는 집단과 시점의 교호작용 양상을 쉽게 판별할 수 있는데 유용한 시각적 자료이다. 따라서 반복측정 분산분석의 경우 통계적 표와 그래프 두 가지를 제시하는 경우가 많다. 아래 표에서는 집단효과, 시점효과, 집단과 시점 간 교호작용 효과가 모두 유의하나, 실험연구이기 때문에 집단과 시점 간 교호작용의 유의성에 근거하여 실험 중재의 효과를 평가하였다.

즉 실험군은 대조군에 비해 PCA 단추 누름 횟수가 수술 직후 대비 수술 후 시간이 경과함에 따라 그 횟수가 유의하게 많음을 알 수 있다($F=7.52$, $p=.001$) (BOX 13-6).

BOX 13-6   RMANOVA를 이용한 집단 간, 시간, 집단과 시간의 상호작용 효과 검정

Comparison of Frequency of Pushing PCA Button and Administration of Extra Analgesics between Experimental and Control Group (N=45)

	Exp. (n=25) M±SD	Cont. (n=20) M±SD	t	p	Source	F	p
Frequency of pushing PCA button							
0~30 minutes	5.52±1.71	5.10±1.92	0.78	.442	Group	14.09	< .001
30 min~2 hr	6.00±1.80	3.90±1.89	3.80	< .001	Time	62.72	< .001
3 hr~6 hr	3.12±1.96	1.60±1.19	3.21	.003	Group*Time	7.52	.001
6 hr~24 hr	0.96±0.94	0.50±0.89	1.68	.101			
24 hr~48 hr	0.36±0.70	0.20±0.70	0.76	.449			

Note. PCA=patient controlled anesthesia, PACU=post anesthesia care unit.

출처: Lee, B. G., & Lee, Y. H. (2014). Effects of provision of concrete information about patient-controlled analgesia in hysterectomy patients. *Korean Journal of Women Health Nursing, 20*(3), 204–214.

4. 카이제곱 검정

두 집단 간 차이검정에 사용하는 종속변수가 명목 또는 서열변수일 때 카이제곱 검정을 사용한다. 실험군에서 직업이 있는 사람은 63.6%, 대조군에서 직업이 있는 사람은 64.0%로 나타나 그 분포가 유사하고, 검정결과 카이제곱 값은 0.001, p값은 0.979로 나타나 두 집단 간 관련성은 유의하지 않았다. 즉 두 집단 간 직업유무에 대한 차이가 없었다.

또는 사전-사후 변화에 대한 빈도 또는 비율에 관심이 있을 때에는 McNemar test를 시행한다. 아래 표는 중재 프로그램 전후 모유수유 형태의 변화를 McNemar test로 검정한 것이다(Cho & Ahn, 2014). 실험군에서는 모유수유군의 비율이 사전에는 14명(53.8%)이었는데 사후에는 24명(92.3%)으로 상승된 반면, 분유수유군의 비율이 사전에 12명(46.2%)이었는데 사후에는 2명(7.78%)으로 감소하였다. 실험군의 수유형태 변화에 대해 McNemar test를 수행한 결과 통계적 유의성이 나타났다. 따라서 실험 중재를 통해 모유수유를 더 많이 실천하게 한 효과를 확인하였다(BOX 13-7).

BOX 13-7　　McNemar test를 이용한 사전-사후 빈도차이 검정

Changes in Type of Feeding between Pretest and Posttest for Each Group (N=53)

Type of feeding	Measurement time	Exp. (n=26)		Cont. (n=27)	
		n(%)	p^*	n(%)	p^*
More breastfeeding	Pretest	14 (53.8)		12 (44.4)	
	Posttest	24 (92.3)		18 (66.7)	
			.002		.070
More bottle feeding	Pretest	12 (46.2)		15 (55.6)	
	Posttest	2 (7.7)		9 (33.3)	

Note. McNemar test; Exp.=Experimental group; Cont.=Control group.

출처: Cho, J., & Ahn, S. (2014). Development and evaluation of breastfeeding promotion program for mothers with breast engorgement following cesarean birth. *Journal of Korean Academy of Nursing, 44*(2), 170–178.

Ⅳ. 조사연구 자료를 이용한 분석방법과 결과표 작성

1. 카이제곱 검정

명목변수인 변수 간 관련성 정도를 평가할 때에는 χ^2 검정을 사용한다. 이 분석은 변수 간 관찰빈도에 기초한 기대빈도를 구한 후 관찰빈도와 기대빈도 간 차이를 검정하는 것으로 카이제곱 값이 클수록 통계적으로 유의한 확률을 갖는다.

두 변수의 값이 모두 2개씩이라면 두 변수 간 조합을 통해 2×2 테이블에 4개의 셀이 만들어지고, 만일 변수값이 2개, 3개인 변수 간 조합이라면 2×3 테이블에 6개의 셀이 만들어진다. 카이제곱의 기본 조건은 기대빈도가 5미만인 셀이 20% 미만이어야 한다. 만일 두 개 변수 간 관련성 검정에서 즉 2×2 테이블에서 이 조건을 위반하였다면, 카이제곱 검정에서 계산한 카이제곱 값은 적지 않는다. 유의확률은 카이제곱 값에 대한 유의확률 대신 Fisher's exact test에서 보다 엄격하게 계산한 p값을 읽어야 한다. 그 외 3×4 테이블과 같은 여러 변수값을 갖는 변수 간 관련성 검정에서 이 조건을 위반하였다면, 셀의 수를 줄이기 위해 변수값을 재코딩할 필요가 있다. 예를 들면 성별과 학력 간 관계성을 보고자 학력을 초졸 미만, 초졸, 중졸, 고졸, 대졸, 대학원 이상으로 나누어 6개의 변수값을 설정하였다고 가정하자. 만일 학력의 변수값이 많아 기대빈도가 5미만인 셀이 3개 셀 (25%)이 나왔다면, 카이제곱의 통계 가정을 위반하는 것이다. 이런 경우 학력 변수값의 조정이 필요하기 때문에 초졸 미만과 초졸을 합하여 초졸 이하로 재코딩하고, 대졸, 대학원 이상을 합하여 대졸 이상으로 재코딩하여 변수값을 4개로 줄여 카이제곱 검정의 조건에 적합한지 확인하여야 한다. 그럼에도 불구하고 조건을 충족하지 못하면 Fisher's exact test를 사용한다.

BOX 13-8은 골다공증 진단 여부와 연령군, 골다공증 진단여부와 교육수준 간 관련성을 평가하기 위해 카이제곱 검정 결과를 보고한 것이다. 우선 변수들이 모두 명목변수이므로 카이제곱 검정의 조건에 적합하고, 이후 기대빈도가 5 미만인 셀이 20% 미만인 가정에 충족하는지 확인한다. 만일 그 비율이 20% 이상인 경우에는 Fisher's exact test에서 계산한 p값을 보고한다. 골다공증 진단 여부와 연령 간 관련성을 카이제곱으로 검정한 결과 $\chi^2=65.23$ ($p<.001$)을 기록하여 통계적으로 유의한 관련성이 있었다. 그러나 골다공증 진단 여부와 교육수준 간에는 통계적인 차이가 없었다. 만일 유의한 결과를 확인하였다면, 결과에 대한 해석은 두 변수 간 관련성이 어떤 방향으로 있는가 서술한다. 예를 들면 '대상자의 연령군이 50~54세인 군의 골다공증 진단율은 25.7%인 반면, 55~59세 군에서는 35.5%, 60~64세 군에서는 38.8%로 나타나 연령군이 높은 것과 골다공증 진단은 유의한 상관이 있다'로 해석한다.

BOX 13-8	카이제곱 검정을 이용한 변수 간 관련성 검정

Comparison of Age and Education by Osteoporosis Diagnosed (N=687)

Variables	Categories	Osteoporosis diagnosed		χ^2 (p)
		Yes	No	
		n (%)	n (%)	
Age (yr)	50~54	39 (25.7)	312 (58.3)	65.23 (<.001)
	55~59	54 (35.5)	149 (27.9)	
	60~64	59 (38.8)	74 (19.4)	
Education	≤High school	103 (67.8)	330 (61.7)	1.87 (.183)
	≥College	49 (32.2)	205 (38.3)	

출처: Ahn, S., Kim, Y. M., Chun, N. M., & Lee, S. H. (2012). Incidence of osteoporosis and falls and predictors of fracture risk in postmenopausal women. *Korean Journal of Women Health Nursing, 18*(4), 237–247.

2. *t* 검정과 ANOVA

조사연구에서 흔히 사용하는 집단 간 변수 비교는 보고자 하는 집단의 수에 따라 두 집단의 경우 *t* 검정을, 세 집단 이상인 경우 일원분산분석(*F* 검정)을 수행한다. BOX 13-9는 성별에 따라 사회계 층별 건강불평등의 차이를 검정한 것이다.

교육수준은 5개 집단으로 구성되어 있기에 일원분산분석을 수행하였다. 분석 결과, 남성은 무학인 경우에 다른 교육군에 비해 건강불평등 점수가 가장 높게 나타났고 여성의 경우에도 무학인 경우가 건 강불평등 점수가 가장 높았다. 통계적인 검정 결과, 남성과 여성 모두 교육수준에 따라 건강불평등 수 준은 통계적으로 유의한 차이가 있었다(남성 F=22021.3, p<.001; 여성 F=56279.4, p<.001).

BOX 13-9	*t* 검정 또는 ANOVA 검정을 이용한 집단 간 차이 검정

Differences in Health Status by Education according to Gender (N=1,598,762)

Variables	Categories	Man		Woman	
		Mean (SD)	*t* or *F* (p)	Mean (SD)	*t* or *F* (p)
Education	Illiteracy	3.44 (0.99)	22021.3	3.67 (0.89)	56279.4
	Elementary or less	3.14 (0.98)	(<.001)	3.31 (0.91)	<.001
	Middle/high school	2.64 (0.87)		2.68 (0.82)	
	College/unive.rsity	2.33 (0.82)		2.37 (0.75)	
	Above graduate	2.52 (0.77)		2.38 (0.70)	

출처: Song, M. Y., Lim, W. Y., & Kim, J. I. (2015). Gender based health inequality and impacting factors . *Korean Journal of Women Health Nursing, 21*(2), 150–159.

3. 상관분석

연속변수인 변수 간 관련성 정도를 평가할 때에는 변수 간 관계를 검정하는 통계기법 Pearson product-moment correlation을 사용한다. 상관분석을 통해 상관계수의 크기(강도)와 방향을 확인하여 변수 간 관련성을 평가한다. 상관계수의 크기는 0~1의 범위를 가지며 0은 변수 간 상관이 없음을 의미하고, 1은 완전한 상관을 의미한다. 상관계수의 크기가 0에 가까울수록 변수 간 관련성이 낮음을 의미하고 1에 가까울수록 그 관련성이 높음을 의미한다. 또한 상관계수가 − 값을 갖는 것은 변수 간 관련성이 음의 방향 또는 역방향으로 관련성을 갖는 반면, + 값이라면 양의 방향으로 관련성이 있다는 것이다. 일반적으로 r값이 ±0.3 이하이면 변수 간에 약한 관계를, ±0.3-0.5 라면 중간 정도의 관계를, ±0.5 이상이라면 강한 관계를 의미한다. 여기에 유의확률(p)이 유의수준 0.05 보다 작다면 통계적으로 유의한 상관성이 있음을 의미하나, 0.05보다 크다면 통계적으로 관련성이 없음을 의미한다. 한 가지 더 고려할 것은 표본크기가 매우 클 경우 낮은 상관계수일지라도 예를 들면 n=560, r=0.12일지라도 p=.005와 같이 통계적으로 유의하게 나타날 수 있다. 이는 유의확률 p 는 대상자가 많아질수록 작은 상관계수에 대해서도 유의성을 나타내기 때문에 통계적 유의성은 있을지라도, 임상적으로 상관계수 r=0.12는 매우 낮은 수준의 상관을 나타낸 것이기 때문에 임상적 유의성은 없다고 해석할 수 있다.

BOX 13-10　　　상관분석을 이용한 변수 간 관련성 검정

Table 4. Relationships among BMI, BMD, and Index of Cardiovascular Risk Factors (N=100)

Variables	BMI	Lumbar total BMD	Femur total BMD	Percent of 10 yrs CVD
	r (p)	r (p)	r (p)	r (p)
BMI	1.00			
Lumbar total BMD	.30 (.002)	1.00		
Femur total BMD	.41 (< .001)	.59 (< .001)	1.00	
Percent of 10 yrs CVD risk	.33 (.001)	.04 (.640)	.12 (.219)	1.00
Age	.05 (.610)	-.26 (.007)	-.34 (.001)	.24 (.014)
Total cholesterol	.11 (.265)	-.08 (.422)	.04 (.630)	.30 (.002)
High density lipoprotein	.05 (.561)	.02 (.795)	-.06 (.497)	-.17 (.075)
Low density lipoprotein	.04 (.649)	-.07 (.487)	.04 (.656)	.31 (.001)
Triglyceride	.28 (.004)	-.08 (.410)	.05 (.586)	.32 (.001)
Systolic BP	.28 (.004)	.09 (.346)	.17 (.087)	.72 (< .001)
Diastolic BP	.24 (.015)	.05 (.561)	.13 (.173)	.63 (< .001)

출처: So, H., Ahn, S., Song, R., & Kim, H. (2010). Relationships among obesity, bone mineral density, and cardiovascular risks in post-menopausal women. *Korean Journal of Women Health Nursing, 16*(3), 224-233.

상관분석 결과를 보고한 BOX 13-10을 살펴보면 폐경 후 여성의 체질량지수, 요추 골밀도, 대퇴 골밀도와 심혈관질환 위험도 변수는 모두 연속변수이기 때문에 상관분석의 조건에 적합하다. 체질량지수와 요추 골밀도 간 상관계수는 r=.30(p=.002)으로 나타났고, 체질량지수와 대퇴 골밀도 간 상관계수는 r=.41(p<.001)이었다. 상관계수의 값과 유의성을 통해서 결과를 해석하면, 체질량지수와 요추 골밀도는 "유의한 중간수준의 양의 상관관계가 있다"고 기술한다.

4. 다중회귀분석

다중회귀분석은 관심을 갖고 있는 현상에 영향을 미치는 요인을 설명 또는 예측하기 위하여 연구자가 이론적 근거를 가지고 그 현상을 설명할 수 있는 관련 요인을 문헌고찰한 후, 이를 데이터 수준에서 검증하는 것이다. 즉 여러 개의 독립변수가 종속변수에 미치는 영향을 설명하기 위해 사용하는 분석이다.

회귀분석의 종류에는 동시(simultaneous) 회귀분석, 위계적(hierarchical) 회귀분석, 단계적(stepwise) 회귀분석이 있다. 동시 회귀분석은 관련 독립변수를 한 번에 모두 넣고 이들이 결과변수에 미치는 독립변수의 유의성과 상대적 중요도를 평가하는 것이다. 대부분의 연구논문에서 동시 회귀분석의 결과를 보고한다.

위계적 회귀분석은 이론적 근거에 따라 블록별 독립변수의 입력 순서를 연구자가 미리 결정하고 분석하는 것이다. 1 블록에 변수들을 입력하고 이들 변수의 설명력을 먼저 확인한 후, 1 블록의 변수를 통제한 상태에서 다음 블록에 추가 입력한 변수들이 결과변수에 미치는 추가효과를 평가할 수 있는 장점이 있다.

반면 단계적 회귀분석은 연구자가 변수 간 관련성과 예측 가능성을 이론적으로 또는 경험적으로 미리 결정한 것이 아니라, 통계 프로그램이 입력한 독립변수들과 종속변수 간 상관관계에 근거하여 가장 유의한 독립변수 순으로 분석을 수행한다. 연구자는 이러한 통계분석 방법을 통해 일명 '낚시(fishing)'라고도 부르는 이론적, 논리적, 경험적 근거 없이 통계적으로 유의한 결과를 찾는 것으로 비난받기도 한다. 연구자는 이 통계결과를 지지하기 위해서 문헌고찰을 거꾸로 수행해야 하기 때문에 올바른 연구과정이라 볼 수 없다. 따라서 연구계획을 할 때에 연구자의 연구목적을 달성하기 위해 문헌고찰을 자세하게 시행하고 이론적 근거 하에 동시 회귀분석이나 위계적 회귀분석법 중 어떤 분석법을 사용할지 미리 의사결정을 한다.

다중회귀분석의 기본 조건은 독립변수와 종속변수가 모두 연속변수이며 정규분포를 하고, 변수 간 이론적, 경험적 상관이 있어야 한다. 만일 독립변수가 성별, 질병 유무와 같이 명목변수라면 해당 명목변수(예: 성별 변수: 남자 1, 여자 2)를 남자 0과 여자 1의 값을 갖는 성별 가변수 (gender_ dummy 변수로 재코딩)를 만들어 연속변수로 전환하면 회귀분석의 독립변수로 사용할 수 있다. 회귀분석 시 잔차의 정규성과 등분산성을 통해 잔차 분석을 수행하고, 독립변수 간 높은 상관으로 인한 다중공선성을 확인하여야 한다.

자료가 이러한 통계적 가정을 충족하면 회귀분석을 통해 회귀식의 유의성을 ANOVA 검정으로 평가하고, 독립변수들이 종속변수에 미치는 영향력은 수정된 R^2 값을 보고한다. 개별 독립변수의 유의성은 t검정으로 평가하고, 독립변수의 상대적 중요도는 표준화 회귀계수(standardized coefficient, β)로 평가한다. 표준화 회귀계수는 −1~+1의 범위를 가지며 1에 가까울수록 중요도가 높고, 0에 가까울수록 중요도가 낮음을 의미한다. 비표준화회귀계수(unstandardized coefficient, B)는 회귀식을 보고할 때 상수와 같이 보고한다.

BOX 13-11	다중회귀분석을 이용하여 종속변수에 대한 독립변수의 영향력 검정

Table 5. Influencing Factors on Self-management (N=92)

Variables	Unstandardized coefficients		Standardized coefficients	t	p	Multicollinearity	
	B	SE	β			Tolerance	VIF
(Constant)	4.70	.51		9.30	<.001		
Uncertainty	-0.07	.02	-.32	-3.13	.002	.72	1.40
Uncertainty danger appraisal	-0.08	.06	-.12	-1.31	.195	.90	1.11
Uncertainty opportunity appraisal	0.28	.12	.21	2.42	.018	.99	1.01
Spouse*	0.28	.12	.20	2.25	.027	.99	1.01
Hemodialysis durations	-0.01	.01	-.18	-2.04	.044	.99	1.01
R^2=.38, Adjusted R^2=.33, F=9.87, p<.001							

*Dummy variable: Non-spouse group is a reference value; VIF=Variance inflation factor.

출처: Jang, H. S., Lee, C. S., & Yang, Y. H. (2015). Influence of uncertainty and uncertainty appraisal on self-management in hemodialysis patients. *Journal of Korean Academy of Nursing, 45*(2), 271–279.

지금부터는 연구논문에 보고된 다양한 회귀분석의 결과표를 살펴보자. BOX 13-11은 혈액투석 환자의 불확실성과 불확실성 평가, 인구학적 특성 및 질병특성이 자기관리에 미치는 영향을 탐색하고자 회귀분석을 수행한 결과이다. 연구자는 자기관리에 영향을 미칠 것이라고 예측한 5개 설명변수를 한꺼번에 투입하는 입력방식으로 동시 회귀분석을 하였다. 분석결과, 본 연구에서 사용한 회귀분석모형은 유의한 것으로 나타났고(F =9.87, p<.001), 총 32.8%의 설명력을 나타냈다. 개별 변수의 유의성을 t통계량과 p 값으로 평가한 결과, 5개 변수 중 불확실성, 불확실성 기회평가, 배우자 유무 그리고 투석기간이 자기관리에 유의한 영향을 미쳤다. 표준화계수의 크기와 부호를 통해 변수의 상대적 중요도와 방향을 비교하면, 불확실성의 β값이 가장 크면서 음의 방향을 나타내었기 때문에 불확실성 변수가 자기관리를 가장 잘 설명하고 불확실성이 낮을수록 자기관리는 잘 하는 것으

로 해석한다. 다음으로 불확실성 기회평가, 배우자 유무, 투석기간 순으로 나타났다. 또는 표준화계수 크기와 부호에 따라 결과를 서술할 수 있다. 즉 불확실성($\beta= -.32$)과 투석기간($\beta= -.18$)은 자기관리에 유의한 부정적 영향을 나타냈고, 불확실성 기회평가($\beta = .21$)와 배우자 유무($\beta = .20$)는 자기관리에 유의한 긍정적 영향을 미쳤다.

BOX 13-12	위계적 다중회귀분석을 이용하여 종속변수에 대한 독립변수의 영향력 검정

Table 6. Predictors of 10-year Probability of Hip Joint Fracture (N=687)

Variables	Block 1[†]			Block 2[†]		
	B	β	t (p)	B	β	t (p)
Osteoporosis diagnosed (1=yes)	0.49	.24	6.85 (< .001)	0.42	.21	6.12 (< .001)
Experience of falls (1=yes)	0.61	.28	8.04 (< .001)	0.07	.03	1.00 (.315)
Demographic variables						
Living alone (1=yes)				0.06	.04	1.46 (.144)
Being unemployed (1=yes)				0.17	.10	3.47 (.001)
Surgical menopause (1=yes)				0.19	.07	2.45 (.014)
Physical health variables						
Body mass index				-0.06	-.21	7.36 (< .001)
Perceived health (1=poor)				0.08	.03	1.08 (.278)
Fracture history (1=yes)				1.84	.55	17.03 (< .001)
Chronic disease (1=yes)				0.14	.08	2.75 (.006)
	F=62.14, Adjusted R^2=.156, $p<$.001			F=61.99, Adjusted R^2=.454, $p<$.001		

출처: Ahn, S., Kim, Y. M., Chun, N. M., & Lee, S. H. (2012). Incidence of osteoporosis and falls and predictors of fracture risk in postmenopausal women. *Korean Journal of Women Health Nursing, 18*(4), 237–247.

BOX 13-12는 대상자의 10년 후 고관절 골절발생률 예측 요인을 확인하기 위해 두 개의 블록을 이용한 위계적 다중회귀분석 결과이다. 블록 1 다중회귀식의 유의성을 검정한 결과 F=62.14, $p<$.001을 보고하여 블록 1 회귀식이 유의함을 확인하였고, 2개 독립변수들에 의한 종속변수의 설명 분산이 수정된 R^2=.156으로 나타나 종속변수에 대한 설명력은 15.6%임을 확인하였다. 블록 2 다중회귀식은 F=61.99, $p<$.001로 나타나 회귀식이 유의하였고, 총 9개의 독립변수들에 의한 종속변수의 설명 분산이 수정된 R^2=.454로 보고하여 종속변수에 대한 설명력은 45.4%로 나타났다. 이 때 블록 1대비 블록 2에서 수정된 R^{2}가 .156에서 .454로 증가되었기에 증가된(incremental) R^2=.298로 나타나 설명력이 29.8% 증가하였다. 따라서 R^2 변화량이 통계적으로 유의하였는가 평가한 통계량(F, p)를 추가로 보고하여야 한다.

블록 1에서는 골다공증 진단여부, 낙상경험 유무 변수를 입력하여 해당 변수의 유의성을 t 검정으로 먼저 확인한 결과 골다공증 진단을 받은 자, 낙상경험이 있는 자가 유의하게 골절발생률이 높은 것으로 나타났다. 이후 블록 1에 들어간 변수를 통제한 상태에서 대상자의 인구학적 특성과 신체건강 변수를 블록 2에 추가 입력하여 이들 변수의 추가효과를 확인하였다. 그 결과, 블록 1에 들어있던 변수 중 골다공증 진단여부 변수는 그 유의성을 유지한 반면, 낙상경험 유무 변수는 유의성이 사라졌다. 추가 입력한 대상자 특성 변수에서는 무직인 경우, 인공 폐경이 된 경우, 신체건강 변수에서는 체질량지수가 낮을수록, 골절력이 있는 경우와 만성질환이 있는 경우 골절발생률이 높게 나타났음을 확인할 수 있다.

연구자가 10년 후 고관절 골절발생률 예측요인을 한 번에 확인하기 원한다면 모든 독립변수를 블록의 구분 없이 동시에 입력하는 동시 회귀분석을 수행한다. 동시 회귀분석 결과는 아래 표의 위계적 회귀분석 블록 2 결과와 동일하다. 즉 고관절 골절발생률에 영향을 미치는 예측요인에는 골다공증 진단을 받은 경우(t=6.12, p<.001), 무직인 경우(t=3.47, p=.001), 인공폐경이 된 경우(t=2.45, p=.014), 체질량지수가 낮을수록(t=7.36, p<.001), 골절력이 있는 경우(t=17.03, p<.001), 만성질환이 있는 경우(t=2.75, p=.006)이다.

독립변수의 상대적 중요도는 표준화 회귀계수의 크기로 평가한다. 아래 표 블록 2에서 유의한 독립변수 중 표준화 계수를 크기 순으로 정리하면, 골절력이 β=.55로 가장 중요한 예측 요인이었고, 다음으로 체질량지수(β=-.21), 골다공증력(β=.21), 무직(β=.10), 만성 질환력(β=.08), 인공폐경(β=.07) 순으로 중요도를 나타내었다.

5. 다중 로지스틱 회귀분석

로지스틱 회귀분석은 어떠한 변수(들)가 결과의 발생확률에 영향을 미치는가 검정할 때 사용하는 분석방법이다. 독립변수는 명목변수에서 비율변수까지 다양한 모든 종류의 변수가 이용 가능한 반면, 종속변수는 두 가지 범주로만 나타나는 이분형 명목변수이다.

이 분석에서는 변수들의 연관성을 유의성과 승산비로 보여준다. 회귀모형의 적합성은 우선 추정 모델이 자료에 얼마나 적합한지 측정하는 지표 −2로그우도(−2LL)로 평가한다. 처음에는 상수만 넣은 모형을 검정하고, 다음으로 연구자가 입력한 독립변수가 들어간 모형을 검정하게 된다. 만일 −2LL이 0이라면 모형은 자료와 완벽하게 일치하는 것이고, −2LL 값이 작을수록 모형이 적합함을 의미한다. 단계 0에 나타난 −2LL값에 비해 단계 1의 −2LL 값이 작아졌다면, 이는 해당 독립변수를 포함한 모형이 상수만 포함한 모형보다 좋다는 것을 의미한다.

회귀모형의 유의성은 회귀계수의 총괄 평가를 통해 모든 독립변수의 계수가 0이라는 귀무가설을 검정한다. 모형검정 결과 유의확률이 p<.05로 나타나면, 귀무가설을 기각하고 대립가설을 채택한다.

즉 독립변수 하나라도 결과변수와 유의한 연관성을 갖고 있다고 해석할 수 있다. 모델에 포함된 독립변수들의 설명력은 Cox와 Snell R^2 값과 Nagelkerke R^2 값이 있다. 이후 회귀식 계수에서 독립변수의 유의성은 회귀계수가 0이라는 귀무가설을 검정하기 위해 계산된 Wald 통계치와 유의확률로 평가한다.

회귀계수의 지수인 Exp (B)는 승산비(Odd Ratio)라고 부른다. 승산비는 어떤 사건에서 일어난 미발생확률에 대한 발생확률의 비를 말한다. 예를 들면 3055명의 임부를 대상으로 임신 중 흡연 여부가 저체중아 출산 여부와 관련이 있는가를 검정한다고 가정하자. 자료수집 결과, 흡연하는 임부(n=746) 중 저체중아 출산자는 76명(10%), 정상아 출산자는 670명(90%)이었다. 반면 비흡연 임부(n=2309) 중 저체중아 출산자는 144명(6%), 정상아 출산자는 2165명(94%)이었다. 그렇다면 흡연 임부에서의 승산비는 저체중아 출산률 10%를 저체중아 미발생확률 즉 정상아 출산률 90%로 나눈 값 .11(=.10/.90)이다. 반면 비흡연 임부에서의 승산비는 위와 동일하게 저체중아 출산률 6%를 정상아 출산률 94%로 나눈 값 .06(=.06/.94)이다. 따라서 두 집단의 확률의 비인 승산비는 흡연 임부에서 저체중아 출산에 대한 승산비 .11을 비흡연 임부에서 저체중아 출산에 대한 승산비 .06으로 나눈 값 1.85(=.11/.06)이다. 이 값의 의미는 저체중아 출산에 대한 승산은 흡연하는 경우 비흡연 임부보다 1.85배, 약 2배가량 높다는 것이다.

BOX 13-13　　　다중 로지스틱회귀분석을 이용하여 종속변수에 대한 독립변수의 영향력 검정

Table 5. Influence Factors Related to Breast Cancer and Cervical Cancer Screening　　　　　　(N=144)

Item	Characteristic	Categories	B	SE	Wald	OR	95% CI	p
Breast cancer screening	Age (ref=35~39 yr)	40~44 yr	-2.79	0.74	14.29	0.06	0.02~0.26	< .001
	Personal medical insurance (ref=no)	Yes	1.84	0.70	6.93	6.30	1.60~24.82	.008
	Housemate (ref=no)	Yes	2.03	0.55	13.51	7.63	2.58~22.52	< .001
	Exercise (ref=yes)	No	1.31	0.51	6.60	3.72	1.37~10.12	.010
Cervical cancer screening	Age (ref=35~39 yr)	40~44 yr	-2.49	0.72	11.89	0.08	0.02~0.34	.001
	Age (ref=35~39 yr)	45~49 yr	-2.70	1.29	4.36	0.07	0.01~0.85	.037
	Personal medical insurance (ref=no)	Yes	2.65	0.80	10.93	14.17	2.94~68.23	.001
	Sexual experience (ref=yes)	No	1.22	0.49	6.08	3.38	1.28~8.91	.014
	Drinking (ref=yes)	No	1.07	0.48	5.00	2.92	1.14~7.49	.025

출처: Ha, J.Y., Youn, J. H., Lee, Y. S., & Lee, H. J. (2014). Factors influencing the health examination in unmarried women. *Korean Journal of Women Health Nursing, 20*(1), 92–104.

Box 13-13은 고연령 미혼 여성의 유방암 검진과 자궁경부암 검진에 영향을 미치는 요인을 파악하기 위해 로지스틱 회귀분석을 한 연구결과이다. 연구자는 만 35-49세 미혼 여성을 대상으로 정기적인 유방암 검진과 자궁경부암 검진 여부를 결과변수로 설정하고, 이에 영향을 미치는 요인을 독립변수로 설정하였다. 연구자는 독립변수 간 상관계수를 평가한 결과 r=.85 미만이었고, 분산팽창

지수는 1.3 이하로 나타나 다중공선성이 없음을 확인하였다. 영향력 지표인 쿡의 거리도 1 미만으로 나타나 영향력을 나타내는 사례는 없다고 보고하였다. Hosmer-Lemeshow 모형 적합도 검정에서 자료가 모형과 적합한 것으로 나타났다. 다중 로지스틱 회귀분석 결과 유방암 검진과 관련된 유의한 영향요인은 40~44세군($p<.001$), 민간의료보험 유무($p=.014$), 동거자 유무($p<.001$), 운동 여부($p=.015$)였다. 변수별 승산비는 연령이 40~44세군이 35~39세에 비해 0.06배(OR=0.06, 95% CI: 0.02~0.26), 민간의료보험이 있는 사람이 없는 사람에 비해 6.30배(OR=6.30, 95% CI: 1.60~24.82), 동거자가 있는 사람이 없는 사람에 비해 7.63배(OR=7.63, 95% CI: 2.58~22.52), 운동을 하지 않는 사람이 운동을 하는 사람에 비해 3.72배(OR=3.72, 95% CI: 1.37~10.12) 유방암 검진을 받는 것으로 나타났다.

자궁경부암 검진과 관련된 유의한 영향요인은 40~44세군($p<.001$), 45~49세군($p=.042$), 민간의료보험 유무($p=.007$), 성경험 유무($p=.034$), 음주 여부($p=.036$)였다. 변수별 승산비는 40~44세군이 35~39세에 비해 0.08배(OR=0.08, 95% CI: 0.02~0.34), 45~49세군이 0.07배(OR=0.07, 95% CI: 0.01~0.85), 민간의료보험이 있는 사람이 없는 사람에 비해 14.17배(OR=14.17, 95% CI: 2.94~68.23), 성경험이 없는 사람이 있는 사람에 비해 3.38배(OR=3.38, 95% CI: 1.28~8.91), 음주를 안 하는 사람이 음주를 하는 사람에 비해 2.92배(OR=2.92, 95% CI: 1.14~7.49) 자궁경부암 검진을 받는 것으로 나타났다.

6. 비평

중재연구 결과를 보고할 때 흔히 발생하는 오류는 사후 평균차이 검정을 통해 두 집단 간 차이검정을 보고하면서 사전-사후 값에 대한 짝비교 검정을 통해 실험군에서 평균차이가 대조군에 비해 크거나 유의하게 차이가 있다고 보고한다. 단일군 전후 실험설계인 경우에는 사전 대비 사후 측정값의 변화를 검정하기 위해 짝비교 검정을 사용하는 것이 적합하다. 그러나 대조군을 둔 실험설계의 경우, 실험군과 대조군 간의 사전 측정값의 동질성을 평가한 후 사후 조사에 대한 집단 간 평균차이 검정으로 중재효과를 평가해야 한다. 따라서 사후 값에 대한 t-검정 이외에 추가로 시행하는 실험군 내 전후 차이검정, 또는 대조군 내 전후 차이검정은 불필요한 분석이고 불필요한 결과를 제시하는 것이다.

실험연구에서는 중재효과를 검정하기 위하여 몇 가지 분석방법을 사용할 수 있다. 집단별 사후 측정값에 대해 차이를 검정하는 독립 t-검정, 집단별로 사전-사후 차이값을 구한 후 집단별 평균 차이를 검정하는 독립 t-검정을 하거나 사전 동질성 검정에 위배된 변수 또는 사전조사에서 측정한 결과변수를 공변수로 통제한 후 사후 측정값에 대해 평균차이를 검정하는 공분산분석을 수행할 수 있다. 연구자는 자료의 특성을 고려하여 적절한 분석법을 선택하여 분석하고 결과를 보고한다.

측정시점이 3회 이상인 실험연구를 수행한 경우, 시점 간 차이 검정을 위한 짝비교 검정과 집단 간 차이 검정을 반복 수행하여 그 결과를 보고하는 경우가 있다. 그러나 t-검정을 반복할수록 1종 오류는 기하급수적으로 증가하기 때문에 연구결과를 더 이상 신뢰할 수 없게 된다. 따라서 이러한 경우에는 시점 및 집단효과를 동시에 평가할 수 있는 보다 강력한 반복측정 분산분석을 수행해야 한다. 이후 집단간 효과, 시점간 효과에 대한 집단 비교를 통해 어느 집단이 어느 시점에서 변화가 일어났는가 사후검정을 수행할 수 있다.

다중회귀분석은 연구자가 관심을 갖고 있는 현상에 대해 설명/예측하는 변수를 확인하기 위해 이론적, 논리적 및 경험적(문헌)으로 변수들 간 연관성에 바탕을 두고 회귀모형을 구축하여 이 회귀모형이 자료와 적합한지, 개별 독립변수의 유의성과 상대적 중요도는 어떠한지 평가하는 것이다. 그러나 일부 연구에서는 이러한 이론적 기틀 없이 예측변수를 입력할 때 대상자의 일반적 특성에서 나온 유의한 변수, 상관성이 높은 변수들을 모두 입력하는 경우가 있다. 입력하는 변수 수가 많을수록 검정력 0.8을 유지하기 위해서는 표본의 크기가 더 커져야 하기 때문에 연구대상자를 더 많이 모집해야 하는 문제가 발생할 수 있다. 또한 특정 관심현상을 잘 설명할 수 있는 가장 적은 독립변수들로 구성된 모형이 유의성과 간결성 측면에서 우수하기 때문에, 입력변수로써 독립변수를 선택할 때 충분한 문헌고찰을 통해 중요한 의미있는 변수를 선정할 필요가 있다.

따라서 이론적 기틀 하에 관심 현상을 설명하는데 구축한 회귀모형을 검정할 때에는 독립변수들을 한 번에 입력하여 독립변수의 개별 유의도와 중요도를 평가하는 표준(동시) 다중회귀분석을 사용하거나, 연구자가 입력하는 변수의 순서를 결정하여 순차적으로 변수를 입력하고 변수의 가감에 따른 설명력의 변화 또는 독립변수의 유의도와 중요도 변화를 평가하는 위계적 다중회귀분석을 사용해야 한다. 그러나 일부 연구에서는 관심 현상을 설명하기 위한 관련 변수에 대한 문헌고찰을 통해 결과변수와의 관련성을 확인한 이후에 단계적 회귀분석을 통해 영향요인을 설명하고 있다. 단계적 회귀분석에서는 종속변수와 높은 상관관계가 있는 독립변수부터 입력이 되기 때문에, 해당 변수의 이론적 중요성 보다는 상관 정도와 통계적 유의성이 입력 순서를 결정한다. 따라서 이러한 분석 방법은 회귀분석 방법으로 적절하지 않기 때문에 사용을 하지 않는게 좋다.

참고문헌

Ahn, S., Kim, Y. M., Chun, N. M., & Lee, S. H. (2012). Incidence of osteoporosis and falls and predictors of fracture risk in postmenopausal women. *Korean Journal of Women Health Nursing, 18*(4), 237–247.

Cho, J., Ahn, H. Y., Ahn, S., Lee, M. S., & Hur, M. H. (2012). Effects of Oketani breast massage on breast pain, the breast milk pH of mothers, and the sucking speed of neonates. *Korean Journal of Women Health Nursing, 18*(2), 149–158.

Cho, J., & Ahn, S. (2014). Development and evaluation of breastfeeding promotion program for mothers with breast engorgement following cesarean birth. *Journal of Korean Academy of Nursing, 44*(2), 170–178.

Ha, J. Y., Youn, J. H., Lee, Y. S., & Lee, H. J. (2014). Factors influencing the health examination in unmarried women. *Korean Journal of Women Health Nursing, 20*(1), 92–104.

Jang, H. S., Lee, C. S., & Yang, Y. H. (2015). Influence of uncertainty and uncertainty appraisal on self-management in hemodialysis patients. *Journal of Korean Academy of Nursing, 45*(2), 271–279.

Je, N. J., & Choi, S. Y. (2015). Study on awareness of preconception care and reproductive health behaviors in pre-honeymooners. *Korean Journal of Women Health Nursing, 21*(2), 71–82.

Jo, Y. H., Jang, K. S., Park, S., Yun, H, Noh, K., Kim, S.,... Ahn, S. (2012). Relationship between menstruation distress and coping method among 3-shift hospital nurses. *Korean Journal of Women Health Nursing, 18*(3), 170–179.

Kim, Y. A., & Sung, M. H. (2014). Effect of aroma hand massage on anxiety and immune function in patients with gynecology surgery under local anesthesia. *Korean Journal of Women Health Nursng, 20*(2), 126–136.

Lee, B. G., & Lee, Y. H. (2014). Effects of provision of concrete information about patient-controlled analgesia in hysterectomy patients. *Korean Journal of Women Health Nursing, 20*(3), 204–214.

Lee, I. S., & Kim, Y. M. (2015). Comparison of postoperative pain and nausea and vomiting between Desflurane and Desflurane-remifentanil Anesthesia for gynecologic laparoscopic surgery. *Korean Journal of Women Health Nursing, 21*(1), 1-10.

Lee, E. H., Chung, Y. H., Kim, J. S., Song, R., & Hwang, K. Y. (2008)(Revised). *Health Statistical Analysis.* Seoul: Koonja publisher.

So, H., Ahn, S., Song, R., & Kim, H. (2010). Relationships among obesity, bone mineral density, and cardiovascular risks in post-menopausal women. *Korean Journal of Women Health Nursing, 16*(3), 224-233.

Song, M. Y., Lim, W. Y., & Kim, J. I. (2015). Gender based health inequality and impacting factors. *Korean Journal of Women Health Nursing, 21*(2), 150-159.

색인

색인

색인